RUÍDO

Daniel Kahneman, Olivier Sibony e Cass R. Sunstein

Ruído
Uma falha no julgamento humano

TRADUÇÃO
Cássio de Arantes Leite

5ª reimpressão

Copyright © 2021 by Daniel Kahneman, Olivier Sibony e Cass R. Sunstein

*Grafia atualizada segundo o Acordo Ortográfico da Língua Portuguesa de 1990,
que entrou em vigor no Brasil em 2009.*

Título original
Noise: A Flaw in Human Judgment

Capa
HarperCollinsPublishers

Fotos de capa e quarta capa
Shutterstock

Revisão técnica
Guido Luz Percú

Preparação
Lígia Azevedo

Índice remissivo
Probo Poletti

Revisão
Clara Diament
Aminah Haman

Dados Internacionais de Catalogação na Publicação (CIP)
(Câmara Brasileira do Livro, SP, Brasil)

Kahneman, Daniel
    Ruído : Uma falha no julgamento humano / Daniel Kahneman,
Olivier Sibony, Cass R. Sunstein ; tradução Cássio de Arantes
Leite. — 1ª ed. — Rio de Janeiro : Objetiva, 2021.

    Título original: Noise : A Flaw in Human Judgment
    ISBN 978-85-470-0133-9

    1. Neuropsicologia 2. Psicologia cognitiva 3. Psicologia com-
parada 4. Psicologia social 5. Psiquiatria I. Sunstein, Cass R.
II. Sibony, Olivier. III. Título.

21-73154	CDD-156

Índice para catálogo sistemático:
1. Julgamento humano : Psicologia comparada   156
Maria Alice Ferreira — Bibliotecária — CRB-8/7964

Todos os direitos desta edição reservados à
EDITORA SCHWARCZ S.A.
Praça Floriano, 19, sala 3001 — Cinelândia
20031-050 — Rio de Janeiro — RJ
Telefone: (21) 3993-7510
www.companhiadasletras.com.br
www.blogdacompanhia.com.br
facebook.com/editoraobjetiva
instagram.com/editora_objetiva
twitter.com/edobjetiva

Para Noga, Ori e Gili — DK
Para Fantin e Lélia — OS
Para Samantha — CRS

Sumário

Introdução: Dois tipos de erro 9

PARTE I: ENCONTRANDO O RUÍDO

1. Crime e ruidoso castigo 19
2. Um sistema ruidoso 28
3. Decisões singulares 38

PARTE II: SUA MENTE É UM INSTRUMENTO DE MEDIÇÃO

4. Questões de julgamento 47
5. Medindo o erro 58
6. A análise do ruído 71
7. Ruído de ocasião 81
8. Como o grupo amplifica o ruído 95

PARTE III: O RUÍDO NO JULGAMENTO PREDITIVO

9. Julgamentos e modelos 112
10. Regras sem ruído 123
11. Ignorância objetiva 136
12. O vale do normal 146

PARTE IV: COMO O RUÍDO ACONTECE

13. Heurísticas, vieses e ruído 159
14. A operação de equiparação 173
15. Escalas 183
16. Padrões 195
17. As fontes do ruído 204

PARTE V: APRIMORANDO OS JULGAMENTOS

18. Juízes melhores para julgamentos melhores 219
19. Desenviesamento e higiene da decisão 230
20. Sequenciando informações na ciência forense 238
21. Seleção e agregação em previsões 251
22. Diretrizes na medicina 264
23. Definindo a escala em análises de desempenho 277
24. Estrutura em contratações 290
25. Protocolo de avaliações mediadoras 302

PARTE VI: RUÍDO OTIMIZADO

26. Os custos da redução de ruído 319
27. Dignidade 328
28. Regras ou padrões? 338

Revisão e conclusão: Levando o ruído a sério 349
Epílogo: Um mundo menos ruidoso 365

Apêndice A: Como conduzir uma auditoria de ruído 367
Apêndice B: Checklist para um observador de decisão 373
Checklist para observação do viés 374
Apêndice C: Corrigindo previsões 376
Agradecimentos 381
Notas 383
Índice remissivo 415

Introdução
Dois tipos de erro

Imagine quatro grupos de pessoas em um estande de tiro. Cada grupo é composto de cinco amigos; eles compartilham um rifle e cada um dispara um tiro. A figura 1 mostra os resultados.

Num mundo ideal, todos os tiros acertariam na mosca.

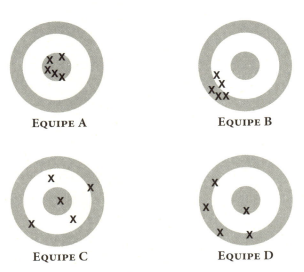

Figura 1. *Quatro equipes.*

Esse quase foi o caso da equipe A. Seus tiros convergiram no centro, num padrão quase perfeito.

A equipe B é considerada *enviesada* porque seus tiros erraram o centro do alvo de maneira sistemática. Como ilustra a figura, a consistência do viés admite uma previsão. Se um dos membros da equipe tentasse outro tiro, podemos apostar que acertaria na mesma região dos cinco primeiros. A consistência do viés também pede uma explicação causal: talvez a mira do rifle dessa equipe estivesse desalinhada.

Chamamos a equipe C de *ruidosa* porque seus tiros estão amplamente dispersos. Não há um viés óbvio, pois os pontos de impacto se distribuem mais ou menos em torno do centro. Se um membro da equipe tentasse outro tiro, teríamos pouquíssima ideia do resultado. Nenhuma hipótese interessante nos vem à mente para explicar os resultados da equipe C. Sabemos que seus membros são ruins de mira. Não sabemos por que são tão ruidosos.

A equipe D é tanto enviesada como ruidosa. Como a equipe B, seus tiros erraram sistematicamente o centro do alvo; como a equipe C, seus tiros estão amplamente dispersos.

Mas este livro não é sobre tiro ao alvo. Nosso tema é o erro humano. Viés e ruído — desvio sistemático e dispersão aleatória — são componentes diferentes do erro. Os alvos ilustram a diferença.[1]

O estande de tiro é uma metáfora para o que pode dar errado no julgamento humano, especialmente nas diversas decisões tomadas em nome das organizações. Nessas situações, encontramos os dois tipos de erros ilustrados na figura 1. Alguns julgamentos são enviesados; erram sistematicamente o alvo. Outros são ruidosos, quando pessoas que deveriam estar de acordo terminam em pontos muito diferentes ao redor do centro. Infelizmente, muitas organizações são atormentadas tanto pelo viés como pelo ruído.

A figura 2 ilustra uma importante diferença entre viés e ruído. Ela mostra o que veríamos no estande de tiro se observássemos apenas a parte de trás dos alvos usados pelas equipes, sem qualquer indício do centro que miravam.

Com base no verso do alvo, não é possível dizer quem chegou mais perto da mosca, se a equipe A ou a equipe B, mas podemos afirmar a partir de um simples relance que as equipes C e D são ruidosas e as equipes A e B, não. Na verdade, sabemos tanto sobre a dispersão quanto sabíamos na figura 1. Uma propriedade geral do ruído é que podemos reconhecê-lo e medi-lo mesmo sem saber nada sobre o alvo ou o viés.

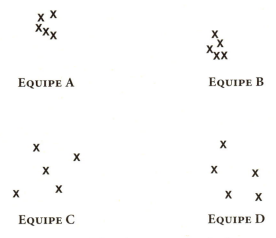

Figura 2. *Olhando para o verso do alvo.*

A propriedade geral do ruído mencionada acima é fundamental para nossos propósitos neste livro, pois inúmeras conclusões a que chegamos são extraídas de julgamentos cuja resposta real é ignorada ou mesmo incognoscível. Quando médicos oferecem diferentes diagnósticos para um mesmo paciente, podemos estudar a discordância sem saber de que mal ele foi acometido. Quando executivos de um estúdio estimam o mercado para um filme, podemos examinar a variabilidade de suas respostas sem saber quanto o filme rendeu no final ou mesmo se foi de fato produzido. Não precisamos saber quem está com a razão para medir o grau de variabilidade dos julgamentos em um mesmo caso. Tudo o que temos a fazer para medir o ruído é observar o verso do alvo.

Para compreender o erro no julgamento, devemos compreender tanto o viés como o ruído. Às vezes, como veremos, o ruído é o problema mais importante. Mas, em discussões públicas sobre o erro humano e em organizações do mundo todo, ele raras vezes é reconhecido. O viés rouba a cena. O ruído é um ator secundário, normalmente nos bastidores. O tema do viés é debatido em milhares de artigos científicos e dezenas de livros populares, mas poucos mencionam o problema do ruído. Este livro é nossa tentativa de restabelecer o equilíbrio.

Em decisões no mundo real, a quantidade de ruído com frequência é escandalosamente alta. Eis alguns exemplos de quantidade alarmante de ruído em situações em que a precisão importa:

- *A medicina é ruidosa.* Para um mesmo paciente, diferentes médicos oferecem diferentes julgamentos sobre câncer de pele ou de mama, cardiopatia, tuberculose, pneumonia, depressão e uma série de outras enfermidades. O ruído é particularmente alto na psiquiatria, na qual o julgamento subjetivo obviamente é importante. Entretanto, considerável ruído também é encontrado em áreas em que talvez não fosse esperado, como na avaliação de radiografias.

- *Decisões sobre guarda de menores são ruidosas.*[2] Assistentes sociais em órgãos de proteção à criança têm de avaliar se há risco de abuso e, em caso afirmativo, se a criança precisa ser mandada para uma instituição de adoção. O sistema é ruidoso, pois alguns assistentes são mais propensos que outros a encaminhar os menores. Anos mais tarde, a maioria das crianças que tiveram o azar de ser mandadas para adoção por esses assistentes de pouco tato sofre com os resultados, apresentando taxas de delinquência e de gravidez na adolescência mais elevadas, e renda inferior.

- *Previsões especializadas são ruidosas.* Analistas profissionais oferecem previsões altamente variáveis sobre as vendas de um novo produto, o crescimento provável da taxa de desemprego, a probabilidade de falência de uma empresa em crise e praticamente qualquer outra coisa. Não só eles discordam entre si como também discordam de si mesmos. Por exemplo, quando se pediu a uma mesma equipe de desenvolvedores de software,[3] em duas ocasiões diferentes, para estimar o tempo de conclusão de uma mesma tarefa, houve uma divergência média de 71% nas projeções.

- *Decisões sobre pedidos de asilo são ruidosas.*[4] A aprovação de pedidos de asilo nos Estados Unidos é como uma loteria. Um estudo de casos encaminhados aleatoriamente a diferentes juízes revelou que um deles acolheu 5% dos pedidos, enquanto outro, 88%. O título do estudo é: "Refugee Roulette" [Roleta-russa de refugiados]. (Veremos um bocado de roleta-russa aqui.)

- *Decisões pessoais são ruidosas.* Pessoas realizando entrevistas de emprego fazem avaliações amplamente diferentes dos mesmos candidatos. Análises de desempenho de um mesmo funcionário também são altamente variáveis e dependem mais de quem faz a avaliação do que do desempenho que está sendo avaliado.

- *Decisões acerca de fianças são ruidosas.* Se um réu terá sua fiança concedida ou se aguardará o julgamento preso depende em parte de quem é o juiz encarregado do caso. Alguns são bem mais lenientes que outros. Os juízes também diferem marcadamente em sua avaliação de quais réus apresentam maior risco de fuga ou de reincidência.

- *A ciência forense é ruidosa.* Fomos ensinados a pensar na identificação de impressões digitais como infalível. Mas os examinadores de digitais às vezes divergem quando comparam a impressão encontrada na cena do crime com a de um suspeito. Não só os especialistas discordam como um mesmo especialista às vezes toma decisões inconsistentes examinando a mesma digital em ocasiões diferentes. Variabilidade similar foi identificada em outras disciplinas da ciência forense, inclusive na análise de DNA.

- *Concessões de patente são ruidosas.*[5] Os autores de um importante estudo sobre pedidos de patente destacam o ruído envolvido no processo: "A concessão ou recusa da patente depende significativamente do eventual examinador encarregado do pedido". Essa variabilidade é sem dúvida problemática do ponto de vista da equidade.

Todas essas situações ruidosas são a ponta de um iceberg enorme. Sempre que observarmos um julgamento humano, provavelmente encontraremos ruído. Para melhorar a qualidade do julgamento, precisamos superar tanto o ruído como o viés.

Este livro é dividido em seis partes. Na parte I, examinamos a diferença entre ruído e viés e mostramos que organizações tanto públicas como privadas podem às vezes ser chocantemente ruidosas. Para avaliar o problema, começamos pelo julgamento em duas áreas. A primeira envolve sentenças criminais (logo, o setor público). A segunda envolve seguros (logo, o setor privado). À primeira vista, as duas não poderiam ser mais diferentes. Mas, com respeito ao ruído, têm muito em comum. Para determinar esse ponto, apresentamos a ideia da auditoria de ruído, feita para medir o nível de discordância entre profissionais considerando os mesmos casos dentro de uma organização.

Na parte II, investigamos a natureza do julgamento humano e examinamos como medir a precisão e o erro. O julgamento é suscetível tanto aos vieses quanto ao ruído. Descrevemos uma surpreendente equivalência nos papéis de ambos os tipos de erro. O ruído de ocasião corresponde à variabilidade nos julgamentos de um mesmo caso por uma mesma pessoa ou um mesmo grupo em diferentes ocasiões. Há uma quantidade espantosa de ruído de ocasião nas discussões em grupo devido a fatores aparentemente irrelevantes, como quem fala primeiro.

A parte III investiga mais a fundo um tipo de julgamento extensamente pesquisado: o julgamento preditivo. Examinamos a vantagem crucial que regras, fórmulas e algoritmos levam sobre humanos na execução de previsões: ao contrário da crença popular, isso tem menos a ver com um discernimento superior das regras do que com a ausência de ruído nelas. Discutimos o limite máximo para a qualidade do julgamento preditivo — a ignorância objetiva do futuro — e como ele conspira com o ruído para restringir a qualidade da previsão. Finalmente, abordamos uma questão que a essa altura você já deve ter levantado: se o ruído é tão onipresente assim, como é que nunca o percebi?

A parte IV se volta à psicologia humana. Explicamos as principais causas do ruído. Elas incluem diferenças interpessoais advindas de uma variedade de fatores, incluindo personalidade e estilo cognitivo, variações idiossincráticas em ponderar diferentes considerações e os diferentes usos que as pessoas fazem das mesmíssimas escalas. Examinamos por que o ser humano não tem consciência do ruído e frequentemente não se admira com eventos e julgamentos que não poderia ter previsto.

A parte V se debruça sobre a questão prática de como aprimorar o julgamento e prevenir erros. (O leitor mais interessado nas aplicações práticas da redução de ruído pode pular a discussão sobre os desafios da previsão e a psicologia do julgamento nas partes III e IV e passar diretamente a essa parte.) Investigamos as tentativas de lidar com o ruído na medicina, nos negócios, na educação, no governo e em outras áreas. Apresentamos várias técnicas de redução de ruído coligidas sob a denominação *higiene da decisão*. Apresentamos cinco estudos de caso de campos em que há muito ruído documentado e em que têm sido feitas tentativas determinadas de reduzi-lo, com graus instrutivamente variados de sucesso. Os estudos de caso cobrem a falta de confiabilidade em diagnósticos médicos, análises de desempenho, ciência forense, seleção de candidatos e previsões em geral. Concluímos propondo um sistema que chamamos de *protocolo de avaliações mediadoras*: uma abordagem geral para a avaliação de opções que incorpora diversas práticas centrais da higiene da decisão e que visa gerar menos ruído e julgamentos mais confiáveis.

Qual é o nível certo de ruído? A parte VI trata dessa questão. Pode parecer contraintuitivo, mas o nível certo não é zero. Em algumas áreas, simplesmente não é viável eliminar o ruído. Em outras, fica caro demais. Em outras ainda, as tentativas de redução do ruído comprometeriam valores importantes mas incompatíveis. Por exemplo, a tentativa de eliminar o ruído poderia solapar o moral e passar a sensação de que as pessoas estão sendo tratadas como engrenagens numa máquina. Quando algoritmos são parte da resposta, suscitam uma série de objeções, e algumas delas serão tratadas aqui. De qualquer maneira, o atual nível de ruído é inaceitável. Exortamos as organizações tanto privadas como públicas a conduzir auditorias de ruído e empreender, com seriedade sem precedentes, tentativas mais enfáticas de redução do ruído. Fazendo isso, as organizações conseguirão diminuir a ampla disseminação da injustiça — e os custos em muitas áreas.

Com essa aspiração em mente, encerramos cada capítulo com breves proposições apresentadas como se fossem citações. Você pode usar as afirmações tal como estão ou adaptá-las para situações que envolvam saúde, segurança, educação, dinheiro, emprego, entretenimento ou qualquer outra coisa. Compreender o problema do ruído, e tentar resolvê-lo, é um trabalho em constante evolução e um esforço coletivo. Todo mundo pode contribuir com ele. Este livro foi escrito na esperança de que possamos aproveitar tais oportunidades.

Parte I

Encontrando o ruído

Não é aceitável que dois indivíduos similares, condenados por uma mesma infração, recebam sentenças drasticamente diferentes — digamos, cinco anos de prisão para um e liberdade condicional para outro. Contudo, em muitos lugares, coisas assim acontecem. Certamente o sistema de justiça criminal também é marcado pelo viés. Mas nosso foco no capítulo 1 é o ruído — e, em particular, o que aconteceu quando um famoso juiz chamou a atenção para o problema, considerou-o escandaloso e lançou uma cruzada que em certo sentido mudou o mundo (embora não o suficiente). Esse caso envolve os Estados Unidos, mas temos certeza de que histórias parecidas podem ser (e serão) contadas sobre muitas outras nações. Em algumas, o problema provavelmente é ainda mais grave do que por aqui. Usamos o exemplo das sentenças criminais em parte para mostrar como o ruído pode gerar grande injustiça.

A aplicação de sentenças é um caso particularmente dramático, mas o setor privado, no qual também costuma haver muita coisa em jogo, merece nossa atenção em igual medida. Para ilustrar o ponto, no capítulo 2 examinamos uma grande companhia de seguros. Nela, é função dos corretores determinar os prêmios para potenciais clientes e dos analistas de sinistro julgar o valor dos pedidos. Seria de supor que tais tarefas fossem simples e mecânicas e que diferentes profissionais chegariam mais ou menos às mesmas quantias. Conduzimos um experimento cuidadosamente planejado — uma auditoria de ruído — para colocar essa suposição à prova. Os resultados nos surpreenderam e, mais importante, deixaram a diretoria perplexa e consternada. Como descobrimos, o mero volume do problema está custando à companhia um monte de dinheiro. Usamos esse exemplo para mostrar como o ruído pode gerar grandes perdas financeiras.

Esses dois casos envolvem estudos com grande número de pessoas fazendo grande número de julgamentos. Mas muitos julgamentos importantes são algo *singular*, e não repetido: como lidar com uma oportunidade de negócios aparentemente única; lançar ou não um novo produto; como lidar com uma pandemia; contratar ou não um candidato que não atende ao perfil usual. É possível encontrar o ruído em decisões sobre situações isoladas como essas? É tentador pensar que nesses casos ele está ausente. Afinal, o ruído é uma variabilidade indesejada, e como pode haver variabilidade numa decisão singular? No capítulo 3, tentamos responder a essa pergunta. O julgamento que emitimos, mesmo numa situação aparentemente única, é um dentre uma nuvem de possibilidades. Nele também encontramos um bocado de ruído.

O tema desenvolvido nesses três capítulos pode ser sintetizado numa frase que será tema central deste livro: *onde quer que haja elaboração de julgamento, há ruído* — e mais do que você imagina. Comecemos por descobrir o quanto.

1. Crime e ruidoso castigo

Suponha que alguém tenha sido condenado por um crime — furto, posse de heroína, agressão, assalto à mão armada. Qual será a sentença provável?

A resposta não deveria depender do juiz específico a quem o caso foi designado, do clima no dia do julgamento ou da vitória de um time de futebol no dia anterior. Seria um ultraje três pessoas similares, condenadas por um mesmo crime, receberem penas radicalmente diferentes: condicional para uma, dois anos de prisão para outra, dez anos para a terceira. E, no entanto, esse ultraje é visto em muitas nações — e não só no passado remoto, mas ainda hoje.

No mundo todo, juízes desfrutaram por muito tempo de grande poder discricionário em relação à sentença apropriada. Em vários países, especialistas celebraram essa margem de manobra e a viram como justa e humana. Insistiam que as sentenças criminais deveriam se basear numa série de fatores, envolvendo não só o crime, mas também o caráter e as circunstâncias do réu. O ajuste individualizado estava na ordem do dia. Se os juízes fossem restringidos por regras, os criminosos receberiam tratamento desumano; não seriam vistos como indivíduos únicos, com direito a um exame detalhado de sua situação. A mera ideia de devido processo legal parecia, para muitos, pedir por uma discricionariedade judicial sem limites definidos.

Nos anos 1970, o entusiasmo universal com a discricionariedade dos magistrados começou a desmoronar por um simples motivo: a evidência alarmante de ruídos. Em 1973, um famoso juiz, Marvin Frankel, chamou a atenção para o problema. Antes disso, ele atuara como um apaixonado defensor da liberdade de expressão e dos direitos humanos, ajudando a fundar o Lawyers Committee for Human Rights (organização conhecida atualmente como Human Rights First).

Frankel podia ser feroz. E, com respeito ao ruído no sistema de justiça criminal, sentia-se ultrajado. Eis como ele descreve sua motivação:

> Se um réu de roubo a banco federal fosse condenado, poderia receber uma pena máxima de 25 anos. Isso significa algo entre zero e 25 anos. E a determinação desse número, logo percebi, dependia menos do caso ou do réu individual e mais do juiz individual, isto é, das opiniões, preferências e inclinações dele. Assim, um mesmo réu em um mesmo processo podia receber sentenças amplamente diferentes, dependendo de qual juiz pegasse o caso.[1]

Frankel não forneceu nenhum tipo de análise estatística para sustentar seu argumento, mas ofereceu uma série de casos convincentes, mostrando disparidades injustificadas no tratamento de indivíduos similares. Dois homens, ambos sem ficha criminal, tinham sido condenados por descontar cheques falsificados no valor de 58,40 e 35,20 dólares, respectivamente. O primeiro pegara quinze *anos* de prisão; o segundo, trinta *dias*. Em processos parecidos por desvio de dinheiro, um réu tinha sido sentenciado a 117 *dias* de prisão, enquanto outro, a vinte *anos*. Enumerando diversos casos desse tipo, Frankel deplorou o que chamou de "poderes quase completamente indiscriminados e ilimitados"[2] dos juízes federais, que resultavam em "crueldades arbitrárias perpetradas diariamente",[3] por ele consideradas inaceitáveis em um "governo das leis, não dos homens".[4]

Frankel exortou o Congresso a pôr um fim àquela "discriminação", que foi como descreveu as crueldades arbitrárias. Com o termo, estava se referindo sobretudo ao ruído, na forma de variações inexplicáveis nas sentenças. Mas ele também estava preocupado com o viés, na forma de disparidades raciais e socioeconômicas. Para combater tanto o ruído quanto o viés, Frankel insistia que não deveriam ser admitidos diferentes tratamentos aos réus, a menos que pudessem ser "justificados por testes relevantes, suscetíveis de formulação e aplicação, com objetividade suficiente para assegurar que os resultados serão mais do que os ucasses idiossincráticos de funcionários, juízes etc.

particulares". (O termo *ucasses idiossincráticos* é um pouco incomum; com ele, Frankel pretendia se referir a decretos pessoais.)[5] Mais ainda, ele defendia a redução do ruído mediante "um perfil detalhado ou um checklist de fatores que incluiriam, sempre que possível, alguma forma de graduação objetiva, seja numérica ou de outro tipo".[6]

Escrevendo no início da década de 1970, ele não chegou ao ponto de defender o que chamou de "trocar pessoas por máquinas". Mas chegou perto, o que é chocante. Ele acreditava que "o estado de direito exige um conjunto de regras impessoais, aplicáveis a todos, obrigatórias tanto para juízes como para os demais". Frankel defendeu explicitamente o uso de "computadores como auxílio a um pensamento metódico em sentenças judiciais".[7] E recomendou a criação de uma comissão para tratar do assunto.[8]

O livro de Frankel se tornou um dos mais influentes na história do direito criminal — tanto nos Estados Unidos como no restante do mundo. Porém, seu trabalho sofria de certa informalidade. Era devastador, mas impressionista. Para descobrir se o problema era real, muitas pessoas em seguida conduziram diversos estudos sobre o nível de ruído nas sentenças.

Um estudo inicial em larga escala desse tipo, dirigido pelo próprio Frankel, foi realizado em 1974. Cinquenta juízes de vários distritos deveriam sentenciar réus em casos hipotéticos resumidos em relatórios de investigação idênticos. A descoberta básica foi que "a ausência de consenso era a norma"[9] e que as variações nas penas eram "espantosas".[10] Um traficante de heroína podia pegar de um a dez anos, dependendo do juiz.[11] As penas por roubo a banco iam de cinco a dezoito anos de prisão.[12] Em um caso de extorsão nesse estudo, as sentenças variaram de vinte longos anos de prisão e 65 mil dólares de multa a meros três anos e nenhuma multa.[13] O mais alarmante de tudo foi que, em dezesseis de vinte casos, não houve unanimidade sequer quanto à necessidade de algum período de detenção.

Esse estudo foi acompanhado de uma série de outros, todos revelando níveis similarmente chocantes de ruído. Em 1977, por exemplo, William Austin e Thomas Williams conduziram um levantamento com 47 juízes que avaliavam cinco casos diferentes envolvendo infrações leves.[14] As descrições dos casos incluíam resumos da informação usada pelos juízes nas sentenças efetivas, abrangendo acusação, testemunhos, ficha criminal (se houvesse), condição social e evidências de caráter. A principal descoberta foi uma "discrepância substancial". Em um caso envolvendo roubo de domicílio, por exemplo, as sentenças recomendadas iam de cinco anos a meros trinta dias de prisão (além de uma multa de cem dólares). Em outro, envolvendo posse de maconha, alguns juízes recomendaram detenção; outros, liberdade condicional.

Em 1981 foi realizado um estudo bem mais amplo com 208 juízes federais analisando dezesseis casos hipotéticos.[15] Os resultados principais são impressionantes:

Em apenas três dos dezesseis casos houve concordância unânime em impor algum tempo de prisão. Mesmo quando a maioria dos juízes concordou que isso era adequado, houve substancial variação na duração dos períodos recomendados. Em um processo por fraude em que o tempo médio de prisão era de 8,5 anos, a pena mais longa foi prisão perpétua. Em outro, o tempo médio de prisão era de 1,1 ano, contudo o período mais longo recomendado foi de quinze anos.

Por mais reveladores que sejam esses estudos, que envolvem experimentos rigorosamente controlados, eles quase certamente subestimam a magnitude do ruído no mundo da justiça criminal. Juízes da vida real são expostos a muito mais informações do que a contida nas sinopses cuidadosamente especificadas, entregues aos participantes de um estudo. Parte da informação adicional é relevante, sem dúvida, mas também há ampla evidência de que informação irrelevante, na forma de fatores pequenos e aparentemente aleatórios, gera diferenças enormes nos resultados. Por exemplo, descobriu-se que os juízes apresentavam maior tendência a conceder redução de sentença no começo do dia ou após uma pausa para o lanche do que imediatamente antes dessa pausa. Juízes com fome são mais inclementes.[16]

Um estudo envolvendo milhares de tribunais de menores revelou que os juízes tomavam decisões mais austeras na segunda-feira (e mais brandas ao longo da semana) quando seu time do coração fora derrotado no fim de semana.[17] Réus negros sofrem um impacto desproporcional desse aumento de austeridade. Outro estudo examinou 1,5 milhão de decisões judiciais durante três décadas e chegou à mesma conclusão sobre como as preferências esportivas dos juízes influenciavam seu parecer.[18]

Na França, um estudo de 6 milhões de decisões judiciais conduzido durante doze anos revelou que os réus recebem tratamento mais leniente em seu aniversário[19] (desconfiamos que os juízes devem ser mais lenientes também no aniversário deles próprios, mas, até onde sabemos, essa hipótese nunca foi testada). Mesmo algo tão irrelevante quanto o clima pode influenciar o juiz.[20] Uma revisão de 207 mil decisões judiciais de imigração ao longo de quatro anos mostrou um efeito significativo das variações diárias de temperatura: quando faz muito calor, as chances de obter asilo são menores. Se a pessoa sofre perseguição política em seu país e pede asilo a outro, é bom torcer para a audiência cair em um dia fresco e agradável.

REDUZINDO O RUÍDO NAS SENTENÇAS

Na década de 1970, os argumentos de Frankel e os resultados empíricos nos quais se baseavam chegaram ao conhecimento de Edward M. Kennedy, irmão do presidente assassinado John F. Kennedy e um dos membros mais influentes do Senado americano. Kennedy ficou chocado. Em 1975, o senador introduziu uma legislação para a reforma judiciária que não foi para a frente. Mas ele era incansável. Mencionando as evidências, continuou ano após ano a pressionar pela aprovação da legislação. Em 1984, finalmente conseguiu. Para combater a variabilidade injustificada, o Congresso aprovou a Lei de Reforma das Sentenças de 1984.

A nova legislação se destinava a atacar o problema do ruído no sistema restringindo "o poder discricionário irrestrito que a lei confere a esses juízes e comitês de redução de pena responsáveis por impor e implementar tais senten-ças".[21] Em particular, os membros do Congresso se referiram a uma disparidade penal "injustificadamente ampla",[22] citando a descoberta de que na Grande Nova York a pena por casos reais idênticos podia variar de três a vinte anos de prisão. Como o juiz Frankel recomendara, a lei criou a Comissão de Sentenças dos Estados Unidos, cuja principal função era clara: produzir diretrizes que fossem obrigatórias e estabelecessem um alcance restrito para as sentenças criminais.

No ano seguinte, a comissão determinou essas diretrizes, de um modo geral baseadas na média de sentenças para crimes similares em uma análise de 10 mil casos reais. Stephen Breyer, juiz da Suprema Corte intensamente envolvido no processo, defendeu o uso da prática anterior apontando para a discordância incontornável dentro da comissão:

Por que a comissão, em vez de simplesmente relatar o problema, não sentou para trabalhar de verdade e raciocinar sobre esse negócio? A resposta breve para isso é: não podíamos. Não podíamos porque há ótimos argumentos por toda parte apontando em direções opostas [...]. Tente listar todos os crimes que existem numa ordem de colocação por mérito punível [...]. Depois, pegue os resultados dos seus colegas e veja se batem. Já vou avisando que não.[23]

Pelas diretrizes, os juízes têm de considerar dois fatores antes de determinar a sentença: o crime e a ficha criminal. Os crimes são divididos em 43 "níveis de infração", a depender da gravidade. A ficha criminal corresponde principalmente à quantidade e à severidade das condenações anteriores do réu. Uma vez combinados o crime e a ficha criminal, as diretrizes oferecem uma variedade relativamente estreita de sentenças, com o extremo superior podendo exceder o inferior no que for maior entre seis meses ou 25%. Os juízes podem divergir por completo das opções com respeito ao que percebem como circunstâncias agravantes ou atenuantes, mas as divergências devem ser justificadas perante um tribunal de apelação.[24]

Embora sejam obrigatórias, as diretrizes não são inteiramente rígidas. Se dependesse do juiz Frankel, iriam bem mais longe. Elas proporcionam significativa margem de manobra para os juízes. Apesar disso, diversos estudos, usando uma variedade de métodos e focados numa série de períodos históricos, chegam à mesma conclusão: as diretrizes diminuem o ruído. Mais tecnicamente: "reduziram a variação líquida na sentença atribuível ao caráter fortuito da identidade do juiz que a profere".[25]

O estudo mais elaborado veio da própria comissão.[26] Comparava a pena por assalto a banco, distribuição de cocaína e heroína e desvios no sistema bancário em 1985 (quando as diretrizes ainda não vigoravam) com os mesmos tipos de casos entre 19 de janeiro de 1989 e 30 de setembro de 1990. Os infratores foram equiparados em função dos fatores considerados relevantes para as sentenças sob as diretrizes. Para todos os delitos, as variações entre os juízes foram muito menores no período posterior, após a aprovação da Lei de Reforma das Sentenças.

Segundo outro estudo,[27] a diferença esperada na duração de sentença entre os juízes era de 17%, ou 4,9 meses, em 1986 e 1987. Esse número caiu para 11%, ou 3,9 meses, de 1988 a 1993. Um estudo independente[28] cobrindo diferentes períodos revelou sucesso similar em reduzir as disparidades entre juízes, que foram definidas como as diferenças na média de sentenças entre os juízes com número de casos similar.

Apesar desses resultados, as diretrizes foram alvo de violentas críticas. Alguns, incluindo muitos juízes, achavam que certas sentenças eram severas demais — o que tem a ver com viés, não com ruído. Para nossos fins, uma objeção muito mais interessante foi a de que as diretrizes eram profundamente injustas por proibirem os juízes de levar em devida consideração os pormenores do caso. O preço pago pela redução do ruído era um processo decisório inaceitavelmente mecânico. Kate Stith, professora de direito da Universidade Yale, e o juiz federal José Cabranes escreveram: "Faz-se necessidade não de cegueira, mas de uma visão penetrante, de equidade", que "só pode ocorrer em um julgamento que leve em consideração as complexidades do caso individual".[29]

Essa objeção levou a questionamentos veementes das diretrizes, uns baseados na lei, outros, na implementação. Esses questionamentos perderam força até que, por motivos técnicos inteiramente sem relação com o debate reproduzido aqui, a Suprema Corte anulou as diretrizes, em 2005.[30] Como resultado dessa decisão, elas passaram a ter caráter apenas orientador. A maioria dos juízes federais ficou visivelmente mais satisfeita após a determinação da Suprema Corte. Setenta e cinco por cento preferiam o regime orientador, enquanto apenas 3% achavam a obrigatoriedade melhor.[31]

Quais foram as consequências de passar as diretrizes de obrigatórias a facultativas? Crystal Yang, professora de direito da Universidade Harvard, investigou a questão não por meio de um estudo ou levantamento, mas obtendo um enorme conjunto de dados de sentenças reais envolvendo quase 4 mil réus criminais. Sua principal descoberta foi que, por múltiplas medições, as disparidades entre juízes aumentavam de maneira significativa após 2005. Quando as diretrizes eram obrigatórias, réus condenados por um juiz relativamente austero recebiam sentença 2,8 meses maior do que a dada por um juiz médio. Quando as diretrizes passaram a ser apenas uma orientação, a disparidade dobrou. Soando muito como o juiz Frankel quarenta anos antes, Yang escreve que seus "resultados levantam grandes preocupações de equidade, na medida em que a identidade do juiz designado para dar a sentença contribui significativamente para o tratamento desigual de infratores similares condenados por crimes similares".[32]

Depois que as diretrizes passaram a ser facultativas, os juízes ficaram mais propensos a basear suas decisões em seus valores pessoais. A obrigatoriedade reduzia tanto o viés como o ruído. Após a decisão da Suprema Corte, houve significativo aumento de disparidade nas sentenças de réus afro-americanos e brancos condenados pelos mesmos crimes. Ao mesmo tempo, juízas mostraram maior tendência que juízes a exercer maior discricionariedade em prol da leniência. O mesmo é válido para juízes nomeados por presidentes democratas.

Três anos após a morte de Frankel, em 2002, o fim da obrigatoriedade das diretrizes provocou a volta de algo que para ele estava mais para um pesadelo: lei sem ordem.

A história da luta por diretrizes judiciais de Frankel proporciona um vislumbre dos diversos pontos fundamentais cobertos por este livro. Primeiro, julgar é difícil porque o mundo é um lugar complicado, incerto. Essa complexidade fica óbvia no judiciário e vigora na maioria das outras situações que exigem julgamento profissional. Numa perspectiva ampla, essas situações incluem os julgamentos emitidos por médicos, enfermeiros, advogados, engenheiros, professores, arquitetos, executivos de Hollywood, encarregados de contratações nas empresas, editores de livros, executivos de todo tipo e diretores técnicos de equipes esportivas. A discordância é inevitável onde quer que haja julgamento envolvido.

Segundo, a extensão dessas discordâncias é muito maior do que esperávamos. Embora poucos façam objeção ao princípio do poder discricionário, quase todos condenam a magnitude das disparidades que ele produz. O *ruído de sistema*, ou seja, a variabilidade indesejada em julgamentos que deveriam, em termos ideais, ser idênticos, gera injustiça generalizada, altos custos econômicos e erros de muitos tipos.

Terceiro, o ruído pode ser reduzido. A abordagem defendida por Frankel e implementada pela Comissão de Sentenças dos Estados Unidos — regras e diretrizes — é uma entre diversas abordagens capazes de reduzir o ruído. Outras são mais indicadas para tipos diferentes de julgamento. Alguns métodos adotados para reduzir o ruído podem simultaneamente reduzir o viés também.

Quarto, as tentativas de redução do ruído muitas vezes enfrentam objeções e sérias dificuldades. Esses problemas também precisam ser abordados, ou a luta contra o ruído será em vão.

FALANDO DE RUÍDO EM SENTENÇAS JUDICIAIS

"Os experimentos mostram grande disparidade entre juízes nas sentenças recomendadas para casos idênticos. Essa variabilidade não pode ser justa. A sentença de um réu não deve depender do juiz encarregado do caso."

"Sentenças criminais não devem depender do estado de espírito do juiz durante uma audiência, tampouco do clima."

"Diretrizes são uma maneira de lidar com esse problema. Mas muitos não gostam delas porque limitam sua discricionariedade, algo que pode ser necessário para assegurar imparcialidade e precisão. Afinal, cada caso é único, não?"

2. Um sistema ruidoso

O primeiro contato que tivemos com o problema do ruído, o qual despertou nosso interesse inicial no assunto, não foi nada tão dramático quanto uma experiência com o sistema de justiça criminal. Foi um encontro fortuito, quando uma companhia de seguros contratou a firma de consultoria à qual dois de nós éramos ligados.

Certamente, seguro não é assunto para qualquer paladar. Mas nossos resultados mostram a magnitude do problema do ruído num empreendimento comercial que corre o risco de perder muito dinheiro com decisões ruidosas. Nossa experiência com a companhia de seguros ajuda a explicar por que o problema é com tanta frequência ignorado, e o que pode ser feito a respeito.

Os executivos da companhia consideravam se valia a pena tentar aumentar a consistência — reduzir o ruído — do julgamento emitido pelos que tomavam decisões financeiras significativas em nome da empresa. Todos concordavam que a consistência é desejável. Todos concordavam também que esses julgamentos jamais poderiam ser inteiramente consistentes, por serem informais e parcialmente subjetivos. Algum ruído é inevitável.

Havia discordância quanto a sua magnitude. Os executivos duvidavam que ruído pudesse ser um problema substancial para a companhia. Num gesto louvável, porém, concordaram em resolver a questão realizando um experimento simples que chamaremos de *auditoria de ruído*. O resultado os surpreendeu. Também se mostrou uma perfeita ilustração do problema.

UMA LOTERIA QUE GERA RUÍDO

Em uma grande empresa, muitos profissionais estão em posição de fazer julgamentos que a comprometem. A companhia de seguros em questão, por exemplo, emprega numerosos corretores para cotar os prêmios por riscos financeiros, como segurar um banco contra prejuízo por fraudes ou outro tipo de má-fé. Também emprega inúmeros analistas de sinistro para prever o custo de futuros pedidos de resgate e negociar com o cliente em caso de necessidade.

As maiores filiais da companhia possuem diversos corretores conceituados. Quando há um pedido de cotação, ela é feita por quem estiver disponível para o trabalho. Na prática, o corretor incumbido da cotação é selecionado por uma loteria.

O valor exato da cotação tem consequências significativas para a companhia. Um prêmio elevado é vantajoso se a cotação é aceita, mas prêmios assim representam um risco de perder o negócio para a concorrência. Um prêmio baixo tem mais probabilidade de ser aceito, mas é menos vantajoso para a empresa. Em qualquer risco, há um preço justo, na medida certa — nem muito alto nem muito baixo —, e existe uma boa chance de que o julgamento médio de um grupo amplo de profissionais não fique muito distante desse valor. Preços acima ou abaixo são caros — é assim que a variabilidade dos julgamentos ruidosos prejudica o balanço final.

O trabalho dos analistas de sinistro também afeta as finanças da empresa. Por exemplo, suponha que uma solicitação de resgate do seguro seja apresentada em nome de um empregado que perdeu permanentemente o uso da mão direita em um acidente de trabalho. Um analista é indicado para atender à solicitação — do mesmo modo que um corretor foi indicado só porque calhou de estar disponível. O analista reúne os fatos do caso e oferece uma estimativa do custo máximo para a companhia. A mesma pessoa em seguida se encarrega de negociar com o representante do empregado para assegurar que ele receba os benefícios prometidos na apólice, ao mesmo tempo protegendo a companhia de fazer pagamentos exorbitantes.

A estimativa inicial do analista é importante porque determina sua meta implícita em futuras negociações com o segurado. A companhia de seguros também é obrigada por lei a reservar o custo previsto de cada solicitação (isto é, ter caixa suficiente para ela). Aqui, mais uma vez, há um valor justo, da perspectiva da companhia. O acordo não está garantido, uma vez que do outro lado existe um advogado trabalhista que talvez prefira resolver a questão na justiça, caso a oferta seja muito baixa. Por sua vez, uma reserva excessivamente generosa pode permitir ao analista de sinistro latitude em excesso para concordar com demandas frívolas. O julgamento do analista é importante para a empresa — e mais importante ainda para o segurado.

Nossa opção pela palavra *loteria* aqui enfatiza o papel do acaso na escolha de um corretor ou analista. Na operação normal da companhia, um único profissional é indicado para cada caso e ninguém tem como saber o que teria acontecido se outro colega fosse selecionado em seu lugar.

As loterias têm seu papel e não precisam ser injustas. Loterias aceitáveis são usadas para alocar "coisas boas", como cursos em universidades, ou "coisas ruins", como o recrutamento militar. Elas se prestam a um propósito. Mas as loterias de julgamento de que estamos falando não alocam coisa alguma. Servem apenas para gerar incerteza. Imagine uma companhia de seguros em que os corretores são livres de ruído e determinam o prêmio ideal, mas um mecanismo casual interfere para modificar a cotação que o cliente vê de fato. Evidentemente, não haveria justificativa para tal loteria. Tampouco há justificativa para um sistema em que o resultado depende da identidade da pessoa aleatoriamente escolhida para fazer um julgamento profissional.

A AUDITORIA REVELA O RUÍDO DE SISTEMA

A loteria que seleciona um juiz para determinar a sentença criminal ou um atirador para representar a equipe produz variabilidade, mas essa variabilidade permanece ignorada. A auditoria de ruído — como a conduzida nos juízes federais com relação às sentenças — constitui um modo de revelar o problema. Nessas auditorias, um mesmo caso é avaliado por diversos indivíduos e a variabilidade das respostas fica visível.

Os julgamentos dos corretores e analistas da seguradora se prestam particularmente bem a esse exercício porque suas decisões baseiam-se em informação escrita. Como preparativo para a auditoria,[1] os executivos da companhia produziram descrições detalhadas de cinco casos representativos para cada grupo (corretores e analistas). Foi pedido aos funcionários que avaliassem dois ou três casos cada um, trabalhando de forma independente. Eles não foram informados de que o propósito do estudo era examinar a variabilidade em seus julgamentos.

Antes de prosseguir na leitura, talvez você queira pensar em sua própria resposta para as seguintes questões: Numa companhia de seguros bem administrada, se você selecionou aleatoriamente dois corretores ou analistas de sinistro conceituados, qual a diferença esperada em suas estimativas para um mesmo caso? Especificamente, qual seria a diferença entre as duas estimativas em termos de porcentagem de sua média?

Fizemos essas perguntas a inúmeros executivos da seguradora e, em anos subsequentes, obtivemos estimativas de uma ampla variedade de indivíduos em diferentes profissões. Surpreendentemente, uma resposta se mostra mais popular que as demais. A maioria dos executivos da companhia de seguros calculou 10% ou menos. Quando perguntamos a 828 CEOs e executivos sêniores de uma série de indústrias quanta variação esperavam encontrar em julgamentos de especialistas similares, 10% também foi a resposta média e a mais frequente (a segunda mais popular foi 15%). Uma diferença de 10% significaria, por exemplo, que um corretor cotou um prêmio em 9,5 mil dólares, enquanto outro, em 10,5 mil. A diferença não é desprezível, mas imaginamos que seja tolerável para uma organização.

Nossa auditoria de ruído encontrou diferenças muito maiores. Por nossa medição, a diferença mediana na corretagem foi de 55%, cerca de cinco vezes mais do que o esperado pela maioria, incluindo os executivos da seguradora. Esse resultado significa, por exemplo, que se um corretor cota um prêmio em 9,5 mil, o outro não o cota em 10,5 mil — mas em 16,7 mil. Para o analista de sinistro, a proporção mediana foi de 43%. Vale frisar que esses resultados correspondem às medianas: na metade dos pares de casos, a diferença entre os dois julgamentos foi ainda maior.

Os executivos informados sobre os resultados da auditoria de ruído não demoraram a perceber que o mero volume do ruído representava um problema dispendioso. Um executivo sênior estimou que o custo anual do ruído na análise de sinistros da companhia — contando tanto a perda de negócios devido a cotações exageradas como os prejuízos incorridos por contratos abaixo do preço — estava na casa das centenas de milhões de dólares.

Ninguém sabia dizer exatamente quanto erro (ou quanto viés) havia, pois ninguém sabia ao certo o valor justo de cada caso. Mas não era preciso ver o centro do alvo para medir a dispersão no verso e se dar conta de que a variabilidade era um problema. Os dados mostraram que o preço cobrado do cliente depende em incômoda medida da loteria que define o funcionário incumbido de cuidar da transação. Para dizer o mínimo, os clientes não ficariam satisfeitos em descobrir que haviam sido incluídos à revelia naquela loteria. Em termos mais amplos, quem lida com uma organização espera um sistema que produza de forma confiável julgamentos consistentes. Não espera ruído de sistema.

VARIABILIDADE INDESEJADA × DIVERSIDADE DESEJADA

Uma característica definidora do ruído de sistema é que ele é *indesejado*, e vale salientar desde já que a variabilidade em julgamentos nem sempre é indesejada.

Considere questões de preferência ou gosto. Se dez críticos assistem ao mesmo filme, dez enólogos avaliam o mesmo vinho ou dez pessoas leem o mesmo romance, não esperamos que tenham a mesma opinião. A diversidade de gostos é bem-vinda e inteiramente esperada. Ninguém gostaria de viver em um mundo em que todos tivessem exatamente as mesmas simpatias e antipatias. (Bom, quase ninguém.) Mas a diversidade de gostos pode ajudar a explicar o erro quando o gosto pessoal é tomado por julgamento profissional. Se um produtor de cinema decide seguir em frente com um projeto incomum (sobre a ascensão e queda do telefone de disco) porque gosta pessoalmente do roteiro, cometerá um grande equívoco, caso ninguém mais goste.

A variabilidade nos julgamentos também é esperada e bem-vinda em uma situação competitiva em que os melhores julgamentos serão recompensados. Quando várias empresas (ou várias equipes numa mesma organização) competem para produzir soluções inovadoras para um mesmo problema do cliente, não as queremos focadas na mesma abordagem. Isso também é verdade quando múltiplas equipes de pesquisadores abordam um problema científico, como o desenvolvimento de uma vacina: é muito importante olhar para o problema de ângulos diferentes. Até profissionais da previsão às vezes se comportam como jogadores competitivos. O analista econômico que alerta sobre uma recessão que ninguém mais previu certamente ficará famoso, enquanto outro que nunca se afasta do consenso permanece na obscuridade. Em tais cenários, a variabilidade de ideias e julgamentos é mais uma vez bem-vinda, pois variação é apenas o primeiro passo. Em uma segunda fase, os resultados desses julgamentos serão comparados entre si e o melhor triunfará. Nos mercados, como na natureza, a seleção não funciona sem variação.

Questões de gosto e cenários competitivos apresentam interessantes problemas de julgamento. Mas nosso foco está nos julgamentos em que a variabilidade é indesejável. Ruído de sistema é um problema dos sistemas, que são organizações, não mercados. Quando os investidores fazem diferentes avaliações sobre o valor de uma ação, uns ganharão dinheiro e outros não. Discordâncias criam mercados. Mas se um desses investidores é aleatoriamente escolhido para fazer essa avaliação em nome da firma, e se descobrimos que seus colegas ali produziriam avaliações muito diferentes, a firma apresenta ruído de sistema, e isso é um problema.

Uma ilustração elegante da questão surgiu quando apresentamos nossas descobertas aos gerentes sêniores de uma firma de gestão de ativos, encorajando-os a conduzir sua própria auditoria de ruído exploratória. Eles pediram a 42 investidores experientes da empresa para estimar o valor justo de uma ação (o preço em que para eles seria indiferente comprar ou vender). Os investidores basearam sua análise numa descrição de uma página do negócio; os dados incluíam lucros e prejuízos simplificados, balanço patrimonial e demonstrativos do fluxo de caixa para os três anos anteriores, bem como projeções para os dois seguintes. O ruído mediano, medido da mesma forma que na companhia de seguros, foi de 41%. Diferenças grandes assim entre investidores de uma mesma firma, usando os mesmos métodos de avaliação, nunca são boa notícia.

Sempre que o autor do julgamento é aleatoriamente selecionado entre uma reserva de indivíduos igualmente conceituados, como é o caso na firma de gestão de ativos, no sistema de justiça criminal e na companhia de seguros vistos acima, o ruído é um problema. O ruído de sistema atormenta muitas organizações: um processo de nomeação efetivamente aleatório muitas vezes determina qual médico o atenderá no hospital, qual juiz presidirá seu processo no tribunal, qual examinador de patente revisará seu pedido, qual representante do serviço ao cliente escutará sua reclamação, e assim por diante. A variabilidade indesejada nesses julgamentos pode causar sérios problemas, incluindo prejuízo financeiro e propagação da injustiça.

Uma concepção equivocada e frequente sobre a variabilidade indesejada nos julgamentos é que isso não faz diferença, pois os erros aleatórios supostamente se cancelam. Certamente, erros positivos e negativos em um julgamento sobre o mesmo caso tendem a se cancelar, e discutiremos em detalhes como essa propriedade pode ser usada para reduzir o ruído. Mas sistemas ruidosos não produzem múltiplos julgamentos no mesmo caso. Produzem julgamentos ruidosos em casos diferentes. Se uma apólice de seguro está acima do preço e a outra abaixo, a precificação pode parecer certa na média, mas a companhia de seguros cometeu dois erros custosos. Se dois criminosos que deveriam ser sentenciados a cinco anos de prisão recebem sentenças respectivas de três e sete anos, a justiça não foi feita, na média. Em sistemas ruidosos, os erros não se cancelam. Eles se somam.

A ILUSÃO DE CONCORDÂNCIA

Uma ampla literatura cobrindo várias décadas documenta o ruído no julgamento profissional. Tendo conhecimento dessa literatura, os resultados da auditoria de ruído na companhia de seguros não nos surpreenderam. O que nos deixou surpresos, porém, foi a reação dos executivos para quem relatamos nossos resultados: ninguém na empresa esperava a quantidade de ruído observada. Eles não questionaram a validade da auditoria, tampouco alegaram que o número era aceitável. Contudo, o problema — e seu elevado custo — parecia algo novo para a organização. O ruído era como um vazamento no porão. Era tolerado não porque o achassem aceitável, mas porque nunca fora notado.

Como podia ser? Como profissionais executando a mesma função no mesmo ambiente de trabalho podiam diferir tanto entre si sem ter consciência disso? Como não haviam identificado um problema que entendiam ser uma ameaça significativa para o desempenho e a reputação da empresa? Viemos a perceber que o ruído de sistema muitas vezes permanece ignorado nas organizações, e a falta de atenção ao problema é tão interessante quanto sua prevalência. A auditoria de ruído sugeriu que executivos respeitados — e as organizações que os empregam — mantinham uma *ilusão de concordância*, quando na verdade discordavam em seus julgamentos profissionais diários.

Para começar a compreender como surge a ilusão de concordância, ponha-se na pele de um corretor em um dia de trabalho normal. Você tem mais de cinco anos de experiência, sabe que é bem-visto entre os colegas, respeita-os e gosta deles. Você sabe que é bom no que faz. Após analisar exaustivamente os complexos riscos enfrentados por uma firma financeira, você conclui que um prêmio de 200 mil é apropriado. É um problema complexo, mas não muito diferente dos que você resolve cotidianamente.

Agora imagine que seus colegas no escritório receberam a mesma informação e avaliaram o mesmo risco. Você consegue acreditar que pelo menos a metade deles determinou um prêmio acima de 255 mil ou abaixo de 145 mil? É uma ideia difícil de aceitar. Na verdade, desconfiamos que os corretores que ouviram falar da auditoria de ruído e admitiram sua validade nunca acreditaram de fato que as conclusões se aplicavam a eles.

A maioria de nós, na maior parte do tempo, vive sob a crença inquestionável de que o mundo é como é porque as coisas são como são. Um pequeno passo separa essa crença da seguinte: "Os outros veem o mundo praticamente da mesma forma que eu". Tais crenças, chamadas de *realismo ingênuo*,[2] são essenciais à percepção de realidade que compartilhamos com outras pessoas. Raramente as questionamos. Mantemos a todo momento uma interpretação única do mundo que nos cerca e em geral investimos pouco empenho em elaborar alternativas plausíveis para ela. Uma interpretação basta, e a vivenciamos como verdadeira. Não passamos a vida imaginando modos alternativos de ver o que vemos.

No caso dos julgamentos profissionais, a crença de que os outros enxergam o mundo de uma forma muito parecida com a nossa é reforçada diariamente de inúmeras maneiras. Primeiro, compartilhamos com os colegas uma linguagem comum e um conjunto de regras sobre as considerações que devem importar em nossas decisões. O fato de que concordamos com eles sobre o caráter absurdo dos julgamentos que violam essas regras é algo que nos tranquiliza. Percebemos as ocasionais discordâncias como lapsos de julgamento da outra parte. Temos pouca oportunidade de notar que as regras consensuais são vagas, suficientes para eliminar algumas possibilidades, mas não para especificar uma resposta positiva compartilhada para um caso particular. Podemos viver confortavelmente com os colegas sem jamais notar que na verdade eles não veem o mundo da mesma forma que nós.

Uma corretora que entrevistamos descreve sua evolução em seu departamento: "Quando era mais nova, eu discutia 75% dos casos com meu supervisor. Depois de alguns anos, não precisei mais fazer isso, e hoje sou tida como uma autoridade no assunto. Com o tempo, fiquei cada vez mais confiante em meu julgamento". Como muitos de nós, ela desenvolveu confiança em seu julgamento exercendo-o, antes de mais nada.

A psicologia desse processo é bem conhecida. A confiança é alimentada pela experiência subjetiva dos julgamentos feitos com fluência e facilidade cada vez maiores, em parte porque se assemelham a julgamentos feitos em casos similares no passado. Com o tempo, à medida que a corretora aprendia a concordar com seu antigo eu, sua confiança em seus julgamentos aumentava. Ela não deu nenhuma indicação de que — após um período inicial de experiência — aprendera a concordar com os outros, de que considerara até que ponto concordava com eles ou sequer de que tentara evitar que suas próprias práticas divergissem daquelas de seus colegas.

Para a companhia de seguros, a ilusão de concordância só se desfez com a auditoria de ruído. Como os líderes da empresa podiam não ter ideia do problema de ruído que tinham? Há várias respostas possíveis aqui, mas a que desempenha um papel importante em muitos cenários parece ser simplesmente o desconforto causado pela discordância. A maioria das organizações prefere consenso e harmonia a dissensão e conflito. Os procedimentos estabelecidos muitas vezes parecem criados expressamente para minimizar a frequência da exposição a efetivas discordâncias ou para encontrar uma explicação satisfatória quando elas ocorrem.

Nathan Kuncel, professor de psicologia da Universidade de Minnesota e importante pesquisador da previsão de desempenho, contou-nos uma história que ilustra esse problema. Kuncel auxiliava o departamento de admissões de uma faculdade a revisar seu processo decisório. Primeiro, um examinador lia o formulário de admissão, avaliava-o e o entregava com seus comentários a outro, que também o avaliava. Kuncel sugeriu — por motivos que ficarão óbvios ao longo deste livro — que seria melhor ocultar as avaliações do primeiro leitor, de modo a não influenciar o segundo. A resposta deles foi: "Fazíamos isso antes, mas resultou em tantas discordâncias que mudamos para o atual sistema". A Universidade de Minnesota não é a única instituição que acredita que evitar o conflito é no mínimo tão importante quanto tomar a decisão correta.

Considere outro mecanismo a que muitas empresas recorrem: a análise de decisões infelizes. Como mecanismo de aprendizado, análises são úteis. Mas se um erro foi cometido de fato — no sentido de que um julgamento se desviou demais das normas profissionais —, discuti-lo não será desafiador. Os especialistas concluirão facilmente que o julgamento estava longe de um consenso. (Também podem descartá-lo como uma exceção.) Os julgamentos ruins são bem mais fáceis de identificar do que os bons. Denunciar erros grosseiros e marginalizar os colegas não ajudará os profissionais a se conscientizarem do quanto discordam ao emitir julgamentos no geral aceitáveis. Pelo contrário, o consenso fácil acerca do julgamento ruim pode até reforçar a ilusão de concordância. A verdadeira lição, acerca da ubiquidade do ruído de sistema, jamais será aprendida.

Esperamos que a esta altura você esteja convencido de que o ruído de sistema é um problema sério. Não surpreende que ele exista; o ruído é consequência da natureza informal do julgamento. Entretanto, como veremos ao longo deste livro, a quantidade de ruído observado quando uma organização o investiga de verdade quase sempre é um choque. A conclusão é simples: onde há julgamento, há ruído, e mais do que você imagina.

FALANDO DE RUÍDO DE SISTEMA NA COMPANHIA DE SEGUROS

"Dependemos da qualidade dos julgamentos profissionais feitos por corretores, analistas de sinistro e outros. Damos cada caso a um especialista, mas operamos sob o pressuposto equivocado de que outro especialista produziria um julgamento similar."

"O ruído de sistema é cinco vezes maior do que pensamos — ou do que podemos tolerar. Sem uma auditoria de ruído, jamais teríamos percebido isso. A auditoria de ruído desfez a ilusão de concordância."

"O ruído de sistema é um problema sério: isso nos custa centenas de milhões."

"Onde há julgamento, há ruído — e mais do que imaginamos."

3. Decisões singulares

Os estudos de caso até aqui discutidos envolvem julgamentos feitos repetidas vezes. Qual é a sentença correta para alguém condenado por roubo? Qual é o prêmio certo para determinado risco? Embora cada caso seja, em certo sentido, único, julgamentos desse tipo são *decisões recorrentes*. Diagnosticar pacientes, deliberar sobre redução de pena, avaliar formulários de admissão em universidades, calcular impostos — tudo isso são exemplos de decisões recorrentes para médicos, juízes, educadores e contadores, respectivamente.

O ruído em decisões recorrentes pode ser demonstrado por uma auditoria, como as apresentadas no capítulo anterior. A variabilidade indesejada é fácil de definir e medir quando profissionais intercambiáveis tomam decisões em casos similares. Parece bem mais difícil, ou talvez até impossível, aplicar a ideia de ruído a uma categoria de julgamentos que chamamos de *decisões singulares*.

Considere, por exemplo, a crise que o mundo enfrentou em 2014. Na África Ocidental, inúmeras pessoas morriam de ebola. Como o mundo está interconectado, as projeções sugeriam que a doença se espalharia rapidamente pelo resto do planeta e atingiria a Europa e o Norte da África com particular gravidade. Nos Estados Unidos, clamores insistentes exigiram a proibição de voos das regiões afetadas e medidas agressivas para fechar as fronteiras. A pressão política para agir nesse sentido foi intensa e muita gente proeminente e bem informada apoiou tais ações.

O presidente Barack Obama teve de tomar uma das decisões mais difíceis de sua presidência — algo que nunca enfrentara antes e nunca enfrentaria outra vez. Decidiu não fechar as fronteiras. Em vez disso, enviou um contingente de 3 mil pessoas — entre trabalhadores de saúde e soldados — para a África Ocidental. E liderou uma coalizão internacional de diversas nações que nem sempre trabalhavam bem juntas, aproveitando seus recursos e conhecimentos para lidar com o problema na origem.

SINGULAR × RECORRENTE

Decisões que tomamos uma única vez, como a resposta do presidente Obama ao ebola, são singulares porque não são tomadas de forma recorrente por um mesmo indivíduo ou grupo, não possuem uma estratégia pronta e se distinguem por características genuinamente únicas. O presidente Obama e sua equipe não tinham nenhum precedente real para lidar com a doença. Decisões políticas importantes muitas vezes são um bom exemplo de decisões singulares, assim como as escolhas mais fatídicas dos comandantes militares.

No domínio privado, as decisões que tomamos ao escolher um emprego, comprar um imóvel ou casar têm as mesmas características. Mesmo que não seja seu primeiro emprego, sua primeira casa ou seu primeiro casamento, e a despeito do fato de incontáveis pessoas terem enfrentado essas mesmas decisões, elas nos parecem únicas. No mundo dos negócios, diretores de empresas muitas vezes precisam tomar decisões que lhes parecem únicas: lançar uma inovação potencialmente disruptiva, reduzir as atividades durante uma pandemia, abrir uma filial num país estrangeiro, ceder às tentativas de regulamentação do governo.

Podemos afirmar que há toda uma gradação de categorias, e não uma diferença, entre decisões singulares e recorrentes. Corretores de seguros podem lidar com alguns casos que lhes pareçam absolutamente incomuns. Por outro lado, se você está comprando sua quarta casa, provavelmente agora pensa na aquisição de um imóvel como uma decisão recorrente. Mas exemplos extremos sugerem claramente que a diferença é significativa. Entrar em guerra é uma coisa; analisar revisões de orçamento anual, outra.

O RUÍDO NAS DECISÕES SINGULARES

Uma decisão singular costuma ser tratada como completamente distinta dos julgamentos recorrentes que funcionários intercambiáveis normalmente produzem em grandes organizações. Embora os cientistas sociais lidem com decisões recorrentes, decisões singulares, com muita coisa em jogo, sempre foram domínio de historiadores e gurus da gestão. A abordagem dos dois tipos de decisão sempre foi muito diferente. As análises de decisões recorrentes com frequência assumem uma inclinação estatística, com os cientistas sociais avaliando diversas decisões similares para discernir padrões, identificar regularidades e medir sua precisão. Discussões sobre decisões singulares, por outro lado, normalmente adotam uma visão causal; são conduzidas em retrospecto e se concentram em identificar os motivos do ocorrido. Análises históricas, como estudos de caso de sucesso e insucesso em gestão, objetivam compreender como um julgamento essencialmente único foi elaborado.

A natureza das decisões singulares toca numa importante questão para o estudo do ruído. Definimos o ruído como uma variabilidade indesejada nos julgamentos sobre um mesmo problema. Como problemas singulares nunca se repetem exatamente, a definição não se aplica a eles. Afinal, a história só acontece uma vez. Jamais poderemos comparar a decisão de Obama de enviar profissionais de saúde e soldados à África Ocidental em 2014 com a decisão que outros presidentes americanos tomariam para lidar com esse problema nesse momento particular (embora possamos especular). Pode-se comparar a decisão de se casar com as decisões de outras pessoas como você, mas essa comparação não será tão relevante quanto a que fizemos das cotações dos corretores de seguros em um mesmo caso. Os cônjuges são sempre únicos. Não há um modo direto de observar a presença do ruído em decisões singulares.

No entanto, as decisões singulares não estão isentas dos fatores que produzem ruído nas decisões recorrentes. No estande de tiro, os integrantes da equipe C (a equipe ruidosa) talvez tivessem ajustado sua mira em diferentes direções, ou simplesmente estivessem com as mãos trêmulas. Se observássemos apenas o primeiro atirador da equipe, não faríamos ideia de quão ruidosa a equipe era, mas as fontes do ruído ainda assim estariam ali. Similarmente, quando você toma uma decisão singular, tem de imaginar que outro tomador de decisão, mesmo sendo tão competente quanto você e partilhando dos mesmos valores e metas, não chegaria às mesmas conclusões sobre os mesmos fatos. E, como tomador da decisão, você precisa admitir que poderia ter tomado uma decisão diferente se alguns aspectos irrelevantes da situação ou do processo decisório fossem diferentes.

Em outras palavras, não podemos medir o ruído numa decisão singular, mas, se pensarmos contrafactualmente, sabemos que o ruído está lá. Assim como a mão trêmula do atirador sugere que um tiro único *poderia* ter acertado em outro lugar, o ruído nos tomadores de decisão e no processo decisório sugere que a decisão singular *poderia* ter sido diferente.

Considere todos os fatores que afetam uma decisão singular. Se os especialistas incumbidos de analisar a ameaça do ebola e planejar uma resposta fossem pessoas diferentes, com história e experiência de vida diferentes, as sugestões apresentadas ao presidente Obama teriam sido as mesmas? Se os mesmos fatos fossem apresentados de maneira ligeiramente diferente, a conversa teria transcorrido da mesma forma? Se os principais envolvidos numa decisão final se achassem em um estado de espírito diferente ou o encontro tivesse ocorrido num dia em que nevava forte, ela teria sido diferente? Vista sob esse prisma, a decisão singular não parece tão firme. A decisão poderia ter sido outra, dependendo de muitos fatores que nem nos ocorrem.

Para outro exercício em pensamento contrafactual, considere como os diferentes países e regiões responderam à crise da covid-19. Mesmo com o vírus atingindo todo o mundo quase ao mesmo tempo e de maneira similar, as respostas foram vastamente diferentes. A variação fornece clara evidência de ruído na tomada de decisão de diferentes países. Mas e se a epidemia tivesse atingido um único país? Nesse caso, não observaríamos variabilidade alguma. Mas nossa incapacidade de observar a variabilidade não faz a decisão ser menos ruidosa.

CONTROLANDO O RUÍDO EM DECISÕES SINGULARES

A discussão teórica aqui é importante. Se as decisões singulares são tão ruidosas quanto as recorrentes, as estratégias que reduzem o ruído nas decisões recorrentes também deveriam melhorar a qualidade das decisões singulares.

Essa prescrição é mais contraintuitiva do que parece. Quando temos uma decisão sem precedentes a tomar, tendemos a considerá-la instintivamente como... sem precedentes. Alguns chegam a afirmar que as regras do raciocínio probabilístico são irrelevantes para decisões singulares tomadas sob incerteza, e que tais decisões pedem uma abordagem radicalmente diferente.

Nossas observações sugerem a orientação oposta. Da perspectiva da redução de ruído, *a decisão singular é uma decisão recorrente que acontece uma única vez*. Ocorra ela apenas uma vez ou cem vezes, nosso objetivo deve ser tomar a decisão de modo a reduzir tanto o viés como o ruído. E as práticas redutoras de erro devem ser tão eficazes em uma decisão sem precedentes quanto nas recorrentes.

FALANDO DE DECISÕES SINGULARES

"A maneira como abordamos essa rara oportunidade nos expõe ao ruído."

"Lembre: uma decisão singular é uma decisão recorrente tomada uma única vez."

"As experiências pessoais que fizeram você ser quem é não são relevantes de verdade para essa decisão."

Parte II

Sua mente é um instrumento de medição

Medição, tanto na vida diária como nas ciências, é o ato de usar um instrumento para atribuir valor a um objeto ou evento numa escala. Medimos o comprimento de um tapete em centímetros usando uma fita métrica. Medimos a temperatura em graus Celsius através de um termômetro.

O ato de emitir julgamentos é parecido. Quando juízes determinam o tempo de prisão adequado para um crime, indicam um valor em uma escala. Corretores de seguro fazem o mesmo ao estabelecer um valor em dinheiro para segurar um risco, e médicos fazem o mesmo ao dar um diagnóstico. (A escala não precisa ser numérica: "culpado além de qualquer dúvida razoável", "melanoma avançado" e "cirurgia recomendada" também são julgamentos.)

O julgamento assim pode ser descrito como uma *medição em que o instrumento é a mente humana*. Implícita na noção de medição está a finalidade da precisão — aproximar-se da verdade e minimizar o erro. O objetivo do julgamento não é impressionar, posicionar-se sobre um assunto ou persuadir. Vale notar que o conceito de julgamento tal como utilizado aqui foi tomado de empréstimo da literatura técnica da psicologia, significando um sentido muito mais restrito do que a palavra assume na linguagem cotidiana. Julgamento não é sinônimo de *pensamento*, e *fazer julgamentos precisos* não é a mesma coisa que *fazer bons julgamentos*.

Da forma como o definimos, o julgamento é uma conclusão que pode ser resumida numa palavra ou expressão. Se um analista de inteligência prepara um longo relatório e conclui que determinado regime é instável, apenas a conclusão é um julgamento. O julgamento, assim como a *medição*, refere-se tanto à atividade mental de emitir um parecer quanto ao efeito dessa atividade mental. E usamos *juiz* frequentemente como termo técnico para descrever toda pessoa que elabora um julgamento, mesmo que não tenha nada a ver com o sistema de justiça.

Embora o objetivo seja a precisão, a perfeição na consecução desse objetivo jamais é alcançada em medições científicas, muito menos em julgamentos. Sempre há erro, parte dele viés, parte ruído.

Para perceber na prática como o ruído e o viés contribuem para o erro, convidamos você a participar de uma brincadeira que levará menos de um minuto. Se o seu celular tem cronômetro, provavelmente possui contador de voltas, o que lhe possibilita medir intervalos de tempo consecutivos sem parar o cronômetro nem observar a tela. Seu objetivo é obter cinco intervalos consecutivos de exatos dez segundos sem olhar para o celular. Se preferir, observe um intervalo de dez segundos algumas vezes antes de começar. Vamos lá.

Agora veja a duração dos intervalos registrados em seu celular. (O aparelho em si admitia muito pouco ruído, embora não estivesse livre dele.) Você perceberá que não foram todos de dez segundos exatos e que eles variam em uma faixa substancial. Sua tentativa de reproduzir exatamente a mesma cronometragem não foi bem-sucedida. A variabilidade que não pôde controlar é um caso de ruído.

O resultado não causa muita surpresa, porque o ruído é universal na fisiologia e na psicologia. A variabilidade entre indivíduos é uma certeza biológica; não há duas ervilhas idênticas numa vagem. Em uma mesma pessoa também existe variabilidade. Seu batimento cardíaco não é exatamente regular. É impossível repetir um gesto com perfeita exatidão. Quando realizamos um teste auditivo no otorrino, alguns sons são tão suaves que nem os percebemos, enquanto outros são tão altos que os escutamos facilmente. Mas também há sons que às vezes escutamos, às vezes não.

Agora observe os cinco resultados no seu celular. Notou um padrão? Por exemplo, todas as cinco contagens são inferiores a dez segundos, um padrão sugerindo que seu relógio interno está acelerado. Nessa tarefa simples, o viés é a diferença, positiva ou negativa, entre a média das contagens e dez segundos. O ruído constitui a variabilidade em seus resultados, análogo à dispersão de tiros que vimos antes. Em estatística, a medida de variabilidade mais comum é o *desvio-padrão*.[1] Iremos usá-lo para medir o ruído no julgamento.

Podemos pensar na maioria dos julgamentos, especificamente julgamentos *preditivos*, como similares às medições que você acabou de fazer. Quando realizamos uma previsão, tentamos nos aproximar de um valor real. Um analista econômico ambiciona chegar o mais perto possível do valor real do crescimento do PIB no ano seguinte; um médico, fazer o diagnóstico correto. (Note que o termo *previsão*, no sentido técnico utilizado neste livro, não implica prever o futuro: para nossos propósitos, o diagnóstico de uma enfermidade médica presente constitui uma previsão.)

Vamos recorrer amplamente à analogia entre julgamento e medição porque ela ajuda a explicar o papel do ruído no erro. Pessoas que fazem julgamentos preditivos são como o atirador mirando o centro do alvo ou um físico tentando medir o peso real de uma partícula. O ruído em seus julgamentos implica erro. Simplificando, se o julgamento objetiva um valor real, dois julgamentos diferentes não podem estar ambos certos. Assim como instrumentos de medição, algumas pessoas de modo geral cometem mais erros que outras em uma tarefa particular — talvez por deficiência de habilidade ou treinamento. Mas, como um instrumento de medição, a pessoa emitindo julgamentos nunca é perfeita. Precisamos compreender seus erros e medi-los.

Claro que a maioria dos julgamentos profissionais é algo muito mais complexo de ser medido que um intervalo de tempo. No capítulo 4, definimos diferentes tipos de julgamentos profissionais e examinamos seus objetivos. No capítulo 5, discutimos como medir o erro e quantificar sua contribuição para o ruído de sistema. O capítulo 6 aprofunda a discussão sobre o ruído de sistema e identifica seus componentes, que são tipos de ruído diferentes. No capítulo 7, exploramos um desses componentes: o ruído de ocasião. Finalmente, no capítulo 8, mostramos como os grupos muitas vezes amplificam o ruído nos julgamentos.

Uma simples conclusão emerge desses capítulos: assim como um instrumento de medição, a mente humana é imperfeita — ela é tanto enviesada como ruidosa. Por quê, e até que ponto, vamos descobrir.

4. Questões de julgamento

Este livro é sobre julgamentos profissionais, entendidos em termos amplos, e pressupõe que a pessoa que os emite tenha o objetivo de chegar a uma conclusão correta. Entretanto, o próprio conceito de julgamento envolve a admissão relutante de que nunca podemos ter certeza se ele está correto.

Questões de julgamento implicam julgamento pessoal. Não consideramos a proposição de que o sol nascerá amanhã ou de que a fórmula do cloreto de sódio é NaCl como questões de julgamento, pois é de esperar que pessoas razoáveis concordem perfeitamente com elas. Uma questão de julgamento comporta alguma incerteza quanto à resposta e admite a possibilidade de que pessoas racionais e competentes venham a discordar.

Mas há um limite para quanta discordância é admissível. Na verdade, a palavra julgamento é usada principalmente quando as pessoas acreditam que devem concordar. As questões de julgamento diferem das questões de opinião ou gosto, em que diferenças não resolvidas são inteiramente aceitáveis. Os executivos da seguradora que ficaram chocados com o resultado da auditoria de ruído não veriam problema se os analistas de sinistro estivessem nitidamente divididos acerca dos méritos relativos dos Beatles e dos Rolling Stones ou do salmão e do atum.

As questões de julgamento, incluindo julgamentos profissionais, ocupam um espaço entre as questões de fato ou computação, de um lado, e as questões de gosto ou opinião, de outro. Elas são definidas pela *expectativa de discordância restrita*.

Exatamente quanta discordância é aceitável em um julgamento constitui um julgamento pessoal e depende da dificuldade do problema. A concordância fica mais fácil quando um julgamento é absurdo. Juízes que divergem amplamente sobre a sentença em um caso de fraude rotineiro concordarão que multa de um dólar e pena perpétua são ambas irracionais. Jurados em concursos de vinhos diferem bastante sobre os ganhadores de medalhas, mas são com frequência unânimes em seu desprezo pelos piores.[1]

A EXPERIÊNCIA DO JULGAMENTO: UM EXEMPLO

Antes de avançarmos na discussão sobre a experiência do julgamento, queremos que você elabore um. O restante do capítulo será absorvido melhor caso faça este exercício até o fim.

Imagine que você é membro de uma equipe encarregada de avaliar candidatos para a posição de diretor-executivo em uma firma financeira regional moderadamente bem-sucedida que enfrenta cada vez mais concorrência. Pedem-lhe que avalie a probabilidade de que o candidato a seguir tenha sucesso após dois anos no cargo. O sucesso é definido simplesmente como a permanência no cargo de CEO ao término dos dois anos. Expresse a probabilidade numa escala de 0 (impossível) a 100 (certeza).

Michael Gambardi tem 37 anos. Ele atuou em vários lugares após se formar na Escola de Negócios de Harvard, doze anos atrás. Foi fundador e investidor de duas start-ups que quebraram sem atrair grande apoio financeiro. Depois entrou para uma grande companhia de seguros e rapidamente ascendeu à posição de diretor de operações para a Europa. Nessa função, iniciou e gerenciou um importante aperfeiçoamento na resolução oportuna de sinistros. Os colegas e subordinados o descreviam como eficiente, embora dominador e ríspido, e houve significativa rotatividade de executivos sob seu comando. Colegas e subordinados atestam sua integridade e sua disposição em assumir a responsabilidade pelas falhas. Nos últimos dois anos, foi CEO de uma companhia financeira de médio porte que inicialmente correu risco de quebrar. Ele estabilizou a empresa, na qual é considerado um profissional bem-sucedido, embora alguém com quem é difícil de trabalhar. Gambardi manifestou interesse em mudar de ares. Os gerentes de recursos humanos que o entrevistaram anos atrás lhe atribuíram pontuações altas para criatividade e energia, mas também o descreveram como arrogante e, por vezes, tirânico.

Lembre que Michael é candidato ao cargo de CEO numa firma financeira regional moderadamente bem-sucedida que enfrenta cada vez mais concorrência. Qual é a probabilidade de continuar no cargo após dois anos, caso seja contratado? Escolha um número entre zero e cem antes de prosseguir na leitura. Leia a descrição outra vez, se precisar.

Se você tentou fazer o exercício a sério, provavelmente o achou difícil. Há muitas informações, boa parte delas aparentemente inconsistente. Você precisou se esforçar para formar a impressão coerente de que necessitava para produzir um julgamento. Ao construir essa impressão, concentrou-se em alguns detalhes que pareciam importantes e, muito provavelmente, ignorou outros. Se tivesse de explicar o número que escolheu, mencionaria alguns fatos marcantes, mas não o suficiente para uma explicação completa do julgamento emitido.

O processo de pensamento pelo qual você deve ter passado ilustra diversas características da operação mental que chamamos de julgamento:

- De todas as dicas fornecidas pela descrição (que são apenas um subconjunto do que talvez se precise saber), você prestou atenção em algumas mais do que em outras sem ter plena consciência das escolhas que fez. Notou que Gambardi é um nome italiano? Lembra-se de onde ele estudou? Esse exercício foi planejado para sobrecarregar você, de modo que não conseguisse recuperar facilmente todos os detalhes do caso. Provavelmente, sua lembrança do que apresentamos seria diferente daquela de outros leitores. Atenção e memória seletivas são uma fonte de variabilidade entre as pessoas.

- Em seguida, você integrou essas dicas informalmente em uma impressão geral sobre as perspectivas de Gambardi. A palavra-chave aqui é *informalmente*. Você não elaborou um plano para responder à questão. Sem que você tivesse plena consciência do que estava fazendo, sua mente operou para construir uma impressão coerente dos pontos fortes e fracos de Michael e dos desafios que ele enfrenta. A informalidade lhe permitiu trabalhar rápido, mas ela também produz variabilidade: um processo formal como somar uma coluna de números garante resultados idênticos, mas algum ruído é inevitável em uma operação informal.

- Finalmente, você converteu essa impressão geral num número em uma escala de probabilidade de sucesso. Equiparar um número entre zero e cem a uma impressão é um processo extraordinário, ao qual voltaremos no capítulo 14. Mais uma vez, você não sabe exatamente o porquê da sua resposta. Por que escolheu, digamos, 65, e não 61 ou 69? Mais provavelmente, a certa altura, um número lhe veio à mente. Você verificou se esse número parecia adequado e, se não parecia, pensou em outro. Essa parte do processo também é fonte de variabilidade entre as pessoas.

Como cada um desses três passos em um processo de julgamento complexo acarreta certa variabilidade, não deveríamos ficar surpresos em encontrar um bocado de ruído nas respostas sobre Michael Gambardi. Se você pedir a alguns amigos que leiam o caso, provavelmente descobrirá que as estimativas deles de probabilidade de sucesso de Gambardi revelam ampla dispersão. Quando mostramos o caso a 115 alunos de MBA, as estimativas variaram de dez a 95. É um bocado de ruído.

Talvez você tenha notado que o exercício do cronômetro e o problema de Gambardi ilustram dois tipos de ruído. A variabilidade de julgamentos durante as sucessivas tentativas com o cronômetro é o ruído dentro de um juiz isolado (você), ao passo que a variabilidade de julgamentos do caso de Gambardi é o ruído entre juízes diferentes. Em termos de medição, o primeiro problema ilustra a confiabilidade *intrapessoal* e o segundo, a confiabilidade *interpessoal*.

O QUE O JULGAMENTO VISA ALCANÇAR: SINAL INTERNO

Sua resposta ao caso de Gambardi é um julgamento preditivo, conforme foi definido. Entretanto, ele difere de modos importantes de outros julgamentos que consideramos preditivos, incluindo a temperatura máxima em Bancoc amanhã, o placar do jogo de hoje à noite ou o resultado da próxima eleição presidencial. Se você discorda de um amigo quanto a essas questões, descobrirá, em algum momento, quem está com a razão. Mas se discorda quanto a Gambardi, o tempo *não* dirá quem estava com a razão, por um simples motivo: Gambardi não existe.

Mesmo que a questão se referisse a uma pessoa de verdade e soubéssemos o resultado, um julgamento de probabilidade isolado (excetuando 0% ou 100%) não pode ser confirmado ou desmentido. O resultado não revela qual era a probabilidade ex ante. Se um evento com probabilidade de 90% deixa de ocorrer, o julgamento sobre a probabilidade não necessariamente foi ruim. Afinal, resultados com apenas 10% de chance de acontecer acabam acontecendo 10% das vezes. O exercício com Gambardi é um exemplo de julgamento preditivo *inverificável*, por dois motivos distintos: Gambardi é fictício e a resposta é probabilística.

Muitos julgamentos profissionais são inverificáveis. Salvo erros grosseiros, os corretores de seguro nunca saberão, por exemplo, se uma apólice particular recebeu preço acima ou abaixo do ideal. Outras previsões podem ser inverificáveis porque são condicionais. "Se entrarmos em guerra, seremos esmagados" é uma importante previsão, mas provavelmente ficará por ser testada (assim esperamos). Ou a previsão pode ser de longo prazo demais para conseguirmos cobrar os profissionais que a fazem — como, por exemplo, uma estimativa das temperaturas médias até o fim do século XXI.

A natureza inverificável do exercício envolvendo Gambardi mudou sua abordagem do problema? Você se perguntou, por exemplo, se o sujeito era real ou fictício? Pensou que o resultado seria revelado mais adiante no texto? Refletiu sobre o fato de que, mesmo que fosse o caso, a revelação não forneceria uma resposta à questão apresentada? Provavelmente não, porque essas considerações não pareciam relevantes quando você respondeu à questão.

A verificabilidade não muda a experiência do julgamento. Até certo ponto, talvez você pense com mais afinco em um problema cuja resposta será revelada em breve, pois o medo de se expor faz a mente se concentrar. Por outro lado, você poderia se recusar a ruminar demais sobre um problema tão hipotético a ponto de ser absurdo ("Se Gambardi tivesse três pernas e pudesse voar, ele seria um CEO melhor?"). Mas, tudo considerado, lidamos com um problema plausível, hipotético, mais ou menos do mesmo modo que lidamos com um problema real. Essa similaridade é importante para a pesquisa psicológica, boa parte da qual recorre a problemas inventados.

Como não há resultado — e você provavelmente nem se perguntou se em algum momento haveria —, você não tentou minimizar o erro. Tentou fazer o julgamento correto, escolher um número em que tivesse suficiente confiança para dar como resposta. Claro que a resposta não o deixaria tão confiante quanto a confiança perfeita de que quatro vezes seis é 24. Você tinha consciência de alguma incerteza (como veremos, provavelmente há mais incerteza do que você percebeu), mas, a certa altura, concluiu que não estava progredindo e se decidiu por uma resposta.

O que lhe deu a impressão de que seu julgamento era correto, ou, pelo menos, correto o bastante para constituir sua resposta? Sugerimos que essa sensação é um *sinal interno de conclusão do julgamento*, sem relação com qualquer informação externa. Sua resposta soou correta se pareceu se ajustar com suficiente facilidade à evidência. Uma resposta de zero ou cem não lhe daria essa sensação de adequação: a confiança que ela implica é inconsistente com a evidência confusa, ambígua e conflitante fornecida. Mas o número pelo qual você se decidiu, seja ele qual for, lhe deu a sensação de coerência de que você necessitava. O objetivo do julgamento, da forma como você o vivenciou, foi obter uma solução coerente.

A característica essencial desse sinal interno é que a sensação de coerência é parte da experiência de julgar. Ela não depende de um resultado real. Consequentemente, o sinal interno é disponibilizado tanto para julgamentos inverificáveis quanto para julgamentos reais, verificáveis. Isso explica por que elaborar um julgamento sobre um personagem fictício como Gambardi quase não difere de julgar algo no mundo real.

COMO O JULGAMENTO É AVALIADO: O RESULTADO E O PROCESSO

A verificabilidade não altera a experiência do julgamento conforme ocorre. Porém, altera sua avaliação após o fato.

Juízos verificáveis podem ser obtidos por um observador objetivo em uma medida simples de erro: a diferença entre o julgamento e o resultado. Se a previsão meteorológica afirmou que hoje ia fazer 21°C e faz 18°C, errou por três graus. Evidentemente, essa abordagem não funciona para julgamentos inverificáveis como o problema envolvendo Gambardi, que não tem resultado real. Nesse caso, como decidir o que constitui um bom julgamento?

A resposta é que há uma segunda maneira de avaliar os julgamentos. Essa abordagem se aplica tanto aos verificáveis como aos inverificáveis. Ela consiste em avaliar o *processo* de julgar. Quando falamos em julgamentos bons ou ruins, estamos nos referindo ao resultado (por exemplo, o número que você sugeriu no caso de Gambardi) ou ao processo — o que você fez para chegar a esse número.

Uma forma de abordar a avaliação do processo de julgar é observar como ele funciona quando aplicado a um grande número de casos. Por exemplo, considere um comentarista político calculando as probabilidades de vitória de diversos candidatos nas eleições locais. Ele descreve uma centena desses candidatos como tendo 70% de chance de ganhar. Se setenta deles são eleitos, é um bom indício da habilidade do analista em usar a escala de probabilidades. Os julgamentos são verificáveis no conjunto, embora nenhum julgamento isolado da probabilidade possa ser declarado certo ou errado. Similarmente, o viés a favor ou contra determinado grupo pode ser mais bem estabelecido examinando os resultados estatísticos para uma quantidade substancial de casos.

Outra questão que pode ser feita sobre o processo de julgar é se ele se conforma aos princípios da lógica ou da teoria das probabilidades. Um amplo *corpus* da pesquisa sobre vieses cognitivos do julgamento vai por essa linha.

O foco no processo de julgar, mais do que em seu resultado, possibilita avaliar a qualidade de julgamentos inverificáveis, como julgar problemas fictícios ou fazer previsões de longo prazo. Talvez não sejamos capazes de compará-los a um resultado conhecido, mas ainda podemos dizer se foram feitos incorretamente. E quando nos voltamos à questão de *melhorar* o julgamento, em vez de apenas avaliá-lo, o foco também recai sobre o processo. Todos os procedimentos recomendados neste livro para reduzir o viés e o ruído visam a adotar o processo de julgar capaz de minimizar o erro em um conjunto de casos similares.

Contrastamos duas maneiras de avaliar um julgamento: comparando-o a um *resultado* e avaliando a qualidade do *processo* que levou a ele. Observe que no caso de um julgamento verificável os dois modos de avaliação talvez cheguem a diferentes conclusões em um único caso. Um analista econômico hábil e cuidadoso, usando as melhores ferramentas e técnicas possíveis, frequentemente errará o número correto ao prever a inflação trimestral, ao passo que, num trimestre isolado, um chimpanzé atirando dardos às vezes acerta.

Estudiosos da tomada de decisão oferecem um claro conselho para resolver essa tensão: focar no processo, não no resultado de um caso isolado.

Admitimos, porém, que, na vida real, essa não é a prática usual. Os profissionais normalmente são avaliados segundo o grau de proximidade que seus julgamentos guardam com resultados verificáveis, e se lhes perguntarmos o que almejam com seus julgamentos sua resposta será: um resultado aproximado.

Em suma, o que as pessoas em geral afirmam buscar em julgamentos verificáveis é uma previsão condizente com o resultado. O que de fato tentam buscar, independentemente da verificabilidade, é o sinal interno de conclusão proporcionado pela coerência entre os fatos do caso e o julgamento. E o que deveriam tentar obter, normativamente falando, é o processo de julgar que produziria o melhor julgamento entre um conjunto de casos similares.

O JULGAMENTO AVALIATIVO

Até aqui neste capítulo, nosso foco foram as tarefas de julgamento preditivo, e a maioria dos julgamentos que veremos é desse tipo. Mas o capítulo 1, sobre Frankel e o ruído nas sentenças dos juízes federais, examina outro tipo de julgamento. Sentenciar alguém por um crime não é uma previsão. É um julgamento *avaliativo* que busca equiparar a sentença à gravidade do crime. Jurados em concursos de vinhos e competições de patinação ou salto ornamental; professores dando notas a alunos; comissões concedendo bolsas a projetos de pesquisa: todos fazem julgamentos avaliativos.

Um tipo diferente de julgamento avaliativo ocorre em decisões envolvendo múltiplas opções e preferências entre elas. Considere gerentes selecionando candidatos, investidores decidindo entre diferentes estratégias ou mesmo presidentes respondendo a uma epidemia na África. Sem dúvida, o input para todas essas decisões depende de julgamentos preditivos — por exemplo, como o candidato se sairá no primeiro ano, como o mercado de ações reagirá a determinada manobra ou com que rapidez a epidemia vai se espalhar se não for controlada. Mas as decisões finais requerem escolhas entre os prós e contras das várias opções, e essas escolhas são feitas por julgamentos avaliativos.[2]

Como o preditivo, o julgamento avaliativo envolve uma expectativa de discordância restrita. Dificilmente ouviremos um juiz federal que se dê ao respeito dizer: "Prefiro essa punição e não ligo se meus colegas pensam diferente". E o tomador de decisão escolhendo entre diversas opções estratégicas espera que os colegas e observadores munidos da mesma informação e partilhando dos mesmos objetivos concordem com ele, ou ao menos não discordem demais. O julgamento avaliativo depende em parte dos valores e preferências de quem o faz, mas não é mera questão de gosto ou opinião.

Por esse motivo, a fronteira entre os julgamentos preditivo e avaliativo é vaga e a pessoa que elabora o julgamento com frequência não está ciente disso. Juízes determinando sentenças ou professores dando notas estão muito concentrados na tarefa e empenhados em encontrar a resposta "certa". Eles desenvolvem confiança em seu parecer e nas justificativas que encontram para ele. Os profissionais sentem-se da mesma forma, agem da mesma forma e falam da mesma forma para justificar seus julgamentos tanto se forem preditivos ("Quanto este novo produto vai vender?") quanto se forem avaliativos ("Como foi o desempenho do meu assistente este ano?").

O QUE HÁ DE ERRADO NO RUÍDO

A observação do ruído no julgamento preditivo é sempre um indício de que alguma coisa está errada. Se dois médicos discordam de um diagnóstico ou dois gerentes discordam sobre as previsões de vendas para o próximo trimestre, um dos dois estará errado. O erro pode ocorrer por um deles ter menos capacidade e, portanto, maiores chances de estar errado, ou devido a alguma outra fonte de ruído. Independentemente da causa, a falha em produzir o julgamento correto pode ter sérias consequências para quem depende dos diagnósticos e previsões desses profissionais.

O ruído no julgamento avaliativo é problemático por um motivo diferente. Em qualquer sistema em que os juízes sejam presumidamente intercambiáveis e nomeados de forma quase aleatória, amplas discordâncias sobre um mesmo caso violam as expectativas de imparcialidade e consistência. Se existem amplas diferenças nas sentenças dadas a um mesmo réu, estamos no domínio das "crueldades arbitrárias" denunciadas por Frankel. Até juízes que acreditam no valor de sentenças individualizadas e discordam sobre a pena por roubo concordam que um nível de discordância que transforme o julgamento em loteria é problemático. O mesmo é verdade (ainda que menos dramaticamente) se forem atribuídas notas muito diferentes a um mesmo trabalho escolar, classificações muito diferentes a um mesmo restaurante ou pontuações muito diferentes a um mesmo patinador — ou se uma pessoa sofrendo de depressão consegue receber benefícios assistenciais do governo enquanto outra não.

Mesmo quando a imparcialidade é apenas uma preocupação menor, o ruído de sistema apresenta outro problema. A pessoa afetada pelos julgamentos avaliativos espera que os valores desses julgamentos reflitam os valores do sistema, e não dos juízes individuais. Algo deve ter saído muito errado se um consumidor, queixando-se de um laptop com defeito, consegue reembolso enquanto outro recebe apenas um pedido de desculpas; ou se um funcionário que está na empresa há cinco anos pede e recebe uma promoção enquanto outro com desempenho idêntico tem seu pedido educadamente rejeitado. O ruído de sistema é uma inconsistência, e a inconsistência prejudica a credibilidade do sistema.

INDESEJÁVEL, MAS MENSURÁVEL

Para medir o ruído precisamos apenas de múltiplos julgamentos sobre um mesmo problema. Não precisamos conhecer um valor real. Como ilustra o exemplo do estande de tiro, quando olhamos para o verso do alvo, a mosca não é visível, mas conseguimos ver o padrão de dispersão dos tiros. Quando percebemos que todos os atiradores miravam o centro do alvo, podemos medir o ruído. É o que faz uma auditoria de ruído. Se pedimos a todos os gerentes para estimar as vendas do próximo trimestre, a dispersão de suas previsões é o ruído.

Essa diferença entre viés e ruído é essencial para os propósitos práticos de aprimorar o julgamento. Talvez pareça paradoxal alegar que podemos aprimorar o julgamento quando não conseguimos verificar se está correto. Mas é possível — se começarmos por medir o ruído. Independentemente de o objetivo do julgamento ser apenas precisão ou uma escolha mais complexa entre valores, o ruído é indesejável e muitas vezes mensurável. E, uma vez medido, como veremos na parte v, em geral é possível reduzi-lo.

FALANDO DE JULGAMENTO PROFISSIONAL

"Trata-se de uma questão de julgamento. Não podemos esperar concordância perfeita entre as pessoas."

"Sim, é uma questão de julgamento, mas alguns julgamentos são tão excêntricos que estão errados."

"Sua escolha dos candidatos foi apenas uma expressão de gosto, não um parecer sério."

"Uma decisão exige julgamentos tanto preditivos como avaliativos."

5. Medindo o erro

É óbvio que um viés consistente pode gerar erros custosos. Se uma balança sempre acrescenta alguns gramas a seu peso, se um gerente entusiasmado costuma prever que os projetos levarão metade do tempo que acabam levando ou se um executivo inseguro se mostra ano após ano injustificadamente pessimista acerca das vendas futuras, isso resultará em inúmeros erros graves.

Agora percebemos que o ruído também pode levar a erros custosos. Se o gerente quase sempre estipula metade do tempo para os projetos e ocasionalmente o dobro do tempo, em nada ajuda afirmar que ele está correto "na média". Os erros diferentes se somam, não se cancelam.

Uma questão importante, portanto, é como e quanto o viés e o ruído contribuem para o erro. Este capítulo procura responder a essa pergunta. Sua mensagem básica é clara: em julgamentos profissionais de todo tipo, sempre que a precisão for a meta, *viés e ruído desempenham o mesmo papel no cálculo do erro total*. Em alguns casos, é o viés que mais contribui; em outros, o ruído (e esses casos são mais comuns do que imaginamos). Mas, em todos eles, uma redução do ruído tem o mesmo impacto no erro total que uma redução igual do viés. Por esse motivo, a medição e redução do ruído devem receber tanta prioridade quanto a medição e redução do viés.

Essa conclusão baseia-se numa abordagem particular à medição do erro, que tem uma longa história e é em geral aceita na ciência e na estatística. Neste capítulo, oferecemos um resumo introdutório dessa história e uma visão geral do raciocínio relacionado.

A GOODSELL DEVE REDUZIR O RUÍDO?

Comecemos por imaginar uma grande empresa de varejo chamada GoodSell, que emprega inúmeros profissionais para fazer previsões de vendas. O trabalho deles é estimar a fatia de mercado da GoodSell em regiões variadas. Talvez após ler um livro sobre o tema do ruído, Amy Simkin, diretora do departamento de previsões de vendas da GoodSell, conduziu uma auditoria. Todos os previsores entregaram estimativas independentes sobre a fatia de mercado em uma mesma região.

A figura 3 mostra os resultados (implausivelmente regulares) da auditoria de ruído. Amy percebe que as previsões estão distribuídas na familiar curva em forma de sino da distribuição normal, também conhecida como curva gaussiana. A previsão mais frequente, representada pelo pico da curva normal, é 44%. Amy vê também que o sistema de previsões da empresa é bastante ruidoso: as estimativas, que seriam idênticas se fossem todas exatas, variam numa gama considerável.

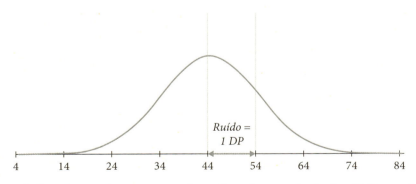

Figura 3. *Distribuição das previsões sobre a fatia de mercado da GoodSell para determinada região. DP = desvio-padrão.*

Podemos atribuir um número à quantidade de ruído no sistema de previsões da GoodSell. Assim como fizemos quando você usou seu cronômetro para medir intervalos de tempo, o *desvio-padrão* das previsões pode ser calculado. Como o nome indica, o desvio-padrão representa um afastamento típico da média. Nesse exemplo, o desvio é de dez pontos percentuais. Como aconteceria com qualquer curva de distribuição normal, cerca de dois terços das previsões estão contidos em um único desvio-padrão de cada lado da mediana — nesse exemplo, entre uma fatia de mercado de 34% e 54%. Amy agora tem uma estimativa da quantidade de ruído de sistema nas previsões da fatia de mercado. (Uma auditoria de ruído melhor usaria diversos problemas de previsão para uma estimativa mais robusta, mas, para nossos propósitos aqui, basta um.)

Como aconteceu com os executivos da companhia de seguros real do capítulo 2, Amy fica chocada com os resultados e quer fazer alguma coisa. A quantidade inaceitável de ruído indica que os previsores não são disciplinados em seguir os devidos procedimentos. Amy pede permissão para contratar um consultor de ruído e levar maior uniformidade e disciplina ao trabalho de seus previsores de vendas. Infelizmente, seu pedido é recusado. A resposta do chefe parece bastante sensata: como, pergunta ele, podemos reduzir os erros quando não sabemos se nossas previsões estão certas ou erradas? Sem dúvida, ele afirma, se há um grande erro médio nas previsões (isto é, um grande viés), nossa prioridade deveria ser corrigi-lo. Antes de fazer qualquer coisa para melhorar as previsões, conclui ele, a GoodSell deve esperar para descobrir se estão corretas.

Um ano após a auditoria de ruído original, o resultado que os previsores tentaram estimar é conhecido. A fatia de mercado na área objetivada se revelou ser de 34%. Agora sabemos também o erro de cada previsor, que é simplesmente a diferença entre a previsão e o resultado. O erro é zero para uma previsão de 34%, 10% para uma previsão média de 44% e –10% para uma previsão pessimista de 24%.

A figura 4 mostra a distribuição dos erros. Ela é igual à distribuição das previsões na figura 3, mas o valor real (34%) foi subtraído de cada previsão. O formato da distribuição não se alterou e o desvio-padrão (nossa medida de ruído) ainda é 10%.

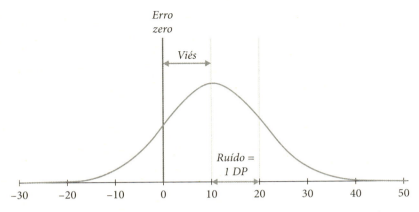

Figura 4. *Distribuição dos erros nas previsões da GoodSell para determinada região.*

A diferença entre as figuras 3 e 4 é análoga à diferença entre um padrão de tiros visto no verso e na frente de um alvo, como nas figuras 1 e 2 (na introdução). Saber a posição do alvo não era necessário para observar o ruído na distribuição dos tiros; similarmente, saber o verdadeiro resultado não acrescenta nada ao que já sabemos sobre o ruído em previsões.

Amy Simkin e seu chefe agora dispõem de uma nova informação: a quantidade de viés das previsões. O viés é simplesmente a média dos erros, que nesse caso também é 10%. Viés e ruído, portanto, calham de ser numericamente idênticos nesse conjunto de dados. (Para ficar claro, essa igualdade entre ruído e viés não é de modo algum regra geral, mas casos em que o viés e o ruído são iguais facilitam a compreensão dos papéis de cada um.) Podemos perceber que a maioria dos previsores pecou pelo excesso de otimismo — ou seja, superestimou a fatia de mercado que seria conquistada —: a maioria se desviou para o lado direito da barra vertical do erro zero. (Com efeito, usando as propriedades da distribuição normal, sabemos que esse é o caso em 84% das previsões.)

O chefe de Amy observa com incontida satisfação que ele tinha razão. Há um bocado de viés nas previsões! E, de fato, agora é evidente que reduzir o viés seria uma boa coisa. Mas, Amy continua a se perguntar: teria sido uma boa ideia, um ano antes — e seria uma boa ideia nesse momento —, reduzir o ruído também? Como o valor de uma melhoria dessas se compararia ao valor de reduzir o viés?

QUADRADOS MÉDIOS

Para responder à pergunta de Amy, precisamos de uma "regra de pontuações" para erros, um modo de pesar e combinar os erros individuais numa única medida do erro total. Felizmente, essa ferramenta existe. É o *método dos mínimos quadrados*, inventado em 1795 por Carl Friedrich Gauss,[1] famoso prodígio matemático nascido em 1777 que iniciou sua carreira de grandes descobertas na adolescência.

Gauss propôs uma regra para pontuar a contribuição dos erros individuais no erro total. Sua medida do erro total — chamada *erro quadrático médio* (EQM) — é a média dos quadrados dos erros individuais da medição.

Os detalhados argumentos de Gauss para essa abordagem da medição do erro total não cabem no escopo deste livro, e sua solução não fica imediatamente óbvia. Por que usar quadrados de erros? A ideia parece arbitrária, até bizarra. Contudo, como veremos, fundamenta-se numa intuição quase certamente compartilhada pelo leitor.

Para entender por quê, voltemo-nos ao que parece ser um problema completamente diferente, mas que se revela o mesmo. Imagine que lhe peçam para medir o comprimento de uma linha com uma régua, até os mínimos milímetros. Você pode fazer cinco medições. Elas são representadas pelos triângulos apontando para baixo, na linha da figura 5.

Figura 5. *Cinco medições do mesmo comprimento.*

Como podemos ver, as cinco medições se situam entre 971 e 980 milímetros. Qual é sua melhor estimativa do comprimento real da linha? Há duas candidatas óbvias. Uma é a mediana, a medida entre as duas medições mais curtas e as duas mais longas. É a marca de 973 milímetros. Outra possibilidade é a média aritmética, ou simplesmente média, que nesse exemplo é 975 milímetros, mostrada aqui como uma seta apontando para cima. Sua intuição provavelmente prefere a média, e sua intuição está correta. A média contém mais informações; ela é afetada pelo tamanho dos números, enquanto a mediana é afetada apenas pela ordem deles.

Existe uma estreita ligação entre esse problema da estimativa, sobre o qual você tem uma intuição clara, e o problema da medição de erro total que nos interessa aqui. São, na verdade, dois lados da mesma moeda. Isso porque a melhor estimativa é aquela que minimiza o erro total das medições disponíveis. Logo, se está correta sua intuição de que a média é a melhor estimativa, a fórmula que você usa para medir o erro total deve produzir a média aritmética como valor para o qual o erro é minimizado.

O EQM tem essa propriedade — e é a única definição de erro total dotada dela. Na figura 6, calculamos o valor do EQM no conjunto de cinco medições para dez possíveis valores inteiros do comprimento real da linha. Por exemplo, se o valor real fosse 971, os erros nas cinco medições seriam 0, 1, 2, 8 e 9. Os quadrados desses erros somam 150 e sua média é 30. Esse é um número grande, refletindo o fato de que algumas medições estão longe do valor real. Como podemos ver, o EQM decresce à medida que nos aproximamos de 975 — a média — e volta a crescer além desse ponto. A média é nossa melhor estimativa porque é o valor que minimiza o erro total.

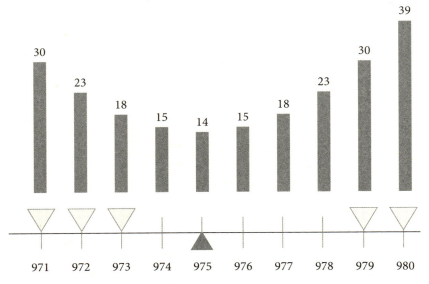

Figura 6. *Erro quadrático médio (EQM) para dez valores possíveis do comprimento verdadeiro.*

Perceba também que o erro total aumenta rapidamente quando a estimativa diverge da média. Quando a estimativa aumenta em apenas três milímetros, de 976 para 979, por exemplo, o EQM dobra. Esta é uma característica fundamental do EQM: a potenciação ao quadrado dá aos grandes erros um peso muito maior do que aos pequenos.

Agora podemos entender por que a fórmula de Gauss para medir o erro total é chamada de erro quadrático médio e por que sua abordagem da estimativa é chamada de método dos mínimos quadrados. Elevar os erros ao quadrado constitui sua ideia central, e nenhuma outra fórmula seria compatível com nossa intuição de que a média é a melhor estimativa.

As vantagens da abordagem de Gauss foram rapidamente reconhecidas por outros matemáticos. Entre seus muitos feitos, Gauss usou o EQM (e outras inovações matemáticas) para resolver um enigma que frustrara os melhores astrônomos da Europa: a redescoberta de Ceres, um asteroide rastreado apenas brevemente antes de desaparecer sob a luminosidade solar, em 1801. Os astrônomos tentavam estimar a trajetória de Ceres, mas a maneira utilizada por eles para compensar o erro de medição de seus telescópios estava errada e o planetoide não reapareceu em nenhum ponto próximo à localização sugerida por seus resultados. Gauss refez seus cálculos usando o método dos mínimos quadrados. Quando os astrônomos apontaram os telescópios para o lugar que ele indicou, Ceres foi encontrado!

Cientistas de diversas disciplinas não tardaram a adotar o método dos mínimos quadrados. Mais de dois séculos depois, ele permanece o padrão para avaliar erros sempre que a meta for obter precisão. A ponderação dos erros por seus quadrados é central na estatística. Na vasta maioria de aplicações em todas as disciplinas científicas, o EQM impera. Como veremos a seguir, a abordagem tem implicações surpreendentes.

AS EQUAÇÕES DE ERRO

O papel do viés e do ruído no erro é facilmente resumido em duas expressões que chamaremos de *equações de erro*. A primeira equação decompõe o erro de uma única medição nos dois componentes com os quais a essa altura já estamos familiarizados: o viés — erro médio — e um "erro ruidoso" residual.

O erro ruidoso é positivo quando o erro é maior do que o viés, e negativo quando é menor. A média dos erros ruidosos é zero. Não há nenhuma novidade na primeira equação de erro.

$$\text{Erro numa única medição} = \text{Viés} + \text{Erro Ruidoso}$$

A segunda equação de erro é uma decomposição do EQM, a medida do erro total que introduzimos agora. Usando álgebra simples,[2] podemos demonstrar que o EQM é igual à soma dos quadrados do viés e do ruído. (Lembre que ruído é o desvio-padrão das medições, que é idêntico ao desvio-padrão dos erros ruidosos.) Logo:

$$\text{Erro Total (EQM)} = \text{Viés}^2 + \text{Ruído}^2$$

A forma dessa equação — uma soma de dois quadrados — pode lembrar a figurinha carimbada dos tempos de escola, o teorema de Pitágoras. Como você deve recordar, em um triângulo reto, a soma dos quadrados dos dois lados menores é igual ao quadrado do maior. Isso sugere uma simples visualização na equação de erro, em que EQM, Viés^2 e Ruído^2 são as áreas dos três quadrados nos lados de um triângulo retângulo. A figura 7 mostra como o EQM (a área do quadrado mais escuro) se equipara à soma das áreas dos outros dois quadrados. Na situação da esquerda, há mais ruído do que viés; na da direita, mais viés do que ruído. Mas o EQM é o mesmo, e a equação de erro se aplica nos dois casos.

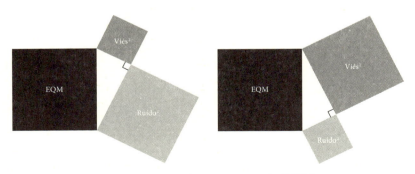

Figura 7. *Duas decomposições do EQM.*

Como sugerem tanto a expressão matemática como sua representação visual, viés e ruído desempenham papéis idênticos na equação de erro. São independentes entre si e recebem o mesmo peso na determinação do erro total. (Observe que usaremos uma decomposição similar numa soma de quadrados quando analisarmos os componentes do ruído em capítulos posteriores.)

A equação de erro fornece uma resposta para a questão prática levantada por Amy: de que maneira a redução em uma mesma quantidade, seja do ruído, seja do viés, afeta o erro total? A resposta é evidente: viés e ruído são intercambiáveis na equação de erro, e a diminuição do erro total será a mesma independentemente de qual dos dois for reduzido. Na figura 4, em que viés e ruído calham de ser iguais (ambos em 10%), suas contribuições para o erro total são iguais.

A equação de erro também oferece um inequívoco apoio ao impulso inicial de Amy Simkin de tentar reduzir o ruído. Sempre que observamos ruído, devemos tentar reduzi-lo! A equação mostra que o chefe de Amy estava enganado quando sugeriu que a GoodSell esperasse para medir o viés em suas previsões de vendas e só depois decidisse o que fazer. Em termos de erro total, ruído e viés são independentes: o benefício de reduzir o ruído é o mesmo, não importa a quantidade de viés.

Essa ideia é altamente contraintuitiva, mas crucial. Para ilustrá-la, a figura 8 mostra o efeito de reduzir o viés e o ruído na mesma medida. Para ajudar a visualizar o que foi efetuado nas duas ilustrações, a distribuição original de erros (da figura 4) é representada por uma linha tracejada.

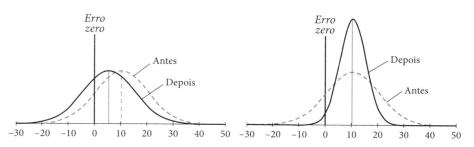

Figura 8. *Distribuição de erros com viés reduzido pela metade × ruído reduzido pela metade.*

Na situação A, presumimos que o chefe de Amy decidiu fazer as coisas a seu modo: ele descobriu qual era o viés e deu um jeito de reduzi-lo pela metade (talvez fornecendo feedback aos previsores excessivamente otimistas). Nada foi feito sobre o ruído. A melhora é visível: toda a distribuição de previsões se aproximou do valor real.

Na situação B, mostramos o que teria acontecido se Amy tivesse vencido a discussão. O viés permanece inalterado, mas o ruído é reduzido pela metade. O paradoxo aqui é que a redução de ruído parece ter piorado as coisas. As previsões agora são mais concentradas (menos ruidosas), mas não mais precisas (não são menos enviesadas). Se antes 84% das previsões estavam em um lado do valor real, quase todas (98%) agora erram ao ultrapassar o valor real. A redução do ruído parece ter tornado as previsões mais precisamente erradas — longe da melhora sonhada por Amy!

Mas, a despeito das aparências, o erro total foi reduzido tanto na situação B como na A. A ilusão de deterioração na situação B advém de uma intuição equivocada sobre o viés. A medida relevante do viés não é o desequilíbrio de erros positivos e negativos. É o erro médio, que corresponde à distância entre o pico da curva normal e o valor real. Na situação B, esse erro médio não mudou em relação à condição original — continua elevado, em 10%, mas não pior. É verdade que a presença do viés agora chama mais a atenção, porque explica uma proporção maior do erro total (80%, em vez de 50%). Mas isso é porque o ruído foi reduzido. Por outro lado, na situação A, o viés foi reduzido, mas não o ruído. O resultado líquido é que o EQM é o mesmo nas duas situações: reduzir o ruído ou reduzir o viés na mesma quantidade tem o mesmo efeito no EQM.

Como esse exemplo ilustra, o EQM entra em conflito com intuições comuns sobre a pontuação de julgamentos preditivos. Para minimizar o EQM, devemos nos concentrar em evitar erros grandes. Se medimos o comprimento, por exemplo, o efeito de reduzir um erro de onze centímetros para dez centímetros é 21 vezes maior do que o efeito de começar por um erro de um centímetro para chegar a um acerto perfeito. Infelizmente, as intuições pessoais nesse aspecto[3] são quase a imagem espelhada do que deveriam ser: as pessoas anseiam por obter acertos perfeitos e são altamente sensíveis a pequenos erros, mas raras vezes dão qualquer importância à diferença entre dois erros grandes. Mesmo que você acredite piamente que seu objetivo seja fazer julgamentos precisos, sua reação emocional aos resultados pode ser incompatível com a obtenção de precisão tal como a ciência a define.

Claro que a melhor solução aqui seria reduzir tanto o ruído como o viés. Como o viés e o ruído são independentes, não há por que escolher entre Amy Simkin e seu chefe. Nesse aspecto, se a GoodSell decide reduzir o ruído, o fato de que a redução do ruído torna o viés mais visível — na verdade, impossível de não ser visto — pode se revelar uma bênção. Conseguir a redução do ruído certamente assegurará que a redução do viés venha a seguir na agenda da empresa.

Admitimos que reduzir o ruído seria uma prioridade menor se houvesse muito mais viés do que ruído. Mas o exemplo da GoodSell oferece outra lição que vale a pena destacar. Nesse modelo simplificado, presumimos que o ruído e o viés são iguais. Dada a forma da equação de erro, suas contribuições para o erro total também são iguais: o viés responde por 50% do erro total, assim como o ruído. Contudo, como observamos, 84% dos previsores erram na mesma direção. É necessário um viés grande como esse (seis de sete pessoas cometendo erros na mesma direção!) para o viés exercer tanto efeito quanto o ruído. Não devemos nos surpreender, portanto, de encontrar situações em que há mais ruído do que viés.

Ilustramos a aplicação da equação de erro a um único caso, uma região particular do território da GoodSell. Claro que é sempre desejável realizar uma auditoria de ruído em múltiplos casos de uma vez. Nada muda. A equação de erro é aplicada aos diferentes casos, e uma equação geral é obtida tirando as médias de EQM, viés ao quadrado e ruído ao quadrado de todos os casos. Teria sido melhor para Amy Simkin obter múltiplas previsões para diversas regiões, fosse de um mesmo previsor, fosse de diferentes previsores. A média dos resultados lhe daria um retrato mais preciso do viés e do ruído no sistema de previsões de vendas da GoodSell.

O CUSTO DO RUÍDO

A equação de erro é a base intelectual deste livro. Ela oferece uma explicação para o objetivo de reduzir o ruído de sistema no julgamento preditivo, objetivo em princípio tão importante quanto a redução do viés estatístico.

(Vale enfatizar que viés estatístico não é sinônimo de discriminação social; é simplesmente a média dos erros em um conjunto de julgamentos.)

A equação de erro e as conclusões que extraímos dela dependem do uso do EQM como medida do erro total. A regra é apropriada para julgamentos puramente preditivos, incluindo previsões e estimativas, todos os quais objetivam se aproximar de um valor real com a máxima precisão (o mínimo viés) e a máxima exatidão (o mínimo ruído).

No entanto, a equação de erro não se aplica aos julgamentos avaliativos porque o conceito de erro, que depende da existência de um valor real, é muito mais difícil de aplicar. Além do mais, mesmo que os erros pudessem ser especificados, seus custos raras vezes seriam simétricos e teriam pouca probabilidade de ser exatamente proporcionais a seus quadrados.

Para uma empresa que fabrica elevadores, por exemplo, as consequências dos erros em estimar a carga máxima de um elevador são obviamente assimétricas: subestimá-la sai caro, mas superestimá-la seria catastrófico. O erro ao quadrado é irrelevante de modo similar ao decidir sobre o melhor horário para sair de casa e pegar um trem. Nessa situação, as consequências de estarmos um minuto ou cinco minutos atrasados são as mesmas. Quando a companhia de seguros do capítulo 2 determina o preço das apólices ou calcula o valor da indenização, erros em ambas as direções são custosos, mas não há motivo para presumir que seus custos sejam equivalentes.

Esses exemplos ressaltam a necessidade de especificar os papéis dos julgamentos preditivo e avaliativo nas decisões. Uma máxima amplamente aceita para uma boa tomada de decisão é que não devemos misturar nossos valores com nossos fatos. A boa tomada de decisão deve se basear em julgamentos preditivos objetivos e precisos, inteiramente imunes a esperanças e medos ou preferências e valores. Para a empresa de elevadores, o primeiro passo seria um cálculo neutro da carga técnica máxima do elevador segundo diferentes soluções de engenharia. A segurança se torna uma consideração dominante apenas no segundo passo, quando o julgamento avaliativo determina a escolha de uma margem de segurança aceitável para estabelecer a capacidade máxima. (Sem dúvida, essa escolha também vai depender muito dos julgamentos factuais envolvendo, por exemplo, os custos e benefícios dessa margem de segurança.) De modo similar, o primeiro passo ao decidir o momento certo de ir para a estação de trem deve ser uma determinação objetiva das probabilidades de diferentes horários de viagem. Os custos respectivos de perder o trem e de perder tempo na estação passam a ser relevantes apenas para a escolha do risco que você está disposto a aceitar.

A mesma lógica se aplica a decisões muito mais importantes. Um comandante militar deve pesar muitas considerações ao decidir se lança uma ofensiva, mas grande parte das informações nas quais líderes se baseiam é uma questão de julgamento preditivo. Um governo respondendo a uma crise de saúde, como uma pandemia, deve pesar os prós e contras de várias opções, mas nenhuma avaliação é possível sem previsões precisas sobre as consequências prováveis de cada escolha (incluindo a decisão de não fazer nada).

Em todos esses exemplos, as decisões finais exigem julgamentos avaliativos. O tomador de decisão deve considerar múltiplas opções e empregar os valores delas para fazer a escolha ideal. Mas as decisões dependem de suas previsões básicas, que devem ter valor neutro. Seu objetivo é a precisão — chegar o mais perto possível do centro do alvo — e o EQM é a medida de erro apropriada. O julgamento preditivo é aprimorado com procedimentos que reduzem o ruído, contanto que não aumentem ainda mais o viés.

FALANDO DA EQUAÇÃO DE ERRO

"Estranhamente, reduzir o viés e o ruído em igual quantidade exerceu o mesmo efeito na precisão."

"A redução do ruído no julgamento preditivo é sempre útil, independentemente do que sabemos sobre o viés."

"Quando os julgamentos estão divididos entre 84 acima e dezesseis abaixo do valor real, há um grande viés — é aí que viés e ruído são iguais."

"O julgamento preditivo está envolvido em toda decisão, e seu único objetivo deve ser a precisão. Não misture seus valores com seus fatos."

6. A análise do ruído

O capítulo anterior discutiu a variabilidade na medição ou no julgamento de um caso isolado. Quando focamos em um único caso, toda variabilidade de julgamento é erro, e os dois componentes do erro são o viés e o ruído. Claro que os sistemas de ajuizamento que examinamos aqui, incluindo os que envolvem a justiça e companhias de seguro, são concebidos para lidar com diferentes casos e fazer distinção entre eles. Juízes federais e analistas de sinistro seriam de pouca utilidade se dessem um mesmo parecer para todos os casos que aparecem a sua frente. Grande parte da variabilidade nos julgamentos de diferentes casos é intencional.

Entretanto, a variabilidade de julgamentos em um mesmo caso continua indesejável — é ruído de sistema. Como mostraremos, uma auditoria de ruído em que as mesmas pessoas fazem julgamentos sobre diversos casos permite uma análise mais detalhada do ruído de sistema.

UMA AUDITORIA DE RUÍDO NAS SENTENÇAS JUDICIAIS

Para ilustrar a análise do ruído com múltiplos casos, apresentamos uma auditoria de ruído excepcionalmente detalhada realizada nas sentenças de juízes federais.[1] A análise foi publicada em 1981 como parte do movimento pela reforma penal descrito no capítulo 1. O estudo se limitava a decisões penais, mas as lições que ele oferece são gerais e relevantes para outros julgamentos profissionais. O objetivo da auditoria de ruído era ir além da evidência de ruído vívida mas anedótica coligida pelo juiz Frankel e outros, e "determinar a extensão da disparidade de sentenças" de um modo mais sistemático.

Os autores do estudo desenvolveram dezesseis casos hipotéticos em que o réu fora considerado culpado e aguardava a sentença. As sinopses retratavam roubos ou fraudes e diferiam em seis outras dimensões, incluindo se o réu era cabeça ou cúmplice do crime, se tinha ficha criminal, se o assalto fora à mão armada, e assim por diante.

Os pesquisadores organizaram cuidadosamente entrevistas estruturadas com uma amostra nacional de 208 juízes federais ativos. Em noventa minutos, apresentavam aos juízes todos os dezesseis casos e lhes pediam que estabelecessem uma sentença.[2]

Para identificar o que temos a aprender com esse estudo, um exercício de visualização pode ser útil. Imagine uma ampla tabela com dezesseis colunas para os crimes, ordenados de A a P, e 208 fileiras para os juízes, ordenados de 1 a 208. Cada célula, da A1 à P208, mostra o tempo de prisão estabelecido para um caso particular por um juiz particular. A figura 9 ilustra como ficaria essa tabela de 3328 células. Para estudar o ruído, vamos focar nas dezesseis colunas, cada uma delas correspondendo a uma auditoria de ruído separada.

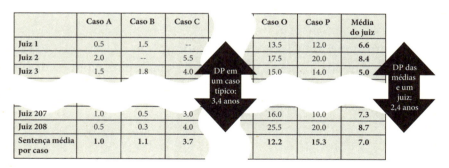

Figura 9. *Uma representação do estudo de sentenças.*

SENTENÇAS MÉDIAS

Não há um modo objetivo de determinar qual é o "valor real" de uma sentença para um caso particular. A seguir, tratamos a média das 208 sentenças para cada caso (sentença média) como se fosse a sentença "justa" para ele. Como notamos no capítulo 1, a Comissão de Sentenças dos Estados Unidos partiu desse mesmo pressuposto quando usou a média das práticas em casos passados como base para estabelecer as diretrizes de sentenças. Essa denominação assume viés zero no julgamento médio de cada caso.

Sabemos perfeitamente que, na realidade, o pressuposto está errado: a média de julgamentos de alguns casos muito provavelmente será enviesada em relação à média de julgamentos de outros casos bastante similares, por exemplo devido à discriminação racial. A variância de vieses no conjunto dos casos — uns positivos, outros negativos — é uma importante fonte de erro e parcialidade. É essa variância que muitas vezes as pessoas chamam de "viés", o que pode ser confuso.[3] Nossa análise neste capítulo — e neste livro — está focada no ruído, que é uma fonte de erro distinta. O juiz Frankel salientou a injustiça do ruído, mas também chamou a atenção para o viés (incluindo a discriminação racial). Similarmente, não se deve presumir que nosso foco no ruído diminua a importância de medir e combater vieses compartilhados.

Por conveniência, a sentença média para cada caso é indicada na última fileira da tabela. Os casos estão arranjados em ordem crescente de severidade: a sentença média no caso A é um ano; no caso P, 15,3 anos. A média do tempo de prisão para todos os dezesseis casos é de sete anos.[4]

Agora imagine um mundo perfeito em que todos os juízes são instrumentos infalíveis da justiça e suas sentenças estão livres de ruído. Qual seria o aspecto da figura 9 em um mundo assim? Evidentemente, todas as células na coluna do caso A seriam idênticas, pois todos os juízes dariam ao réu a mesma sentença de exatamente um ano. O mesmo seria verdade para todas as demais colunas. Os números em cada fileira, é claro, continuariam a variar, porque os casos são diferentes. Mas toda fileira seria idêntica à de cima e à de baixo. As diferenças entre os casos seriam a única fonte de variabilidade na tabela.

Infelizmente, o mundo da justiça federal não é perfeito. Os juízes não são idênticos e a variabilidade dentro das colunas é grande, indicando ruído no julgamento de cada caso. Há mais variabilidade nas sentenças do que deveria haver, e a finalidade do estudo era analisá-la.

A LOTERIA DAS SENTENÇAS

Comecemos pelo retrato de um mundo perfeito como o descrito, em que todos os casos recebem a mesma punição de todos os juízes. Cada coluna é uma série de 208 números idênticos. Agora, adicione ruído descendo pelas colunas e mudando alguns números aqui e ali — às vezes acrescentando tempo de prisão à sentença média, às vezes subtraindo. Como as mudanças que você faz não são todas iguais, elas geram variabilidade nas colunas. Essa variabilidade é o ruído.

O resultado essencial desse estudo é a grande quantidade de ruído observada *dentro dos julgamentos de cada caso*. A medida de ruído em cada caso é o desvio-padrão dos tempos de prisão atribuídos a ele. Para a média dos casos, a sentença média foi de 7,0 anos e o desvio-padrão em torno dessa média foi de 3,4 anos.[5]

Embora já estejamos bem familiarizados com a expressão *desvio-padrão*, uma descrição concreta pode nos ajudar. Imagine que você escolha ao acaso dois juízes federais e calcule a diferença entre seus julgamentos de um réu. Agora repita a operação com todos os pares de juízes e todos os casos e tire a média dos resultados. Essa medida, a *diferença média absoluta*, deverá lhe dar uma ideia da loteria enfrentada pelos réus em um tribunal federal. Presumindo que os julgamentos estejam distribuídos normalmente, isso representa 1128 vezes o desvio-padrão, o que implica que a diferença média entre duas sentenças escolhidas de modo aleatório de um mesmo caso será de 3,8 anos. No capítulo 3, falamos da loteria enfrentada pelo cliente que precisa do trabalho especializado de uma companhia de seguros. A loteria do réu criminal tem, para dizer o mínimo, maiores consequências.

Uma diferença média absoluta de 3,8 anos entre juízes quando a média das sentenças resulta em 7,0 anos é um resultado perturbador e, na nossa opinião, inaceitável. Contudo, há boas razões para suspeitar da existência de mais ruído ainda na efetiva administração da justiça. Primeiro, os participantes da auditoria de ruído lidaram com casos artificiais, atipicamente fáceis de comparar e apresentados em imediata sucessão. A vida real não facilita tanto a manutenção da consistência. Segundo, em um processo, os juízes têm muito mais informações do que tinham no estudo. Uma nova informação, a menos que decisiva, proporciona mais oportunidades para os juízes divergirem entre si. Por esses motivos, suspeitamos que a quantidade de ruído enfrentada pelos réus em um tribunal de verdade é ainda maior do que a notada no estudo.

ALGUNS JUÍZES SÃO SEVEROS: RUÍDO DE NÍVEL

No passo seguinte da análise, os autores dividiram o ruído em diferentes componentes. Provavelmente, a primeira interpretação que veio a sua mente — como aconteceu com o juiz Frankel — é de que o ruído se deve à variação entre juízes em sua disposição de determinar sentenças severas. Como qualquer advogado de defesa poderá lhe dizer, alguns juízes têm reputação de austeridade, ou seja, são mais severos do que o juiz médio, enquanto outros são considerados compassivos, ou seja, são mais lenientes do que o juiz médio. Referimo-nos a tais desvios como *erros de nível*. (Mais uma vez: erro definido aqui como um desvio da média; um erro pode na verdade corrigir uma injustiça, caso o juiz médio esteja errado.)

A variabilidade em erros de nível será encontrada em qualquer tarefa do julgamento. Exemplos: avaliações de desempenho em que alguns supervisores são mais generosos do que outros, previsões sobre fatias de mercado em que uns gerentes são mais otimistas do que outros ou recomendações de cirurgia na coluna em que alguns ortopedistas são mais agressivos que outros.

Cada fileira da figura 9 mostra as sentenças estabelecidas por um juiz. A sentença média determinada por cada juiz, mostrada na última coluna à direita da tabela, é uma medida de seu nível de severidade. Acontece que os juízes variam amplamente nessa dimensão. O desvio-padrão dos valores na coluna mais à direita foi de 2,4 anos. Essa variabilidade não tem nada a ver com justiça. Como você deve suspeitar, diferenças na média das sentenças refletem a variação entre os juízes em outras características — formação, experiência de vida, opiniões políticas, preferências, e assim por diante. Os pesquisadores examinaram as atitudes dos juízes em relação à aplicação de sentenças em geral — por exemplo, se acham que o principal objetivo delas é neutralização (remover o criminoso da sociedade), reabilitação ou dissuasão. Eles descobriram que juízes cujo principal objetivo é a reabilitação tendem a atribuir sentenças de prisão mais curtas e mais tempo supervisionado do que juízes inclinados pela dissuasão ou neutralização. Separadamente, juízes do Sul dos Estados Unidos estabeleceram sentenças significativamente mais longas do que os de outras regiões do país. De maneira pouco surpreendente, uma ideologia conservadora também se mostrou relacionada à severidade das sentenças.

A conclusão geral é que o nível médio de sentenças funciona como um traço de personalidade. Podemos usar esse estudo para distribuir os juízes numa escala que vai do mais austero ao mais leniente, assim como um teste de personalidade mediria seu grau de extroversão ou afabilidade. Como outras características, seria de esperar que a severidade das sentenças estivesse correlacionada a fatores genéticos, experiência de vida e outros aspectos da personalidade. Nada disso está relacionado ao caso ou ao réu. Usamos o termo *ruído de nível* para a variabilidade na média de julgamentos dos juízes, que é idêntica à variabilidade dos erros de nível.

JUÍZES DIVERGEM: RUÍDO DE PADRÃO

Como mostram as setas escuras na figura 9, o ruído de nível corresponde a 2,4 anos e o ruído de sistema, a 3,4 anos. Essa diferença indica que há algo mais no ruído de sistema do que as diferenças na severidade média dos juízes individuais. Chamemos esse outro componente de *ruído de padrão*.

Para compreender o ruído de padrão, considere novamente a figura 9, escolhendo uma célula ao acaso — digamos, C3. A sentença média no caso C é mostrada na parte de baixo da coluna; como você pode ver, ela é de 3,7 anos. Agora, olhe para a coluna mais à direita e encontre a sentença média dada pelo juiz 3 para todos os casos. É 5,0 anos, 2,0 anos menos do que a média geral. Se a variação na severidade dos juízes fosse a única fonte de ruído na coluna 3, você prediria que a sentença na célula C3 é 3,7 − 2,0 = 1,7 ano. Mas o número de fato na célula C3 é 4 anos, indicando que o juiz 3 foi especialmente austero ao dar essa sentença.

A mesma lógica simples, aditiva,[6] permitiria prever todas as sentenças em todas as colunas da tabela, mas na verdade encontraríamos desvios na maioria das células. Observando uma fileira, você descobrirá que os juízes não são igualmente severos em seu veredicto de todos os casos: eles são mais austeros do que sua média pessoal em uns e mais lenientes em outros. Chamamos esses desvios residuais de *erros de padrão*. Se preenchemos as células da tabela com esses erros de padrão, descobrimos que somam zero para cada juiz (fileira) e que também somam zero para cada caso (coluna). Porém, os erros de padrão não se cancelam em sua contribuição para o ruído, pois os valores em todas as células são elevados ao quadrado para calcular o ruído.

Há um modo mais fácil de confirmar que o modelo aditivo simples de sentenciar não funciona. Podemos ver na tabela que as sentenças médias na base de cada coluna aumentam regularmente da esquerda para a direita, mas o mesmo não é verdade nas fileiras. O juiz 208, por exemplo, determinou uma sentença muito mais elevada para o réu no caso O do que para o réu no caso P. Se juízes individuais ordenassem os casos pelo tempo de prisão que considerassem apropriado, seus rankings não seriam os mesmos.

Usamos o termo *ruído de padrão* para a variabilidade que acabamos de identificar porque ela reflete um padrão complexo nas atitudes de juízes de casos particulares. Por exemplo, um juiz talvez seja mais austero do que a média de um modo geral e relativamente mais leniente com crimes de colarinho-branco. Outro pode se inclinar por punições leves, porém ser mais severo quando o infrator é reincidente. Um terceiro talvez esteja mais próximo da severidade média, mas se revela compassivo quando o réu é meramente cúmplice e rigoroso quando a vítima é uma pessoa mais velha. (Usamos o termo *ruído de padrão* em nome da legibilidade. O termo estatístico apropriado para ruído de padrão é *juiz × interação de caso* — que deve ser lido como "juiz por caso". Pedimos desculpas às pessoas com treinamento estatístico por lhes impor o fardo da tradução.)

No contexto da justiça criminal, parte das reações idiossincráticas aos casos talvez corresponda à filosofia pessoal do juiz na aplicação de sentenças. Outras reações podem resultar de associações das quais o juiz mal tem consciência, como um réu que o lembra um criminoso particularmente detestável ou que se parece com seu filho, por exemplo. Independentemente da origem, esses padrões não são mero acaso: esperamos que voltem a ocorrer se o juiz acompanhar o mesmo caso outra vez. Mas como o ruído de padrão, na prática, é difícil de prever, ele acrescenta incerteza à já imprevisível loteria das sentenças.

Como os autores do estudo observaram: "Diferenças padronizadas entre juízes na influência de características de infração/infrator" são "uma forma adicional de disparidade de sentenças".[7]

Você deve ter notado que a decomposição do ruído de sistema em ruído de nível e ruído de padrão segue a mesma lógica da equação de erro no capítulo anterior, que decompunha o erro em viés e ruído. Dessa vez, a equação pode ser descrita assim:

$$\text{Ruído de Sistema}^2 = \text{Ruído de Nível}^2 + \text{Ruído de Padrão}^2$$

Essa expressão pode ser representada visualmente da mesma maneira que a equação de erro original (figura 10). Representamos os dois lados do triângulo como iguais. Isso acontece porque, no estudo de sentenças, o ruído de padrão e o ruído de nível contribuem quase igualmente para o ruído de sistema.[8]

O ruído de padrão é onipresente. Imagine médicos decidindo sobre internação de pacientes, empresas analisando candidatos para contratar, advogados selecionando os casos que aceitarão ou executivos de Hollywood resolvendo que filme produzir. Em todos esses casos, haverá ruído de padrão, com diferentes juízes produzindo diferentes rankings para eles.

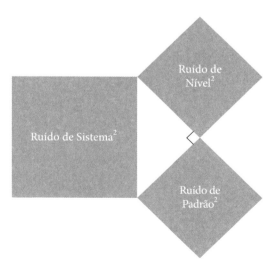

Figura 10. *Decompondo o ruído de sistema.*

OS COMPONENTES DO RUÍDO

Nosso tratamento do ruído de padrão passou por cima de uma complexidade significativa: a possível contribuição do erro aleatório.

Lembre-se do exercício do cronômetro. Quando você tentou medir dez segundos repetidamente, seus resultados variaram de uma contagem para outra, ou seja, você mostrou variabilidade intrapessoal. Por esse mesmo motivo, os juízes não teriam determinado precisamente as mesmas sentenças para os dezesseis casos se tivessem de julgá-los novamente em outra ocasião. Na verdade, como veremos, não seriam as mesmas sentenças nem se o estudo original tivesse sido conduzido em outro dia da mesma semana. Se o juiz está de bom humor porque sua filha lhe deu uma boa notícia, o time dele venceu no domingo ou faz um lindo dia lá fora, talvez julgue com mais leniência do que o normal. Essa variabilidade intrapessoal é conceitualmente distinta das diferenças intrapessoais estáveis que acabamos de discutir — mas é difícil diferenciar as fontes dessa variabilidade. Nosso nome para a variabilidade que se deve a efeitos transitórios é *ruído de ocasião*.

Na realidade, ignoramos o ruído de ocasião nesse estudo e optamos por interpretar os padrões idiossincráticos dos juízes na auditoria de ruído como indicadores de atitudes estáveis. Esse pressuposto é certamente otimista, mas há razões independentes para crer que o ruído de ocasião não tenha desempenhado um papel importante nesse estudo. Os juízes experientes que participaram dele certamente traziam consigo algumas ideias sobre as implicações das diversas características dos delitos e dos réus. No capítulo a seguir, falaremos de maneira mais detalhada do ruído de ocasião e mostraremos como separá-lo do componente estável no ruído de padrão.

Para resumir, discutimos diversos tipos de ruído. O *ruído de sistema* é a variabilidade indesejável nos julgamentos de um mesmo caso por múltiplos indivíduos. Identificamos seus dois principais componentes, que podem ser separados quando os mesmos indivíduos avaliam múltiplos casos:

- *Ruído de nível* é a variabilidade no nível médio de julgamentos feitos por diferentes juízes.
- *Ruído de padrão* é a variabilidade nas respostas dos juízes a casos particulares.

No presente estudo, as quantidades de ruído de nível e ruído de padrão foram mais ou menos iguais. Entretanto, o componente que identificamos como ruído de padrão certamente contém algum *ruído de ocasião*, que pode ser tratado como erro aleatório.

Usamos a auditoria de ruído no sistema judicial como ilustração, mas a mesma análise pode ser aplicada a qualquer auditoria de ruído — nos negócios, na medicina, no ensino, no governo ou em outras áreas. O ruído de nível e o ruído de padrão (que inclui o ruído de ocasião) contribuem para o ruído de sistema, e os encontraremos repetidas vezes mais adiante.

FALANDO DE ANÁLISE DO RUÍDO

"Ruído de nível é quando juízes mostram diferentes níveis de severidade. Ruído de padrão é quando discordam entre si acerca de quais réus merecem tratamento mais severo ou leniente. E parte do ruído de padrão é ruído de ocasião — quando juízes discordam de si próprios."

"Em um mundo perfeito, os réus enfrentariam a justiça; no nosso mundo, enfrentam um sistema ruidoso."

7. Ruído de ocasião

Um jogador profissional de basquete se prepara para um lance livre. Ele toma posição, se concentra e arremessa. É a mesma sequência precisa de movimentos que praticou incontáveis vezes. Vai acertar?

Sabemos tanto quanto ele. Na NBA, os jogadores normalmente acertam três quartos das tentativas. Alguns, obviamente, são melhores do que outros, mas nenhum jogador acerta 100% do tempo. Os melhores de todos os tempos[1] acertam acima de 90% de seus lances livres. (No momento em que escrevemos, são Stephen Curry, Steve Nash e Mark Price.) Os piores, por volta de 50%. (O grande Shaquille O'Neal, por exemplo, converteu apenas 53% de seus lances livres.)[2] Embora o aro esteja sempre a três metros de altura e 4,6 metros de distância e a bola pese sempre por volta de 620 gramas, a capacidade de repetir a sequência precisa de gestos exigidos para fazer uma cesta não vem facilmente. Variabilidade é esperada, não só de um jogador para outro, como também nos jogadores individualmente. O lance livre é uma forma de loteria, com chance de sucesso muito mais alta se o jogador for Stephen Curry do que se for Shaquille O'Neal, mas, ainda assim, uma loteria.

De onde vem essa variabilidade? Sabemos que incontáveis fatores podem influenciar o jogador no lance livre: o cansaço de uma longa partida, a pressão mental de um placar apertado, o apoio da torcida da casa ou as vaias da torcida adversária. Se alguém como Curry ou Nash erra, invocamos uma dessas explicações. Mas, na verdade, é pouco provável que saibamos o papel exato desempenhado por esses fatores. A variabilidade no desempenho de um jogador é uma forma de ruído.

A SEGUNDA LOTERIA

Variabilidade num lance livre ou em outros processos físicos não surpreende. Estamos acostumados à variabilidade em nosso corpo: nosso batimento cardíaco, nossa pressão arterial, nossos reflexos, o tom de nossa voz e o tremor de nossas mãos são diferentes em diferentes momentos. Por mais que tentemos repetir sempre a mesma assinatura, ela sai ligeiramente diferente cada vez que preenchemos um cheque.

Observar a variabilidade de nossas mentes não é tão simples. Claro, todo mundo já passou pela experiência de mudar de ideia sobre algo, mesmo sem novas informações. Um filme que ontem nos fez rir hoje parece medíocre e pouco memorável. Alguém que julgamos com severidade no passado agora parece merecer nossa indulgência. Um argumento de que não gostamos e que não compreendemos passa a ser aceito e a parecer essencial. Mas, como sugerem esses exemplos, em geral associamos tais mudanças a questões relativamente menores e amplamente subjetivas.

Na realidade, nossas opiniões mudam sem razão aparente. Isso é fato até nas questões de julgamento cuidadoso e deliberado envolvendo especialistas profissionais. Por exemplo, é comum obter dois diagnósticos significativamente diferentes de um mesmo médico que é apresentado duas vezes ao mesmo caso (ver capítulo 22). Quando os enólogos em um importante concurso de vinhos nos Estados Unidos provaram o mesmo vinho duas vezes, suas pontuações foram idênticas apenas em 18% dos casos (em geral, para os piores vinhos).[3] Um especialista forense pode chegar a conclusões diferentes examinando a mesma digital duas vezes, com apenas algumas semanas entre uma análise e outra (ver capítulo 20). Desenvolvedores de software experientes podem oferecer estimativas marcadamente diferentes do prazo para uma mesma tarefa em momentos distintos.[4] Simplificando, assim como um jogador de basquete nunca arremessa a bola da mesma maneira duas vezes, nem sempre elaboramos julgamentos idênticos quando confrontados com os mesmos fatos em ocasiões diversas.

Descrevemos o processo que seleciona o corretor de seguros, o juiz ou o médico como uma loteria que gera ruído de sistema. O ruído de ocasião é produto de uma segunda loteria. Essa loteria seleciona o momento em que o profissional elabora um julgamento, seu estado de espírito, a sequência de casos mais fresca em sua mente e incontáveis outros aspectos da ocasião. A segunda loteria normalmente permanece muito mais abstrata do que a primeira. Podemos perceber como a primeira loteria teria selecionado um corretor diferente, por exemplo, mas as alternativas à resposta real do corretor selecionado são contrafactuais abstratos. Sabemos apenas que o julgamento que de fato ocorreu foi selecionado dentre uma nuvem de possibilidades. O ruído de ocasião é a variabilidade entre essas possibilidades ocultas.

MEDINDO O RUÍDO DE OCASIÃO

Medir o ruído de ocasião não é fácil — em parte, pelo mesmo motivo que a existência do problema, uma vez determinada, com frequência nos surpreende. Ao formar uma opinião profissional cuidadosamente considerada, a pessoa associa a ela os motivos que justificam seu ponto de vista. Se lhe pedimos que explique seu parecer, a pessoa em geral o defende com argumentos que acha convincentes. E se lhe apresentamos o mesmo caso pela segunda vez e ela o reconhece, reproduz a resposta anterior, tanto para minimizar o esforço como para manter a consistência. Considere este exemplo do universo docente: se o professor dá uma excelente nota para o trabalho de um aluno e depois de uma semana o relê após rever a nota original, dificilmente vai alterar muito a nota.

Por esse motivo, medições diretas de ruído de ocasião são difíceis de obter sempre que os casos forem fáceis de memorizar. Por exemplo, se mostramos a um corretor de seguros ou a um juiz criminal um caso que decidiram previamente, provavelmente vão reconhecer os fatos do caso e apenas repetir seu parecer anterior. Uma revisão da pesquisa sobre a variabilidade no julgamento profissional (tecnicamente conhecida como *confiabilidade de exame-reexame*, ou *confiabilidade*, para resumir) incluía muitos estudos em que os especialistas emitiram o mesmo parecer duas vezes na mesma sessão. Não causa surpresa que tendessem a concordar consigo mesmos.[5]

Os experimentos supramencionados contornaram essa questão usando estímulos que os especialistas não reconhecessem: enólogos participaram de uma degustação às cegas, investigadores forenses examinaram impressões que já tinham visto e desenvolvedores de software foram consultados sobre tarefas em que já haviam trabalhado — porém semanas ou meses mais tarde e sem ser alertados de que já haviam analisado tais casos.

Há outra maneira menos direta de confirmar a existência do ruído de ocasião: usando os métodos de big data e da econometria. Quando uma grande amostra de decisões profissionais anteriores está disponível, os analistas às vezes podem verificar se essas decisões foram influenciadas por fatores irrelevantes, específicos da ocasião, como a hora do dia ou o clima. Efeitos estatisticamente significativos de tais fatores irrelevantes para o julgamento são evidência de ruído de ocasião. Falando em termos realistas, descobrir todas as fontes extrínsecas do ruído de ocasião é impossível, mas as que podem ser encontradas ilustram a grande variedade dessas fontes. Se esperamos controlar o ruído de ocasião, devemos tentar compreender os mecanismos que o produzem.

UMA PESSOA É UMA MULTIDÃO

Pense na seguinte questão: quantos por cento dos aeroportos mundiais estão nos Estados Unidos? Após alguns instantes, provavelmente uma resposta lhe veio à mente. Mas não da mesma maneira como você pensaria em sua idade ou seu telefone. Você tem consciência de que o número em que acaba de pensar é uma estimativa. Não é um número aleatório — 1% ou 99% claramente seriam respostas erradas. Mas esse número em que pensou é apenas um dentre uma gama de possibilidades que você não descartaria. Se somássemos ou subtraíssemos um ponto percentual a sua resposta, você provavelmente não acharia a conjectura resultante muito menos plausível do que a sua. (A resposta correta, caso queira saber, é 32%.)[6]

Dois pesquisadores, Edward Vul e Harold Pashler,[7] tiveram a ideia de pedir que as pessoas respondessem a essa pergunta (e a muitas similares) não apenas uma vez, mas duas. Os indivíduos não eram informados na primeira ocasião de que voltariam a ela. A hipótese de Vul e Pashler era que a média das duas respostas seria mais precisa do que ambas.

Os dados mostraram que tinham razão. Em geral, a primeira conjectura estava mais próxima da verdade do que a segunda,[8] mas a melhor estimativa vinha da média entre as duas.

Vul e Pashler se inspiraram no fenômeno conhecido como *efeito de sabedoria das multidões*: a média dos julgamentos independentes de diferentes indivíduos melhora a precisão de modo geral. Em 1907, Francis Galton, primo de Darwin e um famoso polímata, pediu a 787 pessoas em uma feira rural que estimassem o peso de um boi premiado. Ninguém adivinhou o peso real, 543 kg, mas a média de seus palpites errou por menos de um quilo e a mediana, 547 kg, também chegou muito perto. Essas pessoas eram uma "multidão sábia", no sentido de que, embora suas estimativas individuais fossem muito ruidosas, eram livres de viés. Galton ficou surpreso: ele tinha pouco respeito pela capacidade de julgamento do homem comum e, por mais que duvidasse, insistiu que seus resultados eram "mais creditáveis à confiabilidade de um julgamento democrático do que teríamos esperado".

Resultados parecidos foram encontrados em centenas de situações. Claro, se as questões forem tão difíceis que só especialistas chegarão perto da resposta, uma multidão não necessariamente será muita precisa. Mas, por exemplo, quando pedimos a alguém para adivinhar o número de jujubas num pote transparente, prever a temperatura local daqui a uma semana, estimar a distância entre duas cidades em um estado, a média das respostas de inúmeras pessoas tende a ficar próxima da verdade. O motivo é um bê-á-bá da estatística: a média de diversos julgamentos (ou medições) independentes produz um novo julgamento, que é menos ruidoso,[9] embora não menos enviesado, do que os julgamentos individuais.

Vul e Pashler queriam descobrir se o mesmo efeito se estende ao ruído de ocasião: podemos chegar mais perto da verdade combinando duas conjecturas de uma mesma pessoa assim como fazemos quando combinamos as conjecturas de diferentes pessoas? Como descobriram, a resposta é sim. Vul e Pashler deram um nome evocativo a esse resultado: *a multidão interior*.

A média de duas conjecturas feitas por um mesmo indivíduo não melhora os julgamentos tanto quanto recorrer a uma segunda opinião independente. Nas palavras de Vul e Pashler: "A pessoa ganha cerca de um décimo fazendo-se a mesma pergunta duas vezes do que ganharia se pedisse uma segunda opinião de alguém".[10] Não é grande coisa, a título de aprimoramento. Mas podemos ampliar muito esse efeito deixando passar algum tempo antes de fazer uma segunda conjectura. Quando Vul e Pashler aguardaram três semanas para fazer a mesma pergunta outra vez aos participantes da pesquisa, o incremento foi de um terço do valor de uma segunda opinião. Nada mal para uma técnica que não exige informação adicional nem ajuda externa. E esse resultado certamente justifica a velha crença de que decisões importantes devem ser deixadas para o dia seguinte, após uma boa noite de sono.

Trabalhando independentemente de Vul e Pashler, porém mais ou menos na mesma época, dois pesquisadores alemães, Stefan Herzog e Ralph Hertwig,[11] pensaram numa implementação diferente do mesmo princípio. Em vez de apenas pedir aos participantes que fizessem uma segunda estimativa, sugeriam que fizessem uma estimativa tão diferente quanto possível da primeira — embora ainda plausível. Essa orientação exigiu que pensassem ativamente em informações que não haviam considerado da primeira vez. As instruções eram as seguintes:

> Primeiro, presuma que sua estimativa inicial errou o alvo. Segundo, pense em alguns motivos para isso ter acontecido. Que pressupostos e considerações poderiam estar equivocados? Terceiro, em que implicam essas novas considerações? A primeira estimativa foi alta demais ou baixa demais? Quarto, com base nessa nova perspectiva, faça uma segunda estimativa, alternativa.

Como Vul e Pashler, Herzog e Hertwig em seguida tiraram a média das duas estimativas obtidas. Essa técnica, que batizaram de *bootstrapping dialético*, alcançou maiores ganhos de precisão do que a simples orientação de fazer a segunda estimativa imediatamente após a primeira. Como os participantes eram obrigados a considerar a questão sob novo prisma, faziam a amostragem de versões diferentes de si mesmos — dois "membros" da "multidão interior" que fossem mais afastados. Em consequência, a média entre eles resultou numa estimativa da verdade mais precisa. O ganho em precisão com as duas estimativas "dialéticas" imediatamente consecutivas foi de cerca de metade do valor de uma segunda opinião.

A conclusão para o tomador de decisão, como resumem Herzog e Hertwig, é uma simples escolha entre procedimentos: se você puder obter opiniões independentes de outros, faça isso — a sabedoria das multidões real tem alta probabilidade de melhorar seu julgamento. Se não puder, faça você mesmo um segundo julgamento e produza uma "multidão interior". Para isso, deixe passar algum tempo — possibilitando desse modo distanciamento da primeira opinião — ou debata ativamente consigo mesmo até encontrar outra perspectiva para o problema. Por fim, independentemente do tipo de multidão, a menos que você tenha motivos muito fortes para atribuir maior peso a uma das estimativas, sua melhor aposta será tirar a média delas.

Além de um conselho prático, essa linha de pesquisa confirma uma impressão essencial sobre o julgamento. Como afirmam Vul e Pashler, "As respostas fornecidas pelo participante são amostras tiradas de uma distribuição interna de probabilidades, não selecionadas de forma determinista com base no conhecimento total que o indivíduo possui".[12] Essa observação é similar a sua experiência de responder à questão sobre os aeroportos nos Estados Unidos: sua primeira resposta não captou todo o seu conhecimento, nem sequer a melhor parte dele. A resposta foi apenas um ponto na nuvem de respostas possíveis que sua mente podia ter gerado. A variabilidade observada nos julgamentos sobre um mesmo problema por uma mesma pessoa não é um acaso encontrado em alguns problemas muito especializados: o ruído de ocasião afeta todos os nossos julgamentos, o tempo todo.

FONTES DE RUÍDO DE OCASIÃO

Há pelo menos uma fonte de ruído de ocasião que todo mundo já percebeu: o humor. Por experiência própria, todos sabem que o modo como julgamos pode depender de como nos sentimos — e sem dúvida temos consciência de que o julgamento dos outros também varia assim.

O efeito do humor no julgamento conta com um vasto corpus de pesquisa em psicologia. É muito fácil deixar uma pessoa temporariamente feliz ou triste e medir a variabilidade de seus julgamentos e decisões após tais humores serem induzidos. Os pesquisadores usam uma variedade de técnicas para isso. Por exemplo, pedem aos participantes que escrevam um parágrafo evocando uma memória feliz ou triste. Ou simplesmente lhes mostram o trecho de um filme engraçado ou comovente.

Os psicólogos passaram décadas investigando os efeitos da manipulação do humor. Talvez o mais prolífico deles tenha sido o australiano Joseph Forgas,[13] que publicou cerca de cem artigos científicos sobre a questão.

Parte da pesquisa de Forgas confirma o que você já imaginava: pessoas de bom humor são de modo geral positivas. Têm mais facilidade de recordar lembranças felizes do que tristes, são menos críticas em relação aos outros, mais generosas, e assim por diante. O humor negativo tem efeito contrário. Como Forgas escreve: "O mesmo sorriso visto como amigável por uma pessoa de bom humor pode ser considerado constrangido quando o observador está de mau humor; uma conversa sobre o clima pode ser percebida como descontração se a pessoa está de bom humor ou um aborrecimento se está de mau humor".[14]

Em outras palavras, o humor tem uma influência mensurável no que você pensa: o que nota no seu ambiente, as coisas que puxa da memória, como interpreta sinais. Mas o humor tem outro efeito mais surpreendente: ele também muda *como* pensamos. E aqui os efeitos não são os que se poderia imaginar. O bom humor também tem seus contras e o mau humor também tem seus prós. Os custos e benefícios de diferentes estados de espírito são específicos de cada situação.

Em situações de negócios, por exemplo, o bom humor ajuda. Pessoas de bom humor são mais cooperativas e despertam reciprocidade. Tendem a obter resultados melhores do que negociadores taciturnos. Claro que negociações bem-sucedidas também deixam as pessoas felizes, mas, nesses experimentos, o humor não é causado pelo que acontece na negociação; é induzido antes que as pessoas negociem. Além disso, o negociador que passa de um estado de espírito afável para ranzinza durante a negociação muitas vezes alcança bons resultados[15] — não se esqueça disso quando estiver negociando com uma pessoa teimosa!

Por outro lado, o bom humor nos deixa mais suscetíveis a adotar nossa primeira impressão como verdadeira sem contestá-la. Em um estudo de Forgas, os participantes liam um breve ensaio,[16] que vinha acompanhado da foto do autor. Uns recebiam a foto de um professor de filosofia típico — homem, de meia-idade, usando óculos. Outros, a foto de uma jovem. Como você já deve ter adivinhado, é um teste de vulnerabilidade a estereótipos: será que as pessoas avaliariam o ensaio mais favoravelmente se atribuído a um homem de meia-idade do que a uma mulher jovem? Claro que sim. No entanto, o mais importante é que a diferença é maior em um estado de espírito positivo. De bom humor, a pessoa fica mais propensa a deixar seus vieses afetarem seu raciocínio.

Outros estudos testaram o efeito do humor na credulidade. Gordon Pennycook e colegas conduziram diversos experimentos sobre a reação das pessoas a frases sem sentido, pseudoprofundas,[17] montadas com substantivos e verbos selecionados ao acaso de máximas de gurus populares em sentenças gramaticalmente corretas, como "A totalidade aquieta os fenômenos infinitos" ou "O significado oculto transforma a beleza abstrata sem paralelos". A propensão a concordar com tais afirmações é um traço conhecido como *receptividade a bobagens*. (A palavra "bobagens" [*bullshit*] virou uma espécie de termo técnico desde que Harry Frankfurt, filósofo da Universidade Princeton, publicou o perspicaz livro *On Bullshit*,[18] em que distinguia "bobagens" de outros tipos de falácia.)

Claro que uns são mais receptivos que outros. Algumas pessoas se impressionam com "asserções aparentemente marcantes apresentadas como verdadeiras e significativas, mas que na verdade são vazias".[19] Mais uma vez, porém, essa credulidade não resulta apenas de disposições permanentes, imutáveis. A indução do bom humor deixa a pessoa mais receptiva a bobagens e mais crédula de modo geral;[20] ela fica menos apta a identificar tramoias ou informações enganosas. Por outro lado, uma testemunha ocular exposta a informações enganosas fica mais propensa a ignorá-las — evitando prestar falso testemunho — quando está de mau humor.[21]

Até julgamentos morais são fortemente influenciados pelo humor. Os participantes de um estudo foram expostos ao problema da passarela,[22] uma questão clássica da filosofia moral. Nesse experimento mental, um bonde desgovernado está prestes a matar cinco pessoas. Os participantes são instruídos a se imaginar cruzando uma passarela sob a qual o bonde passará em instantes. Eles devem decidir se jogam um homem grande dali de cima sobre os trilhos, de modo que seu corpo faça o bonde parar. Ele morrerá, mas cinco pessoas serão salvas.

O problema da passarela ilustra o conflito entre as abordagens do debate moral. O cálculo utilitário, associado a Jeremy Bentham, filósofo inglês, sugere que a perda de uma vida é preferível à perda de cinco. A ética deontológica, associada a Immanuel Kant, proíbe matar uma pessoa mesmo que seja para salvar diversas vidas. O dilema claramente contém um forte elemento emocional: empurrar um homem de uma passarela sobre o trilho de um bonde que se aproxima é um ato particularmente repulsivo. Tomar a decisão utilitária de empurrar o homem da passarela exige superar a aversão a um ato fisicamente violento contra um estranho. Em geral, só uma minoria (nesse estudo, menos de um em dez participantes) afirma que o faria.

Entretanto, quando induzidos a um humor positivo — após assistir a um vídeo de cinco minutos —, os participantes ficam três vezes mais propensos a dizer que empurrariam o homem. Acatar "Não matarás" como um princípio absoluto ou se predispor a matar um estranho para salvar cinco pessoas deveria refletir nossos valores mais profundos. No entanto, a escolha pareceu depender de um vídeo que haviam acabado de assistir.

Descrevemos esses estudos do humor mais detalhadamente porque precisamos enfatizar um fato importante: *você não é a mesma pessoa o tempo todo*. Como nosso humor varia (algo de que sem dúvida temos consciência), alguns aspectos do nosso maquinário cognitivo variam junto (algo de que *não* temos plena consciência). Se você for apresentado a um problema de julgamento complexo, seu humor do momento pode influenciar sua abordagem do problema e as conclusões a que chega, mesmo você acreditando que seu humor não o influencia em nada e mesmo conseguindo justificar com confiança a resposta que encontrou. Em suma, somos ruidosos.

Muitos outros fatores incidentais induzem ruído de ocasião nos julgamentos. Entre os fatores extrínsecos que não deveriam afetar nosso julgamento profissional, mas afetam, há dois suspeitos principais: o estresse e o cansaço. Um estudo envolvendo cerca de 700 mil consultas, por exemplo, mostrou que os médicos são significativamente mais propensos a prescrever opioides ao final de um longo dia de trabalho.[23] Não é lógico que o paciente sinta mais dor às quatro da tarde do que às nove da manhã. O atraso de agenda do médico tampouco deveria influenciar suas decisões de prescrição. E, nos casos em que são prescritos outros tratamentos para dor, como anti-inflamatórios não esteroides e fisioterapia, padrões similares não se revelam. Quando o médico está sob pressão, parece mais inclinado por uma solução rápida, a despeito dos graves efeitos adversos. Outros estudos mostram que, ao final do dia, o médico apresenta maior tendência a receitar antibióticos[24] e menor tendência a receitar vacinas para gripe.[25]

Até o clima tem uma influência mensurável nos julgamentos profissionais. Como tais julgamentos com frequência são feitos em salas com ar condicionado, o efeito do clima provavelmente é "mediado" pelo humor (ou seja, o clima não afeta diretamente as decisões, mas modifica o estado de espírito do tomador de decisão, o que por sua vez altera o modo como decide). Tempo ruim está associado a memória melhorada,[26] sentenças judiciais tendem a ser mais severas quando faz calor e o desempenho do mercado de ações é afetado por um dia ensolarado. Em alguns casos, o efeito do clima é menos óbvio. Uri Simonsohn mostrou que os encarregados de analisar formulários de admissões prestam mais atenção aos atributos acadêmicos do candidato em dias nublados e são mais sensíveis aos atributos não acadêmicos em dias ensolarados. O título do artigo em que ele relatou esses resultados é memorável: "Clouds Make Nerds Look Good" [Nuvens caem bem nos nerds].[27]

Outra fonte de variabilidade aleatória no julgamento é a ordem em que os casos são apresentados. Quando a pessoa examina um caso, as decisões que o precedem servem como referencial implícito imediato. Profissionais que tomam uma série de decisões em sucessão, incluindo juízes criminais, analistas de crédito e árbitros de beisebol, inclinam-se pelo restabelecimento de uma forma de equilíbrio: após uma sequência de decisões na mesma direção, aumenta a tendência a decidir em direção contrária à que seria estritamente justificada. Como resultado, erros (e injustiças) são inevitáveis. Decisões de asilo nos Estados Unidos, por exemplo, revelam chance 19% menor de concessão quando os dois pedidos precedentes foram aprovados. A pessoa pode obter um empréstimo se os dois pedidos anteriores foram negados, mas essa mesma pessoa poderia ter sido rejeitada se os dois empréstimos anteriores tivessem sido aprovados. Esse comportamento reflete um viés cognitivo conhecido como *falácia do jogador*:[28] tendemos a subestimar a probabilidade de que tais sequências ocorram por acaso.

DIMENSIONANDO O RUÍDO DE OCASIÃO

Qual a proporção entre o ruído de ocasião e a totalidade do ruído de sistema? Embora não haja um número único que se aplique a todas as situações, uma regra geral aparece. Em termos de tamanho, os efeitos descritos neste capítulo são menores do que as diferenças estáveis entre indivíduos em seus níveis e padrões de julgamentos.

Como observamos, por exemplo, a chance de que um pedido de asilo seja aceito nos Estados Unidos diminui 19% se a audiência ocorre após dois casos aprovados pelo mesmo juiz.[29] Essa variabilidade certamente é preocupante. Mas não é nada comparada à variabilidade entre juízes: em um tribunal de Miami, Jaya Ramji-Nogales e seus coautores descobriram que um juiz concedia asilo para 88% dos pedidos, enquanto outro, apenas 5%. (Esses dados são reais, não um estudo; assim, embora vindos de pessoas diferentes, os pedidos eram designados de maneira quase aleatória e os autores verificaram que as diferenças de país de origem não explicavam as discrepâncias.) Considerando tais disparidades, reduzir em 19% um desses números não parece nada demais.

Similarmente, papiloscopistas e médicos às vezes discordam de si mesmos, mas o fazem com menos frequência do que discordam dos demais. Em todos os casos por nós examinados em que a parcela do ruído de ocasião no ruído de sistema total podia ser medida, o ruído de ocasião foi um fator de contribuição menor do que as diferenças entre indivíduos.

Ou, pondo em outros termos, você nem sempre é a mesma pessoa, e é menos consistente ao longo do tempo do que imagina. Mas um pensamento relativamente reconfortante é que você é mais parecido consigo mesmo ontem do que com outra pessoa hoje.

RUÍDO DE OCASIÃO, CAUSAS INTERNAS

Humor, cansaço, clima, efeitos de sequência: muitos fatores desencadeiam variações indesejadas no julgamento feito sobre um mesmo caso pela mesma pessoa. Podemos aspirar a construir um cenário em que todos os fatores extrínsecos relevantes para as decisões sejam conhecidos e controlados. Ao menos em teoria, tal cenário deveria reduzir o ruído de ocasião. Mas, provavelmente, nem isso seria suficiente para eliminá-lo por completo.

Michael Kahana e seus colegas da Universidade da Pensilvânia estudam o desempenho da memória.[30] (A memória não é uma tarefa do julgamento, segundo nossa definição, mas é uma tarefa cognitiva para a qual as condições podem ser rigorosamente controladas e as variações no desempenho, medidas com facilidade.) Em um estudo, 79 indivíduos participaram de uma análise excepcionalmente exaustiva de desempenho da memória. Os participantes foram submetidos a 23 sessões em dias separados, durante as quais tinham de recordar palavras de 24 listas diferentes com 24 palavras cada. A porcentagem de palavras lembradas define o desempenho da memória.

Kahana e seus colegas não estavam interessados nas diferenças individuais de desempenho, e sim nos fatores preditivos de variabilidade de cada indivíduo.

O desempenho era influenciado pelo nível de alerta dos participantes? Ou pela qualidade do sono na noite anterior? Pela hora do dia? A prática de uma sessão para outra traria melhoras ao desempenho? Ou o desempenho pioraria a cada sessão, conforme as pessoas ficassem cansadas ou entediadas? Certas listas de palavras seriam mais fáceis de memorizar que outras?

A resposta a todas essas perguntas era sim, mas não muito. Um modelo que incorporava todos esses fatores preditivos explicava apenas 11% da variação no desempenho de um dado indivíduo. Como afirmaram os pesquisadores: "Ficamos admirados com quanta variabilidade persistiu após removermos os efeitos de nossas variáveis preditoras". Mesmo nesse cenário rigidamente controlado, o que provocava o ruído de ocasião era um mistério.

De todas as variáveis estudadas pelos pesquisadores, a preditora mais poderosa do desempenho de um indivíduo em uma lista particular não era um fator externo. O desempenho com uma lista de palavras podia ser mais bem previsto pelo grau de acerto na lista que a precedia de imediato. Uma lista bem-sucedida tendia a ser seguida de outra relativamente bem-sucedida, e uma medíocre, de outra medíocre. O desempenho não variava de maneira aleatória de lista para lista: em cada sessão, melhorava e piorava com o tempo, sem nenhuma causa externa óbvia.

Segundo Kahana e seus coautores, esses resultados sugerem que o desempenho da memória é motivado em grande parte pela "eficiência dos processos neurais endógenos que controlam a função da memória". Em outras palavras, a variabilidade momentânea da eficiência cerebral não é causada apenas por influências externas, como o clima ou algum acontecimento que nos distraia. É uma característica do modo como nosso cérebro funciona.

Muito provavelmente, a variabilidade intrínseca do funcionamento cerebral também afeta a qualidade de nossos julgamentos de maneiras que escapam por completo ao nosso controle. Essa variabilidade na função cerebral põe em xeque a ideia de que o ruído de ocasião pode ser eliminado. A analogia com o jogador de basquete no lance livre não era tão simplista quanto deve ter parecido de início: assim como os músculos do jogador nunca executam exatamente o mesmo movimento, nossos neurônios nunca operam exatamente da mesma maneira. A mente pode ser um instrumento de medição, mas jamais será perfeito.

No entanto, é possível tentar dominar essas influências indevidas. A medida é particularmente importante para julgamentos feitos em grupo, como veremos no capítulo 8.

FALANDO DE RUÍDO DE OCASIÃO

"Julgamentos são como lances livres no basquete: por mais que tentemos repetir precisamente o anterior, nunca são idênticos."

"Seu julgamento depende de seu humor, dos casos que já discutiu e até do clima. Você não é a mesma pessoa o tempo todo."

"Embora não seja a mesma pessoa da semana passada, você é menos diferente do seu 'eu' da semana passada do que de outra pessoa hoje. O ruído de ocasião não é a maior fonte do ruído de sistema."

8. Como o grupo amplifica o ruído

Ruído no julgamento individual já é bastante ruim. Mas a tomada de decisão em grupo acrescenta outra camada ao problema. Um grupo pode ir em todas as direções, dependendo em parte de fatores aparentemente irrelevantes. Quem fala primeiro, quem fala por último, quem fala com confiança, quem está vestido de preto, quem sentou do lado de quem, quem sorri, quem fica sério ou gesticula no momento certo — todos esses fatores, e muitos mais, afetam os resultados. Diariamente, grupos similares tomam decisões muito diferentes sobre contratações, promoções, encerramento das atividades, estratégias de comunicação, regulamentações ambientais, segurança nacional, admissões numa faculdade ou lançamentos de novos produtos.

Pode parecer estranho enfatizar isso, uma vez que no capítulo anterior comentamos que agregar os julgamentos de múltiplos indivíduos reduz o ruído. Mas, devido à dinâmica de grupo, grupos também podem acrescentar ruído. Há "multidões sábias", cuja média dos julgamentos se aproxima da resposta correta, mas também há multidões que seguem tiranos, alimentam bolhas de mercado, acreditam em magia ou vivem sob a influência de uma ilusão compartilhada. Diferenças menores podem levar um grupo a um firme sim e outro essencialmente idêntico a tender a um enfático não. E, devido à dinâmica entre os membros do grupo — nossa ênfase nesse ponto —, o nível do ruído pode ser elevado. Essa proposição vigora tanto nos casos de ruído entre grupos similares como dentro de um único grupo cujo julgamento firme sobre uma importante questão deveria ser visto como apenas mais um dentre uma nuvem de possibilidades.

O RUÍDO NA MÚSICA

A título de evidência, comecemos pelo que parece ser um lugar improvável: um estudo em larga escala sobre downloads de música, realizado por Matthew Salganik e coautores.[1] Os pesquisadores criaram um grupo de controle com milhares de pessoas (usuários de um site de popularidade moderada). Os membros do grupo de controle podiam escutar e baixar uma ou mais de 72 músicas de novas bandas. As músicas tinham nomes evocativos: "Trapped in an Orange Peel" [preso numa casca de laranja], "Gnaw" [roer], "Eye Patch" [tapa-olho], "Baseball Warlock v1" [bruxo do beisebol v. 1] e " Pink Aggression" [agressão cor-de-rosa]. (Alguns títulos soavam diretamente relacionados a nosso assunto aqui: "Best Mistakes" [os melhores erros], "I Am Error" [eu sou um erro], "The Belief Above the Answer" [a crença acima da resposta], "Life's Mystery" [o mistério da vida], "Wish Me Luck" [deseje-me sorte] e " Out of the Woods" [fora de perigo].)

No grupo de controle, os participantes não eram informados de nada que os demais houvessem dito ou feito. Eles deveriam fazer julgamentos independentes sobre as músicas que desejavam baixar. Mas Salganik e seus colegas também criaram outros oito grupos, aos quais milhares de outros usuários do site foram aleatoriamente atribuídos. Para os membros desses grupos, tudo era igual, com uma exceção: as pessoas podiam ver quantos em seu grupo particular haviam baixado anteriormente determinada música. Por exemplo, se "Best Mistakes" fosse imensamente popular em um grupo, seus membros veriam isso, e também veriam caso a música nunca fosse baixada.

Como os vários grupos não diferiam em nenhuma dimensão importante, o estudo em essência fazia a história seguir seu curso oito vezes. Você poderia perfeitamente prever que, no final, as músicas boas sempre chegariam ao topo e as ruins sempre ficariam embaixo. Nesse caso, os vários grupos terminariam com rankings idênticos ou ao menos similares. No conjunto, os grupos não apresentariam ruído. E, de fato, essa era a questão que Salganik e seus coautores pretendiam explorar. O experimento buscava identificar uma causa particular do ruído: a *influência social*.

O principal resultado foi que as paradas musicais divergiam radicalmente: entre os diferentes grupos, havia um bocado de ruído. Em um, "Best Mistakes" podia ser um sucesso estrondoso, enquanto "I Am Error" era um fiasco. Em outro, "I Am Error" saíra-se excepcionalmente bem, ao passo que "Best Mistakes" fora um desastre. Se a música se beneficiava de uma popularidade inicial, podia terminar em ótima posição. Sem essa vantagem, o resultado podia ser bem diferente.

As piores músicas (tal como determinadas pelo grupo de controle) nunca terminaram no topo e as melhores nunca terminaram embaixo. Mas, de resto, quase tudo podia acontecer. Como enfatizam os autores: "O nível de sucesso na condição de influência social era mais imprevisível do que na condição independente". Em resumo, as influências sociais geram significativo ruído entre grupos. E, se pensarmos a respeito, perceberemos que individualmente os grupos eram ruidosos também, no sentido de que seu julgamento favorável a uma música, ou desfavorável a outra, podia facilmente ter sido diferente, dependendo de quanta popularidade inicial ela atraíra.

Como Salganik e seus coautores posteriormente demonstraram, os resultados de grupo podem ser manipulados com razoável facilidade, pois a popularidade se autorreforça.[2] Em um experimento subsequente um tanto perverso, eles inverteram a parada musical no grupo de controle (em outras palavras, mentiram sobre a popularidade das músicas); ou seja, as músicas menos populares apareciam como mais populares e vice-versa. Os pesquisadores então esperaram para ver o que os usuários do site fariam. O resultado foi que a maioria das músicas impopulares se tornou muito popular e a maioria das populares se saiu muito mal. Dentro de grupos muito grandes, popularidade e impopularidade produziram mais do mesmo, inclusive quando os pesquisadores tapearam os participantes sobre quais músicas eram mais populares. A única exceção foi que a música mais popular de todas no grupo de controle de fato ganhou popularidade com o tempo, significando que a parada musical invertida não conseguiu segurar a melhor música lá embaixo. Na maior parte, no entanto, a parada invertida ajudou a determinar o ranking final.

Deve ser fácil perceber como esses estudos afetam julgamentos em grupo de forma geral. Suponha que um grupo pequeno consistindo em, digamos, dez pessoas está se decidindo sobre a adoção de uma iniciativa nova e ousada. Se um ou dois partidários dela falam primeiro, podem perfeitamente desviar a sala toda na direção de sua preferência. O mesmo é verdade se os céticos falam primeiro. Pelo menos é assim se as pessoas se deixam influenciar umas pelas outras — e geralmente deixam. Por esse motivo, grupos no mais similares podem acabar por fazer julgamentos bem diferentes simplesmente devido a quem falou primeiro e iniciou o equivalente aos primeiros downloads. A popularidade de "Best Mistakes" e "I Am Error" tem análogos próximos nos julgamentos profissionais de todo tipo. E se os grupos não escutam o análogo aos rankings de popularidade dessas músicas — um entusiasmo manifesto, digamos, por essa iniciativa ousada —, a iniciativa talvez não dê em nada, simplesmente porque os que a apoiavam não expressaram sua opinião.

ALÉM DOS DOWNLOADS DE MÚSICA

Se você for cético, talvez ache que o caso dos downloads de música é único ou no mínimo distinto e pouco diz sobre o julgamento em um grupo diferente. Mas observações similares foram feitas em muitas outras áreas.[3] Considere, por exemplo, a popularidade das propostas de referendo no Reino Unido. Ao decidir se apoia um referendo, a população deve obviamente pesar todas as considerações e julgar se é uma boa ideia. Os padrões são semelhantes aos observados por Salganik e seus coautores: um crescimento inicial de popularidade se autorreforça, enquanto se uma proposta atrai pouco apoio no primeiro dia ela está essencialmente condenada. Na política, como na música, muita coisa depende das influências sociais e, em particular, de nossa percepção da atração ou repulsa da parte dos outros.

Partindo diretamente do experimento dos downloads, o sociólogo Michael Macy[4] e seus colaboradores da Universidade Cornell investigaram se a opinião manifesta dos outros podia subitamente popularizar posições políticas identificáveis entre democratas e torná-las impopulares entre republicanos — ou vice-versa. A resposta, numa palavra, é sim. Se um democrata em um grupo na internet percebesse que um ponto de vista particular começava a ganhar popularidade entre democratas, endossava esse ponto de vista, acabando por levar a maioria dos democratas no grupo relevante a aprová-lo. Mas se um democrata em outro grupo na internet visse que esse mesmo ponto de vista começava a ganhar popularidade entre republicanos, rejeitava-o, acabando por fazer com que a maioria dos democratas no grupo relevante o rejeitasse. Republicanos se comportaram de modo similar. Em suma, posições políticas podem ser como músicas no sentido de que seu destino final muitas vezes depende da popularidade inicial. Como afirmaram os pesquisadores, "a variação casual em um pequeno número dos primeiros a se manifestar" pode ter efeitos determinantes em influenciar grandes populações — e em fazer tanto republicanos como democratas adotarem um punhado de pontos de vista que na verdade não guardam qualquer relação entre si.

Ou considere uma questão que afeta diretamente as decisões de grupo em geral: o modo como as pessoas julgam comentários na internet. Lev Muchnik e seus colegas da Universidade Hebraica de Jerusalém realizaram um experimento em um site que publica relatos diversos e permite a postagem de comentários, que por sua vez podem receber votos positivos ou negativos. Os pesquisadores davam um voto positivo automático para alguns comentários assim que saíam — era o primeiro voto que o comentário receberia. Seria fácil imaginar que, após centenas de milhares de visitas e votos, uma única curtida inicial em um comentário não poderia fazer diferença. É um pensamento sensato, mas equivocado. Após ver um voto positivo inicial (e não esqueça que inteiramente artificial), o usuário seguinte ficava 32% mais propenso a votar igual.

Notavelmente, esse efeito persistiu com o tempo. Após cinco meses, um único voto positivo inicial aumentou artificialmente a avaliação média dos comentários em 25%.[5] O efeito de um único voto positivo inicial é uma receita para o ruído. Seja qual for o motivo desse voto, ele pode gerar um desvio em larga escala na popularidade total.

Esse estudo oferece uma pista de como os grupos mudam de opinião e por que são ruidosos (mais uma vez, no sentido de que grupos similares podem emitir julgamentos muito diferentes, enquanto grupos isolados podem emitir julgamentos que são apenas um numa nuvem de possibilidades). Os membros com frequência estão em posição de oferecer o equivalente funcional de uma votação positiva (ou negativa) inicial indicando concordância, neutralidade ou dissensão. Se um membro do grupo deu sua imediata aprovação, os outros têm um motivo para fazer o mesmo. Não resta dúvida de que, quando os grupos se movem na direção de determinados produtos, pessoas, movimentos ou ideias, isso pode não se dever a seus méritos intrínsecos, mas ao equivalente funcional de votos positivos iniciais. Claro que o estudo de Muchnik envolveu grupos muito grandes, mas isso pode se repetir em grupos pequenos, na verdade de forma ainda mais dramática, pois um voto positivo inicial — a favor de um plano, produto ou veredicto — com frequência exerce amplo efeito nos demais.

Há uma questão relacionada. Falamos sobre a sabedoria das multidões: se propomos uma pergunta a um grupo grande, há boa chance de que a resposta média seja muito próxima do alvo. Agregar julgamentos pode ser um modo excelente de reduzir tanto o viés como o erro. Mas o que acontece se todo mundo escuta todo mundo? Você pode achar que isso ajuda. Afinal, as pessoas aprendem umas com as outras e desse modo descobrem o que é certo. Sob circunstâncias propícias, em que todos compartilham o que sabem, a deliberação em grupo pode de fato ser positiva. Mas a independência é um pré-requisito para a sabedoria das multidões. Se, em vez de formular o próprio julgamento, a pessoa confia no que os demais acham, a multidão pode não ser tão sábia, afinal.

A pesquisa revelou exatamente esse problema.[6] Em tarefas simples de estimativa — a quantidade de crimes numa cidade, aumentos populacionais ao longo de períodos especificados, a extensão de uma fronteira entre nações —, as multidões se revelaram de fato sábias, contanto que as opiniões fossem registradas de maneira independente. Se os participantes soubessem das estimativas alheias — por exemplo, a média das estimativas de um grupo de doze pessoas —, o desempenho da multidão piorava. Como explicam os autores, as influências sociais são um problema, porque elas reduzem a "diversidade de grupo sem diminuir o erro coletivo". A ironia é que, embora múltiplas opiniões independentes, adequadamente agregadas, possam ter precisão extraordinária, até mesmo uma pequena influência social consegue produzir uma espécie de comportamento de manada que sabota a sabedoria das multidões.

CASCATAS

Alguns estudos aqui descritos envolvem *cascatas informacionais*. Elas estão por toda parte e ajudam a explicar por que grupos semelhantes nos negócios, no governo e em outras áreas podem ir em múltiplas direções e por que pequenas mudanças podem gerar resultados tão diferentes e, desse modo, ruído. Só conseguimos ver a história da forma como realmente ocorreu, mas, para muitos grupos e decisões em grupo, existem nuvens de possibilidades, entre as quais apenas uma vai se concretizar.

Para perceber como as cascatas informacionais operam, imagine um grupo de dez pessoas em um escritório decidindo sobre quem contratar para um cargo importante. Há três candidatos principais: Thomas, Sam e Josie. Presuma que os membros do grupo dão seu parecer em sequência. Nada mais razoável que todos escutem o parecer de todos. Arthur é o primeiro a falar. Ele sugere que a melhor opção é Thomas. Barbara agora sabe o parecer de Arthur e certamente concordará com sua opinião se também preferir Thomas. Mas suponhamos que não tenha certeza sobre qual é o melhor candidato. Se confia em Arthur, pode simplesmente concordar: Thomas é o melhor. Como tem confiança suficiente em Arthur, apoia seu julgamento.

Agora vejamos um terceiro membro, Charles. Tanto Arthur como Barbara votam em Thomas, mas Charles, baseado no que sabe ser uma informação limitada, não pensa que Thomas seja a pessoa certa para a função e acredita que Josie é a melhor candidata. Ainda que Charles tenha essa opinião, pode perfeitamente ignorar o que sabe e simplesmente seguir Arthur e Barbara. Se fizer isso, não será por covardia, mas porque escuta os outros respeitosamente. Ele pode apenas achar que tanto Arthur como Barbara têm motivos para sua preferência.

David, por sua vez, a menos que acredite dispor de informação melhor do que seus predecessores, deve, e vai, seguir a indicação deles. Nesse caso, David está numa cascata. Claro, se possuir embasamento suficiente para achar que Arthur, Barbara e Charles estão errados, relutará. Mas, na ausência de tal embasamento, é provável que concorde com os demais.

Um fato importante é que Charles e David podem ter alguma informação ou impressão sobre Thomas (ou os demais candidatos) — informação ou impressão que Arthur e Barbara não têm. Se houvesse sido comunicada, essa *informação privada* poderia ter mudado a opinião de Arthur ou Barbara. Se Charles e David falassem primeiro, teriam não só manifestado suas opiniões sobre os candidatos como também contribuído com informações que poderiam ter influenciado os demais participantes. Mas, como falam por último, sua informação privada possivelmente permanecerá privada.

Agora suponha que Erica, Frank e George expressem sua opinião. Se Arthur, Barbara, Charles e David afirmaram anteriormente que Thomas é o melhor, cada um deles pode perfeitamente dizer o mesmo, ainda que tivesse um bom motivo para pensar que outra opção fosse melhor. Certamente poderia se opor ao consenso crescente caso estivesse claramente errado. Mas e quando a decisão não está clara? A questão nesse exemplo é que o julgamento inicial de Arthur dá início a um processo pelo qual diversas pessoas são levadas a participar de uma cascata, fazendo o grupo optar unanimemente por Thomas — mesmo que alguns dos que o apoiam na verdade não tenham opinião formada e outros nem sequer o vejam como a melhor escolha.

Esse exemplo, sem dúvida, é muito artificial. Mas, em grupos diversos, coisas assim acontecem o tempo todo. As pessoas aprendem umas com as outras, e se as primeiras a se manifestar parecem gostar de algo ou querer fazer algo, as demais podem consentir. Pelos menos se não têm motivo para desconfiar das demais e para acreditar que estejam erradas.

Para nossos propósitos, o ponto mais importante é que as cascatas informacionais tornam o ruído nos grupos possível e até provável. No exemplo acima, Arthur falou primeiro e escolheu Thomas. Mas suponha que Barbara falasse primeiro e preferisse Sam. Ou que Arthur pensasse um pouco diferente e optasse por Josie. Com base em suposições plausíveis, o grupo teria se inclinado por Sam ou Josie não por serem melhores, mas porque é como a cascata teria se desenvolvido. Essa é a principal descoberta do experimento de download de músicas (e seus similares).

Perceba que não necessariamente é por irracionalidade que as pessoas participam de uma cascata informacional. Se você não tem certeza sobre quem escolher, a atitude mais inteligente talvez seja acompanhar os outros. Conforme cresce a quantidade de gente que compartilha de uma mesma opinião, pautar-se por ela passa a ser cada vez mais inteligente. Porém, há dois problemas. Primeiro, as pessoas tendem a negligenciar a possibilidade de que a maioria dos demais na multidão também esteja em uma cascata — e portanto sem fazer seus próprios julgamentos independentes. Quando vemos três, dez ou vinte pessoas adotando determinada conclusão, tendemos a subestimar em que medida estão todas seguindo as predecessoras. Talvez achemos que sua concordância compartilhada reflete a sabedoria coletiva, ainda que reflita apenas as opiniões iniciais de uns poucos. E segundo: cascatas informacionais podem conduzir grupos de pessoas em direções terríveis. Afinal, talvez Arthur estivesse errado sobre Thomas.

Claro que informações não são o único motivo para os membros desse grupo se influenciarem mutuamente. As pressões sociais também importam. Em uma empresa ou no governo, alguém pode se calar para não parecer antipático, truculento, idiota ou grosseiro. Queremos mostrar que sabemos trabalhar em equipe. Por isso seguimos as opiniões e atitudes dos outros. Achamos saber o que é certo ou provavelmente certo, mas mesmo assim vamos atrás do aparente consenso coletivo, ou das opiniões dos primeiros a falar, para permanecer nas boas graças do grupo.

Com variações desprezíveis, o exemplo anterior do escritório pode funcionar da mesma maneira não porque as pessoas estejam aprendendo umas com as outras sobre os méritos de Thomas, mas porque não querem parecer desagradáveis ou tolas. O julgamento inicial de Arthur em favor de Thomas dá início a uma espécie de comportamento de manada, impondo por fim forte pressão social sobre Erica, Frank ou George, simplesmente porque os demais preferiram Thomas. E o que vale para cascatas informacionais vale para cascatas de pressão social: as pessoas podem perfeitamente exagerar a convicção de quem se pronunciou antes. Se endossam Thomas, talvez o façam não por preferirem Thomas, de fato, mas porque um dos primeiros a falar, ou alguém com ascendência sobre os demais, o endossou. Os membros do grupo acabam juntando sua voz ao consenso e assim aumentando o nível da pressão social. Esse é um fenômeno familiar a empresas e departamentos do governo e pode resultar em confiança e apoio unânime acerca de um julgamento completamente equivocado.

Em qualquer grupo, as influências sociais também geram ruído. Se alguém começa uma reunião defendendo uma grande mudança nos rumos da empresa, essa pessoa pode iniciar uma discussão que leve o grupo a apoiá-la unanimemente. A concordância pode ser produto de pressões sociais, não de convicção. Se a pessoa tivesse começado a reunião dando uma opinião diferente, ou se o primeiro a falar tivesse sido outro, a discussão talvez tivesse seguido uma direção completamente diferente — e pelo mesmo motivo. Grupos muitos similares podem chegar a resultados divergentes devido às pressões sociais.

POLARIZAÇÃO DE GRUPO

Nos Estados Unidos e em muitos outros países, os processos criminais (bem como muitos processos civis) em geral são julgados por um júri. Seria de esperar que, mediante suas discussões, esse corpo deliberativo tomasse decisões mais sábias do que os indivíduos que o compõem. Entretanto, o estudo de júris revela um tipo diferente de influência social que também é fonte de ruído: a *polarização de grupo*. Eis a ideia básica: quando conversam entre si, as pessoas muitas vezes terminam num ponto mais extremo alinhado a suas inclinações originais. Se, por exemplo, a maioria em um grupo de sete executivos tende a achar que abrir uma filial em Paris seria uma ótima ideia, o grupo provavelmente concluirá, após deliberar, que abrir esse escritório seria de fato uma ideia fantástica. Debates internos frequentemente produzem maior confiança, unidade e extremismo, muitas vezes na forma de entusiasmo aumentado. Acontece que a polarização de grupo não ocorre apenas em júris; também costuma ocorrer quando uma equipe faz um julgamento profissional.

Numa série de experimentos, estudamos as decisões de júri que conferem reparações punitivas em processos de responsabilização por produtos ruins. O júri estabelece uma quantia destinada a punir a empresa pelo delito e a servir de dissuasão para outras. (Voltaremos a esses estudos e os descreveremos mais detalhadamente no capítulo 15.) Para nossos propósitos aqui, considere um experimento que compara deliberações de júri no mundo real com "júris estatísticos".[7] Primeiro, apresentamos sinopses dos casos aos 899 participantes de nosso estudo e lhes pedimos que façam seus próprios julgamentos independentes usando uma escala de 0 a 7 para expressar seu ultraje e intento punitivo e uma escala monetária para indenizações (se houver). Depois, com ajuda do computador, usamos essas respostas individuais para gerar milhões de júris estatísticos, ou seja, grupos virtuais de seis pessoas (reunidas aleatoriamente). Em cada júri estatístico, adotamos a média dos seis julgamentos individuais como veredicto.

Descobrimos em suma que o parecer desses júris estatísticos era bem mais consistente. O ruído ficava substancialmente reduzido. Esse baixo ruído foi um efeito mecânico da agregação estatística: o ruído presente nos julgamentos independentes, individuais, é sempre reduzido quando tiramos a média.

Só que júris do mundo real não são júris estatísticos; eles se reúnem e discutem seus pontos de vista sobre um caso. Seria razoável se perguntar se uma deliberação de júri tenderia de fato a chegar a um parecer correspondente à média de seus membros. Para descobrir, desdobramos o primeiro experimento em um segundo, dessa vez envolvendo mais de 3 mil cidadãos qualificados a servir como jurados e mais de quinhentos júris de seis pessoas.[8]

Os resultados foram inequívocos. Analisando um mesmo caso, júris deliberantes eram muito mais ruidosos do que júris estatísticos — um claro reflexo do ruído provocado pela influência social. A deliberação resultou no aumento de ruído.

Houve outro resultado intrigante. Quando o membro médio de um grupo de seis ficava apenas moderadamente indignado e era a favor de uma punição branda, o veredicto do júri deliberante em geral era ainda mais leniente. Quando, pelo contrário, o membro médio de um grupo de seis ficava ultrajado e manifestava intento punitivo severo, a deliberação do júri em geral resultava ainda mais ultrajada e severa. E quando essa indignação era expressa como reparação monetária, houve a tendência sistemática de determinar indenizações mais elevadas do que a média dos membros do júri. De fato, 27% dos júris determinaram uma indenização tão elevada quanto a de seu membro mais severo, ou ainda maior. Os júris deliberantes não só eram mais ruidosos que os estatísticos como também exacerbavam a opinião dos indivíduos que os compunham.

Relembremos a descoberta básica da polarização de grupo: após conversar, as pessoas normalmente terminam num ponto mais extremo em conformidade com suas inclinações originais. Nosso experimento ilustra esse efeito. Júris deliberantes apresentaram um desvio para a maior leniência (quando o membro médio era leniente) e um desvio para a maior severidade (quando o membro médio era severo). Similarmente, júris inclinados a impor punições monetárias acabaram impondo indenizações mais severas do que as escolhidas por seus membros médios.

As explicações para a polarização de grupo são, por sua vez, semelhantes às explicações para os efeitos de cascata. As informações desempenham um papel preponderante. Se a maioria prefere uma punição severa, o grupo ouvirá muitos argumentos a seu favor — e menos argumentos em sentido contrário. Se os membros do grupo dão ouvidos ao que dizem os demais, mudarão na direção da tendência dominante, deixando o grupo mais unificado, confiante e extremo. E se as pessoas se preocupam com sua reputação dentro do grupo, mudarão na direção da tendência dominante, que também produzirá polarização.

A polarização de grupo pode, é claro, gerar erros. E com frequência o faz. Mas nosso foco principal aqui é a variabilidade. Como vimos, um agregado de julgamentos reduz o ruído e, para esse fim, quanto mais julgamentos, melhor. É por isso que júris estatísticos são menos ruidosos que jurados individuais. Ao mesmo tempo, descobrimos que júris deliberantes são mais ruidosos que júris estatísticos. Quando grupos similarmente situados terminam diferindo, o motivo com frequência é a polarização de grupo. E o ruído resultante pode ser muito alto.

Nos negócios, no governo e em tudo mais, cascatas e polarização podem levar a amplas disparidades entre grupos que examinam um mesmo problema. A dependência potencial dos julgamentos resultantes de uns poucos indivíduos — os que falam primeiro ou exercem maior influência — deve ser especialmente preocupante agora que analisamos como o julgamento individual pode ser ruidoso. Vimos que o ruído de nível e o ruído de padrão tornam as diferenças entre as opiniões dos membros do grupo maiores do que deveriam ser (e do que esperaríamos que fossem). Vimos também que o ruído de ocasião — cansaço, humor, pontos de comparação — pode afetar o parecer do primeiro a falar. A dinâmica de grupo pode amplificar esse ruído. Como resultado, grupos deliberantes tendem a ser mais ruidosos do que grupos estatísticos que meramente extraem a média dos julgamentos individuais.

Como inúmeras decisões importantes nos negócios e no governo são tomadas após um processo deliberativo de algum tipo, é particularmente importante ficar alerta para esse risco. As organizações e seus líderes devem adotar medidas para controlar o ruído no parecer de seus membros individuais. Também devem conduzir os grupos deliberantes de modo a serem mais propensos a reduzir o ruído, e não a o amplificar. As estratégias de redução de ruído que vamos propor visam a atingir esse objetivo.

FALANDO DE DECISÕES EM GRUPO

"Tudo parece depender da popularidade inicial. É bom trabalharmos dobrado para ter certeza de que nosso novo lançamento terá uma primeira semana fantástica."

"Como sempre desconfiei, ideias sobre política e economia são como estrelas de cinema. Se a pessoa acha que os outros gostam delas, tais ideias podem ir longe."

"Sempre me deixa preocupado que, quando se reúne, minha equipe termina confiante e unida — e firmemente comprometida com o curso de ação escolhido por nós. Acho que alguma coisa em nossos processos internos não anda lá muito bem!"

Parte III

O ruído no julgamento preditivo

Muitos julgamentos que fazemos são previsões e, como previsões verificáveis podem ser avaliadas, é possível aprender bastante sobre ruído e viés estudando-as. Nesta parte do livro, o foco é no julgamento preditivo.

O capítulo 9 compara a precisão de previsões feitas por profissionais, máquinas e regras simples. Você não se surpreenderá com nossa conclusão de que os profissionais ficaram em terceiro nessa competição. No capítulo 10, examinamos os motivos para esse resultado e mostramos que o ruído é um fator preponderante na inferioridade do julgamento humano.

Para chegar a essas conclusões, devemos avaliar a qualidade das previsões; para isso, precisamos de uma medida da precisão preditiva, um modo de responder à seguinte pergunta: qual é o grau de *covariância* entre as previsões e os resultados? Por exemplo, se o departamento de RH rotineiramente avalia o potencial de novos contratados, podemos aguardar alguns anos para constatar o desempenho desses funcionários e ver o grau de covariância entre as avaliações de potencial e as avaliações de desempenho. As previsões são precisas na medida em que os funcionários cujo potencial foi considerado elevado por ocasião da contratação também receberam qualificações elevadas por seu trabalho.

Uma medida que capta essa intuição é o *percentual de concordância* (pc),[1] que responde a uma questão mais específica. Suponha que peguemos um par de funcionários ao acaso: qual é a probabilidade de que alguém que pontuou mais alto na avaliação de potencial também tenha o melhor desempenho no trabalho? Se a precisão das avaliações iniciais fosse perfeita, o pc seria 100%: o ranking de dois funcionários por potencial seria uma previsão perfeita de seu ranking final por desempenho. Se as previsões fossem totalmente inúteis, a concordância ocorreria apenas por acaso e o funcionário de "maior potencial" teria igual probabilidade de se sair melhor ou não: o pc seria de 50%. Discutiremos esse exemplo, extensamente estudado, no capítulo 9. Para um exemplo mais simples, o pc para tamanho do pé e altura em um homem adulto é de 71%.[2] Se observarmos dois homens, primeiro a cabeça e depois os pés, há uma chance de 71% de que o mais alto dos dois também tenha pés maiores.

O pc é uma medida imediatamente intuitiva da covariância, o que é uma grande vantagem, mas não é a medida-padrão usada pelos cientistas sociais. A medida-padrão é o *coeficiente de correlação* (r), que varia entre zero e um quando duas variáveis estão positivamente relacionadas. No exemplo anterior, a correlação entre altura e tamanho do pé é de aproximadamente 0,60.

Há muitas maneiras de pensar sobre o coeficiente de correlação. Eis uma bastante intuitiva: a correlação entre duas variáveis é sua porcentagem de determinantes compartilhadas. Imagine, por exemplo, que uma característica seja inteiramente determinada pelos genes. Esperaríamos encontrar uma correlação de 0,50 nessa característica entre irmãos, que compartilham 50% de seus genes, e uma correlação de 0,25 entre primos em primeiro grau, que possuem 25% de seus genes em comum. Também podemos interpretar a correlação de 0,60 entre altura e tamanho do pé como sugerindo que 60% dos fatores causais que determinam a altura também determinam o tamanho do pé.

As duas medidas de covariância que descrevemos estão diretamente ligadas entre si. A tabela 1 apresenta o pc para diversos valores do coeficiente de correlação.[3] No restante do livro, apresentamos sempre as duas medidas juntas quando discutimos o desempenho de humanos e modelos.

TABELA 1
COEFICIENTE DE CORRELAÇÃO E PERCENTUAL DE CONCORDÂNCIA

COEFICIENTE DE CORRELAÇÃO	PERCENTUAL DE CONCORDÂNCIA
0,00	50%
0,10	53%
0,20	56%
0,30	60%
0,40	63%
0,60	71%
0,80	79%
1,0	100%

No capítulo 11, discutimos uma importante limitação na precisão preditiva: o fato de que a maioria dos julgamentos é feita em um estado que chamamos de *ignorância objetiva*, porque muitas coisas das quais o futuro depende podem simplesmente não ser conhecidas. De maneira surpreendente, na maior parte do tempo conseguimos permanecer indiferentes a essa limitação e fazer previsões com confiança (ou, na verdade, excesso de confiança). Finalmente, no capítulo 12, mostramos que a ignorância objetiva afeta não só nossa capacidade de prever eventos, mas também de compreendê-los — uma importante parte da resposta para o mistério de por que o ruído tende a ser invisível.

9. Julgamentos e modelos

Muita gente tem interesse em prever o desempenho pessoal no trabalho — o seu próprio e o de outros. Portanto, a previsão de desempenho é uma ilustração útil de julgamento preditivo profissional. Considere, por exemplo, duas executivas de uma grande empresa. Na época de sua contratação, Monica e Nathalie foram avaliadas por uma firma de consultoria especializada e receberam classificações numa escala de 1 a 10 para liderança, comunicação, habilidades interpessoais, habilidades técnicas relacionadas à função e motivação pelo cargo seguinte (tabela 2). Sua tarefa é prever as avaliações de desempenho delas dois anos após a contratação, também usando uma escala de 1 a 10.

TABELA 2
DUAS CANDIDATAS A UM CARGO EXECUTIVO

	LIDERANÇA	COMUNICAÇÃO	HABILIDADES INTERPESSOAIS	HABILIDADES TÉCNICAS	MOTIVAÇÃO	SUA PREVISÃO
Monica	4	6	4	8	8	
Nathalie	8	10	6	7	6	

Diante desse tipo de problema, a maioria simplesmente passa os olhos pelas linhas e faz um rápido julgamento, por vezes depois de calcular mentalmente a média das pontuações. Se você acaba de fazer isso, deve ter concluído que Nathalie era a candidata mais forte e que a diferença entre ela e Monica foi de um ou dois pontos.

JULGAMENTO OU FÓRMULA?

A abordagem informal que você adotou para esse problema é conhecida como julgamento *clínico*. Consideramos a informação, fazemos um cálculo rápido, consultamos nossa intuição e elaboramos um julgamento. O julgamento clínico, na verdade, nada mais é que o processo descrito neste livro simplesmente como julgamento.

Agora suponha que você realizou a tarefa de previsão como participante de um experimento. Monica e Nathalie foram extraídas de uma base de dados de setecentos gerentes contratados há alguns anos, qualificados em cinco dimensões separadas. Você usou essas classificações para prever o sucesso das gerentes no cargo. Agora conta com as avaliações de seu desempenho no novo papel. Até que ponto essas avaliações estão alinhadas com seu julgamento clínico sobre o potencial delas?

Esse exemplo se baseia vagamente em um estudo real de previsão de desempenho.[1] Se você tivesse participado desse estudo, provavelmente não teria ficado satisfeito com os resultados. Psicólogos com doutorado, contratados por uma firma de consultoria internacional para fazer previsões como essas, obtiveram uma correlação de 0,15 com as avaliações de desempenho (PC = 55%). Em outras palavras, quando consideravam um candidato mais forte que outro — como você fez com Nathalie e Monica —, a probabilidade de que seu candidato preferido terminasse com uma avaliação de desempenho mais alta era de 55%, pouco melhor que o acaso. Um resultado nada impressionante, para dizer o mínimo.

Você pode achar que houve pouca precisão porque as avaliações que lhe mostraram eram inúteis para uma previsão. Então devemos perguntar: quantas informações preditivas úteis as avaliações dos candidatos contêm de fato? Como podem ser combinadas em uma pontuação preditiva que guarde a correlação mais elevada possível com o desempenho?

Um método estatístico padrão responde a essas questões. No presente estudo, ele produz uma correlação ótima de 0,32 (PC = 60%), longe de impressionante, mas substancialmente mais elevada do que as previsões clínicas obtidas.

Essa técnica, chamada de *regressão múltipla*, resulta numa pontuação preditiva que é a média ponderada[2] das variáveis preditoras. Ela encontra o conjunto ótimo de pesos, selecionado para maximizar a correlação entre a previsão composta e a variável-alvo. Os pesos ótimos minimizam o erro quadrático médio (EQM) das previsões — um exemplo consumado do papel predominante do princípio dos mínimos quadrados em estatística. Como poderíamos esperar, a variável preditora correlacionada mais de perto com a variável-alvo recebe um peso maior, enquanto variáveis preditoras inúteis recebem peso zero.[3] Os pesos também poderiam ser negativos: o número de multas de trânsito não pagas do candidato provavelmente receberia um peso negativo como variável preditora de sucesso gerencial.

O uso da regressão múltipla é um exemplo de *previsão mecânica*. Existem muitos tipos de previsão mecânica, indo de regras simples ("contrate qualquer um com ensino médio completo") a sofisticados modelos de inteligência artificial. Mas modelos de regressão linear são os mais comuns (já foram chamados de "o burro de carga da pesquisa em julgamento e tomada de decisão").[4] Para minimizar o jargão, vamos nos referir a modelos lineares como *modelos simples*.

O estudo ilustrado com Monica e Nathalie foi uma das muitas comparações de previsões clínicas e mecânicas, que partilham todas de uma estrutura simples:[5]

- Um conjunto de *variáveis preditoras* (em nosso exemplo, as avaliações dos candidatos) é utilizado para prever um *resultado-alvo* (as avaliações de emprego das mesmas pessoas);
- Juízes humanos fazem *previsões clínicas*;
- Uma regra (como a regressão múltipla) usa as mesmas variáveis preditoras para produzir *previsões mecânicas* dos mesmos resultados;
- A precisão total das previsões clínicas e mecânicas é comparada.

MEEHL: O MODELO ÓTIMO NOS SUPERA

Quando apresentada à previsão clínica e mecânica, a pessoa quer saber como as duas se comparam. Até que ponto o julgamento humano é eficaz em relação a uma fórmula?

A pergunta foi feita antes, mas chamou de fato a atenção apenas em 1954, quando Paul Meehl, professor de psicologia da Universidade de Minnesota, publicou um livro intitulado *Clinical Versus Statistical Prediction: A Theoretical*

Analysis and a Review of the Evidence [Previsão clínica versus previsão estatística: uma análise teórica e uma revisão da evidência].[6] Meehl examinou vinte estudos em que um julgamento clínico era comparado a uma previsão mecânica em resultados como sucesso acadêmico e prognóstico psiquiátrico. Ele chegou à firme conclusão de que regras mecânicas simples eram de um modo geral superiores ao julgamento humano. Meehl descobriu que médicos e outros profissionais são preocupantemente fracos no que veem como sua força única: a capacidade de integrar informações.

Para ter uma ideia de como esse resultado é surpreendente e de como se relaciona ao ruído, precisamos compreender como funciona um modelo de previsão mecânica simples. Sua característica definidora é que a mesma regra é aplicada a todos os casos. Cada variável preditora tem um peso, que não varia de um caso para o seguinte. Você poderia pensar que essa restrição severa deixa os modelos em grande desvantagem em relação a juízes humanos. No nosso exemplo, talvez tenha pensado que a combinação de motivação com habilidades técnicas de Monica seria uma qualidade importante e compensaria suas limitações em outras áreas. E pode ter pensado também que a fragilidade de Nathalie nessas duas áreas não seria um problema sério, haja vista seus pontos fortes. Implicitamente, imaginou diferentes rotas de sucesso para as duas. Essas especulações clínicas plausíveis na prática atribuem pesos diferentes às mesmas variáveis preditoras nos dois casos — uma sutileza que está além do alcance de um modelo simples.

Outra limitação do modelo simples é que o aumento de uma unidade em uma variável preditora produz sempre o mesmo efeito (e metade do efeito de um aumento de duas unidades). A intuição clínica muitas vezes viola essa regra. Por exemplo, se você tivesse se impressionado com o perfeito dez de Nathalie em habilidades comunicacionais e decidisse que essa pontuação merecia um ajuste para mais na sua previsão, teria feito algo que um modelo simples não faz. Em uma fórmula de média ponderada, a diferença entre uma pontuação de dez e uma de nove deve ser a mesma que entre uma de sete e uma de seis. O julgamento clínico não obedece a essa regra. Em vez disso, reflete a intuição comum de que a mesma diferença pode não ter consequência em um contexto e ser de suma importância em outro. Verifique, se quiser, mas suspeitamos que nenhum modelo simples daria conta de explicar exatamente os julgamentos que você formulou sobre Monica e Nathalie.

O estudo utilizado para esses casos foi um claro exemplo do padrão de Meehl. Como observamos, as previsões clínicas alcançaram uma correlação de 0,15 (PC = 55%) com o desempenho profissional, mas a previsão mecânica obteve uma correlação de 0,32 (PC = 60%). Pense na confiança que você sentiu quanto aos méritos relativos dos casos de Monica e Nathalie. Os resultados de Meehl sugerem fortemente que qualquer eventual satisfação que tenha sentido com a qualidade de seu julgamento foi uma ilusão: a *ilusão de validade*.

A ilusão de validade é encontrada onde quer que julgamentos preditivos sejam feitos, devido a uma falha comum em distinguir entre dois estágios na tarefa de previsão: avaliar os casos na evidência disponível e prever os reais resultados. Podemos frequentemente ficar muito confiantes em nossa avaliação sobre qual de dois candidatos *parece* o melhor, mas adivinhar qual deles será *de fato* o melhor são outros quinhentos. É seguro cravar, por exemplo, que Nathalie parece uma candidata mais forte que Monica, mas longe disso afirmar que Nathalie será uma executiva mais bem-sucedida do que Monica. A razão é simples: você sabe a maior parte do que precisa saber para avaliar os dois casos, mas perscrutar o futuro é profundamente incerto.

Infelizmente, em nossa cabeça, é difícil perceber a diferença. Se você ficou confuso com a distinção entre casos e previsões, está em excelente companhia: todo mundo acha essa distinção confusa. Mas, se está tão confiante em suas previsões quanto na sua avaliação dos casos, você é vítima da ilusão de validade.

Profissionais de medicina não estão imunes à ilusão de validade. Certamente você pode imaginar a reação de psicólogos clínicos à descoberta de Meehl de que fórmulas triviais, consistentemente aplicadas, superam o julgamento clínico. Ela combinava choque, descrença e desdém em relação a uma pesquisa superficial que pretendia estudar os prodígios da intuição clínica. A reação é fácil de compreender: o padrão de Meehl contradiz a experiência subjetiva do julgamento e a maioria das pessoas confia mais na própria experiência do que na afirmação de um acadêmico.

O próprio Meehl foi ambivalente acerca de seus resultados. Como seu nome está associado à superioridade da estatística sobre o julgamento clínico, podemos imaginá-lo como um crítico impiedoso da percepção humana ou como o pai da análise quantitativa. Mas isso seria uma caricatura. Além de acadêmico, Meehl era um psicanalista praticante. Havia um retrato de Freud em seu consultório.[7] Ele era um polímata[8] que dava aulas não só de psicologia como também de filosofia e direito, e escreveu sobre metafísica, religião, ciências políticas e até parapsicologia. (Ele insistia que "a telepatia tem um fundo de verdade".) Nenhuma dessas características se enquadra no estereótipo de um matemático nerd e obstinado. Meehl não era hostil a psicólogos clínicos — longe disso. Mas a evidência da vantagem da abordagem mecânica sobre a combinação de inputs era, em suas palavras, "maciça e consistente".[9]

"Maciça e consistente" é uma descrição justa. Uma revisão em 2000[10] de 136 estudos confirmou inequivocamente que a agregação mecânica tem desempenho superior ao julgamento clínico. A pesquisa examinada no artigo cobria ampla variedade de tópicos, incluindo diagnóstico de icterícia, aptidão para o serviço militar e satisfação conjugal. A previsão mecânica foi mais precisa em 63 desses estudos, um empate estatístico foi decretado para outros 65 e a previsão clínica venceu a disputa em oito casos. Esses resultados não fazem jus às vantagens da previsão mecânica, que também é mais rápida e mais barata do que o julgamento clínico. Além disso, juízes humanos na verdade contaram com uma vantagem injusta em muitos desses estudos, pois tinham acesso à informação "privada"[11] que não era fornecida ao modelo de computador. Os resultados corroboram uma evidente conclusão: *modelos simples superam humanos*.

GOLDBERG: SEU MODELO SUPERA VOCÊ

A descoberta de Meehl levanta questões importantes. Por que, exatamente, a fórmula é superior? O que a fórmula faz melhor? Na verdade, uma questão melhor seria perguntar o que os humanos fazem pior. A resposta é que somos inferiores aos modelos estatísticos de muitas maneiras. Uma de nossas fraquezas críticas é sermos ruidosos.

Para comprovar essa conclusão, recorremos a um diferente acervo de pesquisas sobre modelos simples que teve início na pequena cidade de Eugene, Oregon. Paul Hoffman foi um psicólogo rico e visionário que se cansou do mundo acadêmico. Ele fundou um instituto de pesquisa, sob cujo teto reuniu pesquisadores extraordinários, que transformaram Eugene em um centro de estudos mundialmente famoso do julgamento humano.

Um desses pesquisadores era Lewis Goldberg, mais conhecido por seu papel de liderança no desenvolvimento do modelo de cinco fatores (Big Five) de personalidade. No fim da década de 1960,[12] dando prosseguimento a um trabalho anterior de Hoffman, Goldberg estudou modelos estatísticos que descrevem os julgamentos individuais.

Construir um modelo de juiz desses é tão fácil quanto construir um modelo da realidade. As mesmas variáveis preditoras são utilizadas. Em nosso exemplo inicial, elas são as cinco análises de desempenho de um gerente. E a mesma ferramenta, a regressão múltipla, é utilizada. A única diferença é a variável-alvo. Em vez de prever um conjunto de resultados reais, a fórmula é aplicada para prever um conjunto de julgamentos — por exemplo, *seus* julgamentos sobre Monica, Nathalie e outros executivos.

A ideia de modelar seus julgamentos como uma média ponderada pode parecer bizarra, porque não é assim que você forma suas opiniões. Quando pensou clinicamente sobre Monica e Nathalie, você não aplicou a mesma regra aos dois casos. Na verdade, não aplicou regra alguma. O modelo do juiz não é uma descrição realista de como um juiz julga de fato.

Entretanto, mesmo que você não calcule de fato uma fórmula linear, ainda assim pode elaborar seus julgamentos *como se* o fizesse. Jogadores de bilhar muito bons parecem ter resolvido as equações complexas que descrevem a mecânica de uma tacada particular, embora não façam nada do gênero.[13] De modo similar, você poderia fazer previsões como se usasse uma fórmula simples — ainda que o que faça de fato seja vastamente mais complexo. Um modelo "como se" que prediz o que as pessoas farão com razoável precisão é útil, mesmo quando está obviamente errado como descrição do processo. Esse é o caso para modelos simples de julgamento. Uma revisão abrangente de estudos do julgamento constatou que, em 237 estudos, a correlação média entre o modelo do juiz e os julgamentos clínicos do juiz era de 0,80 (PC = 79%). Embora longe de perfeita, essa correlação[14] é elevada o bastante para dar sustentação a uma teoria do "como se".

A questão que motivou a pesquisa de Goldberg era em que medida um modelo simples do juiz prognosticaria resultados reais. Como o modelo é uma aproximação grosseira do juiz, poderíamos presumir sensatamente que não terá um desempenho à altura. Quanta precisão é perdida quando o modelo substitui o juiz?

A resposta talvez surpreenda. As previsões não perderam precisão quando geradas pelo modelo. Elas melhoraram. Na maioria dos casos, o modelo superou o profissional no qual se baseara. A imitação se saiu melhor do que o original.

Essa conclusão foi confirmada por estudos em muitas áreas. Uma reprodução inicial[15] do trabalho de Goldberg envolvia previsão de sucesso escolar. Os pesquisadores pediram a 98 participantes para prever a média de noventa alunos de pós-graduação com base em dez dicas. Partindo dessas previsões, os pesquisadores construíram um modelo linear dos julgamentos de cada participante e compararam o grau de acerto dos participantes e de seus modelos em prever a média. O modelo superou o original em todos os 98 casos! Décadas mais tarde, uma revisão de cinquenta anos[16] de pesquisa concluiu que modelos de juízes superavam consistentemente o desempenho dos juízes que simulavam.

Não sabemos se os participantes desses estudos foram informados de como se saíram. Mas você pode imaginar como ficaria mortificado se alguém lhe dissesse que um modelo grosseiro de seus julgamentos — quase uma caricatura — foi na verdade mais preciso que você. Para a maioria das pessoas, a atividade de julgar é complexa, rica e interessante precisamente porque não se ajusta a regras simples. O ser humano se sente melhor em relação a si mesmo e a sua capacidade de fazer julgamentos quando inventa e aplica regras complexas ou quando suas impressões tornam um caso individual diferente dos outros — em suma, quando faz julgamentos que não são redutíveis a uma mera operação de médias ponderadas. Os estudos dos modelos de juiz reforçam a conclusão de Meehl de que a sutileza é em grande parte perdida. Complexidade e riqueza em geral não levam a previsões mais precisas.

Por que isso acontece? Para entender o resultado de Goldberg, precisamos entender o que explica as diferenças entre você e seu modelo. O que causa as discrepâncias entre seus julgamentos de fato e os resultados obtidos por um modelo simples que os prevê?

Um modelo estatístico de seus julgamentos não tem como acrescentar nada às informações que eles contêm. A única coisa que o modelo pode fazer é subtrair e simplificar. Em particular, o modelo simples de seus julgamentos não representará nenhuma das regras complexas que você segue consistentemente. Se você acha que a diferença entre dez e nove em uma classificação de habilidade de comunicações é mais importante do que a diferença entre sete e seis, ou que um candidato supostamente equilibrado que receba um sólido sete em todas as dimensões é preferível a outro que obtenha a mesma média com pontos fortes e fracos bem marcados, seu modelo não reproduzirá suas regras complexas — mesmo que você as aplique com infalível consistência.

Não reproduzir suas regras sutis resultará em uma perda de precisão quando sua sutileza for válida. Suponha, por exemplo, que você deve predizer o sucesso em uma tarefa difícil com base em dois inputs, habilidade e motivação. A média ponderada não é uma boa fórmula, porque não há motivação suficiente que supere um grave déficit de habilidade, e vice-versa. Se você usa uma combinação mais complexa dos dois inputs, sua precisão preditiva será acentuada e mais elevada do que a obtida por um modelo que deixe de captar essa sutileza. Por outro lado, regras complexas muitas vezes lhe darão apenas a ilusão de validade e na verdade prejudicarão a qualidade de seus julgamentos. Algumas sutilezas são válidas, mas muitas não são.

Além do mais, seu modelo simples não representará o ruído de padrão de seus julgamentos. Ele é incapaz de reproduzir os erros positivos e negativos que surgem das reações arbitrárias que você pode ter a um caso particular. O modelo tampouco vai captar as influências do contexto momentâneo e de seu estado mental quando emitia determinado julgamento. É mais provável que esses erros ruidosos de julgamento não estejam sistematicamente correlacionados a coisa alguma, ou seja, para a maioria dos propósitos, podem ser considerados aleatórios.

O efeito de remover o ruído de seus julgamentos sempre vai representar um incremento de sua precisão preditiva.[17] Por exemplo, suponha que a correlação entre suas previsões e um resultado seja 0,50 (PC = 67%), mas 50% da variância de seus julgamentos consiste em ruído. Se seus julgamentos pudessem ficar livres de ruído — como aconteceria com um modelo seu —, a correlação deles com o mesmo resultado saltaria para 0,71 (PC = 75%). Reduzir mecanicamente o ruído aumenta a validade de seu julgamento preditivo.

Em suma, trocar você por um modelo seu faz duas coisas: elimina sua sutileza e elimina seu ruído de padrão. O resultado robusto de que o modelo do juiz é mais válido que o juiz transmite uma importante mensagem: os ganhos das regras sutis no julgamento humano — quando existem — em geral não são suficientes para compensar os efeitos prejudiciais do ruído. Talvez você acredite ser mais sutil, perspicaz e matizado do que a caricatura linear do seu pensamento. Mas, na verdade, é acima de tudo mais ruidoso.

Por que regras preditivas complexas prejudicam a precisão, por maior que seja nossa sensação de que se valem de impressões válidas? Para começar, inúmeras regras complexas que inventamos provavelmente não estão corretas de modo geral. Mas há outro problema: mesmo quando são em princípio válidas, as regras complexas inevitavelmente se aplicam sob condições apenas raras vezes observadas. Por exemplo, suponha que você tenha chegado à conclusão de que candidatos de excepcional originalidade merecem ser contratados, mesmo quando suas pontuações nas demais dimensões são medíocres. O problema é que candidatos de excepcional originalidade são, por definição, excepcionalmente raros. Como uma avaliação de originalidade tende a ser pouco confiável, muitas pontuações altas nessa métrica são casuais e o verdadeiro talento original permanece ignorado. As avaliações de desempenho capazes de confirmar que os "originais" terminam em grande destaque também são imperfeitas. Erros de medição nos dois extremos inevitavelmente diminuem a validade das previsões — e eventos raros em particular tendem a passar batido. As vantagens da verdadeira sutileza são engolidas depressa pelos erros de medição.

Um estudo de Martin Yu e Nathan Kuncel[18] registrou uma versão mais radical da demonstração de Goldberg. Esse estudo (que serviu de base para o exemplo de Monica e Nathalie) utilizou dados de uma firma de consultoria internacional que empregou especialistas para avaliar 847 candidatos a cargos executivos, em três amostragens separadas. Os especialistas assinalaram os resultados em sete dimensões de avaliação distintas e usaram seu julgamento clínico para atribuir uma pontuação preditiva total a cada um, com resultados triviais.

Yu e Kuncel decidiram comparar juízes não ao melhor modelo simples de si mesmos, mas a um modelo linear *aleatório*. Eles geraram 10 mil conjuntos de pesos aleatórios para as sete variáveis preditoras e aplicaram as 10 mil fórmulas aleatórias[19] para prever o desempenho profissional.

Sua descoberta surpreendente foi de que *qualquer* modelo linear, quando aplicado consistentemente a todos os casos, tendia a suplantar os juízes humanos na previsão de um resultado com base nas mesmas informações. Em uma das três amostragens, 77% dos 10 mil modelos lineares aleatoriamente ponderados saíram-se melhor do que os especialistas humanos. Nas outras duas, 100% dos modelos aleatórios superaram os humanos. Ou, para sermos francos, mostrou-se quase impossível produzir um modelo simples que se saísse pior do que os especialistas.

A conclusão dessa pesquisa é mais robusta do que a extraída do trabalho de Goldberg com o modelo do juiz — e na verdade é um exemplo extremo. Nesse cenário, os juízes humanos se saíram muito mal em termos absolutos, o que ajuda a explicar por que até modelos lineares triviais os superaram. Claro que não devemos concluir que qualquer modelo supera qualquer humano. Ainda assim, o fato de que a adesão mecânica a uma regra simples (Yu e Kuncel a chamam de "consistência impensada") poderia melhorar significativamente o julgamento em um problema difícil ilustra o enorme efeito do ruído na validade das predições clínicas.

Esse breve resumo revela como o ruído prejudica o julgamento clínico. Nos julgamentos preditivos, os especialistas humanos são facilmente superados por fórmulas simples — modelos da realidade, modelos de um juiz ou até modelos gerados de forma aleatória. Os resultados mostram a necessidade de usarmos métodos livres de ruído: regras e algoritmos, que serão o tema do próximo capítulo.

FALANDO DE JULGAMENTOS E MODELOS

"As pessoas acreditam captar complexidade e acrescentar sutileza quando julgam algo. Mas a complexidade e a sutileza são na maior parte desperdiçadas — geralmente não acrescentam nada à precisão de modelos simples."

"Mais de sessenta anos após a publicação do livro de Paul Meehl, a ideia de que a previsão mecânica supera seres humanos ainda surpreende."

"Nosso julgamento é tão ruidoso que o modelo sem ruído de um juiz obtém previsões mais precisas do que um juiz de verdade."

10. Regras sem ruído

Em anos recentes, a inteligência artificial, em particular os métodos de aprendizado de máquina, possibilitou aos computadores realizar muitas tarefas antes tidas como essencialmente humanas. Algoritmos de aprendizado de máquina conseguem reconhecer rostos, traduzir línguas e ler imagens radiológicas. Resolvem problemas computacionais — como gerar rotas de trânsito para milhares de motoristas ao mesmo tempo — com velocidade e precisão impressionantes. E realizam tarefas de previsão complexas: algoritmos de aprendizado de máquina fazem prognósticos de decisões da Suprema Corte americana, determinam quais réus apresentam maior risco de fuga sob fiança e avaliam quais denúncias aos serviços de proteção infantil exigem a visita mais urgente de um assistente social.

Embora hoje sejam essas aplicações que nos venham à mente quando escutamos a palavra *algoritmo*, o termo possui um significado mais amplo. Pela definição de um dicionário, algoritmo é um "processo ou série de regras a serem seguidas em cálculos ou outras operações de resolução de problemas, especialmente por um computador". Segundo essa definição, modelos simples e outras formas de julgamento mecânico que descrevemos no capítulo anterior também são algoritmos.

De fato, muitos tipos de abordagens mecânicas, de regras simples quase risíveis aos algoritmos de máquina mais sofisticados e impenetráveis, conseguem superar o julgamento humano. E uma razão crucial para esse desempenho superior — embora não a única — é que todas as abordagens mecânicas são livres de ruído.

Para examinar diferentes tipos de abordagens calcadas em regras e descobrir como e sob que condições cada abordagem pode ser valiosa, começaremos nossa jornada com os modelos do capítulo 9: modelos simples baseados em regressão múltipla (isto é, modelos de regressão linear). Partindo desse ponto, viajaremos em direções opostas no espectro da sofisticação — primeiro, buscando a simplicidade extrema, depois acrescentando maior sofisticação (figura 11).

Figura 11. *Quatro tipos de regras e algoritmos.*

MAIS SIMPLICIDADE: ROBUSTEZ E BELEZA

Robyn Dawes foi outro membro da extraordinária equipe em Eugene, Oregon, que estudou o julgamento nas décadas de 1960 e 1970. Em 1974, Dawes obteve um grande progresso na simplificação de tarefas preditivas. Sua ideia era surpreendente, quase herética: em vez de usar a regressão múltipla para determinar o peso preciso de cada variável preditora, ele propôs atribuir peso igual a todas elas.

Dawes batizou a fórmula dos pesos iguais de *modelo linear impróprio*. Sua descoberta surpreendente foi de que esses modelos de pesos iguais são praticamente tão precisos quanto os modelos de regressão "apropriados", e muito superiores a julgamentos clínicos.[1]

Até os proponentes dos modelos impróprios admitem que essa afirmação é implausível e "contrária à intuição estatística".[2] De fato, Dawes e seu assistente, Bernard Corrigan, inicialmente tiveram dificuldade em publicar seu artigo em um periódico científico; os editores simplesmente não acreditavam neles. Se você estiver pensando no exemplo de Monica e Nathalie do capítulo anterior, provavelmente acredita que algumas variáveis preditoras importam mais que outras. A maioria das pessoas, por exemplo, daria maior peso à liderança do que às habilidades técnicas. Como é possível uma média simples, não ponderada, prever desempenhos com mais eficiência que uma média cuidadosamente ponderada ou do que um julgamento especializado?

Hoje, muitos anos após a grande inovação de Dawes, o fenômeno estatístico que tanto surpreendeu seus contemporâneos é bem compreendido. Como explicado anteriormente neste livro, a regressão múltipla computa os pesos "ótimos" que minimizam os erros quadráticos. Mas a regressão múltipla minimiza o erro *nos dados originais*. A fórmula portanto se ajusta para prever todos os acasos aleatórios nos dados. Se, por exemplo, a amostra inclui alguns gerentes com elevadas habilidades técnicas que também se saíram excepcionalmente bem por motivos não relacionados, o modelo vai exagerar o peso da habilidade técnica.

O desafio é o seguinte: quando a fórmula for aplicada *fora da amostra* — ou seja, quando é usada para prever resultados em um diferente conjunto de dados —, os pesos não serão mais ótimos. Os acasos na amostra original não estão mais presentes, precisamente porque eram acasos; na nova amostra, gerentes com altas habilidades técnicas não se destacam. E a nova amostra tem diferentes acasos, que a fórmula não consegue prever. A medida correta de precisão de um modelo preditivo é seu desempenho em uma nova amostra, chamada de *correlação de validação cruzada*. Na prática, um modelo de regressão é bem-sucedido *demais* na amostra original e uma correlação de validação cruzada é quase sempre mais baixa do que o foi nos dados originais. Dawes e Corrigan compararam modelos de peso igual a modelos de regressão múltipla (de validação cruzada) em diversas situações. Um de seus exemplos envolveu previsões da média escolar no primeiro ano para noventa alunos de pós-graduação em psicologia da Universidade de Illinois, usando dez variáveis ligadas ao sucesso acadêmico: pontuações no teste de aptidão, notas, classificações variadas pelos pares (por exemplo, extroversão) e autoclassificações (por exemplo, integridade). O modelo de regressão múltipla padrão obteve uma correlação de 0,69, que encolheu para 0,57 (PC = 69%) na validação cruzada. A correlação do modelo de pesos iguais com a média escolar do primeiro ano foi praticamente a mesma: 0,60 (PC = 70%). Resultados similares foram obtidos em muitos outros estudos.[3]

A perda de precisão na validação cruzada é pior quando a amostra original é pequena, pois os acasos parecem maiores em amostras pequenas. O problema apontado por Dawes é que as amostras usadas em pesquisa nas ciências sociais são em geral tão pequenas que a vantagem da chamada ponderação ótima desaparece. Como o estatístico Howard Wainer escreveu no subtítulo de um artigo acadêmico sobre a estimativa dos pesos apropriados, "It Don't Make No Nevermind" [Não faz a menor diferença].[4] Ou nas palavras de Dawes: "Não necessitamos de modelos mais precisos do que nossas medições".[5] Modelos de pesos iguais são efetivos porque não são suscetíveis a acidentes de amostragem.

A implicação imediata do trabalho de Dawes merece ser amplamente conhecida: podemos fazer previsões estatísticas válidas sem dados prévios sobre o resultado que tentamos prever. Tudo o que precisamos é de uma coleção de variáveis preditoras correlacionadas de forma confiável com o resultado.

Suponha que você tenha de fazer previsões sobre o desempenho de executivos classificados numa série de dimensões, como o exemplo do capítulo 9. Você tem confiança de que essas pontuações medem importantes qualidades, mas não possui dados sobre como cada pontuação se saiu na previsão do desempenho. Tampouco pode se dar ao luxo de esperar alguns anos para monitorar o desempenho de uma amostra grande de gerentes. Mas é possível pegar as sete pontuações, realizar o trabalho estatístico exigido para ponderá-las igualmente e usar o resultado como previsão. Até que ponto esse modelo de pesos iguais seria vantajoso? Sua correlação com o resultado[6] seria 0,25 ($PC = 58\%$), muito superior às previsões clínicas ($r = 0,15$, $PC = 55\%$), e sem dúvida muito similar ao modelo de regressão de validação cruzada. E ele não exige dados de que não dispomos nem cálculos complicados.

Para usar uma expressão de Dawes, que já virou um meme entre os estudiosos do julgamento humano, há uma "beleza robusta"[7] em pesos iguais. A sentença final do seminal artigo que introduziu a ideia oferecia outra síntese eloquente: "O segredo reside em decidir quais variáveis observar e depois saber como somar".[8]

MAIS SIMPLICIDADE AINDA: REGRAS SIMPLES

Outro estilo de simplificação são os *modelos frugais*, ou *regras simples*. Modelos frugais são modelos da realidade que se parecem com cálculos aproximados simplificados ao extremo. Mas, em alguns cenários, eles podem produzir previsões surpreendentemente boas.

Esses modelos se baseiam em uma característica da regressão múltipla que a maioria acha surpreendente. Suponha que estejamos usando duas variáveis fortemente preditivas — suas correlações com o resultado são 0,60 (PC = 71%) e 0,55 (PC = 69%). Suponha também que as duas estejam correlacionadas entre si em 0,50. Qual será a qualidade da previsão quando as duas variáveis preditoras estiverem combinadas de maneira ótima? A resposta é decepcionante. A correlação é de 0,67 (PC = 73%), mais alta do que antes, mas não muito.

O exemplo ilustra uma regra geral: a combinação de duas ou mais variáveis preditoras correlacionadas mal consegue ser mais preditiva do que as melhores variáveis isoladas. Como na vida real elas estão quase sempre correlacionadas, esse fato estatístico favorece o uso de abordagens econômicas na previsão, as quais utilizam um pequeno número de variáveis preditoras. Regras simples que podem ser aplicadas com pouco ou sem nenhum cálculo produzem previsões incrivelmente precisas em alguns cenários, comparadas a modelos que usam muito mais variáveis preditoras.

Uma equipe de pesquisadores[9] publicou em 2020 sua tentativa ampla de aplicar uma abordagem econômica a uma variedade de problemas de previsão, incluindo a determinação do juiz de liberar ou não o réu sob fiança até o julgamento. Essa decisão representa uma previsão implícita sobre o comportamento do réu. Se o pedido de fiança for equivocadamente negado, a pessoa ficará detida sem necessidade, a um custo significativo para o indivíduo e a sociedade. Se a fiança é concedida para o réu errado, ele pode fugir antes do julgamento ou até cometer outro crime.

O modelo construído pelos pesquisadores utiliza apenas dois inputs conhecidos por serem altamente preditivos das chances de fuga do réu: sua idade (quanto mais velho, menor o risco) e o número de audiências a que deixou de comparecer no passado (quem já deixou de comparecer tende a reincidir). O modelo traduz esses dois inputs em um número de pontos, que podem ser usados como pontuação de risco. O cálculo do risco para um réu não exige computador — na verdade, nem mesmo calculadora.

Quando testado com um conjunto de dados real, esse modelo econômico se saiu tão bem quanto modelos usando uma quantidade muito maior de variáveis. O modelo econômico previu o risco de fuga sob fiança melhor do que praticamente todos os juízes humanos.

A mesma abordagem econômica, usando até cinco características ponderadas por pequenos números inteiros (entre -3 e +3), foi aplicada a tarefas tão variadas como determinar a gravidade de um tumor com base na mamografia, diagnosticar cardiopatia e prever risco de crédito. Em todas essas tarefas, a regra econômica se saiu tão bem quanto modelos de regressão mais complexos (embora, de modo geral, não tão bem quanto o aprendizado de máquina).

Em outra demonstração do poder das regras simples, uma equipe[10] de pesquisadores estudou um problema judicial similar mas distinto: previsão de reincidência. Usando apenas dois inputs,[11] eles conseguiram igualar a validade de uma ferramenta existente que usa 137 variáveis para aferir o grau de risco de um réu. Não surpreende que essas duas variáveis preditoras (idade e número de condenações anteriores) estejam estreitamente relacionadas aos dois fatores utilizados no modelo de fiança, e sua associação com o comportamento criminal está bem documentada.[12]

O apelo das regras econômicas é sua transparência e facilidade de aplicação. Além disso, essas vantagens são obtidas com relativamente pouco custo à precisão em relação a modelos mais complexos.

MAIS COMPLEXIDADE: RUMO AO APRENDIZADO DE MÁQUINA

Nesta segunda parte da nossa jornada, avançaremos em direção oposta, no espectro da sofisticação. E se pudéssemos usar muito mais variáveis preditoras, coletar muito mais dados sobre cada uma, identificar padrões de relação que uma pessoa jamais detectaria e modelá-los para obter uma previsão melhor? Essa, em essência, é a promessa da inteligência artificial (IA).

Conjuntos de dados muito grandes[13] são essenciais para análises sofisticadas, e a disponibilidade crescente deles é uma das principais causas do rápido progresso da IA em anos recentes. Por exemplo, grandes conjuntos de dados possibilitam lidar mecanicamente com *exceções de perna quebrada*. Essa expressão até certo ponto críptica remete ao modelo imaginado por Meehl. Considere um modelo projetado para prever a probabilidade de que uma pessoa saia à noite para ir ao cinema. A despeito de sua confiança no modelo, se por acaso você souber que essa pessoa quebrou a perna, provavelmente sabe melhor do que o modelo como será a noite dela.

Quando usamos modelos simples, o princípio da perna quebrada guarda uma importante lição para o tomador de decisão, dizendo quando ignorar ou não o modelo. Se dispomos de informações decisivas que o modelo não poderia levar em consideração, há uma legítima perna quebrada, e devemos ignorar a recomendação do modelo. Por outro lado, às vezes discordaremos da recomendação de um modelo mesmo sem dispor dessas informações privadas. Nesses casos, nossa tentação de ignorar o modelo reflete um padrão pessoal que estamos aplicando às mesmas variáveis preditoras. Como esse padrão pessoal muito provavelmente é inválido, deveríamos evitar ignorar o modelo; nossa intervenção tende a deixar o prognóstico menos preciso.

Um dos motivos para o sucesso dos modelos de aprendizado de máquina em tarefas de previsão é que eles são capazes de descobrir essas pernas quebradas — e em quantidade muito maior do que percebemos. Considerando a vasta quantidade de dados sobre um vasto número de casos, um modelo que monitora o comportamento de frequentadores de cinema poderia na verdade aprender, por exemplo, que pessoas que visitaram o hospital em seu dia habitual de ir ao cinema dificilmente sairão para ver um filme à noite. O aprimoramento da previsão de eventos raros assim reduz a necessidade de supervisão humana.

O que a IA faz não envolve mágica nem compreensão; é mera identificação de padrões. Embora possamos admirar o poder do aprendizado de máquina, devemos lembrar que provavelmente levará algum tempo para uma IA compreender *por que* alguém que quebrou a perna deixa de ir ao cinema à noite.

UM EXEMPLO: MELHORES DECISÕES SOBRE FIANÇA

Mais ou menos na mesma época em que a equipe de pesquisadores mencionada aplicou regras simples ao problema das decisões de fiança, outra equipe,[14] liderada por Sendhil Mullainathan, treinou sofisticados modelos de IA para realizar a mesma tarefa. A equipe de IA teve acesso a um conjunto de dados maior — 758 027 decisões de fiança. Em cada caso, a equipe teve acesso às informações disponibilizadas para o juiz: delito atual do réu, ficha criminal e não comparecimentos anteriores. A não ser pela idade, nenhuma outra informação demográfica foi usada para treinar o algoritmo. Os pesquisadores também sabiam, para cada caso, se o réu foi liberado e, se sim, se faltou posteriormente à audiência ou foi preso novamente. (Dos acusados, 74% foram liberados, 15% dos quais deixaram de comparecer ao tribunal e 26% dos quais voltaram a ser presos.) Com esses dados, os pesquisadores treinaram um algoritmo de aprendizado de máquina[15] e avaliaram seu desempenho. Como o modelo foi construído por aprendizado de máquina, não se restringiu a combinações lineares. Se detectasse uma regularidade mais complexa nos dados, poderia usar esse padrão para melhorar suas previsões.

O modelo foi projetado para gerar uma previsão de risco de fuga quantificada como uma pontuação numérica, em vez de uma decisão entre fiança ou não. Essa abordagem admite que o máximo limiar de risco aceitável, ou seja, o nível de risco acima do qual um réu deve ter sua fiança negada, exige um julgamento avaliativo que um modelo não consegue produzir. Entretanto, os pesquisadores calcularam que, independentemente de onde estiver fixado o limiar de risco, o uso de seu modelo de pontuação preditiva resultaria em melhora comparado ao desempenho dos juízes humanos. Se o limiar de risco é estabelecido de modo que o número de pessoas com fiança negada permanece o mesmo de quando os juízes decidem, conforme calculou a equipe de Mullainathan, a taxa de criminalidade poderia ser reduzida em até 24%, porque os réus mantidos na cadeia seriam aqueles com maior chance de reincidência. Por outro lado, se o limiar de risco é estabelecido para reduzir a quantidade de pessoas com fiança negada tanto quanto possível sem aumentar o crime, os pesquisadores calcularam que o número de pessoas detidas poderia ser reduzido em até 42%. Em outras palavras, o modelo de aprendizado de máquina tem desempenho muito superior a juízes humanos em prever quais réus apresentam o maior risco.

O modelo construído por aprendizado de máquina também teve muito mais sucesso que os modelos lineares utilizando a mesma informação. O motivo é intrigante: "O algoritmo de aprendizado de máquina encontra sinal significativo em combinações de variáveis que poderiam de outro modo passar despercebidas".[16] A capacidade do algoritmo de encontrar padrões facilmente negligenciados por outros métodos é ainda mais pronunciada para os réus considerados pelo algoritmo como de risco mais elevado. Em outras palavras, alguns padrões nos dados, embora raros, preveem fortemente risco alto. Esse resultado — de que o algoritmo seleciona padrões raros mas decisivos — nos traz de volta ao conceito de perna quebrada.

Os pesquisadores também usaram o algoritmo para construir um modelo de cada juiz, análogo ao modelo do juiz descrito no capítulo 9 (mas não restrito a combinações lineares simples). A aplicação desses modelos a todo o conjunto de dados possibilitou à equipe simular as decisões que os juízes teriam tomado se tivessem visto os mesmos casos, e comparar as decisões. Os resultados indicaram considerável ruído de sistema em decisões de fiança. Parte dele é ruído de nível: quando os juízes são separados por leniência, o quintil mais leniente (ou seja, os 20% com taxas de soltura mais elevadas) liberou 83% dos réus, ao passo que o quintil menos leniente, apenas 61%. Os juízes também têm padrões de julgamento muito diferentes sobre quais réus representam risco de fuga mais elevado. Um réu tido como de baixo risco por um juiz pode ser considerado de alto risco por outro que não seja mais rígido no geral. Esses resultados oferecem clara evidência do ruído de padrão. Uma análise mais detalhada revelou que as diferenças entre os casos respondiam por 67% da variância e o ruído de sistema, por 33%. O ruído de sistema incluía algum ruído de nível,[17] isto é, diferenças na severidade média, mas a maior parte dele (79%) era ruído de padrão.

Por fim, e felizmente, a maior precisão do programa de aprendizado de máquina não é obtida às custas de outros objetivos identificáveis que os juízes talvez tenham buscado — notadamente, igualdade racial. Na teoria, embora o algoritmo não utilize dados raciais, o programa pode agravar as disparidades raciais de maneira inadvertida. Tais disparidades poderiam vir à tona se o modelo usasse variáveis preditoras altamente correlacionadas a raça (como o código postal) ou se a fonte dos dados com os quais o algoritmo é treinado for enviesada. Se, por exemplo, o número de prisões anteriores for usado como variável preditora, e se as prisões anteriores forem afetadas pela discriminação racial, o algoritmo resultante também fará discriminação.

Embora esse tipo de discriminação seja sem dúvida um risco, em princípio, as decisões desse algoritmo são em importantes aspectos menos, e não mais, racialmente enviesadas que as dos juízes. Por exemplo, se o limiar de risco for fixado para atingir a mesma taxa de criminalidade atingida pelas decisões dos juízes, o algoritmo manda para a prisão 41% menos pessoas não brancas. Resultados similares são obtidos em outros cenários: os ganhos em precisão não necessitam exacerbar as disparidades raciais — e, como a equipe de pesquisa também mostrou, o algoritmo pode facilmente ser instruído a reduzi-las.

Outro estudo em um domínio diferente ilustra como os algoritmos podem ao mesmo tempo aumentar a precisão e reduzir a discriminação. Bo Cowgill, professor na Escola de Negócios de Columbia, estudou o recrutamento de engenheiros de software[18] em uma grande empresa de tecnologia. Em vez de recorrer a humanos para fazer a triagem dos currículos a serem chamados para entrevista, Cowgill desenvolveu um algoritmo de aprendizado de máquina para esse fim e o testou nos mais de 3 mil currículos recebidos e avaliados pela empresa. Os candidatos selecionados pelo algoritmo tinham probabilidade 14% maior do que os selecionados por humanos de receber uma oferta de emprego após a entrevista. Os candidatos do grupo do algoritmo que receberam ofertas tinham 18% mais propensão a aceitá-las que os escolhidos por humanos. O algoritmo também escolheu um grupo mais diverso de candidatos, em termos de raça, gênero e outras métricas; mostrou propensão muito maior a selecionar candidatos "não tradicionais", como os que não vinham de faculdades de elite, careciam de experiência profissional anterior e não tinham vindo por indicação. Os seres humanos tenderam a preferir os candidatos que preenchiam todos os requisitos do perfil "típico" de um engenheiro de software, mas o algoritmo deu a cada variável preditora relevante seu peso próprio.

Para ser claro, esses exemplos não provam que os algoritmos são sempre justos e imparciais ou que não estejam sujeitos a discriminação. Um exemplo familiar seria um algoritmo que deveria prever o sucesso de candidatos a emprego, mas que na realidade é treinado em uma amostra de antigas decisões de promoção. Claro que um algoritmo assim reproduzirá todos os vieses humanos das antigas decisões de promoção.

É possível, e talvez fácil demais, construir um algoritmo que perpetue disparidades raciais ou de gênero, e há inúmeros casos registrados de algoritmos que fazem exatamente isso. A visibilidade desses casos explica a crescente preocupação com o viés na tomada de decisão algorítmica. Antes de tirarmos conclusões gerais sobre os algoritmos, porém, devemos lembrar que alguns deles são não só mais precisos do que juízes humanos como também mais justos.

POR QUE NÃO USAMOS REGRAS COM MAIS FREQUÊNCIA?

Para resumir esse breve exame da tomada mecânica de decisão, revisamos dois motivos para a superioridade das regras de todo tipo sobre o julgamento humano. Primeiro, como descrito no capítulo 9, todas as técnicas de previsão mecânicas, não só as mais recentes e mais sofisticadas, representam significativos incrementos no julgamento humano. A combinação de padrões pessoais e ruído de ocasião exerce tamanho peso na qualidade do julgamento humano que simplicidade e falta de ruído são vantagens consideráveis. Regras simples que sejam meramente sensatas muitas vezes saem-se melhor do que o julgamento humano.

Segundo, os dados às vezes são suficientemente ricos para técnicas de IA sofisticadas detectarem padrões válidos e irem muito além da capacidade preditiva de um modelo simples. Quando a IA é bem-sucedida assim, a vantagem desses modelos sobre o julgamento humano não é apenas a ausência de ruído, mas também a capacidade de explorar muito mais informações.

Considerando essas vantagens e a enorme quantidade de indícios que as sustenta, vale a pena perguntar por que os algoritmos não são usados muito mais amplamente para o tipo de julgamentos profissionais discutidos neste livro. A despeito de toda a animada conversa sobre algoritmos e aprendizado de máquina, e das importantes exceções em áreas particulares, seu uso permanece limitado. Muitos especialistas ignoram o debate clínico × mecânico, preferindo confiar em seu julgamento. Têm fé em suas intuições e duvidam que máquinas possam se sair melhor. Encaram a ideia da tomada de decisão algorítmica como desumanização e uma abdicação de sua responsabilidade.

O uso de algoritmos no diagnóstico médico, por exemplo, ainda não é rotina, apesar dos impressionantes avanços. Poucas organizações utilizam algoritmos em suas decisões de contratação e promoção. Executivos de estúdio em Hollywood dão sinal verde para filmes com base em seu julgamento e experiência, não segundo uma fórmula. Editores de livros fazem o mesmo. E se a história do time de beisebol obcecado por estatísticas dos Oakland Athletics, como conta Michael Lewis em seu best-seller *Moneyball*, causou tanto impacto é precisamente porque o rigor algorítmico foi por muito tempo a exceção, e não a regra, no processo de tomada de decisão das equipes esportivas. Até hoje, diretores, técnicos e os profissionais que trabalham com eles frequentemente confiam em sua intuição e insistem que a análise estatística é incapaz de substituir um bom discernimento.

Em um artigo de 1996,[19] Meehl e seu coautor listaram (e refutaram) nada menos que dezessete tipos de objeções feitas por psiquiatras, médicos, juízes e outros profissionais ao julgamento mecânico. Os autores concluíram que a resistência dos clínicos podia ser explicada por uma combinação de fatores sociopsicológicos, incluindo seu "medo de perder o emprego para a tecnologia", "formação ruim" e uma "aversão geral a computadores".

Desde então, os pesquisadores identificaram fatores adicionais que contribuem para essa resistência. Não pretendemos oferecer uma revisão completa da pesquisa aqui: nosso objetivo neste livro é oferecer sugestões para o aperfeiçoamento do julgamento humano, não fazer a defesa da "troca de pessoas por máquinas", como teria dito o juiz Frankel.

Mas alguns resultados sobre o que nos leva a resistir à previsão mecânica são relevantes para nossa discussão sobre julgamento humano. Um entendimento essencial emergiu da pesquisa recente: as pessoas não desconfiam sistematicamente de algoritmos. Quando podem optar entre receber orientação humana e de um algoritmo, por exemplo, com alguma frequência preferem o segundo.[20] Essa resistência ou *aversão a algoritmos* nem sempre se manifesta numa recusa terminante em adotar novas ferramentas de auxílio à decisão. Com mais frequência, até nos dispomos a dar a uma chance ao algoritmo, mas o abandonamos assim que percebemos que comete erros.[21]

Em certo nível, essa reação parece sensata: por que perder tempo com um algoritmo não confiável? Nós, humanos, temos perfeita consciência de cometer erros, mas não estamos preparados para dividir esse privilégio. Esperamos que as máquinas sejam perfeitas. Se essa expectativa é violada, nós as descartamos.[22]

Devido a essa expectativa intuitiva, porém, as pessoas tendem a desconfiar dos algoritmos e a continuar usando seu julgamento mesmo quando a escolha produz resultados de inferioridade demonstrada. É uma atitude muito enraizada, que dificilmente vai mudar enquanto a precisão quase perfeita não puder ser atingida.

Por sorte, grande parte do que torna as regras e os algoritmos melhores pode ser reproduzida no julgamento humano. Não podemos esperar usar informações com tanta eficiência quanto um modelo de IA, mas podemos tentar copiar a simplicidade e a ausência de ruído dos modelos simples. À medida que adotarmos métodos de redução do ruído de sistema, deveremos ver melhoras na qualidade dos julgamentos preditivos. Como melhorar nosso julgamento é o principal assunto da parte V deste livro.

FALANDO DE REGRAS E ALGORITMOS

"Quando há muitos dados, os algoritmos de aprendizado de máquina saem-se melhor do que humanos e melhor do que modelos simples. Mas até as regras e os algoritmos mais simples têm grandes vantagens sobre o julgamento humano: são livres de ruído e não procuram refletir percepções complexas, geralmente inválidas, sobre as variáveis preditoras."

"Como carecemos de dados sobre o resultado que devemos prever, por que não usamos um modelo de pesos iguais? Ele vai se sair quase tão bem quanto um modelo apropriado, e com certeza se sairá melhor do que um julgamento humano caso a caso."

"Você discorda da previsão do modelo. Compreendo. Mas tem uma perna quebrada aqui ou apenas não gostou da previsão?"

"O algoritmo comete erros, claro. Mas se juízes humanos cometem erros ainda maiores, em quem devemos confiar?"

11. Ignorância objetiva

Em diversas ocasiões, tivemos oportunidade de compartilhar com executivos o material dos dois últimos capítulos contendo sóbrios resultados sobre as realizações limitadas do julgamento humano. A mensagem que queremos transmitir circula há mais de meio século e desconfiamos que poucos tomadores de decisão tenham evitado se expor a ela. Mas, certamente, são capazes de lhe opor resistência.

Alguns executivos que encontramos nos contam com orgulho que confiam mais em seus instintos do que em qualquer análise, por mais exaustiva que seja. Outros são menos diretos, mas pactuam da mesma opinião. A pesquisa em tomada de decisão gerencial[1] mostra que quanto mais elevado e experiente o executivo, mais recorre a algo chamado ora de *intuição*, ora de *instinto*, ora simplesmente de *julgamento* (em sentido diferente do usado neste livro).

Em resumo, tomadores de decisão costumam dar ouvidos a sua intuição, e a maioria parece satisfeita com o que escuta. O que nos leva a perguntar: o que exatamente os instintos dizem a essas pessoas abençoadas com uma combinação de autoridade e grande autoconfiança?

Um estudo[2] da intuição na tomada de decisão gerencial a define como "um julgamento para dado curso de ação que vem à mente com uma aura de convicção de retidão ou plausibilidade, mas sem razões ou justificativas articuladas com clareza — em essência 'sabendo', mas sem saber por quê".

Sugerimos que essa sensação de saber sem saber por que na verdade é o sinal interno de conclusão do julgamento mencionado no capítulo 4.

O sinal interno é uma recompensa autoconcedida, algo que damos duro (ou, às vezes, nem tão duro assim) para conquistar ao chegarmos ao desfecho de um julgamento. É uma experiência emocional gratificante, uma sensação agradável de coerência, em que a evidência considerada e o julgamento obtido soam certos. Todas as peças do quebra-cabeça parecem se encaixar. (Veremos mais adiante que muitas vezes essa sensação de coerência é estimulada ocultando ou ignorando evidências que não se encaixam.)

O que faz do sinal interno algo importante — e enganador — é que o interpretamos não como uma impressão, mas como uma crença. Essa experiência emocional ("a evidência parece certa") se mascara de confiança racional na validade do próprio julgamento ("Eu sei, mesmo não sabendo o motivo").

Confiança não é garantia de precisão, porém, e muitas previsões confiantes já se mostraram equivocadas. Embora tanto o viés como o ruído contribuam para os erros de previsão, a maior fonte desses erros não é o limite em quão bons *são* os julgamentos preditivos. É o limite em quão bons *poderiam ser*. Esse limite, que chamamos de *ignorância objetiva*, é o foco deste capítulo.

IGNORÂNCIA OBJETIVA

Eis algo que você pode se perguntar caso se pegue fazendo julgamentos preditivos repetidos. A questão poderia se aplicar a qualquer tarefa — comprar ações, por exemplo, ou prever o desempenho de atletas profissionais. Mas, por simplicidade, escolhemos o mesmo exemplo usado no capítulo 9: uma seleção de candidatos a emprego. Imagine que você avaliou uma centena de candidatos ao longo dos anos. Agora tem a chance de medir o grau de acerto das suas decisões comparando as avaliações que fez com as avaliações objetivas de desempenho realizadas desde então. Tomando um par de candidatos ao acaso, com que frequência seu julgamento ex ante e as avaliações ex post concordam? Em outras palavras, comparando dois candidatos quaisquer, qual a probabilidade de que o candidato por você considerado de maior potencial se revelasse o de melhor desempenho?

Costumamos fazer uma enquete informal com grupos de executivos sobre essa questão. As respostas mais frequentes ficam na faixa de 75-85%, e desconfiamos que sejam moderadas pela modéstia e por seu desejo de não parecerem presunçosos. Conversas particulares entre dois indivíduos sugerem que a verdadeira sensação de confiança é com frequência ainda mais elevada.

Como já estamos familiarizados com a estatística do percentual de concordância, podemos perceber facilmente o problema suscitado por essa avaliação. Um PC de 80% corresponde grosso modo a uma correlação de 0,80. Esse nível de potencial preditivo raras vezes é alcançado no mundo real. Um estudo recente[3] na área da seleção de pessoal revelou que o desempenho de juízes humanos está longe desse número. Na média, eles alcançam uma correlação preditiva de 0,28 (PC = 59%).

Se considerarmos os desafios da seleção de pessoal, o resultado decepcionante não surpreende. Alguém que começa em um novo emprego hoje conhecerá muitos desafios e oportunidades e o acaso intervirá para mudar a direção de sua vida de muitas maneiras. A pessoa pode encontrar um supervisor que acredita nela, oferece oportunidades, promove seu trabalho e contribui para sua autoconfiança e motivação. Ou pode ter menos sorte e, sem que seja sua culpa, iniciar a carreira com um fracasso desmoralizante. Em sua vida privada, também podem ocorrer eventos que afetem seu desempenho profissional. Nenhum desses eventos e circunstâncias pode ser previsto hoje — nem por você, nem por mais ninguém, tampouco pelo melhor modelo preditivo do mundo. Essa incerteza intratável inclui tudo o que não pode ser conhecido no momento presente sobre o resultado do que você tenta prever.

Além do mais, muita coisa sobre os candidatos é cognoscível, em princípio, mas não no momento em que elaboramos o julgamento. Para nossos propósitos, não faz diferença se essas lacunas no conhecimento vêm da falta de testes suficientemente preditivos, da decisão de que o custo de adquirir mais informações não se justifica ou de nossa negligência em apurar os fatos. De um modo ou de outro, é uma condição aquém da informação perfeita.

Tanto a incerteza intratável (impossível de ser conhecida) como a informação imperfeita (que poderia ser conhecida mas não é) inviabilizam a previsão perfeita. Essas incógnitas não são problemas de viés ou ruído em seu julgamento; são características objetivas da tarefa. Essa ignorância objetiva de incógnitas importantes limita seriamente a precisão que pode ser obtida.

Tomamos uma liberdade terminológica aqui, substituindo a palavra normalmente utilizada, *incerteza*, por *ignorância*. O termo ajuda a limitar o risco de confusão entre a incerteza, que diz respeito ao mundo e ao futuro, e o ruído, que é a variabilidade em julgamentos que deveriam ser idênticos.

Há mais informação (e menos ignorância objetiva) em algumas situações do que em outras. A maioria dos julgamentos profissionais é bastante boa. Para muitas doenças, as previsões dos médicos são excelentes, e em muitas disputas legais os advogados podem dizer com grande precisão como os juízes tendem a deliberar.

Mas, em geral, podemos esperar que pessoas realizando tarefas preditivas subestimem sua ignorância objetiva. Excesso de confiança[4] é um dos vieses cognitivos mais bem documentados. Em particular, julgamentos sobre a própria capacidade de fazer previsões exatas, mesmo com informações limitadas, são notoriamente superconfiantes. O que dissemos do ruído no julgamento preditivo também pode ser dito da ignorância objetiva: onde quer que haja previsão, há ignorância, e mais do que você imagina.

ESPECIALISTAS SUPERCONFIANTES

Nosso bom amigo, o psicólogo Philip Tetlock, se distingue pelo feroz compromisso com a verdade e um ferino senso de humor. Em 2005, ele publicou *Expert Political Judgment* [Julgamento político especializado]. Apesar da neutralidade do título, o livro era um ataque devastador à suposta capacidade dos especialistas de fazer previsões precisas sobre eventos políticos.

Tetlock estudou as previsões de quase trezentos especialistas: jornalistas proeminentes, acadêmicos respeitados e assessores de alto escalão de líderes nacionais. Ele perguntou se suas previsões políticas, econômicas e sociais se concretizavam. A pesquisa cobriu duas décadas; para saber se previsões de longo prazo estão corretas, é preciso paciência.

A principal descoberta de Tetlock foi que, em suas previsões sobre importantes eventos políticos, os ditos especialistas deixam muito a desejar. O livro ficou famoso por sua chocante conclusão: "O especialista médio foi, em geral, tão preciso quanto um chimpanzé atirando dardos". Uma declaração mais precisa da mensagem do livro era que especialistas cujo ganha-pão consiste em "comentar ou oferecer conselhos sobre tendências políticas e econômicas" não eram "melhores do que jornalistas ou leitores atentos do *New York Times* em 'interpretar' novas situações".[5] Os especialistas sem dúvida eram ótimos para contar histórias. Podiam analisar uma situação, pintar um quadro convincente de como ela evoluiria e refutar, com grande confiança, as vozes discordantes nos estúdios de televisão. Mas sabiam de fato o que ia acontecer? Dificilmente.

Tetlock chegou a essa conclusão desconstruindo suas narrativas. Em todas as questões, pedia aos especialistas para designar probabilidades para três resultados possíveis: statu quo, mais de algo ou menos. Um chimpanzé atirando dados "escolheria" cada um desses resultados com a mesma probabilidade — um terço —, independentemente da realidade. Os especialistas de Tetlock mal excederam esse padrão muito baixo. Na média, atribuíram probabilidades ligeiramente mais elevadas a eventos ocorridos do que a eventos que não ocorreram, mas a característica mais marcante de seu desempenho foi a confiança excessiva em suas predições. Especialistas abençoados com teorias claras sobre como o mundo funciona foram os mais confiantes e menos precisos.

Os resultados de Tetlock sugerem que previsões detalhadas de longo prazo sobre eventos específicos são simplesmente impossíveis. O mundo é um lugar confuso, onde eventos menores podem ter grandes consequências. Por exemplo, considere o fato de que, no instante de sua concepção, havia uma chance meio a meio de qualquer figura significativa (ou insignificante) da história nascer com sexo diferente. Eventos imprevisíveis fatalmente ocorrem e suas consequências também são imprevisíveis. Como resultado, quanto mais no futuro perscrutamos, maior o acúmulo de ignorância objetiva. O limite do julgamento político especializado é determinado não pela limitação cognitiva dos comentaristas políticos, mas por sua intratável ignorância objetiva do futuro.

Nossa conclusão, portanto, é de que os especialistas não têm culpa das falhas de suas previsões distantes. Porém, merecem alguma crítica por assumir uma tarefa impossível e acreditar que podem triunfar.

Alguns anos após sua escandalosa descoberta da futilidade da previsão de muito longo prazo, Tetlock e sua esposa, Barbara Mellers, examinaram o desempenho humano na previsão relativamente de curto prazo de eventos mundiais — em geral, menos de um ano. Eles descobriram que a previsão de curto prazo é difícil mas não impossível, e que algumas pessoas, chamadas por Tetlock e Mellers de *superprevisores*, são consistentemente melhores nisso do que a maioria, incluindo profissionais da comunidade de inteligência. Nos termos empregados aqui, seus resultados são compatíveis com o conceito de que a ignorância objetiva aumenta conforme perscrutamos mais adiante no futuro. Voltaremos aos superprevisores no capítulo 21.

JUÍZES RUINS E MODELOS LIGEIRAMENTE MELHORES

A pesquisa inicial de Tetlock demonstrou a incapacidade geral do ser humano de se sair bem em previsões de longo prazo. Encontrar um único indivíduo com uma bola de cristal teria mudado as conclusões por completo. Uma tarefa pode ser considerada impossível apenas depois que muitos atores confiáveis fizeram sua tentativa e fracassaram. Assim como mostramos que a agregação mecânica de informações é com frequência superior ao julgamento humano, a precisão preditiva de regras e algoritmos proporciona um teste melhor de como os resultados são intrinsecamente previsíveis ou imprevisíveis.

Os capítulos anteriores podem ter dado a impressão de que algoritmos são superiores a julgamentos preditivos de maneira esmagadora. Mas essa impressão seria enganosa. Os modelos se saem consistentemente melhor do que as pessoas, mas não muito melhor. Não há prova alguma de situações em que o desempenho humano é fraco e os modelos têm desempenho ótimo com as mesmas informações.

No capítulo 9, mencionamos uma revisão de 136 estudos[6] que demonstraram a superioridade da agregação mecânica sobre o julgamento clínico. Embora a evidência dessa superioridade seja de fato "maciça e consistente", a diferença de desempenho não é grande. Noventa e três por cento dos estudos na revisão focaram em decisões binárias e mediram a "taxa de acerto" de médicos e fórmulas. No estudo das médias, os médicos estavam certos 68% das vezes, e as fórmulas, 73%. Um pequeno subconjunto de 35 estudos usou o coeficiente de correlação como medida de precisão. Neles, os médicos obtiveram uma correlação média com o resultado de 0,32 (PC = 60%), enquanto as fórmulas, obtiveram 0,56 (PC = 69%). Nas duas métricas, as fórmulas são consistentemente melhores do que os médicos, mas a validade limitada das previsões mecânicas permanece surpreendente. O desempenho dos modelos não altera o quadro de um teto de previsibilidade razoavelmente baixo.

E quanto à inteligência artificial? Como observamos, ela muitas vezes se sai melhor do que modelos mais simples. Na maioria das aplicações, porém, seu desempenho está longe de perfeito. Considere, por exemplo, o algoritmo de previsão de fiança discutido no capítulo 10. Notamos que, mantendo-se constante o número de pessoas a quem foi negada fiança, o algoritmo poderia reduzir as taxas de criminalidade em até 24%. É uma melhora impressionante em relação às previsões dos juízes de fiança humanos, mas se o algoritmo conseguir prever com perfeita precisão quais acusados serão reincidentes, poderá reduzir ainda mais a taxa de criminalidade. As previsões sobrenaturais de futuros crimes em *Minority Report — A Nova Lei* são ficção científica por um motivo: há uma grande quantidade de ignorância objetiva na previsão do comportamento humano.

Outro estudo, conduzido por Sendhil Mullainathan e Ziad Obermeyer, modelou o diagnóstico de ataques cardíacos.[7] Quando o paciente apresenta sinais de um possível ataque, os médicos do pronto-socorro devem decidir sobre pedidos de exame adicionais. Em princípio, o paciente deveria fazer exames apenas quando o risco de ataque cardíaco fosse bastante elevado: como os exames são caros, além de invasivos e arriscados, não são indicados para pacientes de baixo risco. Assim, a decisão médica de pedir exames exige uma avaliação do risco do problema. Os pesquisadores construíram um modelo de IA para a tarefa. Ele utiliza mais de 2400 variáveis e se baseia em uma grande amostra de casos (4,4 milhões de consultas pelo Medicare de 1,6 milhão de pacientes). Com essa quantidade de dados, o modelo provavelmente se aproxima dos limites da ignorância objetiva.

Não surpreende que a precisão do modelo de IA seja nitidamente superior à dos médicos. Para avaliar o desempenho do modelo, considere os pacientes que o modelo colocou no decil de risco mais elevado. Quando foram examinados, constatou-se que 30% haviam tido um ataque cardíaco, enquanto no meio da distribuição de risco a proporção foi de 9,3%. Esse nível de discriminação é impressionante, mas também está longe de perfeito. É razoável concluir que o desempenho dos médicos é limitado no mínimo tanto pelas restrições da ignorância objetiva como pelas imperfeições de seus julgamentos.

A NEGAÇÃO DA IGNORÂNCIA

Ao insistir na impossibilidade da previsão perfeita, pode parecer que afirmamos o óbvio. Admitimos que dizer que o futuro é imprevisível dificilmente constitui um avanço conceitual. Entretanto, a obviedade desse fato se iguala apenas à regularidade com que é ignorado, como demonstram os resultados consistentes sobre o excesso de confiança preditiva.

A prevalência da superconfiança lança nova luz sobre nossa apuração informal de tomadores de decisão que confiam em seus instintos. Notamos que as pessoas muitas vezes confundem sua percepção subjetiva de confiança com um indicativo de validade preditiva. Após revisar as evidências no capítulo 9 sobre Nathalie e Monica, por exemplo, o sinal interno que você sentiu quando chegou a um julgamento coerente lhe deu a confiança de que Nathalie era a candidata mais forte. Se estava confiante nessa previsão, porém, caiu na ilusão de validade: a precisão que se pode atingir com as informações recebidas é muito baixa.

Pessoas que se acreditam capazes de um nível impossivelmente elevado de precisão preditiva não são apenas superconfiantes. Não apenas negam o risco de ruído e viés em seus julgamentos. Não se consideram simplesmente superiores a outros mortais. Também acreditam na previsibilidade de eventos que na verdade são imprevisíveis, negando de forma implícita a realidade da incerteza. Nos termos utilizados aqui, essa atitude equivale a uma *negação da ignorância*.

A negação da ignorância contribui com uma resposta para o mistério que deixou Meehl e seus seguidores perplexos: por que sua mensagem permaneceu amplamente ignorada e por que os tomadores de decisão continuam a confiar em sua intuição. Quando dá ouvidos a seus instintos, o tomador de decisão escuta o sinal interno e sente a recompensa emocional que ele traz. Esse sinal interno de que um bom julgamento foi alcançado é a voz da confiança, de "saber sem saber por quê". Mas uma avaliação objetiva do verdadeiro poder preditivo da evidência raras vezes justificará esse nível de confiança.

Abrir mão da recompensa emocional da certeza intuitiva não é fácil. De forma reveladora, os líderes afirmam ser mais propensos a recorrer à tomada de decisão intuitiva em situações que percebem como altamente incertas.[8] Quando os fatos lhes negam a sensação de compreensão e confiança pela qual anseiam, recorrem a sua intuição para consegui-la. Quanto mais vasta a ignorância, mais tentadora sua negação.

A negação da ignorância explica também outro mistério. Quando confrontados com as evidências apresentadas aqui, muitos líderes chegam a uma conclusão aparentemente paradoxal. Suas decisões baseadas no instinto podem não ser perfeitas, argumentam, mas se as alternativas mais sistemáticas também estão longe disso não vale a pena adotá-las. Lembre, por exemplo, que a correlação média entre as classificações de juízes humanos e o desempenho de funcionários é de 0,28 (PC = 59%). Segundo o mesmo estudo, e consistente com as evidências que revisamos, a previsão mecânica pode se sair melhor, mas não muito: sua precisão preditiva é de 0,44 (PC = 65%). Um executivo poderia perguntar: por que se dar ao trabalho?

A resposta é que, numa situação tão importante quanto decidir quem contratar, esse incremento vale muito. Os mesmos executivos fazem rotineiramente mudanças significativas em seus processos de trabalho para captar ganhos que não são assim tão grandes. Racionalmente, compreendem que o sucesso nunca está garantido e que uma chance maior de sucesso é o que tentam obter com suas decisões. Também compreendem probabilidade. Nenhum deles compraria um bilhete de loteria com uma chance de 59% de ganhar se pudessem comprar pelo mesmo preço um bilhete de loteria com 65% de chance.

O desafio é que o "preço" nessa situação não é o mesmo. O julgamento intuitivo vem com sua recompensa, o sinal interno. As pessoas estão preparadas para confiar num algoritmo[9] que atinge um nível muito alto de precisão porque ele lhes dá uma sensação de certeza que equipara ou excede a fornecida pelo sinal interno. Mas abrir mão da recompensa emocional do sinal interno é um preço alto a pagar quando a alternativa é algum tipo de processo mecânico que nem sequer alega validade elevada.

Essa observação tem uma implicação importante para a melhora do julgamento. A despeito de todas as evidências em favor dos métodos de previsão mecânicos e algorítmicos, e a despeito do cálculo racional que claramente mostra o valor das melhorias incrementais na precisão preditiva, muitos tomadores de decisão rejeitarão abordagens que os privem da capacidade de exercer sua intuição. Enquanto os algoritmos não forem quase perfeitos — e, em muitos domínios, a ignorância objetiva determina que nunca serão —, o julgamento humano não será substituído. É por isso que ele precisa ser melhorado.

FALANDO DE IGNORÂNCIA OBJETIVA

"Onde há previsão há ignorância, e provavelmente mais do que pensamos. Alguém verificou se os especialistas nos quais confiamos são mais precisos do que chimpanzés atirando dardos?"

"Quando confiamos em nossos instintos devido a um sinal interno, não devido a algo que saibamos de fato, estamos em negação da nossa ignorância objetiva."

"Modelos se saem melhor do que pessoas, mas não muito. Na maior parte, encontramos julgamentos humanos medíocres e modelos ligeiramente melhores. Mesmo assim, melhor é bom, e modelos são melhores."

"Talvez nunca fiquemos à vontade usando um modelo para tomar tais decisões — só precisamos de um sinal interno para ter confiança suficiente. Então vamos assegurar que tenhamos o melhor processo decisório possível."

12. O vale do normal

Voltemo-nos agora a uma questão mais ampla: como não sentir certo desconforto em um mundo em que muitos problemas são fáceis, mas muitos outros são dominados pela ignorância objetiva? Afinal, quando a ignorância objetiva é grave, deveríamos, após algum tempo, ficar cientes da futilidade de uma bola de cristal nos assuntos humanos. Mas essa não é nossa experiência usual do mundo. Pelo contrário, como sugerido nos capítulos anteriores, conservamos uma predisposição incontrolável de fazer previsões ousadas sobre o futuro com base em poucas informações úteis. Neste capítulo, tratamos da percepção predominante e falaciosa de que eventos que não poderiam ter sido previstos podem não obstante ser compreendidos.

O que essa crença de fato significa? Fazemos essa pergunta em dois contextos: a conduta das ciências sociais e a experiência com os eventos da vida diária.

PREVENDO TRAJETÓRIAS DE VIDA

Em 2020, um grupo de 112 pesquisadores, liderados por Sara McLanahan e Matthew Salganik, professores de sociologia da Universidade Princeton, publicaram um artigo incomum[1] na *Proceedings of the National Academy of Sciences*. Os pesquisadores queriam descobrir até onde os cientistas sociais de fato compreendem o que acontece na trajetória de vida de famílias socialmente frágeis. Sabendo o que sabem, até que ponto os cientistas sociais conseguem prever os eventos na vida de uma família? Especificamente, que nível de precisão especialistas podem alcançar ao prever eventos de vida usando as informações que os sociólogos em geral coligem e aplicam em sua pesquisa? Nos nossos termos, o objetivo do estudo era medir o nível de ignorância objetiva que permanece nesses eventos de vida depois que os sociólogos fizeram seu trabalho.

Os autores extraíram material do Estudo de Famílias Frágeis e Bem-Estar Infantil, uma investigação longitudinal em larga escala de indivíduos monitorados do nascimento aos quinze anos de idade. O banco de dados contém vários milhares de itens com informações sobre as famílias de quase 5 mil crianças, a maioria nascida de pai e mãe que não eram casados em grandes cidades americanas. Os dados cobrem tópicos como formação e trabalho dos avós da criança, detalhes sobre a saúde dos membros da família, índices de status econômico e social, respostas a inúmeros questionários e testes de aptidão cognitiva e de personalidade. A riqueza de informação é extraordinária, e os cientistas sociais fizeram bom uso dela: mais de 750 artigos científicos foram produzidos com base nos dados do estudo das Famílias Frágeis. Muitos usaram os dados sobre a experiência de vida das crianças e suas famílias para explicar resultados como notas escolares e ficha criminal.

O estudo conduzido pela equipe de Princeton se concentrou na previsibilidade de seis resultados observados na criança aos quinze anos, incluindo ocorrência de despejo recente, média escolar e uma medida geral das circunstâncias materiais da família. Os organizadores usaram o que chamaram de "método da tarefa comum". Convidaram equipes de pesquisadores para competir em gerar previsões precisas dos seis resultados escolhidos, usando a massa de dados disponível sobre cada família no estudo das Famílias Frágeis. Esse tipo de desafio é uma novidade nas ciências sociais, mas comum na ciência da computação, em que as equipes são com frequência convidadas a competir em tarefas como tradução automática de um conjunto-padrão de textos ou identificação de um animal em um grande conjunto de fotos. O resultado obtido pela equipe vencedora nessas competições define o que há de recente em dado momento, que é sempre ultrapassado na competição seguinte. Em uma tarefa de previsão em ciências sociais, em que uma melhora rápida não é esperada, é razoável usar a previsão mais acertada obtida na competição como medida da previsibilidade do resultado desses dados — em outras palavras, o nível residual de ignorância objetiva.

O desafio gerou considerável interesse entre os pesquisadores. O relatório final apresentou resultados de 160 equipes altamente qualificadas extraídas de um conjunto internacional de concorrentes muito mais amplo. A maioria dos competidores selecionados se descreveu como cientista de dados e usou aprendizado de máquina.

No primeiro estágio da competição, as equipes participantes tiveram acesso a todos os dados para metade da amostra total;[2] os dados incluíam os seis resultados. Eles utilizaram esses "dados de treinamento" para treinar um algoritmo preditivo. Seus algoritmos foram em seguida aplicados a uma amostra de validação de famílias que não haviam sido usadas para treinar o algoritmo. Os pesquisadores mediram a precisão usando EQM: o erro de previsão para cada caso foi o quadrado da diferença entre o resultado real e a previsão do algoritmo.

Como se saíram os modelos vencedores? Claro que os sofisticados algoritmos de aprendizado de máquina treinados em um amplo conjunto de dados tiveram desempenho superior às previsões de modelos lineares simples (e, por extensão, superariam juízes humanos). Mas a melhora dos modelos de IA obtida sobre um modelo simples foi tênue e sua precisão preditiva permaneceu decepcionantemente baixa. Ao prever despejos, o melhor modelo obteve uma correlação de 0,22 (PC = 57%).[3] Valores similares foram encontrados para outros resultados de eventos isolados, tal como se o cuidador principal fora dispensado ou recebera treinamento e como a criança pontuaria em uma medida autodefinida de "fibra", um traço de personalidade que combina perseverança e paixão por uma meta particular. Para esses, as correlações caíram entre 0,17 e 0,24 (PC = 55% a 58%).

Dois dos seis resultados-alvo eram agregados, que são muito mais previsíveis. As correlações preditivas foram de 0,44 (PC = 65%) com a média escolar da criança e de 0,48 (PC = 66%) com uma medida sumária do sofrimento material durante os doze meses precedentes. Essa medida se baseou em onze questões, incluindo "Você já passou fome?" e "Seu telefone foi cortado?". Medidas agregadas são sabidamente mais preditivas e mais previsíveis do que medidas de resultados isolados. A principal conclusão do desafio é que uma grande massa de informação preditiva não basta para prever eventos isolados na vida das pessoas — e até a previsão de agregados é bastante limitada.

Os resultados observados nessa pesquisa são típicos, e muitas correlações encontradas pelos cientistas sociais caem nessa faixa. Uma extensa revisão da pesquisa[4] em psicologia social, cobrindo 25 mil estudos e envolvendo 8 milhões de indivíduos ao longo de cem anos, concluiu que "os efeitos sociopsicológicos tipicamente produziram um valor de r [coeficiente de correlação] igual a 0,21". Correlações muito mais elevadas, como a de 0,60 mencionada anteriormente entre altura e tamanho do pé no adulto, são comuns para medições físicas, mas muito raras nas ciências sociais. Uma revisão de 708 estudos[5] em ciência comportamental e cognitiva revelou que apenas 3% das correlações informadas eram de 0,50 ou mais.

Coeficientes de correlação tão baixos podem ser uma surpresa quando se está acostumado a ler sobre descobertas apresentadas como "estatisticamente significativas" ou até "altamente significativas". Termos estatísticos são muitas vezes enganosos para o leitor leigo e "significativo" pode ser o pior exemplo disso. Quando um achado é descrito como "significativo", não deveríamos concluir que o efeito descrito é forte. Quer dizer apenas que o resultado dificilmente é produto apenas do acaso. Com uma amostra suficientemente grande, uma correlação pode ser ao mesmo tempo muito "significativa" e pequena demais para valer a pena discuti-la.

A previsibilidade limitada de resultados isolados no desafio traz uma mensagem preocupante sobre a diferença entre compreensão e previsão. O estudo das Famílias Frágeis é considerado um tesouro das ciências sociais e, como vimos, seus dados são usados em um vasto corpus de pesquisa. Os acadêmicos que produziram esse trabalho seguramente achavam que o estudo contribuía para a compreensão da vida de famílias carentes. Infelizmente, essa sensação de progresso não foi igualada por uma capacidade de fazer previsões refinadas de eventos individuais em vidas individuais. O resumo do relatório assinado por inúmeros autores sobre o desafio das Famílias Frágeis continha uma austera repreensão: "Os pesquisadores devem conciliar a ideia de que compreendem as trajetórias de vida com o fato de que nenhuma previsão foi muito precisa".[6]

COMPREENSÃO E PREVISÃO

A lógica por trás dessa conclusão pessimista exige alguma elaboração. Quando os autores do desafio das Famílias Frágeis igualam compreensão a previsão (ou a ausência de uma à ausência da outra), usam o termo *compreensão* em um sentido específico. Há outros significados para a palavra: se você afirma compreender um conceito matemático ou compreender o que é o amor, não está sugerindo que é capaz de fazer previsões específicas.

Entretanto, no discurso das ciências sociais, e na maioria das conversas do dia a dia, alegar compreender uma coisa é alegar compreender o que a *causa*. Os sociólogos que coligiram e estudaram milhares de variáveis no estudo das Famílias Frágeis buscavam as causas dos resultados que observaram. Médicos que compreendem o mal de um paciente alegam que a patologia que diagnosticaram é a causa dos sintomas que observaram. Compreender é descrever uma cadeia causal.[7] A capacidade de fazer uma previsão é uma forma de medir se tais cadeias causais foram identificadas. E a correlação, ou a medida da precisão preditiva, é uma medida de quanta causação podemos explicar.

Essa última afirmação pode deixar você surpreso se já teve contato com estatística elementar e lembra a advertência tantas vezes repetida de que "correlação não implica causação". Considere, por exemplo, a correlação entre o tamanho do pé e as habilidades matemáticas em crianças: obviamente, uma variável não causa a outra. A correlação surge do fato de que tanto o tamanho do pé como o conhecimento matemático aumentam com a idade. A correlação é real e encoraja uma previsão: se você sabe que a criança tem pés grandes, deveria predizer um nível matemático mais elevado do que prediria se soubesse que a criança tem pés pequenos. Mas não deveria inferir um elo causal com base nessa correlação.

Não podemos esquecer porém que, embora a correlação não implique causação, a causação *implica* correlação. Onde houver um elo causal, devemos encontrar uma correlação. Se você não encontra uma correlação entre idade e tamanho de pé entre adultos, pode concluir seguramente que, ao final da adolescência, a idade não faz os pés ficarem maiores e é preciso buscar as causas para a diferença nos tamanhos de pé em outro lugar.

Em suma, onde quer que haja causalidade, há correlação. Disso segue-se que, onde quer que haja causalidade, deveríamos ser capazes de fazer previsão — e a correlação, a precisão dessa previsão, é uma medida de quanta causalidade compreendemos. Daí a conclusão dos pesquisadores de Princeton ser a seguinte: a extensão em que os sociólogos conseguem prever eventos como despejos, tal como atestada pela correlação de 0,22, é um indicativo de quanto compreendem (ou de quão pouco compreendem) as trajetórias de vida dessas famílias. A ignorância objetiva determina um teto não só para nossas previsões como também para nossa compreensão.

O que a maioria dos profissionais quer dizer então quando alega com confiança compreender sua área? Que afirmações podem fazer sobre a causa dos fenômenos que observam e como podem oferecer previsões confiantes sobre eles? Resumindo, por que os profissionais — assim como qualquer um — parecem subestimar nossa ignorância objetiva do mundo?

RACIOCÍNIO CAUSAL

Se, ao ler a primeira parte deste capítulo, você se perguntou o que leva a despejos e outros resultados de vida entre famílias frágeis, raciocinou da mesma forma que os pesquisadores dos trabalhos acima. Você aplicou o *pensamento estatístico*: sua preocupação foram os conjuntos, como a população de famílias frágeis, e as estatísticas que as descrevem, incluindo médias, variâncias, correlações e assim por diante. Não focou nos casos individuais.

Outro modo de pensar que nos vem mais naturalmente à mente será chamado aqui de *raciocínio causal*.[8] O raciocínio causal produz narrativas em que eventos, pessoas e objetos específicos se afetam mutuamente. Para saber como é um raciocínio causal, imagine-se como um assistente social acompanhando o caso de várias famílias carentes. Você acaba de saber que uma delas, os Jones, foi despejada. Sua reação a esse evento é informada pelo que você sabe sobre os Jones. Acontece que Jennifer Jones, arrimo de família, perdeu o emprego há alguns meses. Ela não conseguiu encontrar outro trabalho e, desde então, não foi mais capaz de manter o aluguel em dia. Fez alguns pagamentos parciais, implorou várias vezes ao senhorio e chegou a pedir que você interviesse (você foi conversar com ele, mas o sujeito permaneceu indiferente). Considerando o contexto, o despejo dos Jones é triste, mas não surpreendente. Parece, na verdade, o fim lógico de uma cadeia de eventos, o desenlace inevitável de uma tragédia predeterminada.

Quando cedemos a essa sensação de inevitabilidade, perdemos de vista como as coisas facilmente poderiam ter sido diferentes — como, a cada encruzilhada do caminho, o destino poderia ter seguido outro rumo. Jennifer teria conservado seu emprego. Ou logo teria encontrado outro. Um parente teria ajudado. Você, o assistente social, teria zelado melhor pela família. O senhorio teria sido mais compreensivo e aguardado algumas semanas para cobrar o aluguel, possibilitando a Jennifer encontrar um trabalho e pagar sua dívida.

Essas narrativas alternativas são tão pouco surpreendentes quanto a principal — se o fim é conhecido. Seja qual for o resultado (despejo ou não), após o ocorrido, o raciocínio causal faz com que pareça totalmente explicável, e até previsível.

A COMPREENSÃO NO VALE DO NORMAL

Há uma explicação psicológica para essa observação. Alguns eventos são surpreendentes: uma pandemia, um ataque às Torres Gêmeas, um importante fundo de hedge que na verdade é um esquema de pirâmide. Na nossa vida pessoal, também ocorrem choques ocasionais: apaixonar-se por alguém, a morte súbita de um irmão mais novo, uma herança inesperada. Já outros eventos são ativamente esperados, como uma criança de oito anos voltar da escola no horário de costume.

A maior parte da experiência humana recai entre esses dois extremos. Às vezes, aguardamos ativamente um evento específico; outras vezes, somos surpreendidos. Mas a maioria das coisas acontece no vasto vale do normal, no qual os eventos não são inteiramente esperados nem particularmente surpreendentes. Neste instante, por exemplo, você não tem nenhuma expectativa específica sobre o que virá no próximo parágrafo. Ficaria surpreso se descobrisse que de repente passamos a escrever em turco, mas há um amplo leque de coisas que poderíamos dizer sem deixá-lo chocado.

No vale do normal, os eventos se desenrolam como no despejo dos Jones: vistos em retrospecto,[9] parecem normais, embora não fossem esperados e não pudéssemos tê-los previsto. Isso acontece porque o processo de compreender a realidade é retroativo. Uma ocorrência que não era ativamente antecipada (o despejo da família Jones) aciona a busca na memória por uma causa provável (o mercado de trabalho difícil, o senhorio inflexível). A busca cessa quando uma boa narrativa é encontrada. Dado o resultado oposto, a busca teria produzido causas igualmente convincentes (a tenacidade de Jennifer Jones, o senhorio compreensivo).

Como ilustram esses exemplos, muitos eventos em uma história normal são literalmente autoexplicativos. Talvez você tenha notado que o senhorio nas duas versões da história do despejo não era na verdade a mesma pessoa: o primeiro era insensível, o segundo, bondoso. Mas sua única dica sobre seu caráter foi o comportamento manifestado por ele. Considerando o que sabemos agora a seu respeito, esse comportamento parece coerente. É a ocorrência do evento que informa sobre sua causa.

Quando explicamos dessa forma um resultado inesperado mas pouco surpreendente, o destino final atingido sempre faz sentido. Isso é o que entendemos por *compreender* uma história e é o que faz a realidade parecer previsível — em retrospecto. Como o evento se explica por si conforme ocorre, ficamos sob a ilusão de que poderia ter sido antecipado.

Mais amplamente, nossa sensação de compreender o mundo depende de nossa extraordinária capacidade de construir narrativas que expliquem os eventos observados. A busca de causas é quase sempre bem-sucedida porque causas podem ser extraídas de uma reserva ilimitada de fatos e crenças sobre o mundo. Por exemplo, como bem sabe toda pessoa antenada com as notícias, dificilmente um grande movimento no mercado de ações fica sem explicação. No mesmo momento os noticiários podem "explicar" uma queda nos índices (os ansiosos investidores estão preocupados com as notícias!) ou uma alta (os esperançosos investidores continuam otimistas!).

Quando a busca por uma causa óbvia fracassa, nossa primeira reação é encontrar uma explicação preenchendo uma lacuna em nosso modelo do mundo. É desse modo que inferimos um fato antes ignorado (por exemplo, que o senhorio era uma pessoa muito bondosa). Somente quando nosso modelo do mundo não pode ser ajustado para gerar o resultado, rotulamos tal resultado como surpreendente e vamos em busca de uma explicação mais elaborada para ele. A surpresa genuína ocorre apenas quando nossa habitual visão em retrospecto falha.

Essa interpretação causal contínua da realidade é como "compreendemos" o mundo. Nossa sensação de compreender a vida conforme se desenrola consiste no fluxo regular de visão retrospectiva no vale do normal. Essa sensação é fundamentalmente causal: novos eventos, uma vez conhecidos, eliminam as alternativas, e a narrativa deixa pouco espaço para a incerteza. Como sabemos da pesquisa clássica em visão retrospectiva,[10] mesmo quando a incerteza subjetiva existe por algum tempo, suas lembranças são na maior parte apagadas assim que a incerteza é resolvida.

DENTRO E FORA

Contrastamos dois modos de pensar sobre os eventos: o estatístico e o causal. O causal nos poupa um bocado de raciocínio trabalhoso categorizando os eventos em tempo real como normais ou anormais. Eventos anormais rapidamente mobilizam o dispendioso esforço na busca por informações relevantes, seja no ambiente em torno, seja na memória. A expectativa ativa — aguardar com atenção que algo aconteça — também demanda esforço. Por outro lado, o fluxo de eventos no vale do normal exige pouco trabalho mental. Seu vizinho pode sorrir ao ver você ou parecer preocupado e apenas acenar com a cabeça — nenhum desses eventos chamará sua atenção se foram razoavelmente frequentes no passado. Se o sorriso for estranhamente largo ou o aceno atipicamente perfunctório, talvez você se pegue buscando na memória uma possível causa. O raciocínio causal evita o esforço desnecessário, ao mesmo tempo conservando a vigilância exigida para detectar eventos anormais.

O pensamento estatístico por sua vez é trabalhoso. Exige os recursos da atenção que só o Sistema 2,[11] associado ao pensamento lento, deliberado, pode levar a efeito. Além de um nível elementar, o pensamento estatístico também exige treinamento especializado. Esse tipo de pensamento começa pelos conjuntos e considera casos individuais ocorrências de categorias mais amplas. O despejo dos Jones não é visto como fruto de uma cadeia de eventos específicos, mas como um resultado estatisticamente provável (ou improvável), dadas observações prévias de casos que compartilham características preditivas com os Jones.

A distinção entre esses dois pontos de vista é um tema recorrente deste livro. Basear-se no raciocínio causal sobre um único caso é uma fonte de erros previsíveis. Assumir o ponto de vista estatístico, que também chamaremos de *visão de fora*, é uma maneira de evitar esses erros.

Nesse momento, precisamos enfatizar apenas que o modo causal nos vem muito mais naturalmente. Mesmo explicações que deveriam ser apropriadamente tratadas como estatísticas são facilmente transformadas em narrativas causais. Considere asserções como "eles falharam porque não tinham experiência" ou "conseguiram porque tinham um líder brilhante". Seria fácil pensar em contraexemplos, em que equipes inexperientes foram bem-sucedidas e líderes brilhantes fracassaram. As correlações de experiência e brilhantismo com sucesso são, quando muito, moderadas e, provavelmente, baixas. Contudo, uma atribuição causal é feita de imediato. Onde a causalidade é plausível, nossa mente com facilidade transforma uma correlação, por mais fraca que seja, em uma força causal e explicativa. A liderança brilhante é admitida como explicação satisfatória de sucesso e a inexperiência, de fracasso.

Nossa dependência dessas explicações imperfeitas talvez seja inevitável, se a alternativa for abrir mão de compreender o mundo. Porém, o raciocínio causal e a ilusão de compreender o passado contribuem para previsões superconfiantes acerca do futuro. Como veremos, a preferência pelo raciocínio causal contribui também para que ignoremos o ruído como fonte de erro, porque o ruído é um conceito fundamentalmente estatístico.

O raciocínio causal nos ajuda a entender um mundo que é muito menos previsível do que pensamos. Também explica por que o vemos como sendo muito mais previsível do que realmente é. No vale do normal, não há surpresas nem inconsistências. O futuro parece tão previsível quanto o passado. E o ruído não é ouvido nem visto.

FALANDO DOS LIMITES DA COMPREENSÃO

"Correlações próximas de 0,20 (PC = 56%) são muito comuns nos assuntos humanos."

"Correlação não implica causação, mas causação implica correlação."

"A maioria dos eventos normais não é esperada nem surpreendente, e não exige explicação."

"No vale do normal, os eventos não são esperados nem surpreendentes — se explicam por si mesmos."

"Acreditamos compreender o que está acontecendo aqui, mas poderíamos ter previsto?"

Parte IV

Como o ruído acontece

Qual é a origem do ruído — e do viés? Que mecanismos mentais dão origem à variabilidade dos nossos julgamentos e aos erros compartilhados que os afetam? Em suma, o que sabemos sobre a psicologia do ruído? É a essas questões que nos voltamos agora.

Primeiro, descrevemos como algumas operações do rápido Sistema 1 de pensamento são responsáveis por inúmeros erros de julgamento. No capítulo 13, apresentamos três importantes heurísticas do julgamento em que o Sistema 1 se baseia extensamente. Mostramos como essas heurísticas causam erros previsíveis e direcionais (viés estatístico), bem como ruído.

O capítulo 14 trata da equiparação — uma operação particular do Sistema 1 — e discute os erros que ela pode gerar.

No capítulo 15, examinamos um acessório indispensável de todo julgamento: a escala em que os julgamentos são feitos. Mostramos que a escolha de uma escala apropriada é um pré-requisito para bons julgamentos e que escalas mal definidas ou inadequadas são uma importante fonte de ruído.

O capítulo 16 aborda a origem psicológica do que talvez seja o mais intrigante tipo de ruído: os padrões de resposta que diferentes pessoas exibem para diferentes casos. Como personalidades individuais, esses padrões não são aleatórios e permanecem na maior parte estáveis ao longo do tempo, mas seus efeitos não são facilmente previsíveis.

Finalmente, no capítulo 17, resumimos o que aprendemos sobre o ruído e seus componentes. Essa exploração nos levou a propor uma resposta para o mistério mencionado anteriormente: por que o ruído, a despeito de sua ubiquidade, raras vezes é considerado um problema importante?

13. Heurísticas, vieses e ruído

Este livro cobre meio século de pesquisa sobre o julgamento humano intuitivo, o chamado programa de heurísticas e vieses. As quatro primeiras décadas[1] desse programa de pesquisa foram sintetizadas em *Rápido e devagar*, que explorava os mecanismos psicológicos por trás tanto dos prodígios como das falhas do pensamento intuitivo. A ideia central do programa é que as pessoas usam operações simplificadoras, chamadas *heurísticas*, quando confrontadas com uma questão complicada. Em geral as heurísticas, produzidas pelo pensamento rápido e intuitivo, também conhecido como *Sistema 1*, são muito úteis e proporcionam respostas adequadas. Mas, por vezes, levam a vieses, que descrevemos como erros de julgamento sistemáticos, previsíveis.

O programa de heurísticas e vieses focava no que as pessoas tinham em comum, não em como diferem. Ele mostrava que os processos causadores de erros de julgamento são amplamente compartilhados. Em parte devido a essa particularidade, pessoas familiarizadas com a ideia de viés psicológico com frequência presumem que ele sempre gera *viés estatístico*, termo que usamos neste livro para a média de medições ou julgamentos que na maior parte se desviam da verdade na mesma direção. De fato, vieses psicológicos produzem viés estatístico quando amplamente compartilhados. Entretanto, os vieses psicológicos produzem ruído de sistema quando os juízes são enviesados de maneiras diferentes ou em diferente medida. Claro que os vieses psicológicos sempre geram erro, ao causar tanto viés estatístico como ruído.

DIAGNOSTICANDO VIESES

Vieses de julgamento com frequência são identificados com referência a um valor real. Há viés nos julgamentos preditivos se os erros vão mais numa direção do que na outra. Por exemplo, quando as pessoas fazem um prognóstico de quanto tempo levará para completar um projeto, a média de suas estimativas é em geral muito mais baixa do que o tempo de que precisarão de fato. Esse viés psicológico familiar é conhecido como *falácia de planejamento*.

Muitas vezes, porém, não há um valor real com o qual os julgamentos possam ser comparados. Considerando toda a nossa ênfase de que o viés pode ser detectado apenas quando o valor real é conhecido, talvez você esteja se perguntando como os vieses psicológicos podem ser estudados quando a verdade é ignorada. A resposta é que os pesquisadores confirmam um viés psicológico observando que um fator que não deveria afetar o julgamento na verdade tem um efeito estatístico sobre ele, enquanto um fator que deveria afetá-lo não tem.

Para ilustrar esse método, retomemos a analogia do estande de tiro. Imagine que as equipes A e B atiraram e observamos o verso do alvo (figura 12). Neste exemplo, você não sabe onde fica a mosca (o valor real é desconhecido). Logo, não sabe qual é o viés das duas equipes em relação ao centro do alvo. Porém, você é informado de que, na situação 1, as duas equipes atiraram em um centro e que, na situação 2, a equipe A atirou em um e a equipe B em outro.

Mesmo na ausência de um alvo, as duas situações evidenciam viés sistemático. Na situação 1, os tiros das duas equipes diferem, embora devessem ser idênticos. Esse padrão se parece com o que veríamos em um experimento em que dois grupos de investidores leem planos de negócios essencialmente idênticos, mas impressos em fonte e papel diferentes. Se detalhes irrelevantes como esses fazem alguma diferença para o julgamento de investidores, há viés psicológico. Não sabemos se os investidores que ficaram impressionados com a fonte elegante e o papel brilhante são positivos demais ou se os que leram a versão mais grosseira são negativos demais. Mas sabemos que fizeram julgamentos diferentes, embora não devessem.

A situação 2 ilustra o fenômeno oposto. Como as equipes miravam em alvos diferentes, os aglomerados de tiros deveriam ser distintos, mas estão centrados no mesmo ponto. Por exemplo, imagine que a mesma questão do capítulo 4

```
        A A
    B  A A A
     B
    B B
    BB
```

Situação 1
Mirando o *mesmo* centro,
mas acertando pontos diferentes

```
        A
    B  A B B
      A    B
    B B  A
     A B
```

Situação 2
Mirando centros *diferentes*,
mas acertando a mesma área

Figura 12. *Observando o verso do alvo em um experimento para testar o viés.*

sobre Michael Gambardi seja feita a dois grupos de pessoas, dessa vez com uma pequena mudança. Um grupo estimará, como você fez, a probabilidade de que Gambardi continuará no emprego daqui a dois anos; o outro, daqui a três anos. Os dois grupos deveriam chegar a conclusões diferentes, porque há obviamente mais maneiras de perder o emprego em três anos do que em dois. Entretanto, evidências sugerem[2] que as estimativas de probabilidade dos dois grupos vão diferir pouco, se diferirem. As respostas deveriam ser claramente diferentes, mas não são, sugerindo que um fator que deve influenciar os julgamentos é ignorado. (Esse viés psicológico é chamado de *insensibilidade ao escopo.*)

Erros de julgamento sistemáticos já foram demonstrados em muitas áreas, e o termo *viés* é usado hoje em muitos domínios, incluindo nos negócios, na política, na elaboração de políticas públicas e na jurisprudência. Do modo como a palavra é em geral usada, seu significado é amplo. Além da definição cognitiva que usamos aqui (referindo-se a um mecanismo psicológico e ao erro que esse mecanismo tipicamente produz), a palavra é com frequência usada para sugerir que alguém é tendencioso contra determinado grupo (por exemplo, vieses de gênero ou vieses raciais). Também pode significar que a pessoa prefere uma conclusão particular, como quando ouvimos falar de alguém tendencioso devido a um conflito de interesses ou a uma opinião política. Incluímos esses tipos de viés em nossa discussão sobre a psicologia dos erros de julgamento porque todo viés psicológico causa tanto viés estatístico quanto ruído.

Há um uso ao qual objetamos com veemência. Nele, falhas custosas são atribuídas a um "viés" inespecífico, e as admissões de erro são acompanhadas por promessas de "dar duro para eliminar os vieses em nossa tomada de decisão". Essas declarações nada significam além de "equívocos foram cometidos" e "tentaremos muito melhorar". Sem dúvida, algumas falhas realmente são causadas por erros previsíveis associados a vieses psicológicos específicos, e acreditamos na viabilidade de intervenções para reduzir o viés (e o ruído) em julgamentos e decisões. Mas atribuir qualquer resultado indesejável aos vieses é uma explicação inútil. Recomendamos reservar a palavra *viés* para erros específicos e identificáveis e para os mecanismos que os geram.

SUBSTITUIÇÃO

Para saber como é um processo heurístico, tente responder à seguinte questão, que ilustra diversos temas essenciais da abordagem de heurística e vieses. Como sempre, você extrairá maior proveito da leitura se elaborar suas próprias respostas primeiro.

Bill tem 33 anos. É inteligente mas pouco criativo, compulsivo e, de modo geral, desanimado. Na escola, era bom em matemática, mas fraco em estudos sociais e humanidades.

Abaixo há uma lista com oito possibilidades para a atual situação de Bill.

Leia a lista e selecione as duas alternativas que você considera *mais prováveis*:

❑ Bill é médico e joga pôquer como hobby.
❑ Bill é arquiteto.
❑ Bill é contador.
❑ Bill toca jazz como hobby.
❑ Bill surfa como hobby.
❑ Bill é repórter.
❑ Bill é contador e toca jazz como hobby.
❑ Bill escala montanhas como hobby.

Agora, repasse a lista e selecione as duas categorias cujo sujeito típico *mais se parece* com Bill. Você pode escolher a mesma categoria ou categorias diferentes de antes.

Quase certamente você escolheu as mesmas categorias como sendo de probabilidade e semelhança mais elevadas. O motivo de nossa certeza é que múltiplos experimentos[3] mostraram que as pessoas dão respostas idênticas às duas questões. Mas similaridade e probabilidade são na verdade bem diferentes. Por exemplo, quais das seguintes afirmações faz mais sentido?

- ❑ Bill se encaixa em minha ideia de uma pessoa que toca jazz como hobby.
- ❑ Bill se encaixa em minha ideia de um contador que toca jazz como hobby.

Nenhuma dessas afirmações é muito adequada, mas uma delas é claramente menos ruim que a outra. Bill tem mais em comum com um contador que toca jazz como hobby do que com uma pessoa que toca jazz como hobby. Agora considere o seguinte: qual destas duas é mais provável?

- ❑ Bill toca jazz como hobby.
- ❑ Bill é contador e toca jazz como hobby.

Você pode ficar tentado a escolher a segunda resposta, mas a lógica não permite. A probabilidade de que Bill toque jazz como hobby *tem de ser* mais alta do que a probabilidade de ele ser um contador que toca jazz. Lembre-se dos diagramas de Venn que aprendeu na escola! Se Bill toca jazz e é um contador, ele certamente toca jazz. Acrescentar detalhes a uma descrição só serve para torná-la menos provável, embora possa torná-la mais representativa, e assim mais "adequada", como neste caso.

A teoria das heurísticas do julgamento propõe que as pessoas às vezes usam a resposta a uma pergunta mais fácil para responder a uma difícil. Assim, que pergunta é mais facilmente respondida: "Qual é a semelhança entre Bill e um jazzista amador típico?" ou "Qual é a probabilidade de Bill ser um jazzista amador?"? Por aclamação, a questão da similaridade é mais fácil, o que tende a fazer dela a preferida das pessoas quando pedido que se avaliasse probabilidade.

Agora você tem uma ideia básica do programa de heurísticas e vieses. A heurística para responder a uma pergunta difícil é encontrar a resposta para uma mais fácil. A substituição de uma questão pela outra causa erros previsíveis, chamados vieses psicológicos.

Um viés desse tipo fica evidente no exemplo de Bill. Erros fatalmente ocorrem quando trocamos um julgamento de probabilidade por um julgamento de similaridade, porque a probabilidade é restringida por uma lógica especial. Em particular, os diagramas de Venn se aplicam apenas à probabilidade, não à similaridade. De onde vem o previsível erro de lógica cometido por muitas pessoas.

Para outro exemplo de uma propriedade estatística negligenciada, relembre o que pensou na questão sobre Gambardi, no capítulo 4. Se você é como a maioria, sua avaliação das chances de sucesso de Michael Gambardi baseou-se inteiramente no que o caso lhe informou sobre ele. Assim, você tentou combinar a descrição dele à imagem de um CEO bem-sucedido.

Ocorreu-lhe considerar a probabilidade de que um CEO escolhido ao acaso permaneça no mesmo emprego dois anos depois? Provavelmente não. Você pode pensar nessa *informação de taxa-base* como uma medida da dificuldade de sobreviver como CEO. Se parece uma abordagem estranha, considere como estimaria a probabilidade de determinado aluno passar numa prova. Certamente a proporção de alunos reprovados é relevante, na medida em que fornece uma indicação de quão difícil é a prova. Do mesmo modo, a taxa-base de sobrevivência de CEOs é relevante para o problema de Gambardi. As duas questões são exemplos do que chamamos de visão de fora: quando você assume esse ponto de vista, pensa no aluno, ou em Gambardi, como integrando uma classe de casos similares. Você pensa estatisticamente sobre a classe, em vez de pensar em termos causais sobre o caso em questão.

Adotar a visão de fora pode fazer uma grande diferença e prevenir erros significativos. Alguns minutos de pesquisa revelariam que as estimativas de rotatividade de CEOs nas empresas norte-americanas pairam em torno de 15% ao ano.[4] A estatística sugere que o CEO recém-contratado médio tem uma probabilidade aproximada de 72% de continuar no emprego após dois anos. Claro que esse número é apenas um ponto de partida e as especificidades do caso de Gambardi afetarão sua estimativa final. Mas se você se concentrou exclusivamente no que era dito sobre Gambardi, negligenciou uma informação fundamental. (Uma confissão: criamos o caso de Gambardi para ilustrar o julgamento ruidoso; levou semanas para percebermos que era também um exemplo excelente do viés aqui descrito, chamado de *negligência de taxa-base*. Pensar em termos de taxa-base não é mais automático para estes autores do que para qualquer um.)

A substituição de uma questão por outra não se restringe à similaridade e à probabilidade. Outro exemplo é trocar um julgamento da frequência por uma impressão sobre a facilidade com que as ocorrências nos vêm à mente. Por exemplo, a percepção do risco de quedas de avião ou de furacões cresce brevemente após tais incidentes serem noticiados à exaustão. Na teoria, a avaliação do risco deveria se basear numa média no longo prazo. Na prática, incidentes recentes recebem mais peso porque nos vêm à mente com mais facilidade. Colocar uma impressão sobre como os casos vêm facilmente à mente no lugar de um julgamento sobre a frequência é conhecido como *heurística da disponibilidade*.

A substituição de um julgamento difícil por um fácil não se limita a esses exemplos. Na verdade, é algo bem comum. Podemos pensar nessa opção pela questão mais fácil como um procedimento multiúso para respondermos a perguntas que ameaçam nos confundir. Observe como tendemos a responder às seguintes questões usando a alternativa mais fácil:

Acredito na mudança climática?
Confio em quem afirma que ela existe?

Considero esse cirurgião competente?
Essa pessoa fala com confiança e autoridade?

O projeto será completado no prazo?
Ele está no prazo neste momento?

A energia nuclear é necessária?
Fico revoltado só de ouvir a palavra **nuclear**?

Estou satisfeito com minha vida no geral?
Como está meu humor neste instante?

Independentemente da pergunta, trocar uma questão por outra levará a uma resposta que não atribui o peso apropriado a diferentes aspectos das evidências, e a ponderação incorreta das evidências inevitavelmente resulta em erro. Por exemplo, uma resposta completa a uma pergunta sobre satisfação de vida claramente exige consultar mais que seu atual estado de espírito, mas as evidências sugerem que o humor na verdade recebe um peso excessivo.

Igualmente, substituir a probabilidade pela similaridade leva a negligenciarmos as taxas-base, que são, como não poderiam deixar de ser, irrelevantes quando avaliamos a similaridade. E fatores tão irrelevantes como pequenas variações na estética de um documento apresentando um plano de negócios deveriam receber pouco ou nenhum peso na estimativa do valor de uma empresa. Qualquer impacto que tenham no julgamento provavelmente é um reflexo da má ponderação das evidências e resultará em erro.

VIESES DE CONCLUSÃO

Em um momento crucial,[5] quando desenvolvia o roteiro de *O Retorno de Jedi*,[6] terceiro filme da série Guerra nas Estrelas, George Lucas viu-se num debate acalorado com seu grande colaborador Lawrence Kasdan. Kasdan aconselhava Lucas veementemente: "Acho que você devia matar o Luke e pôr a Leia de protagonista". Lucas rejeitou a ideia na mesma hora. Kasdan sugeriu então que, se não Luke, outro personagem importante deveria morrer. Lucas discordou mais uma vez, comentando: "A gente não pode sair matando as pessoas". Kasdan respondeu com uma declaração sincera sobre a natureza do cinema. Ele explicou para Lucas que "O filme tem mais peso emocional se alguém que você ama fica pelo caminho; a jornada tem mais impacto".

A resposta de Lucas foi rápida e categórica: "Não gosto disso e não acredito nisso".

O processo mental aqui parece bem diferente do seu quando pensava sobre Bill, o contador que toca jazz. Leia a resposta de George Lucas outra vez: "não gostar" vem antes de "não acreditar". Lucas teve uma reação automática à sugestão de Kasdan. Essa reação ajudou a induzir seu julgamento (mesmo que a sugestão fosse boa).

O exemplo ilustra um tipo diferente de viés, que chamamos *viés de conclusão*, ou *prejulgamento*. Como George Lucas, com frequência iniciamos o processo de julgar inclinados a chegar a determinada conclusão. Quando fazemos isso, deixamos nosso Sistema 1 de pensamento rápido e intuitivo sugerir uma conclusão. Ou chegamos depressa demais a essa conclusão e simplesmente contornamos o processo de coletar e integrar informações, ou mobilizamos o Sistema 2 de pensamento — empregando o pensamento deliberativo — para elaborar argumentos que apoiem nosso prejulgamento. Nesse caso, a evidência será seletiva e distorcida:[7] devido ao *viés de confirmação* e ao *viés de desejabilidade*, tenderemos a reunir e interpretar evidências seletivamente a favor de um julgamento que, respectivamente, já acreditamos ser ou queremos que seja correto.

Com frequência, concebemos racionalizações plausíveis para nossos julgamentos e chegamos a pensar que são a causa de nossas crenças. Um bom teste do papel do prejulgamento é imaginar que os argumentos que parecem sustentar nossa crença de repente se revelam inválidos. Kasdan, por exemplo, podia perfeitamente ter retrucado para Lucas que "A gente não pode sair matando as pessoas" dificilmente constitui um argumento convincente. O autor de *Romeu e Julieta* não teria concordado com Lucas, e se os roteiristas de *Os Sopranos* e *Game of Thrones* tivessem se decidido contra os banhos de sangue, as duas séries provavelmente teriam sido canceladas na primeira temporada. Mas podemos apostar que um forte argumento contrário não teria feito Lucas mudar de ideia. Ele teria se saído com outras razões para apoiar seu veredicto. (Por exemplo: "Guerra nas Estrelas é diferente".)

Prejulgamentos são evidentes onde quer que os busquemos. Como a reação de Lucas, eles muitas vezes trazem um componente emocional. O psicólogo Paul Slovic chama isso de *heurística afetiva*: as pessoas determinam o que pensam consultando os próprios sentimentos. Gostamos da maioria das coisas em políticos que apoiamos, e antipatizamos até com a aparência e a voz daqueles de que não gostamos. Esse é um dos motivos para empresas inteligentes se esforçarem tanto em vincular um afeto positivo a sua marca. Professores universitários muitas vezes observam que, num ano em que os alunos fazem uma boa avaliação de suas aulas, também avaliam positivamente o material do curso; quando não gostam de seu estilo de ensino, avaliam negativamente as leituras indicadas. O mesmo mecanismo está em operação até quando não há emoções envolvidas: independentemente dos verdadeiros motivos da sua crença, você se inclinará por aceitar qualquer argumento que pareça apoiá-la, mesmo se o raciocínio for incorreto.[8]

Um exemplo mais sutil do viés de conclusão é o *efeito de ancoragem*, ou seja, a influência que um número arbitrário exerce em nós quando precisamos formular um julgamento quantitativo. Numa demonstração típica,[9] a pessoa é apresentada a diversos itens cujo preço é difícil de avaliar, como uma garrafa de vinho pouco conhecido. Em seguida, pede-se que ela escreva os dois últimos dígitos de seu número da previdência social e diga se pagaria essa quantia pela garrafa. Depois, declara a máxima quantia que pagaria. Os resultados mostram que a ancoragem no seu número da previdência social afeta o preço final da compra. Em um estudo, quando os dígitos geravam uma ancoragem alta (mais de oitenta dólares), a pessoa afirmava estar disposta a pagar três vezes mais pelo vinho do que os participantes cujo número resultava em ancoragem baixa (menos de vinte dólares).

É óbvio que seu número da previdência social não deveria ter efeito algum em seu julgamento sobre quanto vale uma garrafa de vinho, mas tem. A ancoragem é um efeito bastante robusto e costuma ser deliberadamente utilizada em negociações.[10] Seja barganhando em um bazar, seja participando de uma complexa reunião de negócios, o primeiro a falar costuma levar vantagem, pois o receptor da ancoragem involuntariamente é compelido a pensar de que maneiras sua oferta poderia ser razoável. O ser humano sempre tenta extrair sentido da informação recebida; quando deparamos com um número implausível, considerações que reduziriam sua implausibilidade nos vêm à mente de maneira automática.

COERÊNCIA EXCESSIVA

Eis outro exemplo para ajudar você a compreender um terceiro tipo de viés. Você vai ler a descrição do candidato a um cargo executivo. Ela consiste em quatro adjetivos, escritos cada um num cartão. Os cartões foram embaralhados. Os dois primeiros cartões trazem os seguintes adjetivos:

Inteligente, Persistente.

Seria razoável manter seu julgamento em suspenso até a informação se completar, mas não é o que acontece: você já tem uma avaliação do candidato, e ela é positiva. Esse julgamento simplesmente aconteceu. Você não teve controle algum sobre o processo, e protelar a elaboração do julgamento estava fora do seu alcance.

A seguir você pega os outros dois cartões. A descrição completa agora é:

Inteligente, Persistente, Ardiloso, Inescrupuloso.

Sua avaliação não mais é favorável, mas não mudou tanto assim. Para comparação, considere a seguinte descrição, que poderia resultar de um novo sorteio dos cartões:

Inescrupuloso, Ardiloso, Persistente, Inteligente.

Essa segunda descrição consiste nos mesmos adjetivos, contudo — devido à ordem em que eles foram apresentados — é muito menos atraente do que a primeira. A palavra "ardiloso" era apenas ligeiramente negativa quando acompanhava "inteligente" e "persistente", porque ainda acreditávamos (sem motivo) que as intenções do executivo eram boas. Porém, quando aparece depois de "inescrupuloso", soa pavorosa. Nesse contexto, persistência e inteligência não são mais qualidades positivas: fazem de uma pessoa má alguém ainda mais perigoso.

Esse experimento ilustra a *coerência excessiva*:[11] formamos rapidamente impressões coerentes e demoramos a mudá-las. Nesse exemplo, desenvolvemos de imediato uma atitude positiva em relação ao candidato à luz de poucas evidências. O viés de confirmação — a mesma tendência que nos leva, quando fazemos um prejulgamento, a ignorar por completo evidências conflitantes — nos fez atribuir menos importância do que deveríamos aos dados subsequentes. (Outro termo para descrever esse fenômeno é *efeito halo*, porque o candidato foi avaliado sob o "halo" positivo da primeira impressão. Veremos no capítulo 24 que o efeito halo é um sério problema na seleção de candidatos.)

Eis mais um exemplo. Nos Estados Unidos, a lei determina que as cadeias de restaurantes incluam um selo na embalagem para garantir que o consumidor saiba as calorias associadas, por exemplo, a cheesebúrgueres, hambúrgueres, saladas etc. O consumidor muda de ideia após ler a informação? As evidências são controversas e inconclusivas. Mas um estudo revelador[12] constatou que o consumidor tinha mais chance de ser influenciado quando a informação era impressa do lado esquerdo. O selo do lado esquerdo leva o consumidor a receber essa informação primeiro e a pensar na quantidade de calorias antes de dirigir sua atenção ao alimento. A reação inicial positiva ou negativa afeta intensamente suas escolhas. Por outro lado, quando vê o produto primeiro, o consumidor reage a ele antes de ler o selo das calorias. Mais uma vez, a reação inicial afeta intensamente suas escolhas. Essa hipótese é reforçada pela descoberta dos autores de que, entre falantes de hebraico, que leem da direita para a esquerda, o selo das calorias teve um impacto significativamente maior quando aparecia do lado direito.

Em geral, chegamos a uma conclusão depressa, depois nos aferramos a ela. Acreditamos ter baseado nossa opinião nas evidências, mas é provável que as evidências que consideramos e a interpretação que fazemos delas sejam distorcidas, pelo menos até certo ponto, para se ajustar a nosso julgamento instantâneo inicial. Como resultado, mantemos a coerência da narrativa geral que surgiu em nossa mente. Claro que não há problema com esse processo se as conclusões forem corretas. Mas, quando a avaliação inicial é equivocada, a propensão a permanecer agarrado a ela em face de evidências contraditórias tende a acentuar os erros. E esse efeito é difícil de controlar, porque a informação recebida é impossível de ignorar e muitas vezes difícil de esquecer. No tribunal, os juízes às vezes instruem o júri a desconsiderar evidências inadmissíveis que tenham sido apresentadas, mas essa instrução não é realista (ainda que possa ser útil na deliberação dos jurados, quando argumentos explicitamente baseados nessas evidências poderão ser rejeitados).

VIESES PSICOLÓGICOS CAUSAM RUÍDO

Apresentamos brevemente três tipos de vieses que operam de maneiras diferentes: vieses de substituição, que levam a atribuir um peso errado à evidência; vieses de conclusão, que nos levam a ignorar a evidência ou a considerá-la de maneira distorcida; e coerência excessiva, que amplifica o efeito das impressões iniciais e reduz o impacto da informação contraditória. Todos os três tipos de vieses podem, é claro, gerar viés estatístico. E gerar ruído.

Comecemos pela substituição. A maioria julga a probabilidade de Bill ser um contador pela similaridade de seu perfil com um estereótipo: o resultado, nesse experimento, é um viés compartilhado. Se todo avaliador comete o mesmo erro, não há ruído. Mas a substituição nem sempre produz tamanha unanimidade. Quando uma questão como "A mudança climática existe?" é substituída por "Confio em pessoas que afirmam que ela é real?", fica fácil perceber que a resposta vai variar de pessoa para pessoa, dependendo de seu círculo social, de suas fontes de informação preferidas, de sua afiliação política, e assim por diante. O mesmo viés psicológico gera julgamentos variáveis e ruído interpessoal.

A substituição também pode ser fonte de ruído de ocasião. Se uma questão sobre satisfação na vida é respondida com uma consulta ao humor imediato, a resposta da pessoa fatalmente vai variar de um momento para o outro. Uma manhã prazerosa pode se seguir de uma tarde infeliz e a mudança de humor ao longo do dia pode levar a relatos de satisfação de vida muito diferentes, dependendo do momento em que a entrevista for feita. No capítulo 7, examinamos exemplos de ruído de ocasião que podem ser associados a vieses psicológicos.

O prejulgamento também gera tanto viés quanto ruído. Voltemos a um exemplo mencionado na introdução: as disparidades chocantes na porcentagem de pedidos de asilo atendidos pelos juízes. Quando um juiz admite 5% dos pedidos e outro, no mesmo fórum, 88%, podemos ter certeza de que seus pareceres apresentam vieses em direções diferentes. De uma perspectiva mais ampla, as diferenças individuais nos vieses podem causar ruído de sistema maciço. Claro, o sistema também pode apresentar vieses de tal forma que a maioria dos juízes, quando não todos eles, apresente vieses similares.

Por fim, a coerência excessiva pode gerar viés ou ruído, contanto que a sequência de informações e o significado atribuído a ela sejam idênticos para todos (ou a maioria) dos juízes. Considere, por exemplo, um candidato fisicamente atraente cuja aparência gera uma impressão inicial positiva na maioria dos recrutadores. Se a aparência física é irrelevante para a posição à qual o candidato é considerado, esse halo positivo resultará em erro compartilhado: um viés.

Por outro lado, muitas decisões complexas exigem coligir informações que chegam em uma ordem essencialmente aleatória. Considere os analistas de sinistro do capítulo 2. A ordem em que os dados sobre um pedido de indenização são disponibilizados varia de um avaliador para outro e de um caso para outro, resultando em variação aleatória nas impressões iniciais. A coerência excessiva significa que essas variações aleatórias produzem distorções aleatórias nos julgamentos definitivos. O efeito é o ruído de sistema.

Em suma, como mecanismo, os vieses psicológicos são universais, e com frequência produzem erros compartilhados. Mas quando há grandes diferenças individuais nos vieses (diferentes prejulgamentos) ou quando o efeito dos vieses depende do contexto (diferentes gatilhos), haverá ruído.

Tanto o viés como o ruído geram erro, sugerindo que tudo que reduz os vieses psicológicos melhora o julgamento. Voltaremos à questão da redução do viés, ou "desenviesamento", na parte V. Por ora, continuemos examinando o processo de julgar.

FALANDO DE HEURÍSTICAS, VIESES E RUÍDO

"Sabemos de nossos vieses psicológicos, mas devemos resistir à tentação de atribuir a culpa por todo erro a 'vieses' inespecíficos."

"Quando colocamos uma questão mais fácil no lugar da pergunta a que deveríamos responder, erros fatalmente ocorrem. Por exemplo, ignoramos a taxa-base quando avaliamos a probabilidade conforme a similaridade."

"Prejulgamentos e outros vieses de conclusão levam as pessoas a distorcer as evidências em favor de sua posição inicial."

"Formamos uma impressão rapidamente e nos agarramos a ela mesmo quando surgem informações contraditórias. Essa tendência é chamada de coerência excessiva."

"Os vieses psicológicos causam viés estatístico se muita gente compartilha os mesmos vieses. Mas muitas vezes isso não acontece. Nesse caso, os vieses psicológicos geram ruído de sistema."

14. A operação de equiparação

Olhe para o céu. Qual é a chance de chover dentro de duas horas?

Provavelmente, você não teve dificuldade em responder a essa pergunta. O julgamento produzido — por exemplo, de que é "muito provável" que chova em breve — veio-lhe sem esforço. De algum modo, sua avaliação sobre o grau de escuridão do céu foi convertida em um julgamento de probabilidade.

O que você acaba de realizar é um exemplo elementar de *equiparação*. Descrevemos o julgamento como uma operação que atribui valor escalar a uma impressão subjetiva (ou a algum aspecto de uma impressão). A equiparação é uma parte essencial dessa operação. Quando você responde à pergunta "Numa escala de 1 a 10, como está seu humor?" ou obedece à instrução "Atribua de 1 a 5 estrelas a sua experiência de compras desta manhã", está equiparando coisas: sua tarefa é encontrar um valor na escala de julgamento que corresponda a seu estado de espírito ou a sua experiência.

EQUIPARAÇÃO E COERÊNCIA

Voltemos a Bill, que vimos no capítulo anterior: "Bill tem 33 anos. É inteligente mas pouco imaginativo, compulsivo e, de um modo geral, desanimado. Na escola, era bom em matemática, mas fraco em estudos sociais e humanidades". Pedimos que você estimasse a probabilidade de Bill ter ocupações e hobbies diversos, e vimos como a resposta passava por substituir um julgamento de probabilidade por outro de similaridade. Você não se perguntou quais as chances de Bill ser contador, mas até que ponto se parecia com o estereótipo da profissão. Agora, examinemos uma questão que ficou para trás: a forma como você elaborou esse julgamento.

Não é difícil avaliar em que medida a descrição de Bill é comparável a estereótipos de profissões e hobbies. Bill claramente se parece menos com um típico músico de jazz do que com um contador, e menos ainda com um surfista. O exemplo ilustra a extraordinária versatilidade da equiparação, algo que fica particularmente óbvio em julgamentos sobre pessoas. Quase não há limite para as perguntas a que você poderia ter respondido sobre Bill. Por exemplo, como se sentiria de ficar preso numa ilha deserta com ele? Você provavelmente teve uma intuição imediata sobre essa questão com base na escassa informação fornecida. Mas aí vai mais uma: sabemos que Bill é um explorador calejado com habilidades de sobrevivência extraordinárias. Se isso foi uma surpresa (e provavelmente foi), você acaba de descobrir como é a sensação de falha em obter coerência.

A surpresa é grande porque a nova informação é incompatível com a imagem de Bill construída antes por você. Agora, imagine que as capacidades e habilidades de sobrevivência dele estivessem incluídas na descrição original. Você teria terminado com uma imagem geral diferente, talvez de alguém que se enche de energia em espaços ao ar livre. A impressão geral de Bill teria sido menos coerente e, portanto, mais difícil de comparar a categorias de profissões ou hobbies, mas você teria sentido muito menos dissonância do que acabou de sentir.

Dicas conflitantes dificultam obter a sensação de coerência e encontrar um julgamento satisfatório para a comparação. A presença de dicas conflitantes caracteriza os julgamentos complexos, em que muito ruído é esperado. O problema de Gambardi, em que parte das indicações era positiva e parte era negativa, era um julgamento desse tipo. Voltaremos aos julgamentos complexos no capítulo 16. No restante deste capítulo, vamos focar em julgamentos relativamente simples — em particular, julgamentos feitos em *escalas de intensidade*.

EQUIPARAÇÃO DE INTENSIDADES

Algumas escalas em que expressamos julgamentos são qualitativas: profissões, hobbies e diagnósticos médicos, por exemplo. Elas são identificadas pelo fato de que seus valores não estão ordenados: o vermelho não é mais nem menos do que o azul.

Muitos julgamentos, porém, são feitos em escalas de intensidade quantitativa. Medições físicas de tamanho, peso, brilho, temperatura, volume; medições de custo ou valor; julgamentos de probabilidade ou frequência — tudo isso é quantitativo. Assim como julgamentos em escalas mais abstratas, como confiança, força, atratividade, raiva, medo, imoralidade; ou a severidade de sentenças.

A característica distintiva compartilhada por essas dimensões quantitativas é que a questão "Qual é mais?" pode ser respondida sobre qualquer par de valores na mesma dimensão. Você sabe que o açoite é um castigo mais severo do que um puxão de orelha ou que gosta mais de *Hamlet* do que de *Esperando Godot*, assim como sabe que o sol é mais brilhante que a lua, que um elefante pesa mais que um hamster e que a temperatura média em Miami é mais elevada do que em Toronto.

O ser humano tem uma capacidade intuitiva notável de comparar intensidades em dimensões sem relação entre si, projetando uma escala de intensidade sobre a outra.[1] Você poderia equiparar a intensidade de seu apreço por diferentes compositores aos edifícios em sua cidade. (Se acha que Bob Dylan é o máximo, por exemplo, poderia igualar seu nível de entusiasmo por ele ao edifício mais alto.) Ou o atual nível de desavença política em seu país às temperaturas numa cidade que conheça bem. (Se a situação é de extraordinária harmonia política, poderia compará-la a um agradável dia de verão de 21°C em Nova York.) E se tivesse de expressar o quanto gostou de um restaurante fazendo uma comparação com o tamanho de romances, em vez de usar a tradicional escala de classificação de uma a cinco estrelas, o pedido poderia soar bastante bizarro, mas não de todo impossível. (Seu restaurante favorito poderia ser como *Guerra e paz*.) Em todos os casos o que você quis dizer fica muito claro — estranhamente.

Na linguagem do dia a dia, a faixa de valores para uma escala depende do contexto. O comentário "Ela fez um bom dinheiro" significa uma coisa no brinde à executiva de um banco de investimentos e outra se diz respeito a uma adolescente que trabalha como babá. E o significado de palavras como *grande* e *pequeno* depende inteiramente de um referencial. Por exemplo, conseguimos entender uma frase como "O grande camundongo subiu pela tromba do pequeno elefante".

O VIÉS DE PREVISÕES COMPARADAS

O problema abaixo ilustra tanto o poder da equiparação como um erro de julgamento sistemático associado a ela.[2]

Julie está cursando a faculdade. Leia a informação a seguir e responda (na escala--padrão de 0,0 a 4,0):
Julie lia fluentemente aos quatro anos de idade.
Qual é sua média?

Se você está familiarizado com o sistema americano de média escolar, ou GPA, um número lhe veio rapidamente à cabeça, provavelmente algo próximo de 3,7 ou 3,8. A forma como uma suposição sobre a média de Julie surge instantaneamente em sua mente ilustra o processo de equiparação descrito acima.

Primeiro, você avaliou a precocidade de Julie. A avaliação foi fácil, porque Julie começou a ler atipicamente cedo e essa precocidade a situou em uma categoria em dada escala. Se você tivesse de descrever a escala utilizada, é provável que dissesse que sua categoria mais alta é algo como "extraordinariamente precoce", e notaria que Julie não se encaixa muito bem nela (algumas crianças começam a ler antes dos dois anos). É provável que pertencesse à categoria seguinte, o grupo "crianças atípica mas não extraordinariamente precoces".

No segundo passo, você comparou um julgamento sobre a média a sua avaliação de Julie. Embora não tivesse consciência do que fazia, deve ter procurado um valor de média que também se ajustasse à denominação de "atípica mas não extraordinária". Uma *previsão comparada* lhe veio à mente, aparentemente saída do nada, quando você leu a história de Julie.

Realizar de forma deliberada os cálculos necessários para resolver essas tarefas de avaliação e equiparação exigiria algum tempo, mas, com o pensamento rápido do Sistema 1, o julgamento é obtido de maneira ágil e descomplicada.

A questão sobre a média de Julie envolve uma sequência complexa, de muitos estágios, de eventos mentais que não podemos observar diretamente. A especificidade do mecanismo mental de equiparação é atípica na psicologia — mas sua evidência é atipicamente conclusiva. Podemos estar certos, com base em muitos experimentos similares, de que as duas questões a seguir, quando feitas a diferentes grupos, resultarão nos mesmos números:[3]

- Que porcentagem da classe de Julie começou a ler antes dela?
- Que porcentagem da classe de Julie tem média mais alta que ela?

A primeira questão é manejável em si mesma: pede apenas para avaliarmos as evidências recebidas sobre Julie. A segunda, que exige uma previsão distante, é certamente mais difícil — mas é intuitivamente tentador responder a ela respondendo à primeira.

As duas perguntas que fazemos sobre Julie são análogas a duas questões que descrevemos como universalmente complicadas em uma discussão anterior sobre a ilusão de validade. A primeira questão sobre Julie exige que avaliemos a "intensidade" da informação disponível sobre seu caso. A segunda envolve a intensidade de uma previsão. E suspeitamos que as duas continuam difíceis de diferenciar.

A previsão intuitiva da média de Julie é um exemplo do mecanismo psicológico descrito no capítulo 13: a substituição de uma pergunta difícil por uma fácil. Nosso Sistema 1 simplifica uma previsão difícil respondendo a outra bem mais fácil: em que medida foi impressionante a conquista de Julie aos quatro anos? Um passo extra da equiparação é exigido para passarmos diretamente da idade de alfabetização, medida em anos, para a média, medida em pontos.

A substituição acontece, é claro, apenas se a informação disponível for relevante. Se tudo que você soubesse a respeito de Julie fosse que era uma corredora veloz ou uma bailarina medíocre, não teria pista alguma. Mas qualquer fato que possa ser interpretado como indício plausível de inteligência tende a ser um substituto aceitável.

Substituir uma questão por outra inevitavelmente causa erros quando as respostas reais para as duas perguntas são diferentes. Trocar a média pela idade de alfabetização, embora aparentemente plausível, é manifestamente absurdo. Para entender por quê, pense em eventos que poderiam ter acontecido desde que Julie tinha quatro anos de idade: ela sofreu um terrível acidente; seus pais passaram por um divórcio traumático; ela encontrou um professor inspirador que mudou sua vida; ela engravidou. Qualquer evento desses e muitos outros teriam afetado seu desempenho na faculdade.

Uma previsão comparada se justifica apenas se a precocidade de leitura e a média na faculdade estiverem perfeitamente correlacionadas, o que claramente não é o caso. Por outro lado, ignorar por completo a informação sobre a idade de alfabetização de Julie também seria um equívoco, porque esse dado oferece informações relevantes. A previsão ótima deve residir entre esses dois extremos de conhecimento perfeito e conhecimento zero.

O que sabemos sobre um caso quando não dispomos de informações específicas sobre ele — apenas a categoria à qual pertence? A resposta para essa questão é o que chamamos de visão de fora. Se tivéssemos de prever a média de Julie sem receber nenhuma informação sobre sua vida, certamente previríamos um valor médio — talvez 3,2. Essa é a previsão com a visão de fora. A melhor estimativa da média de Julie deve portanto ser acima de 3,2 e abaixo de 3,8. A localização precisa da estimativa depende do valor preditivo da informação: quanto mais confiamos na idade de alfabetização como variável preditora de GPA, maior a estimativa. No caso de Julie, as informações são sem dúvida bastante fracas e a previsão mais razoável será mais próxima da média. Existe uma maneira técnica mas razoavelmente fácil de corrigir o erro de previsões comparadas; nós a detalhamos no apêndice C.

Embora levem a prognósticos estatisticamente absurdos, é difícil resistir a previsões que equiparam evidências. O gerente de vendas normalmente presume que o melhor vendedor do último ano continuará a superar o desempenho do resto da equipe. O executivo sênior encontra um candidato excepcionalmente talentoso e imagina que subirá ao topo da organização. O produtor de cinema antevê que o novo filme de um diretor lucrativo também será um sucesso.

Esses exemplos de previsões comparadas costumam terminar em decepção. Por outro lado, previsões comparadas feitas quando as coisas estão em seu pior tendem a ser excessivamente negativas. Previsões intuitivas que comparam a evidência são demasiado extremas, tanto se são otimistas como pessimistas. (O termo técnico para esse tipo de erro de previsão é *não regressivo*, porque deixa de levar em consideração um fenômeno estatístico chamado *regressão à média*.)

Devemos observar, porém, que a substituição e a equiparação nem sempre governam as previsões. Na linguagem dos dois sistemas, o intuitivo Sistema 1 oferece rápidas soluções associativas para os problemas à medida que surgem, mas essas intuições devem ser endossadas pelo deliberativo Sistema 2 antes de se consolidarem em crenças. Previsões comparadas são às vezes rejeitadas em favor de respostas mais complexas. Por exemplo, temos maior relutância em equiparar previsões a evidências desfavoráveis do que a favoráveis. Suspeitamos que você hesitaria em fazer uma previsão equivalente de desempenho universitário ruim se Julie tivesse sido alfabetizada tardiamente. A assimetria entre as previsões favoráveis e desfavoráveis desaparece quando mais informações são disponibilizadas.

Propomos a visão de fora como uma medida corretiva para previsões intuitivas de todo tipo. Em uma discussão anterior sobre as perspectivas futuras de Michael Gambardi, por exemplo, recomendamos ancorar seu julgamento sobre a probabilidade de sucesso de Michael na taxa-base relevante (a taxa de sucesso de dois anos para CEOs recém-contratados). No caso de previsões quantitativas como a média de Julie, assumir a visão de fora significa ancorar sua previsão na média aritmética dos resultados. A visão de fora pode ser negligenciada apenas nos problemas muito fáceis, quando a informação disponível fundamenta uma previsão que pode ser feita com completa confiança. Quando um julgamento sério se faz necessário, a visão de fora deve ser parte da solução.

RUÍDO NA EQUIPARAÇÃO: AS LIMITAÇÕES DO JULGAMENTO ABSOLUTO

Nossa capacidade limitada de distinguir categorias em escalas de intensidade restringe a precisão do processo de equiparação. Palavras como *grande* ou *rico* atribuem a mesma denominação a uma gama de valores na dimensão do tamanho ou da riqueza. Isso é uma fonte potencialmente importante de ruído.

Um banqueiro de investimentos aposentado sem dúvida merece ser denominado *rico*, mas de quanta riqueza estamos falando? Temos muitos adjetivos para escolher: *abastado, endinheirado, bem de vida, abonado, milionário,* e outros. Se mostrássemos descrições detalhadas da riqueza de alguns indivíduos e lhe pedíssemos para associar um adjetivo a cada um, quantas categorias distintas você formaria — sem recorrer a comparações detalhadas entre os casos?

O número de categorias que podemos distinguir numa escala de intensidade está dado no título de um artigo clássico da psicologia, publicado em 1956: "The Magical Number Seven, Plus or Minus Two" [O número mágico sete, mais ou menos dois].[4] Além desse limite, as pessoas tendem a cometer erros — por exemplo, atribuir A a uma categoria mais elevada que B, quando na verdade classificariam B acima de A se fizessem uma comparação direta.

Imagine quatro linhas de comprimentos diferentes, indo de cinco a dez centímetros, cada uma mais longa que a seguinte em igual quantidade. Você olha uma linha por vez e tem de dizer um número de 1 a 4, em que 1 se refere à linha mais curta e 4 à mais longa. A tarefa é fácil. Agora suponha que sejam cinco linhas de comprimentos diferentes e a tarefa seja dizer números de 1 a 5. Continua fácil. Quando começamos a cometer erros? Perto do número mágico das sete linhas. Surpreendentemente, esse número depende muito pouco da diferença de comprimento entre os grupos de linhas: se elas fossem espaçadas de cinco a quinze centímetros, e não de cinco a dez, você começaria a cometer erros após sete linhas. Praticamente o mesmo resultado é obtido quando classificamos tons que variam em altura ou luzes de diferentes brilhos. Há um limite genuíno na capacidade humana de atribuir categorizações distintas aos estímulos em uma dimensão, e ele gira em torno de sete denominações (tecnicamente, rótulos de valor).

Esse limite na faculdade discriminatória é importante, pois nossa capacidade de comparar valores entre dimensões de intensidade não pode ser melhor que nossa capacidade de atribuir valores a essas dimensões. A operação de equiparação é uma ferramenta versátil do rápido Sistema 1 de pensamento e o cerne de muitos julgamentos intuitivos, mas ela é grosseira.

O número mágico não é uma restrição absoluta. As pessoas podem ser treinadas para fazer distinções mais refinadas por categorização hierárquica. Por exemplo, certamente podemos discriminar diversas categorias de riqueza entre multimilionários, e juízes podem discriminar graus de severidade em múltiplas categorias de crimes, eles próprios ordenados por severidade. Para que esse processo de refinamento funcione, porém, as categorias devem existir de antemão e suas fronteiras devem ser claras. Quando categorizamos um conjunto de linhas, não podemos decidir separar as mais longas das mais curtas e tratá-las como duas categorias separadas. A categorização não fica sob controle voluntário quando estamos no modo de pensamento rápido.

Há um jeito de superar a resolução limitada das escalas adjetivas: em vez de categorizar, use comparações. Nossa capacidade de comparar casos é muito melhor do que nossa capacidade de colocá-los numa escala.

Considere o que você faria se tivesse de usar uma escala de qualidade de vinte pontos para avaliar um conjunto grande de restaurantes ou cantores. Seria fácil lidar com uma escala de cinco estrelas, mas usar todos os valores de uma escala de vinte pontos é impossível. (Joe's Pizza recebeu três estrelas, mas isso corresponde a onze ou doze pontos?) A solução para esse problema é simples, ainda que demande tempo. Primeiro você classificaria os restaurantes ou cantores usando a escala de cinco estrelas para separá-los em cinco categorias. Em seguida ordenaria os casos em cada uma, algo que normalmente seria capaz de fazer apenas com algumas poucas comparações: você provavelmente sabe se prefere o Joe's Pizza ao Fred's Burgers ou se prefere Taylor Swift a Bob Dylan, mesmo que os tenha atribuído à mesma categoria. Para simplificar, você poderia agora distinguir quatro níveis dentro de cada uma das cinco categorias. Provavelmente, pode até discriminar seu nível de desprezo entre os cantores de quem menos gosta.

A psicologia desse exercício é clara. As comparações explícitas entre os objetos do julgamento favorecem discriminações muito mais refinadas do que qualificar os objetos de um em um. Os julgamentos sobre os comprimentos das linhas contam uma história similar: nossa capacidade de comparar o comprimento das linhas mostradas em imediata sucessão é muito melhor do que nossa capacidade de categorizar comprimentos, e somos ainda mais precisos em comparar as linhas quando as vemos ao mesmo tempo.

A vantagem dos julgamentos comparativos se aplica a muitas áreas. Se você faz uma ideia aproximada da riqueza das pessoas, é melhor comparar pares de indivíduos numa mesma faixa do que categorizá-los individualmente. A nota dos trabalhos escolares será mais precisa se o professor ordená-los do melhor para o pior, em vez de ler e dar notas de um em um. Julgamentos comparativos ou relativos são mais sensíveis do que julgamentos categóricos ou absolutos. Como esses exemplos sugerem, também consomem mais tempo e esforço.

Classificar objetos individualmente em escalas explicitamente comparativas[5] conserva alguns benefícios do julgamento comparativo. Em certos contextos, notavelmente no ensino, recomendações de contratação ou promoção muitas vezes exigem que a pessoa que faz a recomendação situe o candidato nos "5% melhores" ou "20% melhores" de uma população designada, como "alunos para quem você lecionou" ou "programadores com o mesmo nível de experiência". Tais avaliações não devem ser levadas ao pé da letra, porque é impossível apurar as responsabilizações pelo uso adequado da escala. A responsabilização é possível em alguns contextos: quando um gerente avalia um funcionário ou um analista financeiro avalia um investimento, pode-se perceber se uma pessoa atribui 90% dos casos à categoria dos "20% melhores" e corrigi-la. O uso de julgamentos comparativos é um dos remédios para o ruído que discutiremos na parte V.

Muitas tarefas do julgamento exigem equiparar casos individuais a uma categoria numa escala (por exemplo, uma escala de concordância de sete pontos) ou usar uma série ordenada de adjetivos (por exemplo, "improvável" ou "extremamente improvável" ao classificar probabilidades de eventos). Esse tipo de comparação é ruidoso porque é grosseiro. Os indivíduos podem diferir na interpretação das denominações até quando concordam sobre a substância do julgamento. Um procedimento que obrigue a julgamentos explicitamente comparativos tende a reduzir o ruído. No próximo capítulo, examinaremos mais a fundo como o uso de escalas erradas contribui para o ruído.

FALANDO DE EQUIPARAÇÃO

"Nós dois achamos o filme muito bom, mas você parece ter gostado bem menos do que eu. Estamos usando as mesmas palavras, mas será que estamos usando a mesma escala?"

"Achávamos que a segunda temporada da série seria tão espetacular quanto a primeira. Fizemos uma previsão comparada, mas ela estava errada."

"É difícil manter a consistência dando nota para esses trabalhos. E se você tentasse classificá-los primeiro?"

15. Escalas

Imagine que você faça parte do júri em um julgamento. Você escutou as provas resumidas no exemplo abaixo e deve elaborar alguns julgamentos a respeito.

Joan Glover × General Assistance

Uma menina de seis anos, Joan Glover, ingeriu grande quantidade de comprimidos de Allerfree, remédio comum para alergia, e precisou ser internada. Como a overdose debilitou seu sistema respiratório, ela ficará mais suscetível a doenças respiratórias como asma e enfisema pelo resto da vida. A tampa de segurança do frasco de Allerfree foi inadequadamente projetada.

A fabricante do Allerfree é a General Assistance, uma farmacêutica importante (lucro anual entre 100 e 200 milhões de dólares) que produz uma variedade de medicamentos vendidos sem receita. Uma regulamentação federal exige tampa à prova de crianças em todos os frascos. A General Assistance ignorou sistematicamente o intento punitivo dessa regulamentação usando uma tampa de segurança com taxa de falhas muito mais elevada do que outras na indústria. Um documento interno da empresa afirma que "essa regulamentação federal tola e desnecessária é um desperdício do nosso dinheiro" e que o risco de punição é baixo. O documento acrescenta que, em todo caso, "as penalidades por violar a regulamentação são extremamente brandas; de modo geral, seríamos obrigados a melhorar nossa tampa de segurança no futuro". Embora advertida sobre o problema por um funcionário da Food and Drug Administration, a empresa decidiu não tomar qualquer medida para corrigi-lo.

Agora pedimos que elabore três julgamentos. Escolha suas respostas com bastante calma.

Ultraje:
Qual alternativa abaixo melhor expressa sua opinião sobre as ações do réu?
(Circule o número que escolher.)

Inteiramente aceitável		Repreensível		Chocante		Absolutamente ultrajante
0	1	2	3	4	5	6

Intento punitivo:
Além de pagar reparações compensatórias, como deve ser a punição do réu?
(Circule o número que escolher.)

Nenhuma punição		Moderada		Severa		Extremamente severa
0	1	2	3	4	5	6

Reparações: Além de pagar reparações compensatórias, que quantidade de reparações *punitivas* (se alguma) o réu deve ser obrigado a pagar, para dissuadi--lo, assim como outros, de ações similares no futuro? (Escreva sua resposta na linha pontilhada abaixo.)
$...........

A história de Joan Glover é uma versão ligeiramente abreviada do caso utilizado num estudo relatado por dois destes autores (Kahneman e Sunstein, junto com seu amigo e colaborador David Schkade) em 1998.[1] Esse estudo é descrito em algum detalhe neste capítulo e queremos que você realize uma das tarefas incluídas no estudo, pois agora o percebemos como um exemplo instrutivo de auditoria de ruído, que retoma muitos temas deste livro.

O foco deste capítulo é o papel da *escala de respostas* como fonte onipresente de ruído. As pessoas podem diferir em seus julgamentos não porque discordem da substância, mas porque usam a escala de maneiras diferentes. Se classificasse o desempenho de um subalterno, você poderia dizer que, numa escala de 0 a 6, o desempenho foi 4 — o que no seu entender é muito bom. Algum outro talvez dissesse que, na mesma escala, o desempenho do funcionário mereceu um 3 — o que, no entender dele, também é muito bom. A ambiguidade no fraseado das escalas é um problema geral. Há muita pesquisa publicada sobre as dificuldades de comunicação oriundas de expressões vagas como "além da dúvida razoável",[2] "provas claras e convincentes", "desempenho excelente" e "acontecimento improvável".[3] Julgamentos expressos com tais frases são inevitavelmente ruidosos porque interpretados de maneira diferente tanto por quem os fala como por quem os escuta.

No estudo para o qual o caso de Joan Glover foi escrito, observamos os efeitos de uma escala ambígua numa situação em que ela provoca graves consequências. O tema do estudo era o ruído em reparações punitivas determinadas por júris. Como você pode inferir com base na terceira pergunta sobre o caso de Joan Glover, a lei nos Estados Unidos (e em alguns outros países) permite a júris em casos civis impor reparações punitivas a um réu cujas ações foram particularmente flagrantes. As reparações punitivas suplementam as monetárias, que se destinam a compensar danos físicos. Quando, como no exemplo de Glover, um produto causa danos físicos e os queixosos vencem o processo contra a empresa, recebem uma indenização em dinheiro para saldar suas contas médicas e eventuais prejuízos. Mas também pode ser atribuída uma reparação punitiva, destinada a mandar um recado para a acusada e outras empresas semelhantes. O comportamento da General Assistance nesse caso foi claramente repreensível, e recai no leque de ações para as quais seria razoável esperar que um júri impusesse reparações punitivas.

Uma grande preocupação com a instituição das reparações punitivas é seu caráter imprevisível. O mesmo delito pode ser punido por reparações que vão de modestas a enormes. Na terminologia deste livro, diríamos que o sistema é ruidoso. Pedidos de reparações punitivas são com frequência negados e quando concedidos dificilmente acrescentam muita coisa às reparações compensatórias. Há notáveis exceções, entretanto, e quantias muito grandes determinadas por alguns júris parecem surpreendentes e arbitrárias. Um exemplo mencionado com frequência é a indenização punitiva de 4 milhões de dólares imposta a uma concessionária de veículos por esconder o fato de que o BMW[4] comprado pelo autor da queixa fora repintado.

Em nosso estudo de reparações punitivas, 899 participantes avaliaram o caso de Joan Glover e nove outros casos similares — todos envolvendo queixosos que haviam sofrido algum prejuízo e processado a empresa supostamente responsável. Diferentemente de você, os participantes responderam a apenas uma das três questões (ultraje, intento punitivo ou valor da indenização) para todos os dez casos. Depois, eles foram divididos em grupos menores, cada um designado a uma versão dos casos. Nas diferentes versões, o prejuízo sofrido pelo queixoso e a receita da empresa acusada variavam. Havia 28 cenários no total. Nosso objetivo era testar uma teoria sobre a psicologia de reparações punitivas e investigar o papel da escala monetária (em dólares) como principal fonte de ruído nessa instituição legal.

A HIPÓTESE DO ULTRAJE

A determinação de punições justas é debatida por filósofos e estudiosos legais há séculos. Nossa hipótese era de que essa questão considerada difícil pelos filósofos é relativamente fácil para pessoas comuns, que simplificam a tarefa substituindo uma questão difícil por uma fácil. A pergunta fácil, respondida de imediato se queremos estabelecer a punição monetária da General Assistance, é: "Até que ponto estou indignado?". A intensidade da punição pretendida será assim equiparada à intensidade do ultraje.

Para testar essa hipótese do ultraje, pedimos a diferentes grupos que respondessem à questão do intento punitivo ou à questão do ultraje. Em seguida comparamos as classificações médias obtidas nas duas questões para os 28 cenários utilizados no estudo. Como esperado com base na ideia de substituição, a correlação entre as classificações médias de ultraje e intento punitivo foi de 0,98 (PC = 94%), quase perfeita. Essa correlação sustenta a hipótese do ultraje: a emoção do ultraje é o principal determinante de intento punitivo.[5]

O ultraje pode ser o principal motivador de intento punitivo, mas não é o único. Alguma coisa na história de Joan chamou mais sua atenção do que o ultraje quando você classificava o intento punitivo? Se notou algo, suspeitamos que tenha sido o agravo sofrido por ela. É possível dizer se um comportamento é ultrajante sem saber suas consequências; nesse caso, o comportamento da General Assistance com certeza foi ultrajante. Por outro lado, as intuições sobre intento punitivo têm um aspecto retributivo, grosseiramente expresso no princípio do olho por olho. O desejo de revide explica por que uma tentativa de homicídio e um homicídio recebem tratamento diferente perante a lei e os júris; um potencial assassino que teve a sorte de errar seu alvo receberá punição menor.

Para descobrir se o agravo de fato faz diferença no intento punitivo, mas não no ultraje, mostramos a diferentes grupos versões de "dano severo" e "dano brando" do caso de Joan Glover e vários outros. A versão de dano severo foi a que você viu. Na versão branda, Joan "precisou passar vários dias no hospital e ficou profundamente traumatizada com todos os remédios que tomou. Mesmo quando seus pais tentam lhe dar medicamentos benéficos, como vitaminas, aspirina ou remédio para resfriado, ela chora incontrolavelmente e diz estar com medo". Essa versão descreve uma experiência traumática para a criança, mas um nível de agravo muito inferior aos danos médicos no longo prazo descritos na primeira versão que você leu. Como esperado, as classificações médias de ultraje foram quase idênticas para a versão de dano severo (4,24) e para a versão branda (4,19). Só o comportamento do réu importa para o ultraje; suas consequências, não. Por sua vez, as classificações de intento punitivo tiveram média 4,93 para dano severo e 4,65 para dano brando, uma diferença pequena mas estatisticamente confiável. As indenizações médias foram de 2 milhões de dólares para a versão severa e de 1 milhão para a branda. Resultados similares foram obtidos para diversos outros casos.

Esses resultados destacam uma característica central do processo de julgar: o efeito sutil da tarefa do julgamento na ponderação dos diferentes aspectos das evidências. Os participantes do estudo que declararam seu intento punitivo não estavam cientes de assumir uma posição sobre o problema filosófico de a justiça dever ser ou não retributiva. Não tinham consciência sequer de que atribuíam pesos diferentes às várias características do caso. Não obstante, atribuíram peso quase zero ao dano quando classificavam o ultraje e um peso significativo ao mesmo fator quando determinavam a punição. Lembre que os participantes viram apenas uma versão da história; a atribuição de uma punição mais elevada ao pior agravo não era uma comparação explícita. Foi resultado de uma operação automática de equiparação nas duas condições. As respostas dos participantes basearam-se mais no pensamento rápido que no vagaroso.

ESCALAS RUIDOSAS

O segundo objetivo do estudo foi descobrir por que indenizações punitivas são ruidosas. Nossa hipótese era de que os jurados de um modo geral concordam quanto ao grau de severidade com que desejam que o réu seja punido, mas divergem amplamente em como traduzir seu intento punitivo na escala monetária.

O plano do estudo nos permite comparar a quantidade de ruído em julgamentos dos mesmos casos em três escalas: ultraje, intento punitivo e indenização por danos em dólares. Para medir o ruído, aplicamos o método utilizado na análise dos resultados da auditoria de ruído em juízes federais no capítulo 6. Presumimos, como fizemos ali, que a média de julgamentos individuais de um caso pode ser tratada como um valor sem viés, justo. (O pressuposto é apenas para efeitos de análise; ressaltamos que pode estar errado.) Em um mundo ideal, todos os jurados que usam uma escala particular concordariam com seus julgamentos de cada caso. Qualquer desvio do julgamento médio conta como erro, e esses erros são a fonte do ruído de sistema.

Como também notamos no capítulo 6, o ruído de sistema pode ser decomposto em ruído de nível e ruído de padrão. Aqui, ruído de nível é a variabilidade no grau de severidade dos jurados de modo geral. O ruído de padrão é a variabilidade em como dado jurado responde a casos particulares, relativamente à média do próprio jurado. Podemos assim decompor a variância total dos julgamentos em três elementos:

$$\text{Variância de Julgamentos} = \text{Variância de Punições}$$
$$\text{Justas} + (\text{Ruído de Nível})^2 + (\text{Ruído de Padrão})^2$$

Essa análise, decompondo a variância dos julgamentos em três termos, foi conduzida separadamente para os três julgamentos: ultraje, intento punitivo e indenização financeira.

A figura 13 mostra os resultados.[6] A escala menos ruidosa é o intento punitivo, em que o ruído de sistema responde por 51% da variância — há praticamente tanto ruído quanto justiça. A escala de ultraje é nitidamente mais ruidosa: 71% de ruído. E a escala monetária é de longe a pior: 94% da variância nos julgamentos é ruído!

As diferenças são surpreendentes porque as três escalas, em termos de conteúdo, são quase idênticas. Vimos antes que os valores justos de ultraje e intento punitivo estavam quase perfeitamente correlacionados, como sugerido pela hipótese do ultraje. As classificações de intento punitivo e indenização respondem à mesma questão — qual deve ser a severidade da punição à General Assistance — em diferentes unidades. Como explicar as amplas diferenças vistas na figura 13?

Provavelmente, podemos concordar que o ultraje não é uma escala muito precisa. Sem dúvida, algo como um comportamento "inteiramente aceitável" de fato existe, mas se há um limite para nossa indignação contra a General Assistance ou os outros réus, esse limite é um tanto vago. O que significa um comportamento ser "absolutamente ultrajante"? A falta de clareza no extremo mais elevado da escala torna um pouco de ruído inevitável.

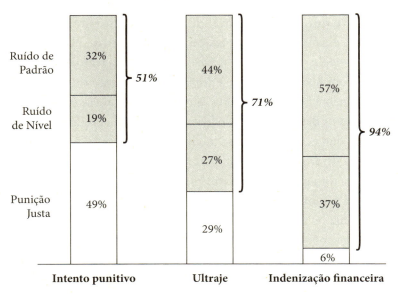

Figura 13. *Componentes da variância de julgamento.*

O intento punitivo é mais específico. "Punição severa" é um termo mais preciso do que "absolutamente ultrajante", porque uma "punição extremamente severa" é restringida pelo máximo previsto em lei. Você pode querer um castigo exemplar para o culpado, mas não vai — assim esperamos — recomendar pena de morte para o CEO da General Assistance e sua equipe executiva. A escala do intento punitivo apresenta menos ambiguidade porque seu limite superior é mais claramente especificado. Como poderíamos esperar, também é menos ruidoso.

Ultraje e intento punitivo foram ambos medidos em escalas de classificação similares, definidas mais ou menos claramente por denominações verbais. A escala monetária pertence a uma família diferente, muito mais problemática.

DÓLARES E ÂNCORAS

O título de nosso artigo acadêmico expressa sua mensagem central: "Shared Outrage and Erratic Awards: The Psychology of Punitive Damages" [Ultraje compartilhado e compensações erráticas: a psicologia das indenizações punitivas]. Houve quantidade razoável de concordância entre nossos jurados experimentais em suas classificações de intento punitivo; elas se explicavam na maior parte pelo ultraje. Porém, a escala monetária simulou a situação em um tribunal com maior fidelidade e foi inaceitavelmente ruidosa.

O motivo não é nenhum mistério. Se de fato concebêssemos uma quantia específica para os danos no caso de Joan Glover, com certeza ficaríamos com a sensação de que nossa escolha de um número foi essencialmente arbitrária. O sentimento de arbitrariedade comunica uma informação importante: que outras pessoas tomarão decisões arbitrárias bastante diferentes e que os julgamentos serão muito ruidosos. Essa se revela uma característica da família de escalas à qual pertencem as compensações monetárias.

S. S. Stevens, o lendário psicólogo de Harvard, descobriu o fato surpreendente de que as pessoas compartilham fortes intuições sobre as *razões de intensidade*[7] entre diversas experiências e atitudes subjetivas. Elas conseguem ajustar uma luz de modo que pareça "duas vezes mais brilhante" do que outra e concordam que o significado emocional de uma sentença de prisão de dez meses não é dez vezes pior do que uma sentença de um mês, e sim mais do que isso. Stevens chamou escalas que se valem de tais intuições de *escalas de razão*.

Podemos perceber que nossas intuições sobre dinheiro são expressas em razões pela facilidade com que compreendemos frases como "Sara ganhou 60% de aumento!" ou "O vizinho rico perdeu metade da fortuna de um dia para o outro". A escala monetária de indenizações punitivas é uma escala de razão para medir a intenção de punir. Como outras escalas de razão, possui um zero significativo (zero dólar) e é ilimitada no topo.

Stevens descobriu que uma escala de razão (como a escala monetária) pode ficar amarrada por uma única âncora intermediária (o termo técnico para isso é *módulo*). Em seu laboratório, ele expunha o participante do experimento a uma luz de determinada intensidade, instruindo-o a "considerar a intensidade dessa luz como sendo 10 (ou 50, ou 200) e atribuir números para outras intensidades em função disso". Como esperado, os números que os participantes atribuíram à luz de diferentes brilhos eram proporcionais à âncora arbitrária adotada. Um observador ancorado no número 200 faria julgamentos vinte vezes mais elevados do que outro em uma âncora de 10; o desvio-padrão dos julgamentos do observador também seriam proporcionais à âncora.

No capítulo 13, descrevemos um exemplo divertido de ancoragem, em que a disposição das pessoas em pagar por um objeto era fortemente influenciada pelo fato de lhes perguntarmos primeiro se pagariam (em dólares) os dois últimos dígitos de seu número da previdência social. Um resultado mais surpreendente foi que a âncora inicial também afetou sua predisposição em pagar por toda uma lista de outros objetos. Os participantes induzidos a concordar em pagar um valor desproporcional por um mouse sem fio aceitaram pagar quantia igualmente grande por um teclado sem fio. Parece que somos muito mais sensíveis ao valor *relativo* de produtos comparáveis do que a seu valor absoluto. Os autores do estudo chamaram esse efeito persistente de uma âncora única de "arbitrariedade coerente".[8]

Para estimar o efeito de uma âncora arbitrária no caso de Joan Glover, suponha que o texto no início deste capítulo incluísse a seguinte informação:

Em um caso similar envolvendo outra companhia farmacêutica, a vítima, uma jovem garota, sofreu trauma psicológico moderado (como na versão de dano brando vista acima). A indenização punitiva foi fixada em US$1,5 milhão.

Observe que o problema de estabelecer uma punição para a General Assistance de repente ficou muito mais fácil. Na verdade, uma quantia já deve ter vindo a sua mente. Há um multiplicador (ou razão) das compensações monetárias que corresponde ao contraste entre o dano severo causado a Joan e o dano brando sofrido pela outra garota. Além do mais, a âncora única que você leu (1,5 milhão) é suficiente para amarrar a escala monetária inteira de punição. Agora ficou fácil determinar compensações tanto para casos mais severos como para mais brandos do que os dois considerados até aqui.

Se são necessárias âncoras para produzir julgamentos em uma escala de razão, o que acontece quando a âncora não é fornecida? Stevens relatou a resposta. Na ausência de orientação por parte do experimentador, as pessoas são forçadas a fazer uma escolha arbitrária quando usam a escala pela primeira vez. Desse ponto em diante, elaboram seus julgamentos consistentemente, usando a primeira resposta como âncora.

Você pode reconhecer essa tarefa de estabelecer indenizações para o caso Joan Glover como um exemplo de escalonamento sem âncora. Como os observadores sem âncora do experimento de Stevens, você tomou uma decisão arbitrária sobre a punição correta para a General Assistance. Os participantes de nosso estudo de indenizações punitivas lidaram com o mesmo problema: também foram forçados a tomar uma decisão inicial arbitrária sobre o primeiro caso que viram. Ao contrário de você, porém, não tomaram simplesmente uma única decisão arbitrária: eles determinaram as indenizações punitivas para nove outros casos. Esses nove julgamentos não foram arbitrários porque puderam ser consistentes com o julgamento de ancoragem inicial e, assim, uns com os outros.

Os resultados experimentais de Stevens sugerem que a âncora produzida pelos indivíduos deveria ter um efeito amplo nos valores absolutos de seus julgamentos monetários subsequentes, mas efeito algum nas posições relativas dos dez casos. Um julgamento inicial amplo faz todos os demais serem proporcionalmente amplos sem afetar seu tamanho relativo. Esse raciocínio leva a uma conclusão surpreendente: embora pareçam incorrigivelmente ruidosos, os julgamentos monetários na verdade refletem as intenções punitivas do juiz. Para descobrir essas intenções, precisamos apenas substituir os valores monetários absolutos por pontuações relativas.

Para testar essa ideia, repetimos a análise do ruído após substituir cada compensação monetária por sua colocação entre os dez julgamentos de um indivíduo. A indenização mais alta recebeu 1 ponto, a seguinte, 2, e assim por diante. Essa transformação de indenizações em posições elimina todos os erros de nível dos jurados, porque a distribuição de 1 a 10 das posições é a mesma para todo mundo, exceto por empates ocasionais. (Caso você tenha se perguntado, havia múltiplas versões do questionário, porque cada indivíduo julgava dez dos 28 cenários. Conduzimos a análise separadamente para cada grupo de participantes que haviam respondido aos mesmos dez cenários e reportamos uma média.)

Os resultados foram surpreendentes: a proporção de ruído nos julgamentos caiu de 94% para 49% (figura 14). Transformar as compensações monetárias[9] em rankings mostrou que os jurados estavam na verdade em substancial concordância acerca da punição apropriada nos diferentes casos. Na verdade, se alguma coisa mudou, os rankings de compensação monetária foram ligeiramente *menos* ruidosos do que as classificações originais de intento punitivo.

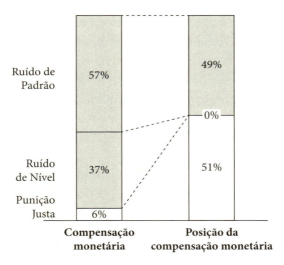

Figura 14. *Ruído no valor × ruído em um ranking.*

UMA INFELIZ CONCLUSÃO

Os resultados são consistentes com a teoria delineada: as indenizações financeiras para todos os casos foram ancoradas no número arbitrário que cada jurado escolheu para o primeiro caso que viu. O ranking relativo dos casos reflete as atitudes com razoável precisão e desse modo não é muito ruidoso, mas o valor absoluto das compensações monetárias é essencialmente inútil, pois depende do número arbitrário escolhido no primeiro caso.

Ironicamente, o processo julgado por jurados num tribunal real é o primeiro e único que verão. A prática legal americana exige que júris civis determinem uma compensação monetária para um caso sem o benefício de uma âncora pela qual se pautar. A lei proíbe explicitamente qualquer comunicação ao júri sobre o valor de indenizações punitivas em outros casos. O pressuposto implícito na lei é de que o senso de justiça dos jurados os levará diretamente da consideração do delito a uma punição correta. Esse pressuposto é um disparate psicológico — ele presume uma capacidade que os humanos não têm. As instituições de justiça deveriam reconhecer as limitações das pessoas que as administram.

O exemplo das indenizações punitivas é extremo; julgamentos profissionais raras vezes são expressos em escalas tão irremediavelmente ambíguas. Entretanto, escalas ambíguas são comuns, o que significa que o estudo de indenizações punitivas oferece duas lições gerais, aplicáveis nos negócios, no ensino, nos esportes, no governo e em outras áreas. Primeiro, a escolha de escala pode fazer uma grande diferença na quantidade de ruído dos julgamentos, porque escalas ambíguas são ruidosas. Segundo, substituir julgamentos absolutos por relativos, quando praticável, tende a reduzir o ruído.

FALANDO DE ESCALAS

"Nossos julgamentos têm um bocado de ruído. Será que é assim porque cada um entende a escala de um jeito?"

"Vamos entrar em acordo sobre um caso-âncora que servirá como ponto de referência na escala?"

"Para reduzir o ruído, talvez devêssemos substituir nossos julgamentos por um ranking."

16. Padrões

Lembra Julie, a criança precoce cuja média escolar você tentou descobrir no capítulo 14? Eis uma descrição mais completa de sua história.

Julie era filha única. Seu pai era um advogado de sucesso e sua mãe, arquiteta. Quando Julie tinha cerca de três anos, seu pai descobriu que tinha uma doença autoimune que o forçou a trabalhar em casa. Ele passava muito tempo com Julie e a ensinou a ler. Ela já lia com fluência aos quatro anos. Seu pai tentou lhe ensinar aritmética também, mas ela achou difícil. Julie foi boa aluna no primário, mas era carente e um tanto impopular. Passava muito tempo sozinha e, inspirada em seu tio favorito, se tornou uma observadora de pássaros apaixonada.

Seus pais se divorciaram quando Julie estava com onze anos, o que foi duro para ela. Suas notas despencaram e ela teve acessos de fúria frequentes na escola. No ensino médio, Julie foi muito bem em algumas matérias, incluindo biologia e redação. Surpreendeu todo mundo destacando-se em física. Mas negligenciou a maioria das outras disciplinas e terminou o ensino médio como uma aluna nota B.

Não sendo admitida nas faculdades de prestígio que queria, Julie acabou entrando em uma boa faculdade estadual, onde realizou estudos ambientais. Durante os dois primeiros anos, o padrão de complicações emocionais frequente se manteve. Ela fumava maconha regularmente. No quarto semestre, porém, um desejo de cursar medicina se fortaleceu, e ela começou a levar seus estudos bem mais a sério.

Qual você acha que é a média de Julie?

PROBLEMAS: DIFÍCEIS E FÁCEIS

Obviamente, esse problema (vamos chamá-lo de Julie 2.0) ficou bem mais difícil. A única coisa que você sabia sobre Julie 1.0 era que fora alfabetizada aos quatro anos. Com uma única dica disponível, o poder da equiparação entrou em ação, e uma estimativa intuitiva da média logo lhe veio à mente.

A equiparação continuaria disponível se houvesse diversas dicas apontando na mesma direção geral. Por exemplo, quando você leu uma descrição de Bill, o contador/músico de jazz, toda a informação de que dispunha ("pouco imaginativo", "bom em matemática", "fraco em estudos sociais") pintava um retrato coerente e estereotipado. De maneira similar, se a maioria dos eventos na vida de Julie 2.0 fosse consistente com uma história de precocidade e grandes realizações (talvez com uns poucos dados sugerindo desempenho "mediano"), você não acharia a tarefa tão difícil. Quando as evidências disponíveis pintam um retrato coerente, nosso rápido Sistema 1 de pensamento não tem dificuldade em dar sentido a elas. Problemas de julgamento simples como esse são resolvidos com facilidade e a maioria concorda com a solução.

Com Julie 2.0, não é bem assim. O que torna esse problema difícil é a presença de dicas múltiplas e conflitantes. Há indicativos de capacidade e motivação, assim como de fraqueza de caráter e realizações medíocres. A descrição parece contraditória. A compreensão não é fácil, porque os elementos não podem ser ajustados numa interpretação coerente. Claro que a incoerência não torna a história pouco realista ou sequer implausível. A vida muitas vezes é mais complexa do que as histórias que gostamos de contar sobre ela.

Dicas múltiplas e conflitantes geram a ambiguidade que define problemas de julgamento difíceis. A ambiguidade também explica por que problemas complexos são mais ruidosos do que simples. A regra é fácil: se há mais de uma maneira de ver alguma coisa, o modo como as pessoas a veem varia. As pessoas podem escolher diferentes evidências para formar o núcleo de sua narrativa, de modo que há muitas conclusões possíveis. Se você achou difícil construir uma história que faça sentido em Julie 2.0, pode ter certeza de que outros leitores construirão histórias diferentes que justifiquem julgamentos diferentes do seu. Essa variabilidade produz o ruído de padrão.

Quando ficamos confiantes em um julgamento? Duas condições têm de ser satisfeitas: a história em que você acredita deve ser coerente como um todo e não pode haver alternativas atraentes. Uma coerência abrangente é atingida quando todos os detalhes da interpretação escolhida se encaixam na história e reforçam uns aos outros. Claro que também é possível obter coerência, embora com menos elegância, ignorando ou achando uma explicação para tudo o que não se encaixa. O mesmo se dá com interpretações alternativas. O verdadeiro especialista que "resolveu" um problema de julgamento não apenas sabe por que sua explicação está correta; também explica com a mesma desenvoltura por que outras histórias estão incorretas. Aqui, de novo, a pessoa pode adquirir uma confiança igualmente forte mas de pior qualidade, desconsiderando alternativas ou eliminando-as de forma deliberada.

A principal implicação dessa visão de confiança é que a confiança subjetiva no próprio julgamento de modo algum garante precisão. Além do mais, a supressão das interpretações alternativas — um processo bem documentado em percepção[1] — poderia induzir o que chamamos de *ilusão de concordância* (ver capítulo 2). Se as pessoas não conseguem imaginar alternativas possíveis para suas conclusões, presumem naturalmente que outros observadores também devem chegar à mesma conclusão. Claro que pouca gente tem a boa fortuna de ser tão confiante nos próprios julgamentos, e todo mundo já sentiu na pele a incerteza, talvez agora mesmo, quando leu sobre Julie 2.0. Podemos não ser todos tão confiantes o tempo todo, mas, na maior parte do tempo, somos mais confiantes do que deveríamos.[2]

RUÍDO DE PADRÃO: ESTÁVEL OU TRANSITÓRIO[3]

Definimos ruído de padrão como um erro no julgamento individual de um caso que não pode ser explicado pela soma dos efeitos separados do caso e do juiz. Um exemplo extremo seria o juiz em geral leniente que é atipicamente severo ao sentenciar um tipo particular de réu (digamos, pessoas que cometeram infrações de trânsito). Ou, digamos, o investidor em geral cauteloso que deixa a cautela de lado quando é apresentado aos planos de uma start-up empolgante. Claro que a maioria dos erros de padrão não é extrema: observamos um erro de padrão moderado quando o juiz leniente é menos leniente do que o normal ao lidar com reincidentes ou até mais leniente do que o normal ao sentenciar mulheres jovens.

Erros de padrão surgem por uma combinação de fatores transitórios e permanentes. Os fatores transitórios incluem os que descrevemos como fontes de ruído de ocasião, como o humor de momento do juiz ou alguma ocorrência recente que ocupe sua mente. Outros fatores são mais permanentes — por exemplo, o entusiasmo incomum de um empregador por pessoas vindas de determinadas universidades ou a propensão incomum de um médico em recomendar internação para pessoas com pneumonia. Uma equação simples descreve o erro em um julgamento isolado:

$$\text{Erro de Padrão} = \text{Erro de Padrão Estável} + \text{Erro Transitório (de Ocasião)}$$

Como o erro de padrão estável e o erro transitório (de ocasião) são independentes e não correlacionados, podemos expandir essa equação para analisar suas variâncias:

$$(\text{Erro de Padrão})^2 = (\text{Erro de Padrão Estável})^2 + (\text{Erro de Ocasião})^2$$

Como fizemos para outros componentes do erro e do ruído, podemos representar essa equação graficamente como uma soma de quadrados nos lados de um triângulo retângulo (figura 15):

Figura 15. *Decompondo o ruído de padrão.*

Para um caso simples de ruído de padrão estável, considere recrutadores que preveem o desempenho futuro de executivos com base numa série de classificações. No capítulo 9, falamos de um "modelo de juiz". O modelo de um recrutador individual atribui um peso a cada classificação, conforme a sua importância nos julgamentos desse recrutador. Os pesos variam entre os recrutadores: a liderança pode contar mais para um, enquanto para outro são as habilidades de comunicação que contam. Tais diferenças produzem variabilidade no ranking de candidatos dos recrutadores — uma ocorrência do que chamamos ruído de padrão estável.

Reações pessoais a casos individuais também podem produzir padrões que sejam estáveis mas altamente específicos. Considere o que levou você a prestar mais atenção em alguns aspectos da história de Julie do que em outros. Alguns detalhes do caso podem encontrar um eco em sua experiência de vida. Talvez alguma coisa em Julie lembre um parente próximo que está sempre prestes a ter sucesso, mas, a seu ver, acaba fracassando devido a profundas falhas de caráter que se evidenciavam desde a adolescência. Por outro lado, a história de Julie talvez evoque lembranças de um amigo próximo que, após uma adolescência turbulenta, conseguiu entrar na faculdade de medicina e hoje é um profissional bem-sucedido. As associações evocadas por Julie em diferentes pessoas são idiossincráticas e imprevisíveis, mas tendem a ser estáveis: se tivesse lido a história de Julie na semana passada, você teria sido lembrado das mesmas pessoas e teria visto a história dela à mesma luz distintamente pessoal.

As diferenças individuais na qualidade dos julgamentos são outra fonte de ruído de padrão. Imagine um previsor isolado com poderes de bola de cristal de que ninguém sabe (nem ele mesmo). Sua precisão o levaria a se desviar em muitos casos da previsão média. Na ausência de dados do resultado, esses desvios seriam vistos como erros de padrão. Quando o julgamento não é verificável, uma precisão superior se parece com ruído de padrão.

O ruído de padrão também surge de diferenças sistemáticas na capacidade de fazer julgamentos válidos sobre diferentes dimensões de um caso. Considere o processo seletivo em equipes esportivas profissionais. O técnico foca nas habilidades necessárias para os vários aspectos do jogo, o médico, na suscetibilidade a lesões, o psicólogo, em motivação e resiliência. Quando esses diferentes especialistas avaliam os mesmos indivíduos, podemos esperar uma quantidade considerável de ruído de padrão. De modo similar, profissionais no mesmo papel generalista podem ser mais hábeis em alguns aspectos da tarefa do julgamento que outros. Em casos assim, o ruído de padrão será mais corretamente descrito como a variabilidade no que as pessoas sabem, não como erro.

Quando profissionais tomam decisões sozinhos, a variabilidade nas habilidades é apenas ruído. Porém, quando os gerentes têm oportunidade de montar equipes para chegar conjuntamente a julgamentos, a diversidade de habilidades passa a ser uma vantagem potencial, pois diferentes profissionais cobrirão diferentes aspectos do julgamento e se complementarão.[4] Discutimos essa oportunidade — e o que é necessário para captá-la — no capítulo 21.

Nos capítulos anteriores, mencionamos as duas loterias enfrentadas pelo cliente de uma companhia de seguros ou pelo réu quando um juiz é nomeado para seu caso. Podemos perceber agora que a primeira loteria, que escolhe um profissional dentre um grupo de colegas, seleciona muito mais do que o nível médio dos julgamentos desse profissional (o erro de nível). A loteria seleciona também uma montagem caleidoscópica de valores, preferências, crenças, memórias, experiências e associações que são exclusivas desse profissional em particular. Sempre que emite um julgamento, você também utiliza sua própria bagagem. Recorre aos hábitos mentais que formou no trabalho e à sabedoria adquirida com seus mentores. Traz consigo os sucessos que respaldam sua confiança e os equívocos que toma o cuidado de não repetir. E em algum lugar do seu cérebro estão as regras formais de que você lembra, as que esqueceu e as que aprendeu mas podem ser ignoradas sem problemas. Ninguém é exatamente igual a você em todos esses aspectos; seus erros de padrão estáveis são exclusividade sua.

A segunda loteria seleciona o momento em que você elabora seu julgamento, seu humor do momento e outras circunstâncias extrínsecas que não deveriam afetar seu julgamento, mas afetam. Essa loteria gera ruído de ocasião. Imagine, por exemplo, que pouco antes de ver o caso de Julie você leu um artigo de jornal sobre o uso de drogas nas universidades. O artigo contava a história de um aluno talentoso que pretendia cursar direito e estudou muito, mas foi incapaz de compensar o déficit acumulado nos primeiros anos de faculdade, quando usava drogas. Por estar fresca na sua cabeça, essa história levará você a prestar mais atenção ao hábito de fumar maconha de Julie quando avaliar as chances gerais dela. Entretanto, provavelmente você não se lembraria do artigo se visse o caso de Julie daqui a duas semanas (e não saberia a respeito se tivesse visto ontem). O efeito da leitura do artigo de jornal é transitório; é ruído de ocasião.

Como ilustra esse exemplo, não há descontinuidade nítida entre o ruído de padrão estável e a variante instável que chamamos de ruído de ocasião. A principal diferença é se a sensibilidade única de uma pessoa a alguns aspectos do caso é em si permanente ou transitória. Quando os gatilhos do ruído de padrão estão enraizados em nossas experiências e em nossos valores pessoais, podemos esperar que o padrão seja estável, um reflexo de nossa singularidade.

A ANALOGIA DA PERSONALIDADE

A ideia de singularidade nas reações de determinadas pessoas a certas características ou combinações de características não é imediatamente intuitiva. Para compreendê-la, devemos considerar outra combinação complexa de características que todos conhecemos bem: a personalidade das pessoas que nos cercam. Com efeito, o evento de um juiz avaliando um caso deveria ser visto como uma circunstância especial em um tópico mais amplo que é o domínio da pesquisa de personalidade: como uma pessoa age em determinada situação. Há algo a ser aprendido sobre o julgamento após décadas de estudo intensivo do tema mais amplo.

Os psicólogos procuram há tempos compreender e medir diferenças individuais de personalidade. Diferimos uns dos outros de muitas maneiras; um exame inicial no dicionário[5] identificou 18 mil palavras que podem ser usadas para descrever as pessoas. Hoje, o modelo dominante de personalidade, chamado Big Five, combina traços em cinco grupos (extroversão, amabilidade, escrupulosidade, abertura à experiência, neuroticismo), com cada Big Five cobrindo uma gama de traços distinguíveis. Traços de personalidade são compreendidos como variáveis preditoras de comportamentos reais. Se uma pessoa é descrita como escrupulosa, esperamos observar comportamentos correspondentes (pontualidade, respeito a compromissos etc.). E se Andrew pontua mais alto que Brad em uma medida de agressividade, deveríamos observar que, na maioria das situações, Andrew se comporta mais agressiva-mente do que Brad. Mas na realidade a validade dos traços amplos para prever comportamentos específicos é um tanto limitada; uma correlação de 0,30 (PC = 60%) seria considerada alta.[6]

O bom senso sugere que, embora o comportamento possa ser motivado pela personalidade, ele também é fortemente afetado pelas *situações*. Em algumas circunstâncias, ninguém é agressivo, enquanto em outras todo mundo é. Consolando um amigo de luto, Andrew e Brad não se comportarão agressivamente; em uma partida de futebol, contudo, ambos manifestam certa agressividade. Em suma — e não surpreendentemente —, os comportamentos dependem das personalidades *e* das situações.

O que faz das pessoas algo único e infinitamente interessante é que essa combinação de personalidade e situação não é uma função mecânica, aditiva. Por exemplo, as situações que despertam maior ou menor agressividade não são as mesmas para todos. Mesmo que Andrew e Brad sejam em média agressivos em igual medida, não necessariamente exibem agressividade igual em qualquer contexto. Talvez Andrew seja agressivo em relação a seus pares, mas dócil com os superiores, enquanto o nível de agressividade de Brad não é suscetível ao nível hierárquico. Talvez Brad seja particularmente propenso à agressão quando criticado e singularmente controlado quando ameaçado fisicamente.[7]

Esses padrões característicos de reação às situações tendem a permanecer razoavelmente estáveis ao longo da vida. Constituem grande parte do que consideramos a *personalidade* de alguém, embora não se prestem a uma descrição por um traço amplo. Andrew e Brad podem obter a mesma pontuação em um teste de agressividade, mas são únicos em seu padrão de resposta a gatilhos e contextos de agressividade. Duas pessoas que compartilhem níveis de traços de personalidade — se, por exemplo, são igualmente agressivas ou igualmente generosas — devem ser descritas como duas distribuições de comportamentos com a mesma média, mas não necessariamente o mesmo padrão de resposta a diferentes situações.

Agora podemos ver o paralelo entre a discussão da personalidade e o modelo de julgamento que foi apresentado. Diferenças de nível entre juízes correspondem às diferenças entre pontuações de traços de personalidade, que representam uma média de comportamentos em múltiplas situações. Os casos são análogos às situações. O julgamento de alguém sobre um problema particular é apenas moderadamente previsível devido ao nível médio dessa pessoa, assim como comportamentos específicos são apenas moderadamente previsíveis devido aos traços de personalidade. Ranquear indivíduos segundo o julgamento varia bastante de caso para caso porque as pessoas diferem em sua reação às características e combinações de características encontradas em cada um. A marca pessoal do indivíduo que elabora julgamentos e decisões é um padrão único de sensibilidade a características e um padrão correspondentemente único no julgamento de casos.

Costumamos exaltar o caráter único da personalidade humana, mas este livro trata de julgamentos profissionais, em que a variação é problemática e o ruído constitui erro. A razão de ser da analogia é que o ruído de padrão no julgamento não é aleatório — mesmo que tenhamos pouca esperança de explicá-lo e mesmo que os indivíduos que fazem julgamentos distintos não os consigam explicar.

FALANDO DE RUÍDO DE PADRÃO

"Você parece confiante em sua conclusão, mas esse não é um problema fácil: há indícios apontando em diferentes direções. Será que omitiu interpretações alternativas das evidências?"

"Você e eu entrevistamos o mesmo candidato e em geral somos igualmente exigentes. Contudo, nossa avaliação foi bastante diferente. De onde vem esse ruído de padrão?"

"É a singularidade da personalidade humana que nos capacita a mostrar inovação e criatividade e faz de nós companhias interessantes e excitantes. Quando se trata do julgamento, porém, essa singularidade não é uma vantagem."

17. As fontes do ruído

Esperamos que a esta altura você concorde que onde há julgamento há ruído. Esperamos também que no seu caso não haja mais ruído do que imagina. Esse mantra sobre o ruído nos motivou quando iniciamos nosso projeto, mas nosso pensamento sobre o tema evoluiu após alguns anos de trabalho. A seguir, revisamos as principais lições aprendidas sobre os componentes do ruído, sua respectiva importância no panorama geral do ruído e o lugar do ruído no estudo do julgamento.

OS COMPONENTES DO RUÍDO

A figura 16 mostra uma representação gráfica combinada das três equações introduzidas nos capítulos 5, 6 e 16. A figura ilustra três decomposições sucessivas de erro:

- erro em viés e ruído de sistema
- ruído de sistema em ruído de nível e ruído de padrão
- ruído de padrão em ruído de padrão estável e ruído de ocasião

Podemos perceber agora como o erro quadrático médio é decomposto[1] nos quadrados do viés e nos três componentes do ruído que discutimos.

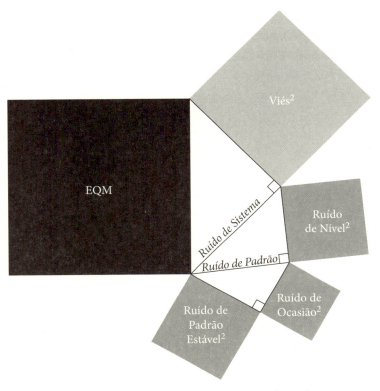

Figura 16. *Erro, viés e os componentes do ruído.*

Quando iniciamos a pesquisa, nosso foco eram os pesos relativos do viés e do ruído no erro total. Não demoramos a concluir que o ruído é com frequência um componente do erro maior do que o viés, e certamente merece ser explorado em mais detalhes.

Nosso pensamento inicial sobre os elementos constituintes do ruído se pautou pela estrutura de auditorias de ruído complexas, em que múltiplas pessoas elaboram julgamentos individuais sobre múltiplos casos. O estudo dos juízes federais foi um exemplo e o estudo das indenizações punitivas, outro. Os dados desses estudos forneceram estimativas sólidas de ruído de nível. Por outro lado, como todos os participantes julgam todos os casos, mas o fazem apenas uma vez, não há como dizer se o erro residual, aqui chamado de erro de padrão, é transitório ou estável. No espírito conservador da análise estatística, o erro residual é comumente denominado um termo de erro e é tratado como aleatório. Em outras palavras, a interpretação default do ruído de padrão é que ele consiste inteiramente em ruído de ocasião.

Essa interpretação convencional do ruído de padrão como erro aleatório limitou nosso pensamento por um longo tempo. Parecia natural focar no ruído de nível — as diferenças consistentes entre juízes austeros e lenientes ou entre previsores otimistas e pessimistas. Também ficamos intrigados com as evidências da influência nos julgamentos das circunstâncias irrelevantes e transitórias que geram ruído de ocasião.

As evidências nos levaram gradualmente a perceber que os julgamentos ruidosos produzidos por diferentes pessoas são em larga medida determinados por algo que não é um viés geral do indivíduo, tampouco é transitório e aleatório: as reações pessoais persistentes de um indivíduo particular a uma multiplicidade de características, que determinam sua reação a casos específicos. Concluímos por fim que nossa suposição default sobre a natureza transitória do ruído de padrão deveria ser abandonada.

Embora não seja nossa intenção generalizar demais com base no que permanece uma seleção limitada de exemplos, os estudos que preparamos, tomados em conjunto, sugerem que o ruído de padrão estável é na verdade mais significativo do que os demais componentes do ruído de sistema. Como raramente dispomos de um quadro completo dos componentes do erro no mesmo estudo, é necessária alguma triangulação para formular essa conclusão provisória. Em suma, eis o que sabemos — e o que não sabemos.

DIMENSIONANDO OS COMPONENTES

Para começar, temos diversas estimativas dos pesos relativos do ruído de nível e do ruído de padrão. No total, parece que o ruído de padrão contribui mais do que o ruído de nível. Na companhia de seguros do capítulo 2, por exemplo, a diferença entre corretores na média dos prêmios estabelecidos por eles não correspondia a mais que 20% do ruído de sistema total; os 80% restantes eram ruído de padrão. Entre os juízes federais do capítulo 6, o ruído de nível (diferenças na severidade média) representava ligeiramente menos do que a metade do ruído de sistema total; o ruído de padrão era o maior componente. No experimento de indenizações punitivas, a quantidade total de ruído de sistema variou amplamente em função da escala utilizada (intento punitivo, ultraje ou reparação monetária), mas a parcela de ruído de padrão nesse total foi mais ou menos constante: correspondeu a 63%, 62% e 61% do ruído de sistema total para as três escalas usadas no estudo. Outros estudos que revisaremos na parte V, notadamente sobre decisões pessoais, são consistentes com essa conclusão provisória.

Que o ruído de nível nesses estudos de modo geral não seja o maior componente do ruído de sistema já é uma importante mensagem, pois o ruído de nível é a única forma de ruído que as organizações (às vezes) podem monitorar sem conduzir auditorias de ruído. Quando os casos são atribuídos mais ou menos aleatoriamente a profissionais individuais, as diferenças no nível médio de suas decisões fornecem evidências de ruído de nível. Por exemplo, estudos conduzidos em seções de registro de patente[2] constataram grandes diferenças em conceder patentes na propensão média dos avaliadores, com efeitos subsequentes para a incidência de litígios em torno dessas patentes. De maneira similar, assistentes sociais dos serviços de proteção à criança[3] variam em sua propensão a entregá-las à custódia de lares para menores, com consequências no longo prazo para seu bem-estar. Essas observações se baseiam exclusivamente numa estimativa do ruído de nível. Se há mais ruído de padrão do que ruído de nível, esses resultados já chocantes não fazem jus à magnitude do problema do ruído por um fator de no mínimo dois. (Há exceções para essa regra provisória. A escandalosa variabilidade nas decisões de asilo[4] quase certamente se deve antes ao ruído de nível que ao ruído de padrão, que suspeitamos também ser grande.)

O passo seguinte é analisar o ruído de padrão separando seus dois componentes. Temos bons motivos para presumir que o ruído de padrão estável, não tanto o ruído de ocasião, seja o componente dominante. A auditoria das sentenças dos juízes federais ilustra nosso raciocínio. Comece pela possibilidade extrema de que todo ruído de padrão seja transitório. Partindo desse pressuposto, a distribuição de sentenças seria instável e inconsistente com o tempo, em um grau que achamos implausível: teríamos de esperar que a diferença média entre julgamentos de um *mesmo caso pelo mesmo juiz* em diferentes ocasiões fosse de cerca de 2,8 anos.[5] A variabilidade na média de sentenças entre juízes já é em si chocante. Essa mesma variabilidade nas sentenças de um juiz individual em ocasiões diversas seria grotesca. Parece mais razoável concluir que os juízes divergem em suas reações a diferentes réus e diferentes crimes e que essas diferenças são altamente pessoais, mas estáveis.

Para quantificar mais precisamente quanto do ruído de padrão é estável e quanto é ruído de ocasião, precisamos de estudos em que os mesmos juízes façam duas avaliações independentes de cada caso. Como notamos, obter dois julgamentos independentes é em geral impossível em estudos do julgamento, pois é difícil garantir que o segundo julgamento de um caso seja verdadeiramente independente do primeiro. Em especial quando o julgamento é complexo, há uma probabilidade elevada de que a pessoa reconheça o problema e repita o julgamento original.

Um grupo de pesquisadores de Princeton,[6] liderado por Alexander Todorov, elaborou engenhosas técnicas experimentais para resolver o problema. Eles recrutaram participantes do Amazon Mechanical Turk, site onde indivíduos oferecem serviços de curto prazo, como responder questionários, e recebem por seu tempo. Em um experimento, os participantes viam retratos de rostos (gerados por um programa de computador, mas indistinguíveis de pessoas reais) e os qualificavam segundo vários atributos, como simpatia e confiabilidade. O experimento foi repetido uma semana depois, com os mesmos rostos e os mesmos participantes.

É razoável esperar menos consenso nesse experimento do que em julgamentos profissionais, como juízes determinando sentenças. Podemos concordar que algumas pessoas são extremamente atraentes, enquanto outras são extremamente sem atrativos, mas, numa faixa significativa, esperamos que as reações a rostos sejam idiossincráticas. De fato, houve baixa concordância entre os observadores: nas classificações de confiabilidade, por exemplo, as diferenças entre retratos responderam por apenas 18% da variância dos julgamentos. Os 82% restantes da variância eram ruído.

Também é razoável esperar menos estabilidade nesses julgamentos, porque a qualidade de julgamentos emitidos por pessoas pagas para responder a questões on-line é com frequência substancialmente inferior à de um ambiente profissional. Não obstante, o maior componente do ruído foi o ruído de padrão estável. O segundo maior foi o ruído de nível — ou seja, as diferenças entre os observadores em suas classificações médias de confiabilidade. O ruído de ocasião, embora ainda substancial, era o menor componente.

Os pesquisadores chegaram às mesmas conclusões quando pediram aos participantes que emitissem outros julgamentos — sobre preferências de carros ou comidas, por exemplo, ou sobre questões que estão mais para o que chamamos de julgamentos profissionais. Por exemplo, em uma reprodução do estudo de indenizações punitivas discutido no capítulo 15, os participantes classificaram seu intento punitivo em dez processos por danos físicos, em duas ocasiões separadas, com intervalo de uma semana. Aqui, mais uma vez, o ruído de padrão estável foi o componente principal. Em todos esses estudos, os indivíduos de um modo geral não concordaram entre si, mas seus julgamentos permaneceram bastante estáveis. Essa "consistência sem consenso", nas palavras dos pesquisadores, fornece clara evidência de ruído de padrão estável.

A evidência mais forte do papel dos padrões estáveis vem do grande estudo de julgamentos de fiança[7] que mencionamos no capítulo 10. Em uma parte desse estudo excepcional, os autores criaram um modelo estatístico que simulava como cada juiz usava as dicas disponíveis para decidir sobre o pedido de fiança. Eles construíram modelos personalizados de 173 juízes. Em seguida, empregaram os juízes simulados[8] para tomar decisões sobre 141 833 casos, produzindo 173 decisões para cada caso — um total de mais de 24 milhões de decisões. A nosso pedido, os autores generosamente executaram uma análise especial em que dividiram os julgamentos da variância em três componentes: a variância "real" das decisões médias para cada caso, o ruído de nível produzido pelas diferenças entre os juízes em sua propensão a conceder fiança e o ruído de padrão remanescente.

Essa análise é relevante para nosso argumento porque o ruído de padrão, tal como medido nesse estudo, é inteiramente estável. A variabilidade aleatória do ruído de ocasião não está representada, pois essa é uma análise de *modelos* que preveem a decisão de um juiz. Apenas as regras de previsão verificáveis, estáveis e individuais estão incluídas.

A conclusão foi clara: esse ruído de padrão estável era quase quatro vezes maior do que o ruído de nível (o ruído de padrão estável respondia por 26%, e o ruído de nível, por 7% da variância total).[9] Os padrões de julgamento estáveis, idiossincráticos e individuais que puderam ser identificados eram muito maiores do que as diferenças em severidade para todo o grupo.

Essas evidências são consistentes com a pesquisa sobre ruído de ocasião que revisamos no capítulo 7: embora a presença de ruído de ocasião seja surpreendente e até preocupante, nada sugere que a variabilidade intrapessoal seja maior do que as diferenças interpessoais. O componente mais importante do ruído de sistema é um que de início havíamos negligenciado: o ruído de padrão estável, ou a variabilidade entre juízes em seus julgamentos de casos particulares.

Dada a relativa escassez de pesquisa relevante, nossas conclusões são provisórias, mas refletem com efeito uma mudança no modo como pensamos sobre o ruído — e como lidamos com ele. Ao menos em princípio, o ruído de nível — ou as diferenças simples, para todo o grupo, entre juízes — deveria ser um problema relativamente fácil de medir e tratar. Se há avaliadores mais "rígidos", assistentes sociais "cautelosos" ou analistas de crédito "avessos ao risco", as organizações que os empregam poderiam objetivar a equalização do nível médio de seus julgamentos. As universidades, por exemplo, lidam com esse problema quando exigem que os professores sigam uma distribuição predeterminada de notas dentro de cada classe.

Infelizmente, como agora percebemos, o foco no ruído de nível deixa passar boa parte do que diz respeito às diferenças individuais. O ruído é produzido principalmente não pelas diferenças de nível, mas pelas interações: o modo como diferentes juízes lidam com réus específicos, diferentes professores lidam com alunos específicos, diferentes assistentes sociais lidam com famílias específicas, diferentes líderes lidam com visões específicas do futuro. O ruído é antes de mais nada um subproduto de nossa singularidade, de nossa "personalidade julgadora". Reduzir o ruído de nível continua sendo um objetivo que vale a pena, mas conquistar apenas esse objetivo deixaria a maior parte do problema do ruído de sistema sem uma solução.

EXPLICANDO O ERRO

Como vimos, há muito a dizer sobre o ruído, mas o tema está quase inteiramente ausente da consciência pública e das discussões sobre julgamento e erro. A despeito da evidência de sua presença e dos múltiplos mecanismos que o produzem, o ruído raras vezes é mencionado como um fator preponderante no julgamento. Como é possível? Por que nunca invocamos o ruído para explicar julgamentos ruins, ao passo que rotineiramente culpamos os vieses?

Por que é tão incomum examinar o ruído como fonte de erro, a despeito de sua ubiquidade?

A chave desse mistério é que, embora a média dos erros (o viés) e a variabilidade dos erros (o ruído) desempenhem papéis equivalentes na equação de erro, pensamos a seu respeito de maneiras bastante diferentes. E nosso modo comum de compreender o mundo a nossa volta torna praticamente impossível reconhecer o papel do ruído.

Anteriormente neste livro, comentamos que em retrospecto é fácil encontrar significado nos eventos, ainda que não houvesse como prevê-los antes de acontecerem. No vale do normal, os eventos são pouco surpreendentes e facilmente explicados.

O mesmo pode ser dito dos julgamentos. Como outros eventos, os julgamentos e as decisões acontecem sobretudo no vale do normal; em geral, não nos surpreendem. Para começar, julgamentos que produzem resultados satisfatórios são normais e raramente questionados. Quando o jogador que bate a falta marca um gol, quando a cirurgia cardíaca é um sucesso ou quando uma start-up prospera, presumimos que os motivos dos tomadores de decisão para suas escolhas devem ter sido corretos. Afinal, eles estavam com a razão. Como qualquer outra história pouco surpreendente, uma história de sucesso se justifica por si mesma assim que o resultado é conhecido.

Entretanto, sentimos necessidade de explicar os resultados anormais: os ruins e, às vezes, os surpreendentemente bons — como uma chocante aposta nos negócios que acaba compensando. Explicações que apelam para o erro ou para o talento natural são bem mais populares do que deveriam, porque apostas importantes do passado com facilidade viram atos de genialidade ou loucura depois que o resultado é conhecido. Um viés psicológico bem documentado chamado de *erro de atribuição fundamental* consiste na forte tendência a atribuir a culpa ou o crédito ao agente por ações e resultados que são mais bem explicados pela sorte ou pelas circunstâncias objetivas. Outro viés, o retrospecto, distorce os julgamentos de modo que os resultados que não poderiam ter sido antecipados parecem de fácil previsão quando vistos retroativamente.

Explicações para erros de julgamento não são difíceis de encontrar; achar razões para julgamentos, quando existe alguma, é mais fácil do que achar causas para eventos. Sempre podemos invocar as motivações de quem julga. Se isso não é suficiente, pomos a culpa em sua incompetência. Outra explicação para julgamentos ruins se tornou comum em décadas recentes: o viés psicológico.

Um corpus substancial de pesquisa em psicologia e economia comportamental documenta uma longa lista de vieses psicológicos: falácia de planejamento, superconfiança, aversão à perda, efeito de dotação, viés de statu quo, desconsideração excessiva pelo futuro ("viés do presente") e muitos outros — incluindo, claro, vieses a favor ou contra várias categorias de pessoas. Muito se sabe sobre as condições nas quais cada um desses vieses tende a influenciar julgamentos e decisões, e se sabe o bastante para permitir que o observador da tomada de decisão possa reconhecer um raciocínio enviesado em tempo real.

O viés psicológico é uma explicação causal legítima de um erro de julgamento se o viés pudesse ter sido previsto de antemão ou detectado em tempo real. Um viés psicológico identificado apenas após o fato ainda assim pode se revelar uma explicação útil, mesmo que provisória, caso também ofereça uma previsão sobre o futuro. Por exemplo, a rejeição surpreendente de uma forte candidata mulher pode sugerir uma hipótese mais geral de viés de gênero, a ser confirmado ou refutado pelas futuras indicações do mesmo comitê de contratação. Considere, por outro lado, uma explicação causal que se aplique apenas a um evento: "Eles falharam nesse caso, deviam estar superconfiantes". A afirmação é vazia, mas proporciona uma ilusão de compreensão que pode ser muito gratificante. Phil Rosenzweig,[10] professor em uma escola de negócios, defendeu convincentemente que explicações vazias em termos de viés são comuns em discussões sobre resultados de negócios. Sua popularidade atesta a necessidade prevalecente de relatos causais que deem sentido à experiência.

O RUÍDO É ESTATÍSTICO

Como notamos no capítulo 12, nosso modo normal de pensar é causal. Atentamos de modo natural para o particular, acompanhando e criando relatos causalmente coerentes sobre casos individuais, em que os fracassos são com frequência atribuídos a erros, e os erros a vieses. A facilidade com que julgamentos ruins podem ser explicados não deixa margem para o ruído em nossos relatos de erros.

A invisibilidade do ruído é consequência direta do raciocínio causal. O ruído é inerentemente estatístico: ele se torna visível apenas quando pensamos de modo estatístico sobre um conjunto de julgamentos similares. Na verdade, a partir daí, dificilmente passa despercebido: ele é a variabilidade nas estatísticas retrospectivas sobre decisões de sentença e prêmios de seguro; é a gama de possibilidades quando você e outros consideram como prever um resultado futuro; é a dispersão dos tiros em um alvo. Causalmente, o ruído não está em lugar algum; estatisticamente, está em toda parte.

Adotar a perspectiva estatística não é fácil. Invocamos com tranquilidade causas para os eventos que observamos, mas pensar estatisticamente sobre eles exige estudo e domínio do assunto. Causas são naturais; estatísticas são difíceis.

O resultado é um marcado desequilíbrio em nossa visão do viés e do ruído como fontes de erro. Talvez você já tenha visto por aí um tipo de ilustração usado em psicologia introdutória em que uma figura detalhada se destaca contra um fundo indistinto. Nossa atenção se fixa com firmeza na figura mesmo quando ela é pequena contra o segundo plano. As demonstrações figura/fundo são uma metáfora adequada para nossas intuições quanto ao viés e ao ruído: o viés é uma figura que atrai o olhar, enquanto o ruído é o segundo plano ao qual não prestamos atenção. Desse modo, permanecemos em boa parte alheios a uma ampla falha em nosso julgamento.

FALANDO DAS FONTES DE RUÍDO

"Percebemos facilmente diferenças no nível médio dos julgamentos, mas qual o tamanho do ruído de padrão que não percebemos?"

"Você afirma que esse julgamento foi causado por vieses, mas diria a mesma coisa se o resultado tivesse sido diferente? E sabe dizer se havia ruído?"

"Estamos devidamente focados em reduzir os vieses. Devemos nos preocupar também em reduzir o ruído."

Parte V

Aprimorando os julgamentos

Como uma organização pode melhorar os julgamentos feitos por seus profissionais? Em particular, como uma organização pode reduzir o ruído dos julgamentos? Se tivesse de responder a essas perguntas, como você procederia?

Um primeiro passo necessário é levar a organização a admitir que o ruído nos julgamentos profissionais é um problema que merece atenção. Para isso, recomendamos uma auditoria de ruído (ver apêndice A para uma descrição detalhada). Em uma auditoria de ruído, múltiplos indivíduos julgam o mesmo problema. O ruído é a variabilidade nesses julgamentos. Haverá casos em que essa variabilidade pode ser atribuída à incompetência: alguns juízes sabem do que estão falando, outros não. Quando há essa defasagem de capacidade (seja em geral, seja em relação a determinados tipos de caso), a prioridade sem dúvida deveria ser melhorar as habilidades imperfeitas. Mas, como vimos, pode haver grande quantidade de ruído até nos julgamentos de profissionais competentes e bem treinados.

Se a quantidade de ruído de sistema merece ser tratada, substituir o julgamento por regras ou algoritmos é uma opção a considerar, uma vez que eliminará o ruído completamente. Mas as regras têm seus próprios problemas (como veremos na parte VI), e até os proponentes mais entusiasmados da IA concordam que os algoritmos não são, nem serão tão cedo, um substituto universal para o julgamento humano. A tarefa de melhorar nossa capacidade de julgamento é mais urgente do que nunca e é o tema desta parte do livro.

Um modo sensato de aperfeiçoar os julgamentos é, sem dúvida, selecionar os melhores juízes humanos possíveis. No estande de tiro, algumas pessoas têm mira boa e mão firme. O mesmo é verdade de qualquer tarefa de julgamento profissional: os mais capacitados serão os menos ruidosos e enviesados. Como encontrar os melhores juízes às vezes é óbvio; se você quer resolver um problema de xadrez, pergunte a um mestre do xadrez, não aos autores deste livro. Mas, na maioria dos problemas, as características de um juiz superior são difíceis de discernir. Elas são o tema do capítulo 18.

A seguir, discutimos abordagens para a redução dos erros de julgamento. Os vieses psicológicos estão implicados tanto no viés estatístico como no ruído. Como vimos no capítulo 19, grandes esforços são feitos para combater os vieses psicológicos, com fracassos e sucessos evidentes. Examinamos brevemente estratégias de desenviesamento e sugerimos uma abordagem promissora que, até onde sabemos, não é explorada de maneira sistemática: pedir a um *observador de decisão* para procurar sinais diagnósticos que possam indicar, em tempo real, que o trabalho de um grupo está sendo afetado por um ou vários vieses familiares. O apêndice B fornece um exemplo de checklist de viés que o observador de decisão pode usar.

Em seguida, passamos ao nosso foco principal nesta parte do livro: a luta contra o ruído. Introduzimos o tema da *higiene da decisão*, abordagem que recomendamos para reduzir o ruído no julgamento humano. Apresentamos estudos de caso em cinco domínios diferentes. Em cada um, examinamos a prevalência do ruído e algumas histórias de terror causadas por isso. Também examinamos o eventual sucesso das tentativas de reduzir o ruído. Claro que em cada domínio múltiplas abordagens foram utilizadas, mas, para facilitar a exposição, cada capítulo enfatiza uma única estratégia de higiene da decisão.

Começamos o capítulo 20 com o caso da ciência forense, que ilustra a importância da *informação sequenciada*. A busca por coerência leva as pessoas a formar uma primeira impressão com base nas limitadas evidências disponíveis, para então confirmar seu prejulgamento inicial. Por isso é importante não se expor a informações irrelevantes no início do processo avaliativo.

No capítulo 21, analisamos a metodologia das previsões, ilustrando o valor de uma das mais importantes estratégias de redução do ruído: *agregar múltiplos julgamentos independentes*. O princípio da "sabedoria das multidões" baseia-se na média de múltiplos julgamentos independentes, uma garantia de redução do ruído. Além da média simples, há outros métodos para agregar julgamentos, também ilustrados nesse capítulo.

O capítulo 22 faz uma revisão do ruído na medicina e das tentativas de reduzi-lo. Ele aponta para a importância e a aplicabilidade geral de uma estratégia de redução do ruído já introduzida no exemplo das sentenças criminais: as *diretrizes de julgamento*. As diretrizes podem ser um poderoso mecanismo redutor de ruído, porque reduzem diretamente a variabilidade entre juízes nos veredictos finais.

No capítulo 23, voltamo-nos a um desafio familiar do mundo dos negócios: avaliações de desempenho. As tentativas de reduzir o ruído nesse meio demonstram a importância crucial de usar uma *escala compartilhada fundamentada numa visão de fora*. Essa é uma estratégia importante de higiene da decisão por um simples motivo: o julgamento envolve a tradução de uma impressão numa escala, e se diferentes juízes utilizam diferentes escalas haverá ruído.

O capítulo 24 explora o tópico relacionado mas distinto da seleção pessoal, que foi extensamente pesquisado nos últimos cem anos. Ele ilustra o valor de uma estratégia essencial de higiene da decisão: *estruturar julgamentos complexos*. Por *estruturar* queremos dizer dividir um julgamento em suas partes componentes; gerenciar o processo de coleta de dados para assegurar que os inputs sejam independentes entre si; e protelar a discussão holística e o veredicto final até todos os inputs terem sido coletados.

Partimos das lições aprendidas na área da seleção de pessoal para propor, no capítulo 25, uma abordagem geral à avaliação de opções, chamada *protocolo de avaliações mediadoras*, ou MAP, no acrônimo em inglês. O MAP parte da premissa de que "opções são como candidatos" e descreve esquematicamente como a tomada de decisão estruturada, junto com outras estratégias de higiene da decisão mencionadas acima, pode ser introduzida em um processo de decisão típico para decisões tanto recorrentes como singulares.

Uma observação geral antes de prosseguirmos: seria valioso conseguir especificar, e até quantificar, os benefícios prováveis de cada estratégia de higiene da decisão nos vários contextos. Também valeria a pena saber qual estratégia é mais benéfica e como compará-las. Quando o fluxo de informação está controlado, em que medida o ruído é reduzido? Se a meta é a redução de ruído, na prática quantos julgamentos deveriam ser agregados? Estruturar julgamentos pode valer a pena, mas até que ponto, exatamente, em diferentes contextos?

Como o tema do ruído costuma atrair pouca atenção, essas questões permanecem em aberto, à espera de novas pesquisas. Para fins práticos, os benefícios de uma ou outra estratégia dependerão do contexto particular em que está sendo usada. Considere a adoção de diretrizes: os benefícios podem ser imensos (como veremos em alguns diagnósticos médicos). Em outros contextos, porém, os benefícios de adotar diretrizes podem ser modestos — talvez por não haver muito ruído, para começo de conversa, ou porque nem as melhores diretrizes imagináveis conseguem reduzir muito o erro. Seja qual for o contexto, o tomador de decisão deve buscar uma compreensão mais precisa dos ganhos prováveis com cada estratégia de higiene da decisão — e dos custos correspondentes, que veremos na parte VI.

18. Juízes melhores para julgamentos melhores

Até aqui, falamos principalmente de juízes humanos, sem fazer distinção entre eles. Contudo, é óbvio que, em qualquer tarefa que exige julgamento, algumas pessoas se saem melhor do que outras. Até um agregado de julgamentos da sabedoria das multidões tende a ser melhor se a multidão for composta de indivíduos mais capazes.[1] Uma questão importante, portanto, é como identificar esses juízes melhores.

Três coisas importam. Os julgamentos são tanto menos ruidosos como menos enviesados quando quem os faz é bem treinado, mais inteligente e dotado do estilo cognitivo certo. Em outras palavras: julgamentos bons dependem do que você sabe, do que pensa e de *como* pensa. Juízes bons tendem a ser experientes e inteligentes, mas também costumam ser ativamente receptivos e se mostrar dispostos a aprender com informações novas.

ESPECIALISTAS E RESPEITO-ESPECIALISTAS

É quase uma tautologia afirmar que a capacidade do juiz afeta a qualidade de seu julgamento. Por exemplo, um radiologista capaz tem mais chance de diagnosticar corretamente uma pneumonia, e, em previsões sobre eventos mundiais, há "superprevisores" que superam o desempenho dos meros mortais. Se reunirmos um grupo de juristas especializados em alguma área do direito, a tendência é que façam previsões similares, e boas, sobre o resultado de disputas judiciais comuns. Pessoas altamente capazes são menos ruidosas e apresentam menos viés.

Esses indivíduos são legítimos especialistas nas tarefas em questão. Sua superioridade sobre os demais é verificável, graças à disponibilidade dos resultados. Ao menos em princípio, podemos escolher um médico, previsor ou advogado segundo a frequência de seus acertos no passado. (Por motivos óbvios, pode ser difícil pôr essa abordagem em prática; não é recomendável submeter seu médico a um teste de proficiência.)

Como observamos também, muitos julgamentos não são verificáveis. Dentro de certos limites, não podemos saber com facilidade ou definir sem controvérsias o valor real objetivado por tais julgamentos. Seguros e sentenças criminais pertencem a essa categoria, assim como degustação de vinhos, notas de trabalhos escolares, críticas de livros e filmes, e inumeráveis outros julgamentos. Porém, alguns profissionais nesses domínios são considerados especialistas. A confiança depositada no parecer deles baseia-se inteiramente no respeito de que gozam junto aos pares. Nós os chamamos de *respeito-especialistas*.

O termo *respeito-especialista* não pretende ser desrespeitoso. O fato de alguns especialistas não serem submetidos a uma avaliação da precisão de seus julgamentos não é uma crítica; é um fato em muitas áreas. Muitos professores, acadêmicos e consultores empresariais são respeito-especialistas. Sua credibilidade depende do respeito de seus alunos, pares ou clientes. Em todas essas áreas, e em muitas mais, os julgamentos de um profissional podem ser comparados apenas aos de seus pares.

Na ausência de valores reais para determinar quem está certo ou errado, muitas vezes valorizamos a opinião dos respeito-especialistas até quando discordam entre si. Imagine, por exemplo, uma mesa-redonda em que diversos comentaristas políticos exibem pontos de vista marcadamente diferentes sobre o que causou determinada crise diplomática e como ela se desenrolará. (Essa discordância não é incomum; a mesa-redonda não seria muito interessante se todos concordassem.) Todo analista acha que existe um ponto de vista correto e que sua opinião é a mais próxima dele. Ao escutá-los, você talvez julgue vários analistas igualmente impressionantes e seus argumentos igualmente convincentes. Portanto, não consegue saber quem está com a razão (e pode continuar sem saber mesmo depois, caso as análises não sejam formuladas como previsões claramente verificáveis). Você sabe que pelo menos alguns deles estão errados, porque há discordância. Mas respeita a autoridade de todos.

Ou considere um grupo diferente de especialistas, que não fazem previsão alguma. Em uma sala, há três eminentes filósofos morais. Um especialista segue Immanuel Kant; outro, Jeremy Bentham; o terceiro, Aristóteles. Com relação ao que a moralidade exige, discordam intensamente. O assunto pode ser a legitimidade de mentir em determinadas circunstâncias, direitos dos animais ou o objetivo da punição criminal. Você escuta atentamente. Talvez admire a clareza e a precisão do raciocínio deles. Sua tendência é concordar com um dos filósofos, mas respeita todos eles.

Por que fazemos isso? Ou, de forma mais geral, como uma pessoa respeitada pela qualidade de seu julgamento decide confiar em alguém como um especialista quando não há dados para determinar objetivamente sua autoridade? O que constitui um respeito-especialista?

Parte da resposta é a existência de normas compartilhadas, ou de uma doutrina profissional. Especialistas obtêm qualificações profissionais junto a comunidades profissionais e recebem treinamento e supervisão em suas organizações. Médicos que completam sua residência e jovens advogados que aprendem com um sócio mais velho não são simplesmente treinados nas ferramentas técnicas de seu ofício; são instruídos a usar certos métodos e a seguir certas normas.

As normas compartilhadas dão aos profissionais uma ideia de quais inputs devem ser levados em conta e de como elaborar e justificar seus veredictos finais. Na companhia de seguros, por exemplo, os analistas de sinistro não tiveram dificuldade em chegar a um acordo e em descrever as considerações relevantes que deveriam ser incluídas em um checklist para avaliar pedidos de indenização.

Essa concordância, claro, não impediu a ampla variância entre os analistas de sinistro em suas avaliações dos casos, porque a doutrina não especifica totalmente como proceder. Não é uma receita a ser seguida de forma mecânica. Pelo contrário, a doutrina dá margem à interpretação. O que os especialistas fazem ainda é um julgamento, não uma computação. É por isso que o ruído inevitavelmente ocorre. Até profissionais com treinamento idêntico e de acordo com a doutrina empregada divergirão entre si ao aplicá-la.

Além de conhecer as normas compartilhadas, também é necessário experiência. Você pode ser um jovem prodígio se sua especialidade for xadrez, piano clássico ou arremesso de dardos, porque os resultados validam seu nível de desempenho. Mas corretores, papiloscopistas ou juízes em geral necessitam de alguns anos de experiência para ganhar credibilidade. Não há jovens prodígios nos seguros.

Outra característica de um respeito-especialista é sua capacidade de elaborar e explicar com segurança seus julgamentos. Tendemos a dar mais crédito a pessoas autoconfiantes do que a pessoas que expressam suas dúvidas. A heurística da confiança[2] aponta para o fato de que, em um grupo, os confiantes têm mais peso que os demais, mesmo sem ter o menor motivo para estarem confiantes. Respeito-especialistas se sobressaem em construir narrativas coerentes. Sua experiência os capacita a reconhecer padrões, raciocinar por analogia com casos anteriores e formular e confirmar hipóteses rapidamente. Eles ajustam com facilidade os fatos que veem numa narrativa coerente que inspira confiança.

INTELIGÊNCIA

Treinamento, experiência e segurança permitem ao respeito-especialista inspirar confiança. Mas esses atributos não garantem a qualidade de seus julgamentos. Como saber quais especialistas tenderão a fazer bons julgamentos?

Há um bom motivo para acreditar que a inteligência geral costuma estar associada a um julgamento melhor. A inteligência se correlaciona com o bom desempenho em praticamente todas as áreas. Em condições ideais, está associada não só a realizações acadêmicas mais elevadas como também a melhor desempenho profissional.[3]

O problema de medir a inteligência ou a capacidade mental geral (GMA, da sigla em inglês, termo atualmente usado em lugar de quociente de inteligência, ou QI) gera muitos debates e mal-entendidos. Alguns equívocos[4] quanto à natureza inata da inteligência são duradouros; na verdade, os testes medem capacidades desenvolvidas, que são em parte uma função de traços hereditários e em parte influenciadas pelo ambiente, incluindo as oportunidades educacionais. Muita gente também discute o impacto adverso da seleção baseada na GMA em grupos sociais identificáveis e a legitimidade de usar testes de capacidade mental geral para fins de seleção.

A preocupação quanto ao uso de testes deve ser separada do fato consumado de seu valor preditivo. Desde que o Exército americano começou a usar testes de capacidade mental, há mais de um século, milhares de estudos mediram a ligação entre pontuações de testes cognitivos e o desempenho subsequente. A mensagem que emerge dessa pesquisa volumosa é inequívoca. Como afirma um artigo: "A GMA prevê tanto o nível ocupacional alcançado como o desempenho dentro da ocupação escolhida e faz isso melhor do que qualquer outra capacidade, traço ou disposição, e melhor do que a experiência na função".[5] Claro que outras capacidades cognitivas também importam (veremos mais sobre isso adiante). Assim como muitos traços de personalidade — incluindo escrupulosidade e *fibra*,[6] definida como perseverança e paixão na busca de objetivos de longo prazo. E de fato há várias formas de inteligência não medidas por testes de GMA, como a inteligência prática e a criatividade. Os psicólogos e neurocientistas fazem uma distinção entre inteligência cristalizada, ou a capacidade de resolver problemas recorrendo a uma reserva de conhecimentos sobre o mundo (incluindo operações aritméticas), e inteligência fluida,[7] ou a capacidade de resolver problemas novos.

Contudo, a despeito de sua imperfeição e de suas limitações, a GMA, tal como obtida por testes padronizados contendo questões de problemas verbais, quantitativos e espaciais, segue sendo de longe a melhor variável preditora de resultados importantes. Como diz o artigo mencionado acima, o potencial para previsão da GMA é "maior do que o encontrado na maior parte da pesquisa de psicologia".[8] A força da associação entre capacidade mental geral e sucesso profissional aumenta, logicamente, com a complexidade do trabalho em questão: a inteligência é mais importante para cientistas aeroespaciais do que para pessoas executando tarefas mais simples. Em trabalhos de alta complexidade, as correlações que podem ser observadas entre pontuações de teste padronizado e desempenho profissional ficam na faixa de 0,50 (PC = 67%).[9] Como observamos, uma correlação de 0,50 indica um valor preditivo muito forte, para os padrões das ciências sociais.[10]

Especialmente na discussão sobre julgamentos profissionais hábeis, uma objeção importante e frequente à relevância das medições de inteligência é que todos que elaboram tais julgamentos tendem a ser pessoas de capacidade mental geral elevada. Médicos, juízes ou analistas de seguros experientes possuem grau de instrução bem mais alto do que a população geral e tendem a pontuar bem melhor em medidas de capacidade cognitiva. Seria razoável acreditar que a GMA elevada faz pouca diferença entre eles — que constitui apenas uma porta de entrada para a população dos muito bem-sucedidos, não a causa das diferenças de realizações dentro dessa população.

Essa crença, embora disseminada, está incorreta. Sem dúvida a variação na capacidade mental geral encontrada em dada ocupação é mais ampla na região inferior do espectro de ocupações do que no topo: há indivíduos de GMA elevada em ocupações de nível inferior, mas quase ninguém com GMA abaixo da média entre advogados, químicos ou engenheiros.[11] Logo, dessa perspectiva, a capacidade mental elevada é aparentemente uma condição necessária para o acesso a profissões de status elevado.

Entretanto, essa medida deixa de captar diferenças de realização *dentro* desses grupos. Mesmo entre o 1% superior de indivíduos medidos por capacidade cognitiva (avaliados à idade de treze anos), os resultados excepcionais estão fortemente correlacionados à GMA.[12] Comparado aos que se encontram no quartil inferior desse 1%, o quartil superior tem de duas a três vezes mais chance de fazer doutorado, publicar um livro ou obter uma concessão de patente. Em outras palavras, não é só a diferença de GMA entre o 99º percentil e o 80º ou 50º que importa, mas também — e muito! — a diferença entre o 99,88º percentil e o 99,13º.

Em outra ilustração surpreendente da relação entre capacidade e resultado, um estudo de 2013 focou nos CEOs das empresas da *Fortune* 500[13] e nos 414 bilionários americanos (os 0,0001% mais ricos). Ele descobriu, previsivelmente, que esses grupos hiperelitistas são compostos de pessoas intelectualmente mais capazes. Mas o estudo revelou também que, *dentro* desses grupos, melhor formação e níveis de capacidade estão relacionados à remuneração maior (para CEOs) e ao patrimônio líquido (para bilionários). A propósito, bilionários famosos que largaram a faculdade, como Steve Jobs, Bill Gates e Mark Zuckerberg, são as exceções que comprovam a regra: um terço dos adultos americanos tem superior completo, mas, entre os bilionários, a proporção é de 88%.

A conclusão é clara. A GMA contribui significativamente para a qualidade do desempenho em ocupações que requerem julgamento, mesmo dentro de uma população de indivíduos altamente capazes. A ideia de que há um limiar além do qual a GMA deixa de fazer diferença não é sustentada pelas evidências. Essa conclusão por sua vez sugere fortemente que, se os julgamentos profissionais não forem verificáveis, e supostamente estiverem mirando um centro de alvo invisível, o julgamento dos profissionais altamente capazes tem maior probabilidade de chegar perto dele. Quando precisamos de alguém para julgar, faz todo sentido escolher as pessoas com capacidade mental mais elevada.

Mas essa linha de raciocínio tem uma importante limitação. Como não podemos aplicar testes padronizados em todo mundo, temos de conjecturar quais são as pessoas de GMA mais elevada. E a GMA elevada melhora o desempenho em muitas frentes, incluindo a habilidade para convencer os outros de que se está com a razão. Pessoas de capacidade mental elevada têm mais chance não só de elaborar julgamentos melhores e serem especialistas genuínos como também de impressionar seus pares, conquistar a confiança dos outros e virar respeito-especialistas na ausência de qualquer feedback da realidade. Os astrólogos medievais deviam estar entre as pessoas de GMA mais elevada de sua época.

Deveria ser sensato depositar sua confiança em pessoas que parecem e soam inteligentes e que conseguem articular explicações convincentes para seus julgamentos, mas essa estratégia é insuficiente e pode sair pela culatra. Assim, de que outras maneiras podemos identificar especialistas reais? Pessoas com melhor capacidade de julgamento possuem outros traços reconhecíveis?

ESTILO COGNITIVO

Independentemente da capacidade mental, as pessoas diferem em seu *estilo cognitivo*, ou seja, no modo como abordam as tarefas do julgamento. Muitos instrumentos foram desenvolvidos para captar os estilos cognitivos. A maioria dessas medições está correlacionada à capacidade mental geral (e uma à outra), mas elas medem coisas diferentes.

Uma dessas medições é o *teste de reflexo cognitivo* (TRC), que o hoje onipresente problema da bola e do bastão de beisebol tornou famoso: "Um bastão e uma bola custam 1,10 no total. O bastão custa 1,00 a mais do que a bola. Quanto custa a bola?". Uma outra questão de TRC é a seguinte: "Numa corrida, se você passa o segundo colocado, em que lugar está?".[14] Questões de TRC tentam medir a probabilidade de que as pessoas rejeitem a primeira resposta (aliás, errada) que lhes vem à mente ("dez centavos" para o problema do bastão e da bola e "primeiro" para a questão da corrida). Pontuações baixas no teste de reflexo cognitivo estão associadas a inúmeros julgamentos e crenças do mundo real, incluindo fantasmas, astrologia e percepção extrassensorial.[15] A pontuação prevê a tendência da pessoa de cair em flagrantes fake news.[16] Está associada até à quantidade de tempo que usamos o celular.[17]

Para muitos, o teste de reflexo cognitivo serve como ferramenta para medir um conceito mais amplo: a propensão a usar um processo mental reflexivo em vez de impulsivo.[18] Em termos mais simples, diante de um mesmo problema alguns se inclinam pela reflexão cuidadosa, enquanto outros tendem a confiar em seus impulsos iniciais. Em nossa terminologia, o teste de reflexo cognitivo pode ser visto como uma medida da propensão humana a se basear no vagaroso Sistema 2 de pensamento, e não no rápido Sistema 1.

Outras autoavaliações foram desenvolvidas para medir essa propensão (e todos esses testes estão correlacionados, claro). A escala de necessidade de cognição,[19] por exemplo, indaga até que ponto a pessoa gosta de se concentrar em problemas. Para pontuar alto na escala, você teria de concordar que "Costumo estabelecer metas que só podem ser alcançadas com considerável esforço mental" e discordar de "Pensar não é comigo". Pessoas com elevada necessidade de cognição tendem a ser menos suscetíveis a vieses cognitivos conhecidos.[20] Algumas associações mais bizarras também foram relatadas: se você evita ler críticas de filmes com spoilers,[21] provavelmente sua necessidade de cognição é elevada; pessoas no extremo inferior da escala de necessidade de cognição não se incomodam em saber spoilers.

Como essa escala é uma autoavaliação e como a resposta socialmente desejável é mais ou menos óbvia, a escala levanta questões razoáveis. Alguém tentando impressionar dificilmente endossará a afirmação "Pensar não é comigo". Por essa razão, outros testes tentam medir habilidades, em vez de usar autodescrições.

Um exemplo é a escala de Competência de Tomada de Decisão Adulta,[22] que mede a tendência das pessoas a cometer erros de julgamento típicos, como superconfiança ou inconsistência nas percepções de risco. Outro é a Avaliação de Pensamento Crítico Halpern,[23] que foca nas habilidades de pensamento crítico, incluindo tanto predisposição para o pensamento racional como um conjunto de habilidades que podem ser aprendidas. Fazendo essa avaliação, você teria de responder a questões como: "Imagine que um amigo lhe pede um conselho sobre qual de dois programas de perda de peso escolher. Enquanto um programa promete que os clientes perdem em média onze quilos, o outro informa catorze quilos. Que questões você gostaria de ver respondidas antes de optar por um dos programas?". Se sua resposta, por exemplo, for que gostaria de saber quantas pessoas perderam essa quantidade de peso e se o mantiveram por um ano ou mais, marcaria pontos por empregar o pensamento crítico. Pessoas com boas pontuações na escala de Competência de Tomada de Decisão Adulta ou na avaliação Halpern parecem elaborar julgamentos melhores na vida real: elas sofrem menos eventos adversos motivados por más escolhas, como ter de pagar multas pelo atraso na devolução de algo ou enfrentar uma gravidez inesperada.

Parece razoável presumir que todas essas medidas de estilo e habilidade cognitivas — e muitas outras — preveem como será o julgamento de forma geral. Mas a relevância delas aparentemente varia conforme a tarefa. Quando Uriel Haran, Ilana Ritov e Barbara Mellers pesquisaram estilos cognitivos que pudessem prever capacidade prognosticadora,[24] constataram que a necessidade de cognição não predizia quem se esforçaria mais para buscar informações adicionais. E não constataram que a necessidade de cognição estivesse associada de forma confiável a desempenho mais elevado.

A única medida de estilo cognitivo ou personalidade que segundo eles prognosticava o desempenho em previsões era outra escala, desenvolvida pelo professor de psicologia Jonathan Baron para medir a "mentalidade ativamente receptiva"[25] — ou seja, ter mente aberta para buscar de forma deliberada informações que contradigam suas hipóteses preexistentes. Essas informações incluem as opiniões divergentes dos outros e a ponderação cuidadosa da nova evidência em relação às antigas crenças. Pessoas de mentalidade ativamente receptiva concordam com declarações como esta: "Deixar-se convencer por um argumento contrário é sinal de bom caráter". E discordam de afirmações como "mudar de ideia é sinal de fraqueza" ou "a intuição é o melhor guia para tomar decisões".

Em outras palavras, embora o reflexo cognitivo e a necessidade de pontuações cognitivas meçam a propensão a se engajar no pensamento lento e cuidadoso, a mentalidade ativamente receptiva vai além disso. Ela significa a humildade de alguém que está sempre ciente de que seu julgamento é um trabalho em andamento e que anseia por ser corrigido. Veremos no capítulo 21 que esse estilo de pensamento caracteriza os melhores previsores, que mudam de ideia constantemente e reveem suas crenças em resposta a informações novas. Há evidências de que a mentalidade ativamente receptiva é uma habilidade que pode ser aprendida, o que é bastante interessante.[26]

Não pretendemos aqui delinear conclusões rígidas sobre como escolher indivíduos que façam bons julgamentos em dado domínio. Mas dois princípios gerais emergem dessa breve recapitulação. Primeiro, convém perceber a diferença entre áreas em que a autoridade no assunto pode ser confirmada pela comparação com valores reais (como a previsão do tempo) e áreas que são domínio dos respeito-especialistas. Um comentarista político pode soar articulado e convincente e um mestre enxadrista pode parecer medroso e incapaz de explicar o raciocínio por trás de alguns de seus movimentos. No entanto, provavelmente devemos receber o julgamento profissional do primeiro com mais ceticismo do que do segundo.

Segundo, alguns juízes serão melhores do que seus pares igualmente qualificados e experientes. Se forem melhores, haverá menos chance de serem enviesados ou ruidosos. Entre os diversos fatores que explicam essas diferenças, inteligência e estilo cognitivo são importantes. Embora nenhuma medida ou escala isoladas prevejam a qualidade do julgamento de maneira inequívoca, devemos procurar o tipo de pessoa que busca ativamente informações novas capazes de contradizer suas crenças prévias, que é metódica em integrar essas informações a sua perspectiva atual e que está disposta e até ansiosa a mudar de ideia em consequência disso.

A personalidade de pessoas com julgamento excelente pode não se adaptar ao estereótipo em geral aceito do líder decidido. Tendemos a acreditar e a gostar de líderes firmes e claros que parecem saber, de imediato e com profunda convicção, o que é certo. Tais líderes inspiram confiança. Mas a evidência sugere que, se o objetivo é reduzir o erro, seria melhor para o líder (e para qualquer um) permanecer aberto a contra-argumentos e imaginar que pode estar enganado. Se ele acaba se mostrando decidido, é no fim de um processo, não no começo.

FALANDO DE JUÍZES MELHORES

"Você é um especialista. Mas seus julgamentos são verificáveis ou você é um respeito-especialista?"

"Temos de escolher entre as opiniões de duas pessoas e não sabemos nada sobre o conhecimento e as credenciais delas. Vamos seguir o conselho da que se mostrar mais inteligente."

"A inteligência é apenas parte do problema. *Como* pensamos também é importante. Talvez devêssemos escolher a pessoa mais reflexiva e receptiva, e não a mais inteligente."

19. Desenviesamento e higiene da decisão

Muitos pesquisadores e organizações têm por meta o desenviesamento do julgamento. Este capítulo se detém nos principais resultados.[1] Distinguiremos entre os diferentes tipos de intervenções de desenviesamento e discutiremos uma que merece maior investigação. Depois, examinaremos a redução do ruído e introduziremos a ideia de higiene da decisão.

DESENVIESAMENTO EX POST E EX ANTE

Uma boa maneira de caracterizar as duas principais abordagens ao desenviesamento é voltar à analogia das medições. Suponha que a balança em seu banheiro acrescenta, em média, duzentos gramas a seu peso. A imprecisão da balança é um viés. Mas isso não a torna inútil. Podemos lidar com esse viés de uma ou duas formas. Podemos corrigir a balança perversa subtraindo duzentos gramas da leitura. Sem dúvida, isso seria um pouco chato (e você pode esquecer de fazer). Uma alternativa seria ajustar o instrumento e melhorar de uma vez por todas sua precisão.

Essas duas abordagens a medidas de desenviesamento possuem análogos diretos em intervenções de desenviesamento de julgamentos. Elas operam de duas formas: ex post, corrigindo o julgamento após ser emitido, ou ex ante, intervindo antes de um julgamento ou decisão.

O desenviesamento ex post, ou corretivo, é com frequência realizado intuitivamente. Suponha que você esteja supervisionando um projeto e sua equipe estime que conseguirá completá-lo em três meses. Por segurança, você acrescenta um mês ou mais a essa avaliação do prazo, corrigindo assim um viés (a falácia de planejamento) que supõe haver.

Por vezes, esse tipo de correção de viés é empreendido mais sistematicamente. No Reino Unido, o Tesouro de Sua Majestade publica um guia sobre como avaliar programas e projetos chamado *The Green Book*.[2] O livro exorta planejadores a lidar com vieses otimistas aplicando ajustes de porcentagem às estimativas de custo e duração de um projeto. Esses ajustes devem em termos ideais se basear nos níveis históricos de viés de otimismo em uma organização. Se não houver disponibilidade desses dados, o *Green Book* recomenda aplicar porcentagens de ajuste genérico para cada tipo de projeto.

Por sua vez, intervenções de desenviesamento ex ante, ou preventivas, recaem em duas categorias amplas. As mais promissoras são concebidas para modificar o ambiente onde tem lugar o julgamento ou a decisão. Tais modificações, ou *nudges*,[3] como são conhecidas, visam reduzir o efeito dos vieses ou até recorrer a eles para produzir uma decisão melhor. Um exemplo simples é a inscrição automática em um plano de aposentadoria. Pensada para superar a inércia, a procrastinação e o viés otimista, a inscrição automática assegura que o funcionário guarde dinheiro para a aposentadoria, a menos que opte deliberadamente pela não contribuição. A inscrição automática se revelou extremamente eficaz para as taxas de participação. O programa pode ser acompanhado por planos Save More Tomorrow [economize mais amanhã], em que os funcionários concordam em reservar determinada porcentagem de seus futuros aumentos salariais em um fundo de pensão. A inscrição automática pode ser usada em muitos lugares — por exemplo, na energia verde, na distribuição de merenda gratuita para alunos carentes ou em vários outros programas benéficos.

Outros nudges operam em diferentes aspectos da arquitetura da escolha. Eles podem facilitar a tomada de decisão acertada — por exemplo, reduzindo os encargos administrativos da obtenção de atendimento médico para problemas de saúde mental. Ou salientar determinadas características de um produto ou atividade — por exemplo, explicitando e esclarecendo taxas ocultas. Supermercados e sites podem facilmente ser pensados para proporcionar às pessoas o nudge necessário para dominar seus vieses. Se os alimentos saudáveis forem colocados em lugares proeminentes, mais pessoas tenderão a comprá-los.

Um tipo diferente de desenviesamento ex ante envolve treinar o tomador de decisão para reconhecer seus vieses e dominá-los. Algumas dessas intervenções são chamadas de boosting [incremento];[4] elas pretendem melhorar as capacidades pessoais — por exemplo, com um domínio básico de estatística.

Instruir as pessoas a superar seus vieses é uma iniciativa louvável, porém apresenta mais desafios do que parece. Claro que a educação é útil.[5] Por exemplo, quem estudou estatística avançada por vários anos tem menos chance de cometer erros em raciocínio estatístico. Mas ensinar alguém a evitar vieses é difícil. Décadas de pesquisa mostram que profissionais que aprendem a evitar vieses em sua área de conhecimento com frequência têm dificuldade em aplicar o que aprenderam a outras áreas. Os meteorologistas, por exemplo, aprendem a evitar a superconfiança. Quando anunciam uma possibilidade de chuva de 70%, de fato chove, na maior parte, em 70% do tempo. Contudo, eles podem se revelar tão superconfiantes quanto qualquer um ao responder a perguntas de interesse geral.[6] O desafio de aprender a dominar um viés é reconhecer que um novo problema é similar a outro que vimos em algum lugar e que o viés que notamos em um lugar tende a se materializar em outros.

Pesquisadores e educadores obtiveram algum sucesso valendo-se de métodos de ensino menos tradicionais para facilitar esse reconhecimento. Em um estudo, Carey Morewedge e seus colegas da Universidade de Boston usaram vídeos instrucionais e "jogos sérios". Os participantes aprendiam a reconhecer os erros causados por viés de confirmação, ancoragem e outros vieses. Depois de cada jogo, recebiam feedback dos erros cometidos e aprendiam a evitá--los. Os jogos (e, em menor extensão, os vídeos) reduziram a quantidade de erros cometidos pelos participantes em um teste feito imediatamente depois e repetido oito semanas mais tarde,[7] quando responderam a questões similares. Em um estudo separado, Anne-Laure Sellier e seus colegas descobriram que alunos de administração treinados em um videogame instrutivo em que aprendiam a dominar o viés de confirmação aplicaram esse conhecimento[8] para resolver um caso de negócios em outra aula. E fizeram isso sem que ninguém lhes dissesse se havia alguma conexão entre os dois exercícios.

UMA LIMITAÇÃO NO DESENVIESAMENTO

Seja corrigindo vieses ex post, seja prevenindo seus efeitos por meio de nudge e boosting, a maioria das abordagens de desenviesamento tem uma coisa em comum: visa um viés específico que se presume estar presente. Esse pressuposto tão razoável às vezes está errado.

Considere mais uma vez o exemplo do planejamento de projeto. Podemos presumir razoavelmente que a superconfiança afeta as equipes de projeto em geral, mas não dá para ter certeza de que seja o único viés (nem mesmo o principal) a fazer isso. Talvez o líder da equipe tenha sofrido uma experiência ruim com um projeto similar e aprendido a ser particularmente conservador em suas estimativas. A equipe assim comete o erro oposto ao que se imaginava que deveria ser corrigido. Ou talvez ela tenha desenvolvido sua previsão por analogia a outro projeto similar e ficou ancorada no tempo que levou para completá-lo. Ou talvez, ainda, antecipando que por segurança você acrescentaria algum tempo a suas estimativas, tenha feito recomendações ainda mais otimistas do que de fato acreditava.

Ou considere uma decisão de investimento. A superconfiança quanto às perspectivas do investimento certamente pode estar em operação, mas outro viés poderoso, a aversão à perda, tem o efeito oposto, fazendo o tomador de decisão repudiar o risco de perder sua quantia inicial. Ou considere uma empresa alocando recursos em múltiplos projetos. O tomador de decisão pode se revelar tanto otimista acerca do efeito de novas iniciativas (superconfiança novamente) como excessivamente tímido em tirar recursos das unidades existentes (um problema causado pelo viés de statu quo, que, como o nome indica, constitui nossa predileção por deixar tudo como está).

Como esses exemplos ilustram, é difícil saber ao certo quais vieses psicológicos estão afetando o julgamento. Em qualquer situação de alguma complexidade, múltiplos vieses psicológicos podem estar em operação, conspirando para acrescentar erros na mesma direção ou contrabalançando uns aos outros, com consequências imprevisíveis.

No fim das contas, o desenviesamento ex post ou ex ante — que, respectivamente, corrige ou previne vieses específicos — é útil em algumas situações. Essas abordagens funcionam quando a direção geral do erro é conhecida e se manifesta como um claro viés estatístico. A maioria das classes de decisões conhecidas por apresentar viés estatístico deveria tirar proveito de intervenções desenviesadoras. Por exemplo, a falácia de planejamento é um resultado suficientemente robusto para exigir intervenções desenviesadoras contra planejamentos superconfiantes.

O problema é que, em muitas situações, não se conhece de antemão a direção provável do erro. Tais situações incluem todas aquelas em que o efeito dos vieses psicológicos é variável entre juízes e, essencialmente, imprevisível — resultando em ruído de sistema. Para reduzir o erro sob tais circunstâncias, precisamos lançar uma rede maior e tentar detectar mais de um viés psicológico por vez.

O OBSERVADOR DE DECISÃO

A procura por vieses deve ocorrer não antes ou depois da decisão, mas conforme ela é tomada. Claro que as pessoas raras vezes têm consciência de seus vieses quando estão sendo tapeadas por eles. Essa cegueira é em si um viés conhecido, o *viés de ponto cego*.[9] Com frequência reconhecemos os vieses com mais facilidade nos outros do que em nós mesmos. Assim, um observador pode ser treinado para detectar, em tempo real, os sinais diagnósticos de que um ou mais vieses familiares estão afetando as decisões ou recomendações dos tomadores de decisão.

Para ilustrar como o processo funciona, imagine um julgamento complexo e importante sendo elaborado em grupo, na área que for: um governo deliberando sobre o combate a uma pandemia ou outra crise; uma equipe médica tentando determinar o melhor tratamento para um paciente com sintomas graves; diretores de empresa decidindo sobre uma importante ação estratégica. Agora imagine um *observador de decisão*, alguém que vai acompanhar o grupo e usar um checklist para diagnosticar eventuais vieses que nos desviam do melhor julgamento possível.

O papel de observador de decisão não é dos mais fáceis, e, sem dúvida, em algumas organizações a ideia não é realista. Detectar os vieses é inútil se os tomadores de decisão finais não se comprometem a combatê-los. Na verdade, são os tomadores de decisão que precisam dar início ao processo e apoiar o observador de decisão. Mas é um papel que não recomendamos a ninguém. Você certamente não vai fazer amigos nem influenciar pessoas.

Mas sabemos por experiência que a abordagem resulta em progresso real. No mínimo, ela é útil sob as condições certas, principalmente quando os líderes da organização ou da equipe estão de fato comprometidos com o esforço, e quando os observadores de decisão são bem escolhidos — e não suscetíveis eles mesmos a sérios vieses.

Os observadores de decisão recaem em três categorias. Em uma organização, o papel pode ser desempenhado por um supervisor. Em vez de se ater ao conteúdo das propostas submetidas à equipe de projeto, ele também monitora de perto tanto o *processo* pelo qual são desenvolvidas como a dinâmica da equipe. Isso alerta o observador para vieses que afetam o desenvolvimento da proposta.[10] Em outra, podemos designar um "caça-vieses" em cada uma das equipes: esse guardião do processo decisório lembra os colegas em tempo real dos vieses que podem induzi-los a erro. A desvantagem dessa abordagem é que o observador de decisão fica na posição de advogado do diabo dentro da equipe e talvez esgote rapidamente seu capital político. Finalmente, outras organizações poderiam recorrer a um facilitador externo, que traz a vantagem de uma perspectiva neutra (e desvantagens implícitas em termos de conhecimento interno e custos).

Para funcionar, o observador de decisão necessita de treinamento e ferramentas. A primeira delas é um checklist dos vieses que queremos detectar. As razões para nos basearmos nessa estratégia são claras: listas de verificação são notórias[11] por melhorar a decisão em contextos em que há muita coisa em jogo e particularmente indicadas para impedir a repetição de erros passados.

Eis um exemplo. Nos Estados Unidos, as agências federais devem compilar uma análise formal de impacto regulatório antes de aprovarem leis onerosas destinadas a limpar o ar ou a água, reduzir os acidentes fatais no local de trabalho, ampliar a segurança alimentar, responder a crises de saúde pública, diminuir as emissões de gases do efeito estufa ou aumentar a segurança doméstica. Um denso documento técnico de nome estranho (OMB Circular A-4), que se estende por quase cinquenta páginas, discrimina os requisitos da análise. Eles são claramente pensados para neutralizar o viés. As agências devem explicar por que a regulamentação é necessária, considerar alternativas mais e menos rigorosas, pesar custos e benefícios, apresentar a informação com imparcialidade e descontar devidamente o futuro. Mas, em muitas agências, os funcionários não seguiam os requisitos do grosso documento. (É possível que nem o tenham lido.) Com isso, o governo criou um checklist simples,[12] em uma página e meia, para reduzir o risco de que as agências ignorem ou deixem de atender qualquer um dos principais requisitos.

Para uma ilustração de como elas podem ser, fizemos o apêndice B.[13] Esse checklist genérico é apenas um exemplo; o observador de decisão certamente vai querer desenvolver uma feita sob medida para as necessidades de sua organização, tanto de modo a ressaltar sua relevância como para facilitar sua adoção.[14] Tenha em mente que um checklist não é uma relação exaustiva de todos os vieses capazes de afetar uma decisão; seu objetivo é focar nos mais frequentes e importantes.

A observação da decisão com um checklist adequado ajudará a limitar o efeito dos vieses. Embora tenhamos testemunhado resultados encorajadores em tentativas informais em pequena escala, não sabemos de nenhuma exploração sistemática dos efeitos dessa abordagem ou dos prós e contras das várias maneiras de empregá-la. Esperamos inspirar mais experimentação na prática do desenviesamento em tempo real do observador de decisão, não só entre pesquisadores como também entre profissionais das mais diversas áreas.

REDUÇÃO DE RUÍDO: HIGIENE DA DECISÃO

O viés é um erro que normalmente podemos ver e até explicar. Ele é direcional: por isso um nudge limita os efeitos prejudiciais de um viés ou a tentativa de aperfeiçoar o julgamento combate vieses específicos. E normalmente também é visível: por isso o observador espera diagnosticar vieses em tempo real conforme a decisão é tomada.

Ruído, por outro lado, é o erro imprevisível que não podemos perceber ou explicar facilmente. Por isso, em geral o negligenciamos — mesmo quando causa graves danos. Por essa razão, as estratégias de redução de ruído estão para o desenviesamento como as medidas profiláticas estão para o tratamento médico: o objetivo é a prevenção contra uma gama inespecífica de potenciais problemas antes que ocorram.

Chamamos essa abordagem para a redução de ruído de *higiene da decisão*. Quando você lava as mãos, não sabe precisamente quais micróbios está evitando

— sabe apenas que fazer isso é uma boa prevenção contra uma variedade de germes (principalmente, mas não apenas, durante uma pandemia). De modo similar, seguir os princípios da higiene da decisão significa adotar técnicas redutoras de ruído sem conhecer os erros subjacentes que ela ajuda a evitar.

A analogia com lavar as mãos é intencional. Medidas de higiene podem ser tediosas. Seus benefícios não são diretamente visíveis; você talvez nunca saiba qual problema foi prevenido. Quando um problema surge, pode ser impossível determinar se foi ocasionado por uma falha específica na observância da higiene. Por esse motivo, é difícil fazer as pessoas se lembrarem de lavar as mãos, mesmo entre profissionais da saúde, que devem ter ainda mais consciência dessa importância.

Assim como lavar as mãos e outras formas de prevenção, a higiene da decisão é inestimável mas ingrata. Corrigir um viés bem identificado pode ao menos lhe proporcionar uma sensação tangível de ter conseguido algo. Mas os procedimentos que reduzem o ruído não farão isso. Estatisticamente, prevenirão muitos erros. Só que você nunca vai saber *quais*. O ruído é um inimigo invisível, e impedir o ataque de um inimigo invisível resulta numa vitória igualmente invisível.

Haja vista quanto estrago o ruído pode causar, até mesmo essa vitória invisível faz a batalha valer a pena. Os capítulos seguintes introduzem diversas estratégias de higiene da decisão usadas em múltiplas áreas, incluindo ciência forense, previsões especializadas, medicina e recursos humanos. No capítulo 25, repassamos essas estratégias e mostramos como podem ser combinadas a uma abordagem integrada da redução de ruído.

FALANDO DE DESENVIESAMENTO E HIGIENE DA DECISÃO

"Você sabe qual viés específico está combatendo e em que direção ele afeta o resultado? Se não sabe, provavelmente há diversos vieses em ação, e fica difícil prever qual será o predominante."

"Antes de começarmos a discutir, vamos nomear um observador de decisão."

"Mantivemos uma boa higiene da decisão nesse processo; muito provavelmente, tomaremos a melhor decisão possível."

20. Sequenciando informações na ciência forense

Em março de 2004, uma série de bombas deixadas em trens intermunicipais matou 192 pessoas e feriu mais de 2 mil em Madri. Uma impressão digital encontrada em um saco plástico na cena do crime foi transmitida pela Interpol para agências de segurança do mundo todo. Dias depois, o laboratório criminal do FBI identificou conclusivamente a impressão digital como pertencente a Brandon Mayfield, um americano do Oregon.

Mayfield parecia um suspeito plausível. Ex-oficial do Exército, casara-se com uma egípcia e se convertera ao islã. Como advogado, representara homens acusados (e posteriormente condenados) de tentar viajar para o Afeganistão para se juntar ao Talibã. Ele integrava a lista de observação do FBI.

Mayfield passou a ser vigiado, sua casa foi grampeada e revistada, puseram escuta em seus telefones. Embora esse escrutínio não resultasse em nenhuma informação concreta, o FBI o prendeu. Mas Mayfield nunca foi formalmente acusado. Ele não deixava o país havia uma década. Enquanto permanecia detido, os investigadores espanhóis, que já haviam informado o FBI de que a impressão no saco plástico não batia com a de Mayfield, compararam-na com a impressão de outro suspeito.

Mayfield foi liberado após duas semanas. No fim, o governo americano se desculpou, fez um acordo de 2 milhões de dólares na justiça e determinou uma extensa investigação sobre as causas do engano. Seu principal resultado: "O erro foi causado por uma falha humana, não de metodologia ou tecnologia".[1]

Felizmente, esses erros humanos são raros. Mesmo assim, são instrutivos. Como era possível que os maiores especialistas dos Estados Unidos identificassem erroneamente uma digital como pertencendo a um homem que nunca estivera próximo da cena do crime? Para descobrir, precisamos primeiro compreender como funciona o exame de impressões digitais e como ele se relaciona a outros exemplos de julgamento profissional. Perceberemos que a análise de impressões digitais, que tendemos a ver como uma ciência exata, na verdade está sujeita aos vieses psicológicos dos examinadores forenses. Esses vieses podem gerar mais ruído e, assim, mais erro do que imaginamos. E veremos como a comunidade da ciência forense tomou medidas para lidar com esse problema implementando uma estratégia de higiene da decisão a ser aplicada em qualquer ambiente: um controle estrito do fluxo de informações usado para elaborar julgamentos.

IMPRESSÕES DIGITAIS

Impressões digitais são as marcas deixadas pelas papilas dos dedos nas superfícies que tocamos. Embora haja registro da utilização de digitais como marcas aparentes de identificação em tempos antigos, seu estudo moderno remonta ao fim do século XIX, quando Henry Faulds, um médico escocês, publicou o primeiro artigo científico sugerindo seu uso como técnica de identificação.

Em décadas subsequentes, as impressões digitais ganharam força como marcas de identificação nos registros criminais, gradualmente substituindo as técnicas de medida antropométrica desenvolvidas por Alphonse Bertillon, um policial francês. O próprio Bertillon sistematizou, em 1912, um método formal para a comparação de impressões digitais. Sir Francis Galton, o supramencionado descobridor da sabedoria das multidões, desenvolveu um sistema similar na Inglaterra. (Mesmo assim, não admira que esses pioneiros raramente sejam celebrados. Galton acreditava que as impressões digitais seriam uma ferramenta útil para classificar os indivíduos pela raça e Bertillon, um antissemita fanático, teve participação decisiva — e falaciosa — nos julgamentos de Alfred Dreyfus em 1894 e 1899, quando depôs como perito.)

A polícia não demorou a descobrir que as impressões digitais poderiam fazer mais do que servir como marcas de identificação de criminosos reincidentes.

Em 1892, Juan Vucetich, um policial argentino, foi o primeiro a comparar a impressão digital latente encontrada numa cena de crime com o polegar de um suspeito. Desde então, a prática de coletar *digitais latentes* (deixadas pelo autor na cena do crime) e compará-las a *digitais exemplares* (coletadas de indivíduos conhecidos em condições controladas) passou a ser a aplicação mais decisiva da análise de impressões digitais e propiciou a forma de prova forense mais amplamente utilizada.

Se você já viu de perto um leitor eletrônico de digitais (como os utilizados pelos serviços de imigração em muitos países), provavelmente pensa na comparação de impressões como uma tarefa inequívoca, mecânica e facilmente automatizada. Mas comparar uma impressão latente colhida na cena do crime a uma impressão exemplar é um exercício muito mais delicado do que comparar duas impressões claras. Quando pressionamos o dedo com firmeza no leitor construído para gravar uma impressão digital, a imagem gerada é limpa e padronizada. Impressões latentes, por sua vez, em geral são parciais, confusas, borradas ou corrompidas de algum modo; elas não oferecem a mesma quantidade e qualidade de informações da impressão digital obtida em um ambiente controlado e especializado. Impressões latentes muitas vezes estão sobrepostas a outras, do mesmo indivíduo ou de algum outro, e incluem de sujeira a outros elementos da superfície. Decidir se combinam com a impressão exemplar de um suspeito exige o julgamento de um especialista. Esse é o trabalho dos examinadores humanos.

Quando recebe uma impressão latente, o examinador costuma seguir um processo chamado ACE-V, sigla em inglês para análise, comparação, avaliação e verificação. Primeiro, deve analisar a impressão latente para determinar se é suficientemente válida para comparação. Em caso afirmativo, ela é confrontada com uma impressão exemplar. A comparação leva à avaliação, que pode produzir uma *identificação* (as impressões se originam da mesma pessoa), uma *exclusão* (as impressões não se originam da mesma pessoa) ou um resultado inconclusivo. A decisão pela identificação enseja o quarto passo: a análise de outro examinador.

Por décadas, a confiabilidade desse procedimento permaneceu inquestionável. Enquanto o depoimento de testemunhas oculares se mostrava pouco confiável e até confissões podiam ser falsas, as impressões digitais eram admitidas — pelo menos até a chegada da análise de DNA — como a forma mais fidedigna de prova. Até 2002, impressões digitais nunca foram desafiadas com sucesso em um tribunal americano. O site do FBI na época, por exemplo, era categórico: "A impressão digital oferece um meio *infalível* de identificação pessoal".[2] Nos raríssimos casos em que ocorriam erros, eram atribuídos a incompetência ou fraude.

A impressão digital como prova permaneceu incontestada por tanto tempo em parte devido à dificuldade em demonstrar que estava errada. O valor real de um conjunto de impressões digitais, ou seja, a informação direta sobre quem cometeu de fato o crime, muitas vezes é desconhecido. No caso de Mayfield e em um punhado de outros, o erro foi particularmente gritante. Mas, em geral, se um suspeito questiona as conclusões do examinador, a prova da impressão digital será, é claro, considerada mais confiável.

Como observamos, não saber o valor real não é incomum nem é um impedimento para medir o ruído. Quanto ruído ocorre na análise de impressões digitais? Ou, mais precisamente, considerando que papiloscopistas, ao contrário de juízes federais ou corretores de seguro, não chegam a um número, mas fazem um julgamento categórico, com que frequência discordam, e por quê? Itiel Dror, pesquisador de neurociência cognitiva do University College London, foi o primeiro a estudar essa questão. Ele realizou o correspondente a uma série de auditorias de ruído numa especialidade que se julgava ela mesma livre do problema.

O RUÍDO DE OCASIÃO NA ANÁLISE DE IMPRESSÕES DIGITAIS

Pode parecer estranho um cientista — psicólogo — cognitivo questionar examinadores de impressões digitais. Afinal, como você já deve ter visto em *CSI* e em seriados posteriores da franquia, os investigadores forenses, com suas luvas de látex e seus microscópios, não brincam em serviço. Mas Dror percebeu que o exame de digitais era claramente uma questão de julgamento. E, como neurocientista cognitivo, raciocinou que, onde há julgamento, deve haver ruído.

Para testar essa hipótese, ele se concentrou primeiro no ruído de ocasião: a variabilidade entre julgamentos dos *mesmos* especialistas examinando uma *mesma* prova duas vezes. Nas palavras de Dror: "Se os especialistas não são confiáveis, no sentido de não serem consistentes consigo mesmos, o embasamento de seus julgamentos e profissionalismo está em questão".[3]

Impressões digitais proporcionam uma plataforma de teste perfeita para uma auditoria do ruído de ocasião, pois, ao contrário dos casos que um médico ou juiz avalia, pares de impressões não são memorizados com facilidade. Certamente, um intervalo de tempo adequado deve ser observado para assegurar que o examinador não se lembre das impressões. Além disso, o experimento deve acontecer durante a rotina de trabalho dos especialistas, de modo a não saberem que suas habilidades estão sendo testadas. (Nos estudos de Dror, alguns especialistas corajosos e ativamente receptivos aceitaram participar *por um período de cinco anos* desse tipo de experimento.) Se nessas circunstâncias o parecer do examinador muda de um teste para outro, estamos diante de ruído de ocasião.

O VIÉS DE CONFIRMAÇÃO FORENSE

Em dois de seus estudos originais, Dror acrescentou um importante detalhe. Ao ver as impressões pela segunda vez, alguns examinadores eram expostos a informações extras sobre o caso, destinadas a criar viés. Por exemplo, se na primeira vez o examinador julgara que o par de impressões batia, era informado na segunda de que "o suspeito tem um álibi" ou "a análise da arma de fogo sugere que não é ele". Se na primeira vez o examinador concluíra que o suspeito era inocente ou que as impressões eram inconclusivas, na segunda era informado de que "o detetive acredita que o suspeito é culpado", "testemunhas oculares o identificaram" ou "ele confessou o crime". Dror chamou esse experimento de um teste da "viesibilidade" dos especialistas, porque a informação contextual fornecida acionava um viés psicológico (viés de confirmação) em dada direção.

De fato, os examinadores se mostraram suscetíveis a viés. Quando os mesmos examinadores analisaram as mesmas impressões digitais de antes sem informações enviesantes, seus julgamentos mudaram. No primeiro estudo,[4] quatro de cinco especialistas alteraram sua decisão de identificação quando apresentados a informações contextuais fortes que sugeriam uma exclusão. No segundo,[5] seis especialistas revisaram quatro pares de impressões; as informações enviesantes levaram a uma mudança em quatro das 24 decisões.

A maioria permaneceu igual, claro, mas nesse tipo de decisão uma mudança em seis já poderia ser considerada grande. Esses resultados foram depois reproduzidos por outros pesquisadores.

Previsivelmente, os examinadores mostraram maior tendência a mudar de ideia quando a decisão já era difícil, quando as informações enviesantes era forte e quando a mudança era de uma decisão conclusiva para uma inconclusiva. No entanto, é preocupante que "examinadores especialistas em impressão digital tomem decisões com base no contexto, e não nas informações contidas na impressão".[6]

O efeito de informações enviesantes não se restringe à decisão do examinador (identificação, inconclusiva ou exclusão). Informações enviesantes na verdade mudam o *que* o examinador percebe, além de *como* essa percepção é interpretada. Em um estudo separado,[7] Dror e seus colegas demonstraram que papiloscopistas expostos ao contexto enviesado literalmente não enxergam as mesmas coisas que os demais. Quando a impressão latente vem acompanhada de uma impressão exemplar para confronto, os papiloscopistas observam significativamente menos *minúcias* (esse é o termo técnico) do que o fazem examinando apenas a impressão latente. Um estudo posterior, independente,[8] confirmou essa conclusão e acrescentou: "Como [isso] ocorre não fica óbvio".

Dror cunhou um termo para o impacto das informações enviesantes: o *viés de confirmação forense*. Esse viés foi desde então documentado com outras técnicas forenses, incluindo análise de padrão sanguíneo, investigação de incêndio criminoso, antropologia e patologia forenses. Até a análise de DNA[9] — tida amplamente como o novo padrão-ouro da ciência forense — pode ser suscetível ao viés de confirmação, pelo menos quando os especialistas precisam analisar misturas de DNA complexas.

A suscetibilidade dos especialistas forenses ao viés de confirmação não é apenas uma preocupação teórica, porque, na realidade, não há precauções sistemáticas adotadas para assegurar que os especialistas forenses não sejam expostos a informações enviesantes. Os examinadores muitas vezes recebem tais informações nos relatórios que acompanham a evidência submetida a eles.[10] Muitas vezes também têm em comunicação direta com a polícia, os promotores e outros examinadores.

O viés de confirmação toca em outro problema. Uma importante salvaguarda contra erros, incluída no procedimento ACE-V, é a verificação independente por outro especialista antes que uma identificação possa ser confirmada. Mas, com mais frequência, apenas identificações são verificadas de forma independente. O resultado é um forte risco de viés de confirmação, já que o examinador que faz a verificação sabe que a conclusão inicial era uma identificação.[11] Assim, o passo da verificação não proporciona o benefício esperado da agregação de julgamentos independentes, porque as verificações não são, de fato, independentes.

Uma enxurrada de vieses de confirmação parece ter se operado no caso Mayfield, em que não dois, mas três especialistas do FBI concordaram com a identificação incorreta. Como notou uma subsequente investigação do erro,[12] o primeiro examinador parece ter se impressionado com "o poder da correlação" do sistema automático de busca nos bancos de dados de impressões digitais para comparação. Embora aparentemente não tenha sido exposto aos detalhes biográficos de Mayfield, os resultados fornecidos pelo sistema computadorizado que realizou a busca inicial, "combinados à pressão inerente de trabalhar num caso de extrema visibilidade pública", foram suficientes para produzir o viés de confirmação inicial. Depois que o primeiro examinador fez uma identificação incorreta, continua o relatório, "os exames subsequentes foram contaminados". Como o primeiro examinador era um supervisor altamente respeitado, "ficou cada vez mais difícil para outros na agência discordarem". O erro inicial foi reproduzido e amplificado, resultando em uma quase certeza da culpa de Mayfield. De forma reveladora, até um especialista independente altamente respeitado,[13] designado pelo tribunal para examinar a evidência em prol da defesa, concordou com o FBI e confirmou a identificação.

O mesmo fenômeno pode estar em operação em outras disciplinas forenses e em todas elas. A identificação de impressões latentes é considerada uma das disciplinas forenses mais objetivas. Se papiloscopistas podem ser enviesados, especialistas em outras áreas também podem. Além do mais, se o especialista em armas de fogo sabe que as impressões digitais combinam, esse fato pode enviesar seu julgamento também. E se o odontologista forense sabe que a análise de DNA identificou um suspeito, provavelmente mostrará menor inclinação por sugerir que as marcas de mordida não correspondem à arcada do suspeito. O espectro das cascatas de viés[14] assoma nesses exemplos: assim como nas decisões em grupo que descrevemos no capítulo 8, um erro inicial motivado pelo viés de confirmação torna-se a informação enviesante que influencia um segundo especialista, cujos vieses de julgamento influenciam um terceiro, e assim por diante.

Tendo determinado que informações enviesantes geram variabilidade, Dror e seus colegas revelaram mais indícios de ruído de ocasião. Mesmo quando os papiloscopistas não são expostos a informações enviesantes, eles às vezes mudam de ideia[15] sobre um conjunto de impressões que examinaram antes. Como esperávamos, as mudanças são menos frequentes quando não são fornecidas informações enviesantes, mas de um modo ou de outro elas acontecem. Um estudo de 2012[16] encomendado pelo FBI reproduziu esse resultado em uma escala maior pedindo a 72 papiloscopistas para reexaminar 25 pares de impressões avaliados cinco meses antes. Com ampla amostragem de examinadores altamente qualificados, o estudo confirmou que os papiloscopistas às vezes são suscetíveis ao ruído de ocasião. Cerca de uma em cada dez decisões foi alterada. A maioria das mudanças consistiu em escolher ou rejeitar a categoria inconclusiva e nenhuma resultou em falsas identificações. A implicação mais preocupante do estudo é que algumas identificações de digitais que levaram a condenações poderiam ter sido julgadas inconclusivas em outra circunstância. Quando os mesmos examinadores olham para as mesmas impressões, ainda que o contexto tenha sido concebido não para enviesá-los, mas de modo a ser o mais constante possível, há inconsistência em suas decisões.

UM POUCO DE RUÍDO, MAS QUANTO ERRO?

A questão prática levantada por esses resultados é a possibilidade de erros judiciais. Não podemos ignorar as questões sobre a confiabilidade dos peritos que testemunham no tribunal: validade exige confiabilidade porque, pura e simplesmente, é difícil concordar com a realidade quando não se consegue concordar consigo mesmo.

Quantos erros exatamente são causados por falhas da ciência forense? Uma revisão de 350 exonerações obtida pelo Innocence Project,[17] organização sem fins lucrativos dedicada a reverter condenações injustas, concluiu que a má aplicação da ciência forense foi um fator de contribuição em 45% dos casos. Essa estatística parece ruim, mas a questão que interessa a juízes e jurados é diferente: para saber quanta confiança deveriam ter no examinador que está sentado no banco das testemunhas, precisam saber qual é a probabilidade de que cientistas forenses, incluindo papiloscopistas, cometam erros importantes.

O conjunto mais robusto de respostas a essa questão pode ser encontrado em um relatório do Conselho Presidencial de Consultores em Ciência e Tecnologia (PCAST), grupo de consultoria com importantes cientistas e engenheiros americanos que, em 2016, produziu uma revisão detalhada[18] da ciência forense nos tribunais criminais. O relatório resume os indícios existentes da validade da análise de impressões digitais e especialmente sobre a probabilidade de identificações errôneas (falsos positivos), como no caso envolvendo Mayfield.

Esses indícios são surpreendentemente escassos e, como observa o PCAST, é "preocupante" que o trabalho para os produzir tenha começado apenas recentemente. Os dados mais confiáveis vêm do único estudo em larga escala[19] publicado sobre a precisão da identificação de impressões digitais, conduzido pelos próprios cientistas do FBI em 2011. O estudo envolveu 169 examinadores, cada um comparando aproximadamente cem pares de impressões latentes e exemplares. Sua principal descoberta foi que ocorriam pouquíssimas identificações incorretas: a taxa de falsos positivos foi de cerca de um em seiscentos.

Uma taxa de erro de um em seiscentos é baixa, mas, como observou o relatório, é "*muito mais elevada* do que o público geral (e, por extensão, a maioria dos jurados) estaria inclinado a acreditar com base nas alegações persistentes sobre a precisão da análise de impressões digitais".[20] Além do mais, esse estudo não continha informações contextuais enviesantes, e os examinadores participantes sabiam que realizavam um teste — o que pode ter levado o estudo a subestimar os erros que ocorrem no mundo real. Um estudo subsequente feito na Flórida[21] chegou a uma quantidade muito maior de falsos positivos. Os resultados variados na literatura sugerem que precisamos de mais pesquisa sobre a precisão das decisões de papiloscopistas e sobre como tais decisões são tomadas.

Um resultado tranquilizador que parece de fato consistente em todos os estudos, no entanto, foi que os examinadores aparentemente pecam por excesso de cautela. Sua precisão não é perfeita, mas eles estão cientes das consequências de seus julgamentos e levam em consideração o custo assimétrico de possíveis erros. Devido à credibilidade muito alta da impressão digital, uma identificação incorreta pode ter efeitos trágicos. Outros tipos de erro têm menos consequências. Por exemplo, "na maioria dos casos, uma exclusão tem as mesmas implicações operacionais de um resultado inconclusivo"[22], observam os especialistas do FBI. Em outras palavras, o fato de uma impressão digital ter sido encontrada na arma do crime basta para condenar, mas a ausência de impressão digital não basta para exonerar o suspeito.

Consistentemente com nossa observação de cautela do examinador, indícios sugerem que os especialistas pensam duas vezes — ou bem mais que duas — antes de se decidir pela identificação. No estudo de precisão da identificação conduzido pelo FBI, menos de um terço dos pares "casados" (quando a impressão latente e a exemplar pertencem à mesma pessoa) foi julgado (precisamente) como identificação. Os examinadores também fazem muito menos identificações de falso positivo do que exclusões de falso negativo.[23] Eles são suscetíveis a viés, mas não igualmente nas duas direções. Como observa Dror: "É mais fácil enviesar os especialistas forenses na direção da conclusão menos comprometedora de 'inconclusivo' do que na conclusão de 'identificação' definitiva".[24]

Os examinadores são treinados para considerar a identificação incorreta como um pecado capital a ser evitado a todo custo. São dignos de louvor em se pautar por esse princípio. Só nos resta torcer para que seu nível de precaução mantenha as identificações incorretas, como no caso Mayfield e em um punhado de outros notórios, extremamente raras.

ESCUTANDO O RUÍDO

Observar que há ruído na ciência forense não deve ser interpretado como uma crítica aos cientistas forenses. É mera consequência da observação que fizemos repetidas vezes: onde há julgamento, há ruído, e mais do que você imagina. Uma tarefa como a análise de digitais parece objetiva, tanto que muita gente não a considera espontaneamente uma forma de julgamento. No entanto ela dá margem a inconsistências, discordâncias e, às vezes, erros. Por menor que seja a taxa de erro na identificação de impressões digitais, ela não é zero, e, como notou o PCAST, os júris deveriam ser informados disso.

O primeiro passo para reduzir o ruído deve ser, claro, admitir sua possibilidade. Essa admissão não vem naturalmente para membros da comunidade forense, muitos deles de início bastante céticos sobre a auditoria de ruído de Dror. A ideia de que um examinador pudesse inadvertidamente ser influenciado por informações sobre o caso incomodou muitos especialistas. Em uma resposta ao estudo de Dror, o presidente da Fingerprint Society escreveu: "Qualquer papiloscopistas que [...] seja influenciado de alguma forma nesse processo de tomada de decisão [...] é tão imaturo que deveria procurar emprego na Disneylândia".[25] O diretor de um importante laboratório forense observou que o acesso às informações do caso — precisamente o tipo de informação capaz de enviesar o examinador — "proporciona certa satisfação pessoal que permite [ao examinador] valorizar seu trabalho *sem efetivamente alterar seu parecer*".[26] Até o FBI, em sua investigação interna do caso Mayfield, apontou: "Os examinadores de impressões latentes rotineiramente conduzem verificações em que conhecem os resultados dos examinadores anteriores; *contudo, esses resultados não influenciam as conclusões do examinador*".[27] Esses comentários equivalem essencialmente a negar a existência do viés de confirmação.

Mesmo quando cientes do risco de viés, os cientistas forenses não estão imunes a seu ponto cego: a tendência a admitir a presença de viés nos outros, mas não em si. Em um levantamento com quatrocentos cientistas forenses profissionais em 21 países, 71% concordavam que "o viés cognitivo é uma causa de preocupação nas ciências forenses como um todo", mas apenas 26% achavam que seus "próprios pareceres eram influenciados pelo viés cognitivo".[28] Em outras palavras, cerca de metade desses profissionais forenses acredita que o julgamento dos colegas é ruidoso, enquanto o deles não. O ruído pode ser um problema invisível até para pessoas cujo trabalho é enxergar o invisível.

SEQUENCIANDO A INFORMAÇÃO

Graças à persistência de Dror e seus colegas, vem ocorrendo pouco a pouco uma mudança de atitude, e um número cada vez maior de laboratórios forenses passou a tomar medidas para reduzir o erro em suas análises. Por exemplo, o relatório do PCAST elogiou o laboratório do FBI por reelaborar seus procedimentos para minimizar o risco do viés de confirmação.

Os passos metodológicos necessários são relativamente simples. Eles ilustram uma estratégia de higiene da decisão que tem aplicabilidade em muitos domínios: *sequenciar as informações para limitar a formação de intuições prematuras*. Em todo julgamento, parte das informações é relevante, enquanto outra parte não é. Mais informações nem sempre é melhor, especialmente se têm o potencial de enviesar o julgamento, induzindo o juiz a formar uma intuição prematura.

Nesse espírito, os novos procedimentos empregados nos laboratórios forenses objetivam proteger a independência do julgamento dos examinadores dando-lhes as informações de que precisam apenas quando precisam. Para isso, o laboratório os mantém no escuro sobre o caso na medida do possível e revela informações apenas gradualmente, numa abordagem sistematizada por Dror e seus colegas, chamada *desvelamento sequencial linear*.[29]

Dror tem outra recomendação que ilustra a mesma estratégia de higiene da decisão: o papiloscopista deve documentar seu julgamento a cada passo. Deve documentar sua análise das impressões latentes *antes* de ver as impressões exemplares para decidir se as duas batem. Essa sequência de passos o ajuda a evitar o risco de ver apenas o que está procurando. E deve registrar seu parecer sobre a prova antes de ter acesso a informações contextuais que ameacem influenciá-lo. Se muda de ideia após ter sido exposto a informações contextuais, a mudança, e as razões para ela, deve ser documentada. Esses requisitos limitam o risco de que uma intuição inicial enviese o processo todo.

A mesma lógica inspira uma terceira recomendação, que é parte importante da higiene da decisão. Quando outro examinador é requisitado para verificar uma identificação, ele não deve saber do parecer anterior.

A presença do ruído na ciência forense sem dúvida é motivo de preocupação por suas potenciais consequências de vida ou morte. Mas ela também é reveladora. O fato de termos permanecido por tanto tempo completamente alheios à possibilidade de erro na identificação de impressões digitais mostra como nossa confiança no julgamento humano especializado às vezes é exagerada e como a auditoria de ruído pode revelar uma quantidade inesperada de ruído. A capacidade de atenuar essas falhas por meio de mudanças processuais relativamente simples deve encorajar todo aquele interessado em melhorar a qualidade das decisões.

A principal estratégia de higiene da decisão que esse caso ilustra — sequenciar a informação — tem ampla aplicação como salvaguarda contra o ruído de ocasião. Como comentamos, o ruído de ocasião é causado por incontáveis gatilhos, incluindo o humor e até o clima. Não podemos esperar controlar todos eles, mas é possível defender nosso julgamento dos gatilhos mais óbvios. Sabemos, por exemplo, que o julgamento pode ser modificado pela raiva, pelo medo e por outras emoções, e talvez você já tenha notado que constitui um bom exercício revisitar seu julgamento em diferentes momentos, quando os gatilhos para o ruído de ocasião provavelmente serão diferentes.

Menos óbvia é a possibilidade de que seu julgamento possa ser alterado por outro gatilho do ruído de ocasião: a informação — tenha ela a exatidão que tiver. Como no exemplo dos papiloscopistas, quando sabemos o que os outros pensam, o viés de confirmação nos induz a formar precocemente uma impressão geral e a ignorar informações contraditórias. Os títulos de dois filmes de Hitchcock sintetizam bem isso: um bom tomador de decisão deve objetivar sempre manter "a sombra de uma dúvida", nunca ser "o homem que sabia demais".

FALANDO DE SEQUENCIAR INFORMAÇÕES

"Onde há julgamento, há ruído — e isso inclui a análise de impressões digitais."

"Temos novas informações sobre o caso, mas só contaremos tudo o que sabemos para os especialistas quando nos fornecerem seu parecer, de modo a não os influenciar. Na verdade, é melhor contar apenas o que têm absoluta necessidade de saber."

"A segunda opinião não é independente se o indivíduo que a emite tem conhecimento da primeira. E a terceira, menos ainda. Pode ocorrer uma cascata de viés."

"Para combater o ruído, primeiro temos de admitir que ele existe."

21. Seleção e agregação em previsões

Muitos julgamentos envolvem previsões. De quanto será a taxa de desemprego no próximo trimestre? Como será a venda de carros elétricos no ano que vem? Quais serão os efeitos das mudanças climáticas em 2050? Quanto tempo levará para terminar um novo edifício? Qual será o lucro anual de determinada empresa? Como será o desempenho de um novo funcionário? Quanto custará uma nova regulamentação da poluição do ar? Quem vencerá a eleição? As respostas a essas questões têm importantes consequências. Escolhas fundamentais de instituições privadas e públicas muitas vezes dependem delas.

Analistas de previsões — de quando elas dão errado e por quê — fazem uma nítida distinção entre viés e ruído (também chamado de inconsistência ou inconfiabilidade). Todo mundo concorda que, em alguns contextos, os previsores são enviesados. Por exemplo, as agências do governo[1] mostram um otimismo pouco realista em suas previsões orçamentárias. Na média, projetam crescimento econômico impossivelmente alto e déficit impossivelmente baixo. Para todos os fins práticos, pouco importa que seu otimismo irreal seja produto de um viés cognitivo ou de considerações políticas.

Além do mais, previsores tendem a ser superconfiantes:[2] quando formulam suas previsões como intervalos de confiança, não como estimativas pontuais, tendem a escolher intervalos mais curtos do que deveriam. Por exemplo, um levantamento trimestral[3] em andamento pede a diretores financeiros de empresas americanas que estimem o retorno anual do Índice S&P 500 para o ano seguinte. Os diretores fornecem dois números: um mínimo, abaixo do qual acreditam haver uma chance em dez de ficar o retorno real, e um máximo, que o retorno real teria uma chance em dez de exceder. Assim, os dois números são os limites de um intervalo de confiança de 80%. Porém, o retorno resultante recai nesse intervalo apenas 36% das vezes. Os diretores financeiros estão excessivamente confiantes na exatidão de suas previsões.

Previsores também são ruidosos. Um texto de referência, *Principles of Forecasting*, de J. Scott Armstrong, observa que, até entre especialistas, "a inconfiabilidade é uma fonte de erro em previsões analíticas".[4] Na realidade, o ruído é uma das principais fontes de erro. Ruído de ocasião é comum; os previsores nem sempre concordam entre si. O ruído interpessoal também está onipresente; os previsores discordam entre si mesmo se forem peritos: previsões de professores de direito sobre determinações da Suprema Corte apresentam muito ruído;[5] projeções de especialistas para os benefícios anuais da regulamentação da poluição do ar mostram imensa variabilidade, com faixas indo, por exemplo, de 3 a 9 bilhões de dólares;[6] o mesmo pode ser dito de economistas fazendo prognósticos sobre desemprego e crescimento — já vimos inúmeros exemplos[7] de previsões ruidosas, e a pesquisa revela muitos mais.

MELHORANDO AS PREVISÕES

A pesquisa também oferece sugestões para reduzir o ruído e o viés. Não as revisaremos exaustivamente aqui, mas abordaremos duas estratégias de redução de ruído com ampla aplicação. Uma é a utilização do princípio mencionado no capítulo 18: selecionar juízes melhores produz julgamentos melhores. A outra é uma das estratégias de higiene da decisão mais universalmente aplicáveis: agregar múltiplas estimativas independentes.

O modo mais fácil de agregar previsões diversas é tirar sua média. A média é uma garantia matemática de redução do ruído: especificamente, ela o divide pela raiz quadrada do número médio de julgamentos. Isso significa que, se tiramos a média de uma centena de julgamentos, reduzimos o ruído em 90%; se tiramos a média de 400 julgamentos, o reduzimos em 95% — essencialmente eliminando-o. Essa lei estatística é o mecanismo por trás da abordagem da sabedoria das multidões, discutida no capítulo 7.

Como a média em nada contribui para a redução do viés, seu efeito no erro total (EQM) depende das proporções de viés e ruído que ele contém. É por isso que a sabedoria das multidões funciona melhor quando os julgamentos são independentes, e portanto com menor probabilidade de conter vieses compartilhados. Empiricamente, amplas evidências sugerem que a média de múltiplas previsões[8] aumenta em grau elevado a precisão, por exemplo, do "consenso" de analistas de investimento sobre o mercado de ações. Com respeito a previsões em vendas, meteorologia e economia, a média não ponderada do grupo supera a maioria[9] dos previsores individuais, e às vezes todos eles. A média de previsões obtidas por diferentes métodos exerce o mesmo efeito: em uma análise de trinta comparações empíricas em diversas áreas, as previsões combinadas reduziram os erros em 12,5%, na média.[10]

A média aritmética simples não é a única maneira de agregar previsões. Uma estratégia de *multidão seleta*,[11] que seleciona os melhores juízes segundo a precisão de seus julgamentos recentes e tira a média dos julgamentos de um pequeno número de juízes (por exemplo, cinco), pode ser tão eficaz quanto a média simples. Também é mais fácil para o tomador de decisão que respeita o conhecimento especializado compreender e adotar uma estratégia baseada tanto na agregação como na seleção.

Um método para produzir previsões agregadas é usar *mercados preditivos*, em que os indivíduos apostam nos resultados prováveis e são desse modo incentivados a fazer previsões corretas. Na maior parte das vezes, os mercados preditivos mostraram se sair muito bem,[12] no sentido de que, se o preço do mercado preditivo sugere que os eventos têm, digamos, 70% de chance de acontecer, eles acontecem cerca de 70% do tempo. Muitas empresas em vários setores usam mercados preditivos para agregar opiniões diversas.[13]

Outro processo formal para agregar opiniões diversas é conhecido como método Delphi.[14] Em sua forma clássica, ele envolve múltiplas rodadas, durante as quais os participantes submetem estimativas (ou votos) a um moderador, mantendo o anonimato. A cada rodada, eles fornecem os motivos para suas estimativas e comentam os motivos apresentados pelos demais, ainda anonimamente. O processo estimula a convergência de estimativas (e, às vezes, força-os a fazê-lo, exigindo que os novos julgamentos recaiam dentro de uma faixa específica da distribuição dos julgamentos da rodada anterior). O método se beneficia tanto da agregação como do aprendizado social.

O método Delphi funciona bem em muitas situações, mas sua implementação pode ser desafiadora.[15] Uma versão mais simples, o *Mini Delphi*,[16] pode ser empregada numa reunião isolada. Também chamada *estimar-conversar-estimar*, exige que os participantes primeiro produzam estimativas separadas (reservadamente), depois as expliquem e justifiquem e, ao final, façam uma nova estimativa em resposta às estimativas e explanações dos outros. O julgamento consensual é a média das estimativas individuais obtidas nessa segunda rodada.

GOOD JUDGMENT PROJECT

Parte do trabalho mais inovador sobre a qualidade da previsão, que vai muito além do que exploramos até aqui, começou em 2011, quando três cientistas comportamentais proeminentes fundaram o Good Judgment Project. A equipe composta de Philip Tetlock (que vimos no capítulo 11, quando discutimos sua avaliação das previsões de longo prazo sobre eventos políticos), sua esposa Barbara Mellers e Don Moore foi formada para melhorar nosso entendimento das previsões e, em particular, das causas que levam uns a serem melhores em fazê-las que outros.

O projeto começou com o recrutamento de dezenas de milhares de voluntários — não especialistas ou profissionais, mas pessoas comuns de diversas áreas de atuação. Elas responderam a centenas de questões como estas:

- A Coreia do Norte detonará um dispositivo nuclear antes do fim do ano?
- A Rússia anexará oficialmente novos territórios ucranianos nos próximos três meses?
- Índia ou Brasil se tornarão membros permanentes do Conselho de Segurança da ONU nos próximos dois anos?
- No ano que vem, algum país deixará a zona do euro?

Como mostram esses exemplos, o projeto foca em grandes questões sobre eventos mundiais. Basicamente, as tentativas de responder a tais questões enfrentam muitos dos mesmos problemas enfrentados pelas previsões mais mundanas. Quando perguntamos a um advogado se seu cliente sairá vitorioso ou a um estúdio de tevê se o novo programa será um sucesso de audiência, há habilidades de previsão envolvidas. Tetlock e seus colegas queriam descobrir se alguns indivíduos eram particularmente bons em fazer previsões, bem como se a capacidade de previsão podia ser ensinada ou ao menos aperfeiçoada.

Para entender os principais resultados, precisamos explicar alguns aspectos centrais do método de avaliação adotado por Tetlock e sua equipe. Primeiro, eles usaram grande número de previsões, não apenas uma ou um punhado, em que a sorte podia ser responsável pelo sucesso ou fracasso. Se você prevê que seu time de coração vencerá o jogo seguinte e sua previsão se concretiza, isso não necessariamente faz de você um bom previsor. Talvez você *sempre* preveja que seu time vai ganhar: se essa é sua estratégia e seu time vence apenas metade das partidas, sua capacidade de previsão não é impressionante. Para diminuir o papel da sorte, os pesquisadores analisaram os resultados médios de inúmeras previsões.

Segundo, pediram aos participantes que fizessem suas previsões em termos das probabilidades de que o evento acontecesse, e não que dessem um parecer binário do tipo "vai acontecer" ou "não vai acontecer". Para muita gente, prever significa este último — assumir uma posição por uma alternativa ou outra. Entretanto, haja vista nossa ignorância objetiva dos eventos futuros, é muito melhor formular previsões probabilísticas. Se alguém dissesse em 2016 "Hillary Clinton tem 70% de chance de ser eleita presidente", não seria necessariamente um mau previsor. Coisas que afirmamos que têm uma probabilidade de 70% de acontecer não acontecem em 30% das vezes. Para saber se os previsores são bons, devemos nos perguntar se suas estimativas de probabilidades correspondem à realidade. Suponha que determinada previsora chamada Margaret afirma que quinhentos eventos diferentes são 60% prováveis. Se trezentos deles realmente acontecerem, podemos concluir que a confiança de Margaret é bem *calibrada*. A boa calibragem é um requisito das boas previsões.

Terceiro, para refinar ainda mais o estudo, Tetlock e seus colegas não se limitaram a pedir aos previsores que fizessem *uma* estimativa de probabilidade para a ocorrência de um evento em, digamos, doze meses. Eles deram aos participantes a oportunidade de revisar suas previsões continuamente à luz de novas informações. Suponhamos que você calculasse, em 2016, que o Reino Unido tinha apenas 30% de chance de deixar a União Europeia antes do fim de 2019. À medida que as novas pesquisas saíam, sugerindo que o voto pelo Brexit ganhava força, você provavelmente teria revisado sua previsão para mais. Quando o resultado do referendo foi divulgado, ainda era incerto se o Reino Unido deixaria a UE nesse período, mas sem dúvida parecia bem mais provável. (Tecnicamente, o Brexit aconteceu em 2020.)

A cada nova informação recebida, Tetlock e seus colegas permitiam aos previsores atualizar as previsões. Para fins de pontuação, cada atualização é tratada como uma nova previsão. Dessa forma, os participantes do Good Judgment Project são incentivados a acompanhar as notícias e atualizar suas previsões continuamente. Essa abordagem reflete o que se espera de previsores nos negócios e no governo, que também devem ser capazes de atualizar suas previsões com frequência com base em novas informações, a despeito do risco de serem criticados por mudar de ideia. (Uma famosa réplica a essa crítica, às vezes atribuída a John Maynard Keynes, é: "Quando os fatos mudam, eu mudo de ideia. E *você*, o que faz?".)

Quarto, para classificar o desempenho dos previsores, o Good Judgment Project usou um sistema desenvolvido por Glenn W. Brier em 1950. As *pontuações de Brier*, como ficaram conhecidas, medem a distância entre o que as pessoas preveem e o que de fato acontece.

Pontuações de Brier são uma maneira inteligente de contornar um problema inescapável associado a previsões de probabilidade: o incentivo para o previsor de minimizar seu risco de erro, sem jamais assumir uma postura ousada. Pense outra vez em Margaret, que descrevemos como uma previsora bem calibrada porque classificou quinhentos eventos como 60% prováveis, e trezentos deles de fato ocorreram. Esse resultado pode não ser tão impressionante quanto parece. Se Margaret for uma meteorologista que *sempre* prevê chance de chuva de 60% e acontecem trezentos dias chuvosos em quinhentos, as previsões de Margaret são bem calibradas, mas também são praticamente inúteis. Margaret, em essência, está lhe dizendo que, para qualquer eventualidade, talvez seja bom você sair de casa com um guarda-chuva todos os dias. Comparemos esse caso com o de Nicholas, que prevê uma chance de chuva de 100% nos trezentos dias em que chove e de 0% nos duzentos dias secos. Nicholas tem a mesma calibração perfeita de Margaret: quando um ou outro afirma que X% dos dias serão chuvosos, a chuva cai precisamente X% do tempo. Mas as previsões de Nicholas são muito mais valiosas: em vez de minimizar seu risco, ele está disposto a lhe dizer se você deve ou não sair com o guarda-chuva. Tecnicamente, dizemos que Nicholas tem alta *resolução*, além de boa calibração.

As pontuações de Brier recompensam a boa calibração e a boa resolução. Para produzir uma boa pontuação, você tem apenas de estar certo na média (isto é, bem calibrado), mas também disposto a assumir uma posição e diferenciar as previsões (isto é, ter alta resolução). As pontuações de Brier estão baseadas na lógica dos erros quadráticos médios, e pontuações mais baixas são melhores: uma pontuação de 0 seria perfeita.

Assim, agora que sabemos os critérios de pontuação, como se saíram os voluntários do Good Judgment Project? Um dos principais resultados foi que a esmagadora maioria teve desempenho ruim, mas cerca de 2% se destacaram. Como mencionamos, Tetlock chama esses indivíduos com alto desempenho de superprevisores. Não se pode dizer que fossem infalíveis, mas suas previsões foram melhores que o acaso. Curiosamente, um funcionário do governo afirmou que o grupo apresentou resultados significativamente "melhores que a média para analistas da comunidade de inteligência, com acesso a mensagens interceptadas e outros dados sigilosos".[17] O comentário nos faz parar para pensar. Analistas da comunidade de inteligência são treinados para produzir previsões precisas; não são amadores. Além do mais, têm acesso a informações ultrassecretas. Contudo, seu desempenho é inferior ao de superprevisores.

BETA PERPÉTUO

O que torna os superprevisores tão bons? Para manter a coerência com nosso argumento do capítulo 18, não seria absurdo especular que sejam extraordinariamente inteligentes. A tese não está errada. Em testes de capacidade mental geral, os superprevisores foram melhores do que o voluntário médio do Good Judgment Project (e esse voluntário médio está significativamente acima da média nacional). Mas a diferença não é tão grande assim e muitos voluntários que se saem extremamente bem em testes de inteligência não se qualificam como superprevisores. À parte a inteligência geral, seria razoável esperar que os superprevisores fossem extraordinariamente bons com números. E são. Mas sua verdadeira vantagem não é o talento em matemática; é a facilidade com que pensam em termos analíticos e probabilísticos.

Considere a disposição e a capacidade dos superprevisores em estruturar e desagregar problemas. Em vez de formar um julgamento holístico sobre uma grande questão geopolítica (se determinada nação deixará a União Europeia, se uma guerra vai acontecer em determinado lugar, se um funcionário do governo será assassinado), eles a decompõem. Eles se perguntam: "O que seria preciso para a resposta ser sim? O que seria preciso para a resposta ser não?". Em vez de intuir uma resposta ou arriscar um palpite de algum tipo sobre a situação mundial, levantam uma série de questões secundárias e tentam responder a elas.

Superprevisores também se destacam por adotar a visão de fora e levam taxas-base extremamente a sério. Como explicado pelo problema de Gambardi no capítulo 13, antes de focarmos nas especificidades de seu perfil, ajuda saber a probabilidade de que o CEO médio será demitido ou pedirá demissão nos próximos dois anos. Superprevisores procuram taxas-base sistematicamente. Na pergunta sobre um eventual conflito armado no ano seguinte entre China e Vietnã devido a uma disputa de fronteira, os superprevisores não focam apenas, ou imediatamente, em saber se China e Vietnã estão se dando bem no momento. Eles talvez tenham uma intuição nesse sentido, à luz das notícias e análises que leram. Mas sabem que sua intuição sobre um evento em geral não é um bom guia. Assim, começam procurando uma taxa-base: perguntam com que frequência a escalada de disputas de fronteira passadas terminou em conflitos armados. Se tais conflitos são raros, os superprevisores incorporam esse fato e só depois se voltam aos detalhes da situação China-Vietnã.

Em suma, o que distingue os superprevisores não é a inteligência em si, e sim *como* a empregam. As habilidades aplicadas por eles refletem o tipo de estilo cognitivo descrito no capítulo 18 como tendendo a resultar em julgamentos melhores, particularmente em um alto nível de "receptividade ativa". Lembre-se do teste de mentalidade ativamente receptiva: ele inclui declarações como "As pessoas deveriam levar em consideração evidências que vão contra suas crenças" e "É mais útil prestar atenção em quem discorda de nós do que em quem concorda conosco". Claramente, as pessoas que pontuam alto nesse teste não se acanham em atualizar seus julgamentos (evitando a reação exagerada) quando novas informações são disponibilizadas.

Para caracterizar o estilo de pensamento dos superprevisores, Tetlock usa a expressão "beta perpétuo", termo empregado por desenvolvedores para um programa que não se destina a ser liberado em uma versão final, mas que é incessantemente utilizado, analisado e melhorado. Tetlock descobriu que "a variável preditora mais forte de inclusão na categoria dos superprevisores é o beta perpétuo, ou o grau de comprometimento da pessoa com a atualização da crença e o autoaperfeiçoamento".[18] Em suas palavras: "O que os torna tão bons é menos o que são do que o que fazem — o trabalho duro da pesquisa, o pensamento cuidadoso e a autocrítica, a coleta e síntese de outras perspectivas, os julgamentos refinados e a atualização incessante". Eles seguem um ciclo particular de pensamento: "tentar, falhar, analisar, ajustar, tentar outra vez".[19]

RUÍDO E VIÉS EM PREVISÕES

Nesse ponto, você talvez fique tentado a pensar que é possível treinar alguém para ser um superprevisor ou ao menos ter um desempenho mais próximo desse nível. E, de fato, foi exatamente isso que Tetlock e seus colaboradores procuraram conseguir. Suas tentativas devem ser consideradas o segundo estágio para compreendermos por que superprevisores se saem tão bem e como seu desempenho pode ficar ainda melhor.

Em um importante estudo, Tetlock e sua equipe designaram previsores normais (não super) aleatoriamente a três grupos, em que testaram o efeito de diferentes intervenções sobre a qualidade dos julgamentos subsequentes. Essas intervenções exemplificam três estratégias aqui descritas para melhorar o julgamento:

1. *Treinamento*: Diversos previsores realizaram um tutorial criado para melhorar suas capacidades por meio do ensino do raciocínio probabilístico. Nesse tutorial, aprendiam sobre vieses variados (incluindo negligência de taxa-base, superconfiança e viés de confirmação), a importância de tirar a média de múltiplas previsões de diversas fontes e a considerar classes de referência.
2. *Formação de equipe (uma forma de agregação)*: Alguns previsores foram instruídos a trabalhar em equipes em que pudessem ver e debater as respectivas previsões. As equipes poderiam aumentar a precisão encorajando seus integrantes a lidar com argumentos opostos e a serem ativamente receptivos.

3. *Seleção*: Todos os previsores foram classificados segundo a precisão, e, ao final de um ano, os 2% melhores passaram a ser considerados superprevisores e receberam a oportunidade de trabalhar juntos em equipes de elite no ano seguinte.

As três intervenções funcionaram, no sentido de que melhoraram as pontuações de Brier. O treinamento fez diferença, as equipes, mais ainda, e o efeito da seleção foi ainda maior.

Esse importante resultado confirma o valor de agregar julgamentos e selecionar bons juízes. Mas essa não é a história toda. Munido de dados sobre os efeitos de cada intervenção, Ville Satopää, que colaborou com Tetlock e Mellers, desenvolveu uma técnica estatística sofisticada[20] para desvendar como exatamente cada intervenção melhorou as previsões. Em princípio, raciocinou ele, há três grandes razões para alguns previsores conseguirem se sair melhor ou pior do que outros:

1. Eles podem ser mais habilidosos em encontrar e analisar dados no ambiente que sejam relevantes para a previsão que têm de fazer. Essa explicação aponta para a importância das informações.
2. Alguns previsores podem ter uma tendência geral a incorrer num lado particular do valor real de uma previsão. Se, dentre centenas de previsões, você sistematicamente superestima ou subestima a probabilidade de que haverá determinadas mudanças do statu quo, podemos dizer que sofre de uma forma de viés, em favor seja da mudança, seja da estabilidade.
3. Alguns previsores podem ser menos suscetíveis ao ruído (ou erros aleatórios). Em previsões, como em qualquer julgamento, o ruído pode ter muitos gatilhos. Os previsores podem reagir exageradamente a uma notícia (é um exemplo do que chamamos de ruído de padrão), ficar sujeitos ao ruído de ocasião ou ser ruidosos em seu uso da escala de probabilidades. Todos esses erros (e muitos mais) são imprevisíveis, em seu tamanho e direção.

Satopää, Tetlock e Mellers, e Marat Salikhov, colega deles, batizaram seu modelo de previsão de BIN (iniciais em inglês para viés, informação e ruído).

Eles calcularam em que medida cada um desses três componentes era responsável pela melhora de desempenho nas três intervenções.

A resposta foi simples: todas as três intervenções funcionaram sobretudo reduzindo o ruído. Como afirmaram os pesquisadores: "Sempre que uma intervenção incrementava a precisão, funcionava principalmente suprimindo erros aleatórios no julgamento. Curiosamente, a intenção original do treinamento era reduzir o viés".[21]

Como o treinamento se destinava a reduzir vieses, um previsor menos que súper teria previsto que a redução de viés seria o principal efeito do treinamento. Contudo, o treinamento funcionou reduzindo o ruído. A surpresa é facilmente explicada. O treinamento de Tetlock se destina a combater os vieses *psicológicos*. Como você agora sabe, o efeito dos vieses psicológicos nem sempre é um viés estatístico. Quando eles afetam diferentes indivíduos em diferentes julgamentos de diferentes formas, os vieses psicológicos produzem ruído. Esse é claramente o caso aqui, na medida em que os eventos sendo previstos variam bastante. Os mesmos vieses podem levar o previsor a uma reação além ou aquém do normal, dependendo do tópico. Não devemos esperar que produzam um viés *estatístico*, definido como a tendência geral de um previsor em acreditar que determinados eventos acontecerão ou não. Consequentemente, treinar previsores para combater seus vieses psicológicos funciona — com a redução de ruído.

O trabalho em equipe[22] teve um efeito comparativamente grande na redução do ruído, mas também melhorou significativamente a capacidade das equipes de extrair informação. Esse resultado é consistente com a lógica da agregação: vários cérebros trabalhando juntos são melhores do que um em encontrar informações. Se Alice e Brian cooperam entre si, e Alice notou sinais que Brian deixou escapar, a previsão conjugada de ambos será melhor. Ao trabalhar em conjunto, os superprevisores parecem conseguir evitar os perigos da polarização de grupo e das cascatas informacionais. Eles reúnem seus dados e impressões e, a seu modo ativamente receptivo, extraem o máximo proveito das informações combinadas. Satopää e seus colegas explicam essa vantagem: "O trabalho em equipe — diferentemente do treinamento [...] permite aos previsores explorar a informação".

A seleção exerceu o efeito total mais amplo de todos. Parte do aperfeiçoamento deriva de um uso melhor da informação. Os superprevisores são melhores do que outras pessoas em encontrar informação relevante — possivelmente porque são mais inteligentes, mais motivados e mais experientes em fazer esse tipo de previsões do que o participante médio. Mas o principal efeito da seleção é, mais uma vez, reduzir o ruído. Superprevisores são menos ruidosos do que previsores regulares ou até equipes treinadas. Esse resultado também foi uma surpresa para Satopää e os demais pesquisadores: "Os 'superprevisores' talvez devam seu sucesso antes a uma disciplina superior em suprimir o erro de medição do que a uma leitura incisiva dos noticiários"[23] — algo que outras pessoas não conseguem reproduzir.

ONDE SELEÇÃO E AGREGAÇÃO FUNCIONAM

O sucesso do projeto de superprevisores salienta o valor das duas estratégias de higiene da decisão: a *seleção* (um superprevisor, afinal, é súper) e a *agregação* (quando trabalham em equipe, os previsores se saem melhor). As duas estratégias são amplamente aplicáveis a muitos julgamentos. Sempre que possível, objetive combinar as estratégias montando equipes de juízes (previsores, investidores, recrutadores) que sejam selecionados por serem bons no que fazem *e* por se complementarem mutuamente.

Até aqui, consideramos a precisão melhorada que é obtida com a média de múltiplos julgamentos independentes, como nos experimentos de sabedoria das multidões. Agregar as estimativas dos juízes de maior validade aumentará ainda mais a precisão. Contudo, um ganho ainda maior pode ser obtido combinando julgamentos tão independentes quanto complementares.[24] Imagine que quatro pessoas testemunhem um crime: sem dúvida, é essencial impedir que uma influencie a outra. Se, além do mais, elas presenciaram o crime de quatro ângulos diferentes, a qualidade de suas informações será muito melhor.

A tarefa de reunir uma equipe de profissionais para elaborar julgamentos em grupo lembra o preparo de uma bateria de testes para prever o futuro desempenho de candidatos numa faculdade ou em um emprego. A ferramenta-padrão para essa tarefa é a regressão múltipla (introduzida no capítulo 9). Ela funciona selecionando variáveis em sucessão. O teste com a melhor previsão do resultado é selecionado primeiro. Porém, o teste seguinte a ser incluído não necessariamente é o segundo mais válido. Na verdade, é o que *adiciona* mais capacidade preditiva ao primeiro teste, fornecendo previsões que sejam tanto válidas como não redundantes em relação à primeira. Por exemplo, suponha que você tenha feito dois testes de aptidão mental, cuja correlação com seu desempenho futuro é de 0,50 e 0,45, e um teste de personalidade que se correlaciona em apenas 0,30 com seu desempenho, mas não tem correlação com os testes de aptidão. A solução ideal é escolher o teste de aptidão mais válido primeiro, depois o teste de personalidade, que traz mais informações novas.

Do mesmo modo, se estivermos montando uma equipe de juízes, devemos escolher o melhor primeiro. Mas nossa escolha seguinte talvez seja um indivíduo moderadamente válido que traga alguma nova habilidade para o grupo, não um juiz mais válido que seja muito similar ao primeiro. Uma equipe selecionada dessa forma será superior porque a validade dos julgamentos reunidos aumenta mais rapidamente quando eles não estão correlacionados entre si do que quando são redundantes. O ruído de padrão será relativamente alto nessa equipe, porque os julgamentos individuais de cada caso vão diferir. Paradoxalmente, a média desse grupo ruidoso será mais precisa do que a média de um grupo unânime.

Uma importante ressalva se faz necessária. A despeito da diversidade, a agregação só consegue reduzir o ruído se os julgamentos forem realmente independentes. Como frisado por nossa discussão do ruído em um grupo, a deliberação conjunta muitas vezes adiciona mais erro ao viés do que o remove do ruído. Organizações que queiram se valer do poder da diversidade devem acolher as discordâncias surgidas quando os membros das equipes chegam independentemente a seus julgamentos. Elaborar e agregar julgamentos que sejam tanto independentes quanto diversos com frequência será a estratégia de higiene da decisão mais fácil, barata e amplamente aplicável.

FALANDO DE SELEÇÃO E AGREGAÇÃO

"Vamos tirar a média de quatro julgamentos independentes — garantiremos assim que o ruído seja reduzido pela metade."

"Deveríamos fazer de tudo para ficar em beta perpétuo, como os superprevisores."

"Antes de discutirmos a situação, qual é a taxa-base relevante?"

"Temos uma boa equipe, mas como assegurar maior diversidade de opiniões?"

22. Diretrizes na medicina

Anos atrás, um bom amigo nosso (vamos chamá-lo de Paul) foi diagnosticado como hipertenso por seu médico (vamos chamá-lo de dr. Jones). O dr. Jones aconselhou Paul a fazer um tratamento. Prescreveu um diurético, mas sem resultado: a pressão arterial do paciente continuou alta. Algumas semanas depois, o dr. Jones entrou com uma segunda medicação, um bloqueador dos canais de cálcio. O efeito também foi modesto.

Os resultados deixaram o médico perplexo. Após três meses de consultas semanais, a pressão arterial de Paul baixara levemente, mas continuava elevada. Não estava claro quais deveriam ser os passos seguintes. Paul estava ansioso e o dr. Jones, preocupado, ainda mais porque o paciente era relativamente jovem e tinha boa saúde. O dr. Jones contemplou experimentar uma terceira medicação.

A essa altura, Paul se mudou para outra cidade, onde viu outro médico (vamos chamá-lo de dr. Smith). Paul contou ao dr. Smith a história de sua luta incessante contra a hipertensão. O médico respondeu na hora: "Compre um medidor de pressão e monitore suas leituras. Acho que seu problema não tem nada a ver com pressão alta. O que você tem provavelmente é síndrome do jaleco branco — sua pressão sobe quando você entra no consultório!".

Paul fez como instruído e, de fato, em casa sua pressão estava normal, e continuou assim em outras leituras (um mês após o dr. Smith ter lhe contado sobre a síndrome do jaleco branco, sua pressão deu normal também no consultório).

Uma tarefa central do médico é fazer diagnósticos — decidir se o paciente tem algum tipo de enfermidade e, se for o caso, identificá-la. O diagnóstico muitas vezes exige algum tipo de julgamento. Para muitas doenças, ele é rotineiro e na maior parte mecânico, e regras e procedimentos são instaurados para minimizar o ruído. Em geral, o médico tem facilidade para determinar se o paciente está com um ombro deslocado ou uma fratura no dedão. Algo similar pode ser dito de problemas mais técnicos. Quantificar a degeneração de um tendão gera pouco ruído.[1] Quando o patologista analisa uma biópsia por agulha fina de lesões mamárias, sua avaliação é relativamente inequívoca, com pouco ruído.[2]

Um fato relevante é que certos diagnósticos não envolvem julgamento algum. A saúde pública com frequência progride removendo o elemento do julgamento — passando do julgamento ao cálculo. Numa faringite estreptocócica, o médico começará por um rápido teste de antígeno com um exame de cultura da garganta do paciente. Em pouco tempo, o teste pode detectar bactérias de estreptococo. (Sem o rápido resultado do antígeno, há significativo ruído no diagnóstico de faringite.)[3] Se a sua glicemia em jejum é de 126 miligramas por decilitro ou acima disso, ou seu HbA1c (uma medição média do açúcar no sangue nos últimos três meses) está em pelo menos 6,5, considere-se diabético.[4] No começo da pandemia de covid-19, alguns médicos davam diagnósticos com base nos julgamentos feitos após a consideração dos sintomas; à medida que a pandemia progrediu, os testes ficaram muito mais comuns, e tornaram o julgamento desnecessário.

Todo mundo sabe que diagnósticos médicos podem ser ruidosos e que os profissionais podem errar; uma prática-padrão é aconselhar o paciente a obter uma segunda opinião. Em alguns hospitais, a segunda opinião chega a ser obrigatória.[5] Sempre que diverge da primeira, há ruído — embora, certamente, pode não ficar claro qual médico acertou. Alguns pacientes (incluindo Paul) ficaram atônitos em constatar com que frequência a segunda opinião diverge da primeira. Mas o que surpreende não é a existência do ruído na profissão médica. É a magnitude dele.

Nosso objetivo neste capítulo é elaborar essa afirmação e descrever parte das abordagens à redução de ruído usadas na profissão médica. O foco será numa estratégia de higiene da decisão: o desenvolvimento de diretrizes diagnósticas. Sabemos perfeitamente que um livro inteiro mereceria ser escrito sobre o ruído na medicina e sobre as várias medidas que médicos, enfermeiros e hospitais costumam tomar para remediar o problema. Um fato notável é que o ruído na medicina dificilmente se limita ao ruído no julgamento diagnóstico, que é nosso foco aqui. Tratamentos também podem ser ruidosos, e uma extensa literatura aborda esse tópico. Se o paciente tem um problema cardíaco, as opiniões médicas sobre o melhor tratamento são chocantemente variadas, no que diz respeito tanto à medicação correta quanto ao tipo certo de cirurgia, ou mesmo se deve ser realizada. O Dartmouth Atlas Project[6] se dedica, há mais de vinte anos, a documentar "variações gritantes em como os recursos médicos são distribuídos e usados nos Estados Unidos". Conclusões similares vigoram em vários países.[7] Mas, para nossos propósitos, uma breve exploração do ruído nos julgamentos diagnósticos será suficiente.

UM TOUR PELO HORIZONTE

Há uma literatura imensa sobre o ruído na medicina. Embora grande parte dela seja empírica, consistindo em realizações de testes para a presença de ruído, boa parte também é prescritiva. Os profissionais do sistema de saúde vivem em uma busca contínua por estratégias de redução de ruído, que assumem várias formas e representam uma mina de ouro de ideias valiosas a se considerar em muitas áreas.

Quando o ruído se faz presente, um médico pode estar claramente certo e outro claramente errado (e os dois podem sofrer do mesmo tipo de viés). Como é de esperar, a habilidade faz muita diferença. Um estudo de diagnósticos de pneumonia fornecidos por radiologistas, por exemplo, revelou ruído significativo.[8] Grande parte vinha das diferenças de habilidade. Mais especificamente, "a variação na habilidade pode explicar 44% da variação em decisões diagnósticas", sugerindo que "políticas criadas para aperfeiçoar a habilidade mostram desempenho melhor do que diretrizes de decisão uniformes". Aqui, como em toda parte, o treinamento e a seleção são evidentemente cruciais para a redução do erro e para a eliminação tanto do ruído como do viés.[9]

Em algumas especialidades, como radiologia e patologia, os médicos estão perfeitamente cientes da presença do ruído. Os radiologistas, por exemplo, chamam a variação nos diagnósticos de seu "calcanhar de aquiles".[10] Não está claro se o ruído nas áreas de radiologia e patologia recebe atenção especial por haver realmente mais ruído nesses ramos da medicina do que em outros ou apenas porque neles o ruído é documentado com maior facilidade. Suspeitamos que o último caso deva ser mais importante. Testes de ruído (e às vezes de erro) limpos e simples são mais fáceis de conduzir em radiologia. Por exemplo, podemos voltar às imagens ou aos slides para reavaliar um diagnóstico.

Em medicina, o ruído interpessoal, ou *confiabilidade entre avaliadores*, é geralmente medido pela *estatística kappa*.[11] Quanto mais elevado o kappa, menos ruído. Um valor de kappa de 1 reflete perfeita concordância; um valor de 0 reflete exatamente quanta concordância esperaríamos entre macacos jogando dardos para uma lista de diagnósticos possíveis. Em alguns domínios do diagnóstico médico, a confiabilidade tal como medida por esse coeficiente revelou-se "tênue" ou "pobre", significando que o ruído é muito alto. Muitas vezes, mostrou-se "razoável", o que sem dúvida é melhor, mas também indica ruído significativo. Na importante questão de quais interações medicamentosas são clinicamente significativas, clínicos gerais, revisando uma centena de interações medicamentosas selecionadas de maneira aleatória, mostraram "concordância pobre".[12] Para pessoas de fora e para muitos médicos, o diagnóstico dos vários estágios de doença renal pode parecer relativamente inequívoco. Mas especialistas em nefrologia[13] mostraram apenas "concordância tênue a moderada" em seus julgamentos sobre o significado de testes-padrão usados na avaliação de pacientes com doença renal.

Em um estudo, a concordância entre patologistas para determinar se uma lesão mamária era cancerígena foi apenas "razoável",[14] assim como para diagnosticar lesões mamárias proliferativas[15] e avaliar o grau de estenose espinhal em imagens de ressonância magnética.[16] Vale a pena refletir sobre esses resultados. Como afirmamos, em alguns domínios o nível do ruído na medicina é muito baixo. Mas, em certas áreas razoavelmente técnicas, os médicos estão longe de ser livres de ruído. O diagnóstico de uma doença grave como câncer pode depender de uma espécie de loteria, determinada pelo médico que por acaso atende o paciente.

Considere apenas alguns outros resultados da literatura, extraídos de áreas em que o volume de ruído parece particularmente digno de nota. Descrevemos esses resultados não para dar um retrato abalizado do atual estado da prática médica, que continua a evoluir e melhorar (rapidamente, em alguns casos), mas para transmitir uma percepção geral da ubiquidade do ruído, tanto no passado mais ou menos recente como no presente.

1. Cardiopatia é a principal causa de mortalidade masculina e feminina nos Estados Unidos.[17] A angiografia coronária, um teste básico usado para identificar cardiopatia, mede o grau de bloqueio nas artérias coronárias tanto em quadros agudos como em não agudos. Em um quadro não agudo, quando o paciente apresenta dor recorrente no peito, costuma-se tentar o tratamento — como a instalação de um stent — se mais de 70% de uma ou mais artérias estiverem bloqueadas. Entretanto, constatou-se um grau de variabilidade na interpretação de angiografias, levando potencialmente a procedimentos desnecessários. Um estudo inicial revelou que, em 31% das ocasiões, médicos avaliando angiografias discordaram se uma importante artéria estava mais de 70% bloqueada.[18] A despeito do conhecimento amplamente disseminado entre os cardiologistas da potencial variabilidade na leitura de angiografias e dos contínuos esforços e medidas corretivas, o problema ainda não foi solucionado.

2. A endometriose é uma enfermidade em que o tecido endometrial, que normalmente reveste a parede do útero, cresce fora dele. O problema pode ser doloroso e levar à infertilidade. O diagnóstico costuma ser feito por laparoscopia, em que uma pequena câmera é cirurgicamente inserida no corpo. Vídeos de laparoscopias em três pacientes, duas sofrendo de endometriose em diferentes estágios, a terceira sem a doença, foram exibidos a 108 cirurgiões ginecológicos. Sua tarefa era julgar o número e a localização das lesões endometriais. Eles discordaram dramaticamente, com fracas correlações tanto de número como de localização.[19]

3. A tuberculose é uma das doenças mais disseminadas e mortais do mundo — só em 2016, infectou mais de 10 milhões de pessoas e matou quase 2 milhões. Um método amplamente usado para detecção da doença é a radiografia, que permite identificar o espaço vazio causado pela bactéria nos pulmões do paciente. A variabilidade nos diagnósticos de tuberculose foi bem documentada por quase 75 anos. A despeito da melhora ao longo das décadas, os estudos continuaram encontrando significativa variabilidade diagnóstica,[20] com uma concordância entre

avaliadores "moderada" ou apenas "razoável". Há variabilidade diagnóstica também entre radiologistas de diferentes países.[21]

4. Quando patologistas analisaram a presença de melanoma — a forma mais perigosa de câncer de pele — em lesões na pele, a concordância foi apenas "moderada". Os oito patologistas revisando cada caso foram unânimes apenas 62% do tempo.[22] Outro estudo em um centro oncológico descobriu que a precisão diagnóstica de melanomas era de apenas 64%, ou seja, os médicos se equivocavam no diagnóstico de melanoma em uma de cada três lesões.[23] Um terceiro estudo revelou que os dermatologistas da Universidade de Nova York falharam em diagnosticar melanoma em biópsias de pele em 36% das ocasiões. Os autores do estudo concluíram que "o fracasso clínico em diagnosticar corretamente o melanoma trouxe gravíssimas implicações para a sobrevivência de pacientes de uma doença que pode matar".[24]

5. Há variabilidade nos julgamentos dos radiologistas com respeito à análise de mamografias. Um amplo estudo descobriu que a faixa de falsos negativos entre diferentes radiologistas variava de 0% (o radiologista acertou todas as vezes) a mais de 50% (o radiologista identificou incorretamente a mamografia como normal em mais da metade das vezes). Similarmente, as taxas de falso positivo iam de menos de 1% a 64% (ou seja, em quase dois terços das vezes, o radiologista afirmou que a mamografia indicava câncer, quando estava normal).[25] Falsos negativos e falsos positivos, vindos de diferentes radiologistas, são uma certeza de ruído.

Esses casos de ruído interpessoal dominam a pesquisa existente, mas há descobertas também sobre o ruído de ocasião. Os radiologistas às vezes oferecem uma opinião diferente ao avaliar a mesma imagem de novo e assim discordam de si mesmos (embora com menos frequência do que discordam dos outros).[26] Ao avaliar a gravidade do bloqueio nas angiografias, 22 médicos discordaram de si mesmos entre 63% e 92% das vezes.[27] Em áreas que envolvem critérios vagos e julgamentos complexos, a confiabilidade intrapessoal do avaliador pode ser baixa.[28]

Os estudos não fornecem uma explicação clara para esse ruído de ocasião. Mas outro estudo, sem nenhuma relação com diagnósticos,[29] identifica uma fonte simples de ruído de ocasião na medicina — descoberta que tanto pacientes como médicos devem ter em mente. Resumindo, a de que médicos são significativamente mais propensos a pedir exames de imagem para câncer no começo da manhã do que no fim da tarde. Em uma ampla amostra, o número de pedidos de mamografias e colonoscopias era mais elevado às oito da manhã, com 63,7%, diminuía depois disso para 48,7%, às onze da manhã, aumentava para 56,2% ao meio-dia e então diminuía para 47,8% às cinco da tarde. Segue-se que pacientes com consulta no fim do período vespertino tinham menos probabilidade de fazer exames de imagem para câncer, como recomendam as diretrizes.

Como explicar esses resultados? Uma possível resposta seria que os médicos inevitavelmente ficam sobrecarregados por atender vários pacientes com um problema médico complexo que exige mais do que a costumeira consulta de vinte minutos. Mencionamos neste livro o papel do estresse e do cansaço como gatilhos do ruído de ocasião (ver capítulo 7), e esses elementos parecem estar em operação aqui. Para não deixar o paciente seguinte esperando ainda mais, muitas vezes o médico deixa de conversar sobre medidas profiláticas. Outra coisa que ilustra o papel do cansaço na medicina é a baixa adesão ao procedimento de lavar as mãos ao fim de um turno no hospital.[30] (Ou seja, até para lavar as mãos somos ruidosos.)

MENOS MÉDICOS RUIDOSOS: O VALOR DAS DIRETRIZES

Seria uma grande contribuição,[31] não apenas para a medicina, mas para o conhecimento humano de modo geral, fazer uma descrição abrangente da presença e magnitude do ruído no contexto de diferentes problemas médicos. Não temos conhecimento de tal descrição; esperamos que um dia seja feita. Mas, mesmo hoje, os resultados disponíveis fornecem algumas pistas.

Num extremo, o diagnóstico para alguns problemas e doenças é essencialmente mecânico e não dá margem a julgamento. Em certos casos, o diagnóstico não é mecânico, mas inequívoco; qualquer um com treinamento médico muito provavelmente chegará à mesma conclusão. Em outros, um grau de especialização — entre, digamos, especialistas em câncer pulmonar — bastará para assegurar que o ruído exista mas seja mínimo. No outro extremo, alguns casos dão grande margem a julgamento e os critérios relevantes para diagnóstico são tão amplos que o ruído será substancial e difícil de reduzir. Como veremos, esse é o caso de grande parte da psiquiatria.

O que reduz o ruído na medicina? Como mencionamos, o treinamento aumenta a habilidade, e a habilidade certamente ajuda.[32] Bem como a agregação de múltiplos julgamentos especializados (segundas opiniões e assim por diante).[33] Algoritmos oferecem uma possibilidade particularmente promissora, e os médicos utilizam algoritmos de deep learning e inteligência artificial para reduzir o ruído. Por exemplo, tais algoritmos têm sido usados para detectar metástases de nódulos linfáticos em mulheres com câncer de mama. Constatou-se que o melhor deles é superior ao melhor patologista e, obviamente, algoritmos não são ruidosos.[34] Algoritmos de deep learning também têm sido utilizados, com considerável sucesso, na detecção de problemas oculares associados a diabetes.[35] E a IA atualmente tem um desempenho no mínimo tão bom quanto radiologistas na detecção de câncer em mamografias;[36] novos avanços na IA deverão mostrar sua superioridade.

A tendência é que, no futuro, a profissão médica fique cada vez mais dependente de algoritmos; eles prometem reduzir tanto o viés como o ruído, poupando vidas e dinheiro no processo. Mas nossa ênfase aqui será nas diretrizes para o julgamento humano, porque o campo da medicina constitui uma proveitosa ilustração de como elas produzem resultados bons ou até excelentes em algumas aplicações e resultados mais conflitantes em outras.

Talvez o exemplo mais famoso de uma diretriz diagnóstica seja a escala de Apgar, desenvolvida em 1952 pela anestesiologista obstétrica Virginia Apgar. Avaliar se um recém-nascido tinha algum problema costumava ser um julgamento clínico reservado a médicos e parteiras. A escala de Apgar lhes proporcionou uma diretriz-padrão. Avaliam-se a cor do bebê, sua pulsação, reflexos, tônus muscular e esforço respiratório, às vezes sintetizado em inglês como um "retroacrônimo" para Apgar: *aparência* (cor da pele), *pulso* (batimento cardíaco), *careta* (irritabilidade reflexa), *atividade* (tônus muscular) e *respiração* (frequência respiratória e esforço). No teste de Apgar, cada uma dessas cinco medições recebe uma pontuação de 0, 1 ou 2. A maior pontuação total possível é 10, algo raro. Uma pontuação de 7 ou mais é considerada indicativa de boa saúde (tabela 3).[37]

TABELA 3
DIRETRIZES DA ESCALA DE APGAR

CATEGORIA	NÚMERO DE PONTOS ATRIBUÍDOS
Aparência (cor da pele)	0: O corpo todo fica azul ou pálido 1: Cor boa no corpo, mas mãos ou pés azuis 2: Completamente rosa ou cor normal
Pulso (batimento cardíaco)	0: Sem batimento cardíaco 1: < 100 batimentos por minuto 2: > 100 batimentos por minuto
Careta (reflexos)	0: Nenhuma reação a estímulos das vias aéreas 1: Careta durante estímulo 2: Careta e tosse ou espirro durante estímulo
Atividade (tônus muscular)	0: Flacidez 1: Alguma mobilidade (flexão) de braços e pernas 2: Movimento ativo
Respiração (frequência respiratória e esforço)	0: Sem respirar 1: Choro fraco (lamúrias, resmungos) 2: Choro bom, forte

Observe que o batimento cardíaco é o único componente estritamente numérico da escala e que todos os demais envolvem um elemento de julgamento. Mas como o julgamento é decomposto em elementos individuais, os quais podem ser inequivocamente avaliados, até médicos com grau moderado de treinamento mostram pouca tendência a muita discordância, e por isso a escala de Apgar gera pouco ruído.[38]

A escala de Apgar exemplifica como as diretrizes funcionam e por que reduzem o ruído. Ao contrário de regras ou algoritmos, diretrizes não eliminam a necessidade do julgamento: a decisão não é uma simples computação. A discordância permanece possível em cada um dos componentes e, logo, na conclusão final. No entanto as diretrizes conseguem reduzir o ruído porque decompõem uma decisão complexa em uma série de subjuízos mais fáceis sobre dimensões predefinidas.

Os benefícios dessa abordagem são claros quando vemos o problema em termos dos modelos preditivos simples discutidos no capítulo 9. Um médico diagnosticando a saúde de um recém-nascido baseia-se em diversas dicas preditivas. O ruído de ocasião pode estar em operação: em um dia, mas não em outro, ou em um estado de espírito, mas não em outro, o médico pode prestar atenção a variáveis preditoras relativamente sem importância ou ignorar as importantes. Com a escala de Apgar, o foco do profissional de saúde se volta às cinco variáveis que sabemos empiricamente ser importantes. Assim, a escala oferece uma descrição clara de como avaliar cada dica, o que simplifica enormemente o julgamento formulado sobre cada uma, reduzindo portanto seu ruído. Ao final, a escala de Apgar especifica como ponderar de forma mecânica as variáveis preditoras para produzir o julgamento total necessário, enquanto médicos humanos divergiriam acerca do peso atribuído às dicas. Foco nas variáveis preditoras relevantes, simplificação do modelo preditivo e agregação mecânica — tudo isso reduz o ruído.

Abordagens análogas têm sido utilizadas em muitas áreas médicas. Um exemplo é a escala de Centor, cujos critérios orientam o diagnóstico de faringite estreptocócica. O paciente recebe um ponto para cada um dos seguintes sintomas ou sinais (cujos termos, como a escala de Apgar, constituem um retroacrônimo em inglês para o sobrenome de Robert Centor, que com seus colegas foi o primeiro a sintetizar essa diretriz): ausência de *tosse*, presença de *exsudatos* (manchas brancas no fundo da garganta), *nódulos* linfáticos moles ou inchados no pescoço e *temperatura* acima de 38 graus. Dependendo da pontuação atribuída ao paciente, é recomendável um exame de cultura da garganta para diagnosticar a faringite bacteriana. A avaliação e a pontuação são relativamente diretas usando essa escala,[39] que reduziu a quantidade de pacientes desnecessariamente submetidos a testes e tratamentos para esse tipo de faringite.

De maneira similar, foram desenvolvidas diretrizes para diagnóstico de câncer de mama com o Breast Imaging Reporting and Data System (BI-RADS), que reduz o ruído na leitura de mamografias. Um estudo revelou que o BI-RADS aumentou a concordância entre avaliadores nas análises de mamografias,[40] demonstrando que as diretrizes podem ser eficazes em reduzir o ruído numa área em que a variabilidade tem sido significativa. Na patologia, tem havido muitas tentativas bem-sucedidas de usar as diretrizes para o mesmo propósito.[41]

O CASO DEPRIMENTE DA PSIQUIATRIA

Em termos de ruído, a psiquiatria é um caso extremo. Diagnosticando um mesmo paciente com o uso dos mesmos critérios, psiquiatras com frequência discordam entre si. Por esse motivo, a redução do ruído tem sido uma prioridade importante para a comunidade de psiquiatria desde pelo menos a década de 1940.[42] E, como veremos, a despeito dos constantes refinamentos, as diretrizes proporcionaram ajuda apenas modesta na redução do ruído.

Um estudo de 1964[43] envolvendo 91 pacientes e dez psiquiatras experientes revelou que a probabilidade de concordância entre duas opiniões era de apenas 57%. Outro estudo antigo, envolvendo 426 pacientes de um hospital público diagnosticados independentemente por dois psiquiatras, encontrou uma concordância de apenas 50% em seus diagnósticos sobre o tipo de doença mental presente; outro, envolvendo 153 pacientes ambulatoriais, revelou 54% de concordância. Nesses estudos, a fonte do ruído não foi especificada. O interessante porém é que se descobriu que alguns psiquiatras revelaram tendência a atribuir os pacientes a categorias diagnósticas específicas. Por exemplo, uns mostraram particular propensão a diagnosticar depressão, enquanto outros tendiam a diagnosticar ansiedade.

Como veremos em breve, os níveis de ruído na psiquiatria continuam elevados. Por quê? Os especialistas não têm uma resposta clara (ou seja, as explicações para o ruído também são ruidosas). O conjunto amplo de categorias diagnósticas é sem dúvida um fator. Mas, em uma tentativa preliminar de responder a essa questão,[44] os pesquisadores pediam a um psiquiatra para entrevistar o paciente primeiro, depois um segundo psiquiatra conduzia nova entrevista, após um breve período de descanso. Os dois psiquiatras se reuniam em seguida e, se discordassem, discutiam o porquê.

Um dos motivos mais frequentes era a "inconstância dos médicos": diferentes escolas de pensamento, treinamentos, experiências clínicas, estilos de consulta. Embora um "médico treinado em desenvolvimento possa explicar a experiência alucinatória como parte da experiência pós-traumática de abuso passado", um médico diferente, "com orientação biomédica, poderia explicar as mesmas alucinações como parte de um processo esquizofrênico".[45] Tais diferenças são exemplos do ruído de padrão.

Além das divergências profissionais, porém, o principal motivo para o ruído era "a inadequação da nomenclatura". Tais observações e a ampla insatisfação com a nomenclatura psiquiátrica ajudaram a motivar a revisão de 1980 do *Manual diagnóstico e estatístico de transtornos mentais*, que levou a sua terceira edição (DSM-III). O manual incluía, pela primeira vez, critérios explícitos e detalhados para diagnosticar transtornos mentais, um primeiro passo no sentido de introduzir diretrizes diagnósticas.

O DSM-III levou a um aumento dramático na pesquisa sobre a presença do ruído nesses diagnósticos.[46] Também se mostrou útil em reduzir o ruído. Mas o manual estava longe de ser um sucesso completo.[47] Mesmo após uma significativa revisão feita em 2000 da quarta edição — o DSM-IV, publicado originalmente em 1994 —, a pesquisa mostrava que o nível do ruído permanecia alto. Por um lado, Ahmed Aboraya e seus colegas concluíram que "o uso de critérios diagnósticos para transtornos psiquiátricos mostrou aumentar a confiabilidade dos diagnósticos psiquiátricos".[48] Por outro, continua havendo um sério risco de que "as internações de um único paciente resultem em múltiplos diagnósticos".[49]

Outra versão do manual, o DSM-V, foi lançada em 2013.[50] A Associação Americana de Psiquiatria[51] esperava que o DSM-V reduzisse o ruído, porque se baseava em critérios mais objetivos, com uma escala mais clara. Mas os psiquiatras continuam a manifestar ruído significativo.[52] Por exemplo, Samuel Lieblich e seus colegas descobriram que os "psiquiatras têm muita dificuldade em concordar sobre quem sofre ou não de um transtorno depressivo importante".[53] Testes práticos com o DSM-V[54] apresentaram "concordância mínima", o que "significa que psiquiatras especializados altamente treinados, sob as condições do estudo, só conseguiram concordar que um paciente tem depressão entre 4% e 15% das vezes". Segundo alguns testes,[55] o DSM-V na verdade piorou as coisas, ampliando o ruído "em todas as áreas importantes, com alguns diagnósticos, como transtorno misto de ansiedade e depressão [...], tão incertos a ponto de parecerem inúteis na prática clínica".

O principal motivo para o sucesso limitado das diretrizes parece ser que, na psiquiatria, "os critérios diagnósticos de alguns transtornos ainda são vagos e difíceis de operacionalizar".[56] Algumas diretrizes reduzem o ruído decompondo o julgamento em critérios em que a discordância é reduzida, mas, como tais critérios são relativamente abertos, o ruído permanece provável. Levando isso em conta, propostas proeminentes pedem por diretrizes diagnósticas mais padronizadas. Entre elas, (1) esclarecer critérios diagnósticos, evitando padrões vagos; (2) produzir "definições de referência" dos sintomas e seu nível de gravidade, segundo a teoria de que, quando "concordam com a presença ou ausência de sintomas, os médicos têm maior propensão a concordar com o diagnóstico"; e (3) usar entrevistas estruturadas na consulta, além da conversa franca com o paciente.[57] Um manual de entrevistas proposto inclui 24 questões de triagem que permitem o diagnóstico mais confiável, por exemplo, de ansiedade, depressão e distúrbios alimentares.

Esses passos soam promissores, mas permanece em aberto até que ponto seriam bem-sucedidos em reduzir o ruído. Nas palavras de um observador: "A fé nos sintomas subjetivos do paciente, a interpretação dos sintomas feita pelo médico e a inexistência de uma medida objetiva (como hemograma) plantam as sementes da inconfiabilidade diagnóstica dos transtornos psiquiátricos".[58] Nesse sentido, a psiquiatria talvez se revele especialmente resistente a tentativas de redução de ruído.

Nessa questão particular, é cedo demais para fazer uma previsão confiante. Mas uma coisa é clara: na medicina em geral, as diretrizes têm sido altamente bem-sucedidas em reduzir tanto o viés como o ruído. Elas ajudam médicos, enfermeiros e pacientes, e com isso melhoram enormemente a saúde pública. A profissão médica necessita de mais diretrizes.[59]

FALANDO DE DIRETRIZES EM MEDICINA

"Entre os médicos, o nível do ruído é muito mais elevado do que teríamos suspeitado. Ao diagnosticar câncer e doença cardíaca — mesmo avaliando radiografias —, os especialistas às vezes discordam. Isso significa que o tratamento recebido pelo paciente pode ser resultado de uma loteria."

"Médicos gostam de pensar que tomariam a mesma decisão independentemente de ser segunda ou sexta-feira, o início da manhã ou o fim da tarde. Mas o que um médico diz ou faz pode depender muito de seu nível de cansaço."

"As diretrizes devem deixar os médicos menos propensos a cometer erros às custas do paciente. Também podem ajudar a profissão médica como um todo, pois reduzem a variabilidade."

23. Definindo a escala em análises de desempenho

Comecemos por um exercício. Pegue três pessoas que você conheça bem; podem ser amigos ou colegas. Classifique-as numa escala de 1 a 5, em que 1 é a pontuação mais baixa e 5 é a mais elevada, em função de três características: bondade, inteligência e dedicação. Depois, peça a alguém que também as conhece — cônjuge, melhor amigo, colega mais próximo — para fazer o mesmo em relação a essas três pessoas.

Há boas chances de você e o outro avaliador terem chegado a números diferentes para as mesmas pessoas. Discutam os motivos para essa divergência. Talvez a resposta esteja no modo como a escala foi usada — é o que chamamos de ruído de nível. Talvez você tenha pensado que a pontuação de 5 requer algo extraordinário, ao passo que o outro avaliador achou que requer apenas algo atipicamente bom. Ou talvez vocês tenham divergido devido a suas diferentes opiniões sobre essas pessoas: sua percepção da bondade delas, e do que exatamente define essa virtude, pode ser diferente da percepção do outro avaliador.

Agora imagine que há uma promoção ou um bônus em jogo para as três pessoas que você avaliou. Suponha que você e o outro avaliador realizem análises de desempenho em uma empresa que valoriza bondade (ou coleguismo), inteligência e dedicação. Haveria alguma diferença entre suas classificações? Ela seria tão grande quanto no exercício anterior? Maior ainda? Sejam quais forem as respostas, é provável que as diferenças de políticas e escalas gerem ruído. E de fato é o que observamos ubiquamente em análises de desempenho nos cenários organizacionais.

UMA TAREFA DO JULGAMENTO

Em quase toda grande organização, o desempenho é formalmente avaliado com regularidade. Mas os funcionários não gostam de ser avaliados. Como disse uma chamada de jornal: "Estudo revela que basicamente todo mundo odeia avaliações de desempenho".[1] Todo mundo também sabe (achamos) que avaliações de desempenho estão sujeitas a viés e ruído. Mas a maioria das pessoas simplesmente não faz ideia de como é ruidosa.

Em um mundo ideal, avaliar o desempenho não seria uma tarefa do julgamento; fatos objetivos bastariam para determinar como as pessoas estão se saindo. Mas a maioria das organizações modernas tem pouco em comum com a fábrica de alfinetes de Adam Smith, em que todo trabalhador tinha uma produção mensurável. Qual seria essa produção para um diretor financeiro ou chefe de pesquisa? Os trabalhadores do conhecimento atuais equilibram objetivos múltiplos, às vezes contraditórios. Focar em apenas um deles pode resultar em avaliações equivocadas e acarretar efeitos de incentivo prejudiciais. A quantidade de pacientes que um médico atende diariamente é um fator importante da produtividade do hospital, por exemplo, mas você não gostaria que os médicos se concentrassem obstinadamente nesse indicador, muito menos que fossem avaliados e remunerados com base apenas nisso. Até métricas de desempenho quantificáveis — digamos, as vendas de um representante ou o número de linhas de código escritas por um programador — devem ser avaliadas no contexto: nem todos os clientes são igualmente difíceis de atender e nem todos os projetos de desenvolvimento de software são idênticos. À luz desses desafios, muitas pessoas não podem ser avaliadas apenas com base em métricas de desempenho objetivas. Por isso a ubiquidade das revisões de desempenho baseadas no julgamento.[2]

UM QUARTO DE SINAL, TRÊS QUARTOS DE RUÍDO

Há milhares de artigos acadêmicos publicados sobre a prática das avaliações de desempenho. A maioria dos pesquisadores acha tais avaliações excessivamente ruidosas.[3] Essa sóbria conclusão deriva sobretudo de estudos baseados em revisões de desempenho 360 graus, em que múltiplos avaliadores fornecem input sobre uma mesma pessoa, geralmente em múltiplas dimensões de desempenho. Quando uma análise dessas é conduzida, o resultado não é bonito. Com frequência se revela que a variância real, ou seja, a variância atribuível ao desempenho da pessoa, não corresponde a mais de 20% ou 30% da variância total. O resto, 70% a 80% da variância nas classificações, é ruído de sistema.[4]

De onde vem esse ruído? Graças a inúmeros estudos[5] de variância em análises de desempenho profissional, sabemos que todos os componentes do ruído de sistema estão presentes.

Esses componentes são muito fáceis de imaginar no contexto de uma análise de desempenho. Considere duas avaliadoras, Lynn e Mary. Se Lynn é leniente e Mary é rígida, no sentido de que Lynn atribui classificações médias mais elevadas do que Mary para todos os avaliados, nesse caso temos ruído de nível. Como observado em nossa discussão sobre juízes, o ruído pode significar que Lynn e Mary têm impressões de fato diferentes ou que as duas avaliadoras apenas usam a escala de classificação de forma diferente para transmitir a mesma impressão.

Agora digamos que você seja avaliado por Lynn e aconteça de ela ter uma opinião distintamente desfavorável a seu respeito. A leniência geral dela pode ser contrabalançada por sua reação idiossincrática (e negativa) a você. Isso é o que chamamos de padrão estável: a reação específica do avaliador a uma pessoa específica que está sendo qualificada. Como o padrão é exclusivo de Lynn (e do julgamento que ela faz a seu respeito), trata-se de uma fonte de ruído de padrão.

Finalmente, imagine que, pouco antes de preencher o formulário de avaliação, Mary percebe que alguém amassou seu carro no estacionamento da empresa, ou que Lynn acabou de receber um bônus bastante generoso e estava num atípico bom humor quando avaliava seu desempenho. Eventos como esses geram ruído de ocasião.

Diferentes estudos chegam a diferentes conclusões sobre a divisão do ruído de sistema nesses três componentes (nível, padrão e ocasião), e certamente podemos imaginar por que isso deve variar de uma organização para outra. Mas o ruído, em todas as suas formas, é indesejável. A mensagem básica extraída dessa pesquisa é clara: a maioria das análises de desempenho tem muito menos a ver com o desempenho do avaliado do que gostaríamos de pensar. Como sintetiza uma revisão, "a relação entre desempenho profissional e análises de desempenho profissional tende a ser fraca ou, na melhor das hipóteses, incerta".[6]

Além do mais, há muitas razões para as classificações nas organizações possivelmente não refletirem a percepção do avaliador sobre o real desempenho do funcionário.[7] Por exemplo, talvez não se esteja de fato avaliando o desempenho, e sim avaliando "estrategicamente" a pessoa.[8] Por exemplo, pode-se inchar intencionalmente uma avaliação a fim de evitar uma conversa difícil na hora de dar o feedback ao funcionário, de favorecer alguém buscando uma promoção há muito aguardada ou até, paradoxalmente, se livrar de um subalterno com mau desempenho cuja transferência de divisão depende de uma boa avaliação.

Esses cálculos estratégicos afetam as classificações, mas não são a única fonte de ruído. Sabemos disso graças a uma espécie de experimento natural: alguns sistemas de feedback 360 graus são usados exclusivamente para desenvolvimento. Com esses sistemas, o avaliador é informado de que o feedback não será usado para fins de avaliação. Na medida em que acredita de fato nisso que lhe foi informado, a abordagem o desencoraja de inchar — ou desinchar — uma classificação. Como descobrimos, a revisão de desenvolvimento faz diferença na qualidade do feedback, mas o ruído de sistema permanece alto e ainda explica muito mais variância do que o desempenho da pessoa sendo avaliada. Mesmo quando o feedback é apenas de desenvolvimento,[9] as qualificações permanecem ruidosas.

UM PROBLEMA HÁ MUITO PERCEBIDO, MAS NUNCA RESOLVIDO

Se os sistemas de análise de desempenho são tão irremediavelmente falhos, as pessoas que medem desempenho deveriam se dar conta disso e melhorá-los. De fato, nas últimas décadas, as organizações experimentaram incontáveis reformas nesses sistemas. As reformas empregaram algumas estratégias de redução de ruído por nós delineadas. A nosso ver, muito mais poderia ser feito.

Quase todas as organizações usam a estratégia de redução de ruído da *agregação*. Classificações agregadas estão com frequência associadas a sistemas de avaliação 360 graus, que se tornaram o padrão em grandes corporações na década de 1990. (O periódico *Human Resources Management* publicou uma edição especial sobre feedback 360 graus em 1993.)

Embora a média das classificações feitas por diversos avaliadores deva ajudar a reduzir o ruído de sistema, vale observar que os sistemas de feedback 360 graus não foram inventados para remediar o problema. Sua finalidade principal é medir muito mais do que um chefe vê. Quando seus colegas e subordinados, e não só seu chefe, são convidados a contribuir em sua avaliação de desempenho, a natureza do que está sendo avaliado muda. A teoria presume que essa mudança é para melhor, porque os empregos atuais implicam mais do que agradar ao chefe. O crescimento da popularidade do feedback 360 graus coincidiu com a generalização de organizações fluidas, baseadas em projetos.

As evidências sugerem que o feedback 360 graus é uma ferramenta útil no sentido de que prevê objetivamente o desempenho mensurável.[10] Infelizmente, o uso desse sistema de feedback gerou seus próprios problemas. À medida que os computadores facilitavam cada vez mais acrescentar questões aos sistemas de feedback, e a proliferação de múltiplas metas e restrições corporativas acrescentava dimensões às descrições de cargo, muitos questionários de feedback ficavam absurdamente complexos. A *overengineering*, o uso de recursos sofisticados demais para o contexto, grassava[11] (um exemplo envolve 46 qualificações em onze dimensões para cada avaliador e avaliado). Um esforço sobre-humano seria necessário para lembrar e processar fatos precisos, relevantes, sobre inúmeras pessoas sendo classificadas em tantas dimensões. Em alguns aspectos, essa abordagem excessivamente complicada não é só inútil, mas também perniciosa. Como vimos, o efeito halo implica que dimensões supostamente separadas na prática não serão tratadas separadamente. Uma classificação positiva ou negativa forte de uma das primeiras questões tenderá a mover as respostas às questões subsequentes na mesma direção.

Ainda mais importante: o desenvolvimento de sistemas 360 graus aumentou exponencialmente a quantidade de tempo devotada a fornecer feedback. Não é incomum que gerentes de nível intermediário tenham de completar dezenas de questionários sobre os colegas em todos os níveis — e às vezes sobre outros gerentes em outras organizações, porque muitas empresas hoje solicitam feedback de clientes, fornecedores e outros parceiros comerciais. A despeito das boas intenções, não podemos esperar que essa explosão nas demandas exigidas de avaliadores com tempo limitado melhore a qualidade da informação suprida por eles. Nesse caso, a redução do ruído pode não valer o custo — um problema que discutiremos na parte VI.

Finalmente, sistemas 360 graus não são imunes a um mal quase universal de todos os sistemas de medição de desempenho: o inchaço furtivo das avaliações. Uma companhia industrial importante certa vez observou que 98% de seus gerentes foram classificados como "correspondendo plenamente às expectativas".[12] Quando quase todo mundo recebe a maior qualificação possível, é justo questionar a validade das classificações.

EM DEFESA DO JULGAMENTO RELATIVO

Uma solução teoricamente efetiva para o problema do inchaço de classificações é introduzir alguma padronização nelas. Uma prática popular que objetiva fazer isso é o *ranking forçado*.[13] Em um sistema de ranking forçado, os avaliadores não só são impedidos de dar a maior qualificação possível a todo mundo como são obrigados a obedecer a uma distribuição predeterminada. O ranking forçado foi defendido por Jack Welch quando ele era CEO da General Electric como uma maneira de acabar com o inchaço nas classificações e assegurar "franqueza" nas revisões de desempenho. Muitas empresas o adotaram e o abandonaram posteriormente, citando efeitos colaterais indesejados no moral e no trabalho em equipe.

Sejam quais forem suas falhas, as classificações ordenadas são menos ruidosas que as de outro tipo. Vimos no exemplo das indenizações punitivas que há muito menos ruído em julgamentos relativos do que absolutos, e essa relação mostrou se aplicar também à análise de desempenho.[14]

Para entender por quê, considere a figura 17, que mostra dois exemplos de escalas para avaliação de funcionários. A situação A, em que um funcionário é classificado numa escala absoluta, exige o que chamamos de operação de equiparação: encontrar a pontuação que mais se aproxime de sua impressão da "qualidade do trabalho" do funcionário. A situação B, por outro lado, exige que cada indivíduo seja comparado a um grupo de outros numa dimensão

Situação A

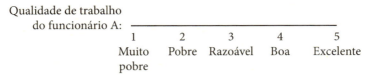

Situação B

Classifique seus subordinados quanto à *segurança*, ou seja, em que medida os funcionários seguem as regras e os regulamentos apropriados, comportam-se de maneira segura no emprego e demonstram conscientização e compreensão das práticas de segurança no trabalho.

Figura 17. *Exemplos de escalas de classificação absoluta e relativa.*[15]

específica: segurança. O supervisor deve declarar a posição (ou percentil) de um funcionário numa população especificada usando uma escala de percentis. Podemos ver que um supervisor colocou três funcionários nessa escala comum.

A abordagem na situação B tem duas vantagens. Primeiro, classificar todos os funcionários em uma dimensão de cada vez (nesse exemplo, segurança) exemplifica uma estratégia de redução de ruído que discutiremos em mais detalhes no próximo capítulo: *estruturar* um julgamento complexo em diversas dimensões. A estruturação é uma tentativa de limitar o efeito halo, que em geral mantém as classificações de um indivíduo em diferentes dimensões dentro de uma faixa reduzida. (A estruturação, é claro, funciona apenas se o ranking for feito separadamente em cada dimensão, como no exemplo: ranquear funcionários fazendo um julgamento vago, agregado, sobre a "qualidade do trabalho" não reduziria o efeito halo.)

Segundo, como discutimos no capítulo 15, o ranking reduz tanto o ruído de padrão como o ruído de nível. Temos menor tendência a ser inconsistentes (e a gerar ruído de padrão) comparando o desempenho de dois membros de uma mesma equipe do que atribuindo notas separadas a cada um. Mais importante, a ordenação elimina mecanicamente o ruído de nível. Se Lynn e Mary estiverem avaliando o mesmo grupo de vinte funcionários e Lynn for mais leniente do que Mary, a média de suas classificações absolutas será diferente, mas a média de seus rankings não. Um ordenador leniente e um ordenador austero usam as mesmas ordens.

Na verdade, a redução do ruído é o principal objetivo declarado do ranking forçado, que assegura que todos os avaliadores tenham a mesma média e a mesma distribuição de avaliações. Os rankings são "forçados" quando é imperativa uma distribuição das classificações. Por exemplo, uma regra pode afirmar que não mais que 20% das pessoas que estão sendo classificadas podem ser colocadas na categoria superior e não menos que 15%, na inferior.

RANQUEIE, MAS NÃO FORCE

Em princípio, portanto, o ranking forçado deveria resultar nas tão necessárias melhorias. Contudo, ele com frequência sai pela culatra. Não pretendemos revisar aqui todos os possíveis efeitos indesejados (que muitas vezes estão ligados antes à implementação ruim do que ao princípio). Mas dois problemas com sistemas de ranking forçado proporcionam algumas lições gerais.

O primeiro é a confusão entre desempenho absoluto e relativo. Certamente, é impossível que 98% dos gerentes de uma empresa estejam entre os 20%, 50% ou até 80% melhores entre seus pares. Mas não é impossível que todos eles "atendam às expectativas", se essas expectativas foram definidas ex ante e *em termos absolutos*.

Muitos executivos fazem objeção à ideia de que quase todos os funcionários possam atender às expectativas. Nesse caso, afirmam, as expectativas devem ser muito baixas, talvez devido a uma cultura de complacência. Admitimos que essa interpretação pode ser válida, mas também é possível que a maioria dos funcionários encontre expectativas *elevadas*. Na verdade, é exatamente o que esperaríamos em uma organização de alto desempenho. Quem zombaria da leniência dos procedimentos de gestão de desempenho da Nasa se escutasse que todos os astronautas em uma missão espacial bem-sucedida atenderam plenamente às expectativas?

O resultado é que um sistema que depende de avaliações relativas é adequado apenas se a organização se preocupa com o desempenho relativo. Por exemplo, classificações relativas podem fazer sentido quando, independentemente do desempenho absoluto dos indivíduos, apenas uma porcentagem fixa pode ser promovida — pense em coronéis sendo avaliados para uma promoção a general. Mas forçar um ranking relativo em algo que pretende medir um nível *absoluto* de desempenho, como fazem muitas empresas, é ilógico. E determinar que uma porcentagem preestabelecida de funcionários seja classificada como deixando de atender às expectativas (absolutas) não é só cruel, mas também absurdo. Seria tolice afirmar que 10% de uma unidade de elite do Exército deve ser considerada "insatisfatória".

O segundo problema é presumir que a distribuição forçada das classificações reflete a distribuição dos reais desempenhos subjacentes — tipicamente, algo próximo de uma distribuição normal. Contudo, mesmo que a distribuição de desempenhos na população que está sendo classificada seja conhecida, a mesma distribuição pode não ser reproduzida em um grupo menor, como os avaliados por um único indivíduo. Se escolhermos de maneira aleatória dez pessoas em uma população de muitos milhares, não há garantia alguma de que exatamente duas delas pertencerão aos 20% melhores da população geral. ("Garantia alguma" não faz jus ao caso: a probabilidade de que isso aconteça é de apenas 30%.) Na prática, o problema é ainda pior, porque a composição das equipes não é aleatória. Algumas unidades podem ser compostas inteiramente de funcionários de alto desempenho, enquanto outras, de funcionários abaixo da média.

Inevitavelmente, o ranking forçado em tal cenário é uma fonte de erro e injustiça. Suponhamos que a equipe de um avaliador seja composta de cinco pessoas cujos desempenhos são indistinguíveis. Forçar uma distribuição de desempenho diferenciada sobre essa realidade indiferenciada não reduz o erro, e sim aumenta.

Críticos do ranking forçado costumam concentrar seus ataques no princípio da coisa, que costuma ser considerado brutal, desumano e, em última análise, contraprodutivo. Aceitando ou não esses argumentos, a falha fatal do ranking forçado não está em "ranquear", mas em "forçar". Sempre que julgamentos são forçados sobre uma escala inapropriada, seja porque uma escala relativa é usada para medir um desempenho absoluto, seja porque os juízes são forçados a distinguir o indistinguível, a escolha da escala acrescenta ruído mecanicamente.

QUAL É O PRÓXIMO PASSO?

À luz de todos os esforços feitos pelas organizações para melhorar a medição de desempenho, afirmar que os resultados têm sido decepcionantes é pouco. Como resultado de suas tentativas, o custo das avaliações de desempenho saltou à estratosfera. Em 2015, a Deloitte[16] calculou que consumia 2 milhões de horas anuais na avaliação de 65 mil pessoas. As análises de desempenho continuam sendo um dos rituais mais temidos das organizações, quase igualmente odiadas tanto por avaliadores como por avaliados. Um estudo[17] revelou que espantosos 90% dos gerentes, funcionários e chefes de RH acreditam que seus processos de gestão de desempenho não rendem os resultados esperados. A pesquisa confirma o que a maioria dos gerentes sabe por experiência. Embora o feedback de desempenho, quando associado a um plano de desenvolvimento para o funcionário, possa trazer melhoras, as análises de desempenho mais frequentemente praticadas desmotivam tanto quanto motivam. Como resumido por um artigo: "Independentemente do que tenha sido tentado ao longo das décadas para melhorar os processos [de gestão de desempenho], eles continuam a produzir informações imprecisas e a não fazer virtualmente nada para motivar o desempenho".[18]

No desespero, um número pequeno mas crescente de empresas hoje considera a opção radical de eliminar por completo os sistemas de avaliação. Os proponentes dessa "revolução na gestão de desempenho",[19] incluindo muitas empresas de tecnologia, algumas organizações de serviços profissionais e um punhado de empresas em setores tradicionais, visam a focar no feedback de desenvolvimento, orientado para o futuro, em vez de na avaliação estimativa, retroativa. Alguns até fizeram avaliações sem utilizar números, abandonando as análises de desempenho tradicionais.

O que podemos fazer para melhorar a avaliação de desempenho nas empresas que não abrem mão dela (a esmagadora maioria)? Uma estratégia de redução de ruído tem a ver, novamente, com a escolha da escala correta. O objetivo é assegurar um *referencial comum*. A pesquisa sugere que uma combinação de formatos de avaliação melhores e treinamento dos avaliadores pode ajudar a obter maior consistência no uso da escala.

No mínimo, as escalas de análise de desempenho devem estar ancoradas em elementos descritivos específicos o bastante para serem interpretados consistentemente. Muitas organizações usam *escalas de classificação ancoradas no comportamento*, em que cada intervalo corresponde a uma descrição de comportamentos específicos. O lado esquerdo da figura 18 oferece um exemplo.

Mas as evidências sugerem que escalas de classificação ancoradas no comportamento não bastam para eliminar o ruído.[20] Outro passo, o *treinamento referencial*, revelou ajudar a assegurar a consistência entre os avaliadores. Nele, os avaliadores são treinados para reconhecer diferentes dimensões de desempenho. Eles praticam a análise de desempenho usando vídeos com sinopses e então aprendem como suas classificações se comparam às classificações "verdadeiras" fornecidas pelos especialistas.[21] As sinopses de desempenho funcionam como casos de referência; cada sinopse define um ponto de ancoragem na escala de desempenho, que se torna uma *escala de casos*, como a mostrada no lado direito da figura 18.

Com uma escala de casos, cada classificação de um novo indivíduo é uma comparação com os casos-âncora. Ela se torna um julgamento relativo. Como julgamentos comparativos são menos suscetíveis de ruído do que classificações absolutas, escalas de casos são mais confiáveis do que escalas que usam números, adjetivos ou descrições comportamentais.

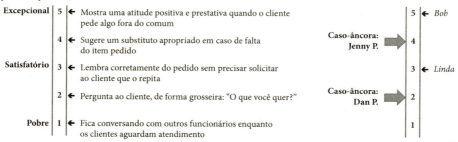

Figura 18. *Exemplos de uma escala de classificação ancorada no comportamento (esquerda) e uma escala de casos (direita).*[22]

O treinamento referencial é conhecido há décadas e rende classificações demonstravelmente menos ruidosas e mais precisas. Contudo, não foi para a frente. Os motivos são fáceis de conjecturar. Treinamento referencial, escalas de caso e outras ferramentas que buscam os mesmos objetivos são complexos e demorados. Para serem valiosas, em geral necessitam ser customizadas para a empresa e até para a unidade que conduz as avaliações, e devem ser atualizadas com frequência à medida que os requisitos de emprego evoluem. Essas ferramentas exigem que a empresa aumente seu já volumoso investimento em seus sistemas de gestão de desempenho. A moda atual vai na direção oposta. (Na parte VI, teremos mais a dizer sobre os custos de reduzir o ruído.)

Além do mais, toda organização que refreie o ruído atribuível ao avaliador também reduz a capacidade deste de influenciar as classificações na busca de seus próprios objetivos. Exigir que os gerentes passem por treinamento de avaliação adicional, invistam mais esforço no processo de avaliação e abram mão de parte do controle sobre os resultados certamente gerará considerável resistência. De maneira reveladora, a maioria dos estudos de treinamento referencial de avaliadores realizados até o momento foi conduzida em estudantes, não em gerentes de fato.[23]

O tema amplo da avaliação de desempenho levanta muitas questões, tanto práticas como filosóficas. Algumas pessoas perguntam, por exemplo, em que medida a ideia de desempenho individual faz sentido nas organizações de hoje, onde os resultados muitas vezes dependem de como os funcionários interagem uns com os outros. Se acreditamos que a ideia faz sentido, devemos nos perguntar como os níveis de desempenho individual estão distribuídos em dada organização — por exemplo, se o desempenho segue uma distribuição normal ou se existe um "talento incomum"[24] dando uma contribuição muito desproporcional. E se sua meta é extrair o melhor das pessoas, nada mais razoável do que perguntar se medir o desempenho individual e usar essa medição para motivar mediante o medo e a ganância é de fato a melhor estratégia (ou mesmo se é eficaz).

Seja projetando, seja revisando um sistema de gestão de desempenho, você precisará responder a essas questões e muitas mais. Nosso desejo aqui não é examiná-las, e sim fazer uma sugestão mais modesta: se você mede o desempenho, suas análises provavelmente são dominadas pelo ruído de sistema e, por esse motivo, podem ser em essência inúteis e muito possivelmente contraproducentes. Reduzir esse ruído é um desafio que não será resolvido com soluções tecnológicas simples. Exige um pensamento claro sobre os julgamentos que se espera dos avaliadores. É mais provável que você descubra que pode melhorar os julgamentos elucidando a escala de classificação e treinando as pessoas para usá-la de maneira consistente. Essa estratégia de redução de ruído é aplicável em muitos outros campos.

FALANDO DE DEFINIR A ESCALA

"Gastamos tanto tempo fazendo análises de desempenho, e os resultados foram um quarto de desempenho e três quartos de ruído de sistema."

"Tentamos o feedback 360 graus e o ranking forçado para lidar com o problema, mas talvez tenhamos piorado as coisas."

"Se há tanto ruído de nível, é porque 'bom' ou 'ótimo' significam coisas completamente diferentes para diferentes avaliadores. Eles só concordarão se lhes dermos casos concretos para servirem de âncora na escala de classificação."

24. Estrutura em contratações

A expressão *entrevista de emprego* deve evocar memórias vívidas e estressantes em todos que algum dia já enfrentaram o mercado de trabalho. Essa ocasião, em que o candidato se reúne com o futuro supervisor ou um profissional de RH, é um rito de passagem obrigatório para ingressar em muitas organizações.

Na maioria dos casos, a entrevista segue uma rotina bem ensaiada. Após as amenidades iniciais, o entrevistador pede ao candidato para descrever sua experiência ou comentar alguns aspectos específicos dela. São feitas perguntas sobre realizações e desafios, as motivações para o trabalho ou o aperfeiçoamento de ideias para a empresa. Muitas vezes o entrevistador pede ao candidato para descrever sua personalidade e explicar por que se considera indicado para o cargo ou adequado à cultura da empresa. Às vezes, pergunta sobre passatempos e interesses. Perto do fim, o candidato em geral pode fazer suas próprias perguntas, cuja relevância e incisividade serão devidamente avaliadas.

Se uma de suas atribuições é contratar pessoas, seus métodos de seleção provavelmente incluem alguma versão desse ritual. Como observa um psicólogo organizacional: "É raro, até mesmo impensável, contratar alguém sem algum tipo de entrevista".[1] E quase todos os profissionais se baseiam até certo ponto em seus julgamentos intuitivos quando selecionam candidatos nessas entrevistas.[2]

A onipresença da entrevista de emprego reflete uma crença profundamente arraigada no valor de nosso julgamento para selecionar as pessoas com quem vamos trabalhar. Como tarefa do julgamento, a seleção de pessoal tem uma grande vantagem: por ser tão ubíqua e importante, os psicólogos organizacionais a estudaram detalhadamente. O número inaugural do *Journal of Applied Psychology*, publicado em 1917, identificou a área de contratações como o "problema supremo [...] porque as capacidades humanas são, afinal, o principal ativo nacional".[3] Um século depois, sabemos um bocado sobre a eficácia das diversas técnicas de seleção (incluindo a entrevista-padrão). Nenhuma outra tarefa complexa do julgamento foi objeto de mais pesquisa de campo. Isso faz dela um teste perfeito, oferecendo lições que podem ser extrapoladas para muitos julgamentos envolvendo escolha entre diversas opções.

O PERIGO DAS ENTREVISTAS

Se você não está familiarizado com a pesquisa sobre entrevistas de emprego, o que virá a seguir pode surpreendê-lo. Em essência, se o seu objetivo é determinar quais candidatos devem ir bem ou mal no emprego, a entrevista-padrão (também chamada de entrevista desestruturada, por oposição à entrevista estruturada, da qual trataremos em breve) não é muito informativa. Falando francamente, é quase sempre inútil.

Para chegar a essa conclusão, inúmeros estudos estimaram a correlação entre a classificação que um avaliador dá ao candidato após a entrevista e o eventual sucesso do candidato no cargo. Se a correlação entre a avaliação da entrevista e o sucesso é alta, podemos presumir que as entrevistas — ou qualquer outra técnica de recrutamento em que a correlação seja calculada da mesma forma — são um bom prognóstico de como os candidatos vão se sair.

Aqui se faz necessário um porém. A definição de sucesso não é um problema trivial. Em geral, o desempenho costuma ser avaliado com base nas classificações feitas por um supervisor. Às vezes, a métrica é a duração no emprego. Tais medidas levantam problemas, é claro, especialmente considerando a validade questionável das análises de desempenho, que observamos no capítulo anterior. Entretanto, para o propósito de avaliar a qualidade dos julgamentos de um empregador na seleção de candidatos, parece razoável usar os julgamentos feitos por esse mesmo empregador ao avaliar os funcionários contratados dessa forma. Toda análise sobre a qualidade das decisões de contratação deve partir desse pressuposto.

O que concluem tais análises? No capítulo 11, mencionamos a correlação entre as classificações de entrevista e as análises de desempenho profissional típicas como sendo de 0,28. Outros estudos informam correlações entre 0,20 e 0,33.[4] Como vimos, é uma correlação muito boa para os padrões das ciências sociais — mas não tão boa para servir de base para nossas decisões. Usando o percentual de concordância (PC) introduzido na parte III, podemos calcular uma probabilidade: haja vista os níveis precedentes de correlação, se tudo o que sabemos sobre dois candidatos é que um pareceu melhor do que o outro na entrevista, as chances de que esse candidato seja de fato o melhor são aproximadamente de 56% a 61%. É um pouco melhor do que decidir na moeda, com certeza, mas dificilmente uma maneira a toda prova de tomar decisões importantes.

Admitimos que entrevistas servem a outros propósitos além de formular um julgamento sobre o candidato. Particularmente, representam uma oportunidade de promover a empresa para candidatos promissores e começar a construir uma relação com futuros colegas. Contudo, da perspectiva de uma organização que investe tempo e esforço na seleção de talentos, o principal objetivo das entrevistas é claramente o de seleção. E, nessa tarefa, elas não têm sido um sucesso estrondoso.

O RUÍDO NAS ENTREVISTAS

É fácil perceber por que as entrevistas tradicionais geram erro em sua previsão de desempenho profissional. Parte do erro tem a ver com o que denominamos ignorância objetiva (ver capítulo 11).[5] O desempenho profissional depende de muitas coisas, incluindo o tempo de adaptação do contratado ao novo cargo ou o modo como os vários acontecimentos da vida afetam seu trabalho. Grande parte disso é imprevisível no momento da contratação. Essa incerteza limita a validade preditiva das entrevistas e, na verdade, qualquer outra técnica de seleção de pessoal.

Entrevistas também são um campo minado de vieses psicológicos. Em anos recentes, as pessoas compreenderam que o entrevistador tende, com frequência de forma involuntária, a favorecer candidatos culturalmente parecidos ou com quem ele tenha algo em comum, incluindo gênero, raça e formação educacional.[6] Muitas empresas hoje reconhecem os riscos proporcionados pelos vieses e tentam minimizá-los mediante o treinamento específico de profissionais de recrutamento e outros funcionários. Outros vieses também são conhecidos há décadas. Por exemplo, a aparência física exerce um imenso papel na avaliação de candidatos, mesmo para cargos em que isso tenha pouca ou nenhuma importância. Tais vieses são compartilhados por todos ou pela maioria dos recrutadores e, quando aplicados a dado candidato, tendem a produzir um erro compartilhado — um viés negativo ou positivo em sua avaliação.

Não surpreende saber que aí há ruído também: diferentes entrevistadores reagem de forma diferente ao mesmo candidato e chegam a conclusões diferentes. Medições da correlação entre as classificações feitas por dois entrevistadores após ver o mesmo candidato variam de 0,37 a 0,44 (PC = 62%-65%).[7] Um motivo é que o candidato pode não se comportar exatamente da mesma maneira com os diferentes entrevistadores. Mas até em entrevistas diante de um comitê, em que vários entrevistadores são expostos ao mesmo comportamento do entrevistado, a correlação entre suas classificações é longe de perfeita. Uma meta-análise estima uma correlação de 0,74% (PC = 76%). Isso significa que você e outro entrevistador, após verem os *mesmos* candidatos numa *mesma* entrevista, continuarão discordando sobre qual dos dois é melhor em cerca de um quarto das vezes.

Essa variabilidade é em larga medida produto do ruído de padrão, a diferença nas reações idiossincráticas dos entrevistadores a determinado entrevistado. A maioria das organizações já espera essa variabilidade e, por isso, determina que diversos entrevistadores vejam um mesmo candidato, agregando os resultados de certa forma. (Normalmente, a opinião agregada é formada por meio de uma discussão em que algum tipo de consenso deve ser obtido — procedimento que cria seus próprios problemas, como já observamos.)

Um resultado mais surpreendente é a presença de bastante ruído de ocasião nas entrevistas. Há fortes evidências, por exemplo, de que recomendações de contratação estão ligadas a impressões formadas na fase informal de construção de uma relação da entrevista, os dois ou três minutos iniciais de conversa amigável que deixam o entrevistado mais à vontade. Acontece que a primeira impressão importa — e muito.[8]

Talvez você não ache problemático julgar com base na primeira impressão. Pelo menos parte do que aprendemos com ela é significativa. Todos temos consciência de que descobrimos alguma coisa nos segundos iniciais de interação com uma nova pessoa. Nada mais lógico que isso seja ainda mais verdadeiro para entrevistadores hábeis. Mas os primeiros segundos de uma entrevista refletem exatamente o tipo de qualidades superficiais que associamos à primeira impressão: as percepções iniciais se baseiam sobretudo na extroversão e nas habilidades verbais do candidato. Até a qualidade do aperto de mão é um prognóstico significativo em recomendações de contratação![9] Todo mundo gosta de um aperto de mão firme, mas poucos recrutadores conscientemente fariam disso um critério central de sua decisão.

A PSICOLOGIA DO ENTREVISTADOR

Por que a primeira impressão acaba conduzindo o resultado de uma entrevista que dura tanto tempo mais? Um dos motivos é que o entrevistador tem liberdade de orientar uma entrevista tradicional na direção que julgar mais apropriada. Provavelmente, fará perguntas que confirmem uma impressão inicial. Se o candidato parece tímido e reservado, por exemplo, o entrevistador pode lhe fazer perguntas difíceis sobre suas experiências anteriores com trabalho em equipe, mas se omitir de perguntar a mesma coisa para outro que parece ser alegre e sociável. As evidências obtidas sobre esses dois candidatos não serão as mesmas. Um estudo monitorando o comportamento de entrevistadores que formaram uma impressão inicial positiva ou negativa com base em currículos e pontuações em testes revelou que as impressões iniciais têm um efeito profundo em como a entrevista é conduzida. Entrevistadores com primeira impressão positiva, por exemplo, fazem menos perguntas e tendem a "vender" a empresa para o candidato.[10]

Mas o poder da primeira impressão não é o único aspecto problemático das entrevistas. Outro é nossa tendência a querer que a pessoa que entrevistamos *faça sentido* (uma manifestação de nosso viés, discutido no capítulo 13, de procurar, e encontrar, excessiva coerência). Em um experimento surpreendente,[11] pesquisadores designavam estudantes para fazer o papel do entrevistador ou do candidato, informando-os de que a entrevista deveria consistir apenas em questões fechadas, com resposta sim ou não. Em seguida, pediam a alguns candidatos para responder às perguntas *aleatoriamente*. (A primeira letra das

questões tal como formuladas determinava se deveriam responder sim ou não.)
Como notaram ironicamente os pesquisadores: "Alguns entrevistados ficaram
inicialmente preocupados que a entrevista aleatória fosse se mostrar absurda
assim que analisada. Mas não houve problema, e as entrevistas prosseguiram".
Você leu direito: *nenhum entrevistador* se deu conta de que os candidatos davam respostas aleatórias. Pior ainda, quando estimavam se eram "capazes de
inferir muita coisa sobre essa pessoa considerando o tempo passado juntos",
os entrevistadores na condição "aleatória" mostraram a mesma probabilidade
de concordância dos entrevistadores cujos candidatos responderam hones-
tamente — tamanha é nossa capacidade de produzir coerência. Assim como
costumamos encontrar padrões imaginários em dados aleatórios ou ver formas
nos contornos das nuvens, encontramos lógica em respostas perfeitamente
sem sentido.

Para uma ilustração menos extrema, considere o seguinte caso. Um dos
autores deste livro entrevistou um candidato cujo último cargo fora de diretor
financeiro em uma empresa de médio porte. Ele notou que o candidato dei-
xara o lugar após alguns meses e perguntou o motivo. O sujeito explicou que
fora devido a uma "discordância estratégica com o CEO". Um colega também
entrevistou o candidato, fez a mesma pergunta e ouviu a mesma resposta. Ao
comentá-la depois, os dois entrevistadores tinham opiniões radicalmente diferentes. Um, tendo até ali formado uma avaliação positiva do candidato, viu sua
decisão de deixar a antiga empresa como um sinal de integridade e coragem.
O outro, que formara uma primeira impressão negativa, interpretou o mesmo
fato como um sinal de inflexibilidade e até imaturidade. Essa história mostra
que, por mais que gostemos de acreditar que nosso julgamento sobre alguém se
baseia em fatos, nossa interpretação dos fatos é distorcida por atitudes prévias.

As limitações das entrevistas tradicionais lançam sérias dúvidas sobre nossa
capacidade de chegar a uma conclusão significativa a partir delas. Contudo,
as impressões formadas em uma entrevista são vívidas, e o entrevistador
geralmente tem confiança nelas. Ao combinar as conclusões obtidas numa
entrevista com outros indícios sobre o candidato, tendemos a dar demasiado
peso à entrevista e peso insuficiente a outros dados que podem ter maior valor
preditivo, como pontuações em testes.

Outra história talvez sirva de exemplo concreto para essa observação.
Candidatos a professor muitas vezes têm de dar uma aula-teste perante um

painel de seus pares para garantir que sua capacidade didática esteja à altura dos padrões da instituição. Sem dúvida há muito mais em jogo nessa situação do que numa aula normal. Um dos autores deste livro certa vez presenciou um candidato deixar má impressão na aula-teste claramente devido ao estresse da situação: seu currículo mencionava avaliações excepcionais e diversos prêmios por excelência. Porém, a impressão vívida produzida por seu fracasso em uma situação altamente artificial pesou mais na decisão final do que os dados abstratos sobre seu excelente histórico de desempenho no ensino.

Um último ponto: quando as entrevistas não são a única fonte de informação sobre os candidatos — por exemplo, quando também há testes, referências ou outros inputs —, os vários fatores devem ser combinados em um julgamento total. Isso toca numa questão que a essa altura você reconhece: os inputs devem ser combinados usando o julgamento (uma agregação clínica) ou uma fórmula (agregação mecânica)? Como vimos no capítulo 9, a abordagem mecânica é superior no caso tanto geral como específico da previsão de desempenho profissional. Infelizmente, os levantamentos sugerem que a esmagadora maioria dos profissionais de RH prefere a agregação clínica.[12] Essa prática acrescenta mais uma fonte de ruído a um processo já ruidoso.

MELHORANDO A SELEÇÃO DE PESSOAL POR MEIO DA ESTRUTURA

Se entrevistas tradicionais e decisões de contratação baseadas no julgamento têm validade preditiva limitada, o que podemos fazer a respeito? Felizmente, a pesquisa também resultou em algumas orientações sobre como melhorar a seleção pessoal, e algumas empresas prestaram atenção nela.

Um exemplo de empresa que atualizou suas práticas de seleção de pessoal e relatou os resultados é o Google. Em seu livro *Work Rules!*, Laszlo Bock, ex-vice-presidente de Operações Pessoais, conta essa história. Por mais que focasse na contratação de talentos do mais alto calibre e devotasse consideráveis recursos para encontrar as pessoas certas, o Google penava. Uma auditoria da validade preditiva de suas entrevistas de recrutamento revelou "relação zero [...] uma perfeita bagunça aleatória".[13] As mudanças implementadas pela empresa para lidar com a situação refletem princípios surgidos após décadas de pesquisa. Também ilustram estratégias de higiene da decisão.

A esta altura, já deveríamos estar familiarizados com uma delas: a agregação. Seu uso nesse contexto não constitui surpresa. Quase toda empresa agrega os julgamentos de múltiplos entrevistadores sobre o mesmo candidato. Sem deixar por menos, o Google às vezes sujeitava os candidatos a 25 entrevistas! Uma das conclusões do estudo de Bock foi reduzir esse número para quatro quando percebeu que entrevistas adicionais não acrescentavam praticamente nenhuma validade preditiva ao que era obtido com as quatro primeiras. Para assegurar esse nível de validade, porém, o Google tem uma regra rigorosa que nem toda empresa observa: orientar os entrevistadores a classificar o candidato separadamente *antes* de se comunicarem entre si. De novo: a agregação funciona — mas apenas se os julgamentos são independentes.

O Google adotou também uma estratégia de higiene da decisão que ainda não descrevemos em detalhe: *estruturar julgamentos complexos. Estruturar* pode significar muitas coisas. Aqui, um julgamento complexo estruturado é definido por três princípios: decomposição, independência e julgamento holístico protelado.

O primeiro princípio, *decomposição*, separa os elementos da decisão, ou as *avaliações mediadoras*. Esse passo tem a mesma finalidade da identificação dos subjuízos numa diretriz: mantém o foco dos juízes nas dicas importantes. A decomposição atua como um guia para especificar quais dados são necessários. E filtra informações irrelevantes.

No caso do Google, há quatro avaliações mediadoras na decomposição: capacidade cognitiva geral, liderança, adequação à cultura da empresa (chamada "*googleyness*") e conhecimento relativo ao papel. (Algumas dessas avaliações são depois subdivididas em componentes menores.) Observe que características do candidato como boa aparência, conversa agradável, passatempos excitantes e quaisquer outros aspectos positivos ou negativos que um recrutador possa notar em uma entrevista desestruturada não figuram na lista.

Criar esse tipo de estrutura para uma tarefa de recrutamento pode parecer mera questão de bom senso. De fato, se você está contratando um contador sem experiência ou um auxiliar administrativo, há descrições de cargo padronizadas que especificam as competências necessárias. Mas, como bem sabe um recrutador profissional, definir as avaliações essenciais é difícil para cargos incomuns ou de alto escalão, e esse passo da definição com frequência é negligenciado. Um headhunter proeminente observou que definir as competências requeridas de modo suficientemente específico é uma tarefa desafiadora, muitas vezes ignoradas.[14] Ele destaca a importância, para os tomadores de decisão, de "investir na definição do problema": reunir-se pelo tempo que for necessário antes de conhecer qualquer candidato para entrar em acordo sobre uma descrição clara e detalhada do cargo. O desafio aqui é que muitos entrevistadores usam descrições de cargo inchadas, produzidas por consenso e acomodações. As descrições são vagas listas de desejos com todas as características esperadas de um candidato ideal e não oferecem uma maneira de calibrar as características ou fazer escolhas entre elas.

O segundo princípio do julgamento estruturado, a *independência*, exige que as informações sobre cada avaliação sejam coletadas de forma independente. Apenas relacionar os componentes da descrição do cargo não basta: a maioria dos recrutadores que conduz entrevistas tradicionais sabe as quatro ou cinco coisas que procura em um candidato. O problema é que, na condução da entrevista, não avaliam esses elementos separadamente. Uma avaliação influencia as outras, o que as torna muito ruidosas.

Para superar esse problema, o Google orquestrou maneiras de fazer avaliações com base nos fatos, independentes entre si. Talvez sua ação mais visível tenha sido a introdução das *entrevistas comportamentais estruturadas*.[15] A tarefa dos entrevistadores não é decidir se gostam de um candidato no geral; é coletar dados sobre cada avaliação na estrutura e atribuir uma pontuação ao candidato em cada uma delas. Para isso, é necessário que o entrevistador faça perguntas predefinidas sobre o comportamento do candidato em situações passadas. Ele também deve registrar as respostas e atribuir-lhes pontos numa escala de classificação predeterminada, usando uma rubrica unificada. A rubrica fornece exemplos de respostas medianas, boas ou ótimas para cada questão. Essa escala compartilhada (um exemplo das escalas de classificação ancoradas no comportamento introduzidas no capítulo anterior) ajuda a reduzir o ruído no julgamento.

Se essa abordagem soa diferente da tradicional entrevista conversada é porque é mesmo. Na verdade, talvez esteja mais para uma prova ou um interrogatório do que para uma reunião de executivos, e há evidências de que tanto entrevistados como entrevistadores não gostam de entrevistas estruturadas (ou ao menos preferem as desestruturadas). Há um debate permanente sobre o que uma entrevista deve incluir para se qualificar como estruturada.[16] Mesmo assim, um dos resultados mais consistentes encontrados na literatura sobre entrevistas de emprego é que as entrevistas estruturadas são muito mais preditivas do desempenho futuro do que as tradicionais entrevistas desestruturadas.[17] A correlação com o desempenho no emprego varia entre 0,44 e 0,57. Usando nossa métrica PC, suas chances de escolher o melhor candidato por meio de uma entrevista estruturada ficam entre 65% e 69%, uma marcada melhora em relação às chances de 56% a 61% que uma entrevista desestruturada lhe daria.

O Google usa outros dados como inputs em algumas dimensões importantes para a empresa. Para testar os conhecimentos relativos à função, baseia-se em parte em *testes de amostra do trabalho*,[18] como pedir ao candidato a programador para escrever algumas linhas de código. A pesquisa mostra que testes de amostra do trabalho são uma das melhores formas de prever o desempenho no emprego. O Google também usa "referências de terceiros", fornecidas não por alguém indicado pelo candidato, mas por funcionários do Google com quem o candidato teve contato anteriormente.

O terceiro princípio do julgamento estruturado, o julgamento *holístico protelado*, pode ser resumido num preceito simples: não rejeite a intuição; deixe-a para depois. No Google, a recomendação de contratação final é feita em conjunto por um comitê, que revisa um arquivo completo com todas as classificações obtidas pelos candidatos em cada avaliação e em cada entrevista, além de outras informações relevantes que fundamentem essas avaliações. Com base nelas, o comitê decide se faz a proposta de contratação.

A despeito da cultura notoriamente centrada em dados da empresa e de toda evidência de que a combinação mecânica de dados supera a combinação clínica, a decisão de contratação final *não* é mecânica. Ela continua sendo um julgamento, em que o comitê leva todas as evidências em consideração e as pesa holisticamente, debatendo a seguinte questão: "Esta pessoa terá sucesso no Google?". A decisão não é mero cômputo.

No próximo capítulo, explicaremos por que acreditamos que essa abordagem para tomar a decisão final é sensata. Embora as decisões finais de contratação no Google não sejam mecânicas, são fortemente ancoradas na pontuação média atribuída pelos quatro entrevistadores. Eles também são informados das evidências subjacentes. Em outras palavras, o Google admite o julgamento e a intuição em seu processo de tomada de decisão apenas depois que toda a evidência foi coletada e analisada. Desse modo é contida a tendência dos entrevistadores (e membros do comitê de contratação) a formar impressões rápidas e intuitivas e emitir um julgamento apressado.

Os três princípios — mais uma vez, decomposição, avaliação independente sobre cada dimensão e julgamento holístico protelado — não necessariamente constituem um modelo para organizações que estejam tentando aperfeiçoar seus processos seletivos. Mas os princípios são amplamente consistentes com as recomendações que os psicólogos organizacionais formularam ao longo dos anos. Na verdade, guardam alguma semelhança com o método de seleção que um dos autores (Kahneman) implementou no Exército israelense em 1956 e descreveu em *Rápido e devagar*.[19] Esse processo, como o adotado pelo Google, formalizou uma estrutura de avaliação (a lista das dimensões de personalidade e competência que tinha de ser avaliada). Ela exigia que os entrevistadores obtivessem evidências objetivas relevantes para uma dimensão de cada vez e a pontuassem antes de passar à seguinte. E permitia aos recrutadores usar o julgamento e a intuição para chegar a uma decisão final — mas apenas depois da avaliação estruturada.

Há evidências esmagadoras da superioridade dos processos de julgamento estruturado (incluindo entrevistas estruturadas) nas contratações. Conselhos práticos são disponibilizados para orientar executivos que queiram adotá-las.[20] Como ilustra o exemplo do Google e como observaram outros pesquisadores, os métodos de julgamento estruturado também são menos onerosos — porque poucas coisas são tão custosas quanto interações presenciais.

Não obstante, a maioria dos executivos permanece convencida do valor insubstituível dos métodos informais baseados em entrevista. De forma notável, igualmente o fazem muitos candidatos que acreditam que uma simples entrevista presencial lhes possibilitará mostrar ao possível empregador aquilo de que realmente são capazes. Os pesquisadores chamam isso de "a persistência de uma ilusão".[21] Uma coisa é clara: recrutadores e candidatos subestimam gravemente o ruído em decisões de contratação.

FALANDO DE ESTRUTURA EM CONTRATAÇÕES

"Nas entrevistas tradicionais, informais, com frequência temos a intuição irresistível de que compreendemos o candidato e sabemos se ele é adequado. Precisamos aprender a desconfiar dessa sensação."

"Entrevistas tradicionais são perigosas por causa não só dos vieses, mas também do ruído."

"Devemos estruturar mais nossas entrevistas e, de modo geral, nossos processos seletivos. Que tal começar por definir com mais clareza e especificidade o que procuramos nos candidatos e assegurar que sejam avaliados independentemente em cada uma dessas dimensões?"

25. Protocolo de avaliações mediadoras

Tempos atrás, dois autores deste livro (Kahneman e Sibony), junto com seu amigo Dan Lovallo, propuseram um método de tomada de decisão nas organizações cujo principal objetivo era a redução do ruído. Eles o chamaram de *protocolo de avaliações mediadoras*.[1] O método incorpora a maioria das estratégias de decisão apresentadas nos capítulos precedentes. Pode ser aplicado amplamente, e sempre que um planejamento ou uma opção exija considerar e pesar múltiplas dimensões. Também pode ser usado e adaptado de várias maneiras por organizações de todo tipo, incluindo empresas diversas, hospitais, universidades e agências de governo.

Ilustramos o protocolo aqui por meio de um exemplo estilizado que combina diversos casos reais: uma empresa fictícia que chamaremos de Mapco. Acompanharemos os passos dados pela Mapco ao examinar a oportunidade de fazer uma aquisição fundamental e transformadora e destacaremos em que ela difere do que fazem outras empresas nessa situação. Como veremos, as diferenças são significativas, mas sutis — um observador desatento talvez nem as note.

PRIMEIRA REUNIÃO: CONCORDANDO SOBRE A ABORDAGEM

A ideia de adquirir uma competidora chamada Roadco ganhara força na Mapco e amadurecera o suficiente para os diretores da empresa discutirem a questão. Joan Morrison, CEO da Mapco, convocou uma reunião do comitê estratégico para uma conversa preliminar sobre a possível aquisição e sobre o que deveria ser feito para aperfeiçoar as deliberações da diretoria a respeito do assunto. No início da reunião, Joan surpreendeu o comitê com uma proposta:

"Quero sugerir um novo procedimento para a reunião em que decidiremos sobre a compra da Roadco. O nome é pouco atraente, protocolo de avaliações mediadoras, mas a ideia, na verdade, é bastante simples. Ela se inspira na semelhança entre avaliações de opções estratégicas e avaliações de candidatos a emprego.

"Estamos todos familiarizados com a pesquisa que mostra que entrevistas estruturadas produzem melhores resultados do que as desestruturadas, e mais ainda com a ideia de que estruturar uma decisão de contratação leva a uma melhor contratação. Sabemos que nosso departamento de RH adotou esses princípios em suas decisões de contratação. Uma quantidade enorme de pesquisas mostra que a estrutura em entrevistas leva a uma precisão bem mais elevada — as entrevistas desestruturadas, como costumávamos praticá--las, não chegam nem perto.

"Percebo uma clara similaridade entre a avaliação de candidatos e a avaliação de opções em grandes decisões: *opções são como candidatos*. E essa similaridade me levou à ideia de que deveríamos adaptar o método que funciona com candidatos para nossa tarefa, que é avaliar opções estratégicas."

Os membros do comitê ficaram inicialmente confusos com a analogia. O processo de recrutamento, argumentaram, é uma máquina bem azeitada que toma inúmeras decisões similares e não está sob grande pressão de tempo. Uma decisão estratégica, por outro lado, exige um bocado de trabalho ad hoc e deve ser tomada rapidamente. Alguns diretores deixaram claro para Joan que seriam contra qualquer proposta que adiasse a decisão. Outra preocupação deles era contribuir com a devida dedicação exigida pela equipe de pesquisa da Mapco.

Joan respondeu diretamente a essas objeções. Assegurou os colegas de que o processo estruturado não adiaria a decisão. "Isso tudo é para determinar a pauta da reunião de diretoria em que discutiremos o acordo", explicou. "Precisamos decidir antes de mais nada uma lista de avaliações dos diferentes aspectos do negócio, assim como o entrevistador começa por uma descrição do cargo, que funciona como um checklist de características ou atributos que o candidato deve possuir. A diretoria discute essas avaliações separadamente, uma por uma, assim como o entrevistador em uma entrevista estruturada avalia o candidato sequencialmente nas dimensões separadas. Então, e só então, iniciamos a discussão sobre aceitar ou rejeitar o acordo. O procedimento representa um modo bem mais eficaz de tirar proveito da sabedoria coletiva da diretoria.

"Claro que, se estivermos de acordo quanto a essa abordagem, isso trará implicações para como as informações devem ser apresentadas e como a equipe de negócios deve trabalhar para preparar a reunião. Agora gostaria de ouvir o que vocês têm a dizer."

Um diretor, ainda cético, perguntou a Joan que benefícios a estruturação trazia à qualidade da tomada de decisão em contratações e por que ela acreditava que esses benefícios se transfeririam para uma decisão estratégica. Joan lhe mostrou a lógica por trás do método. O uso do protocolo de avaliações mediadoras, explicou, maximiza o valor da informação, mantendo as dimensões da avaliação independentes entre si. "Nossas discussões normalmente se parecem um bocado com entrevistas desestruturadas", ela observou. "Temos consciência o tempo todo do objetivo final de chegar a uma decisão e processamos toda informação à luz desse objetivo. Partimos da busca de um desfecho e chegamos a ele o quanto antes. Como um recrutador numa entrevista desestruturada, corremos o risco de usar todo o debate para confirmar nossa primeira impressão.

"Usar uma abordagem estruturada nos forçará a postergar o objetivo de chegar a uma decisão até termos feito todas as avaliações. Adotaremos as avaliações separadas como metas intermediárias. Dessa forma, consideraremos toda a informação disponível e assseguraremos que nossa conclusão sobre um aspecto do acordo não mude nossa interpretação sobre outro aspecto não relacionado."

Os diretores concordaram em tentar. Mas, perguntaram eles, o que eram as avaliações mediadoras? Joan tinha um checklist predefinido em mente? "Não", respondeu ela. "Talvez pudesse ser desse jeito se aplicássemos o protocolo a uma decisão rotineira, mas, nesse caso, precisamos definir nós mesmos as avaliações mediadoras. A importância disso é crucial: cabe a nós decidir os principais aspectos da aquisição a ser avaliada." O comitê estratégico concordou em se reunir novamente no dia seguinte.

SEGUNDA REUNIÃO: DEFININDO AS AVALIAÇÕES MEDIADORAS

"A primeira coisa a fazer", explicou Joan, "é esboçar uma lista abrangente de avaliações independentes sobre o negócio. Ela vai ser considerada pela equipe de pesquisa de Jeff Schneider. Nossa tarefa hoje é produzir essa lista. Ela deve ser abrangente no sentido de que qualquer fato relevante que imaginemos precisa encontrar seu lugar e influenciar no mínimo uma das avaliações. E com 'independente' quero dizer que um fato relevante deve de preferência influenciar apenas uma avaliação, de modo a minimizar a redundância."

O grupo pôs mãos à obra e preparou uma longa relação de fatos e dados aparentemente relevantes. Depois os organizou numa lista de avaliações. O desafio, logo perceberam, seria produzir uma lista breve, abrangente e feita de avaliações que não se sobrepusessem. Mas era viável. De fato, a lista final com sete avaliações produzida pelo grupo era superficialmente similar à tabela de conteúdos que a diretoria esperaria em um relatório regular apresentando uma proposta de aquisição. Além da esperada modelagem financeira, a lista incluía, por exemplo, uma análise qualitativa da equipe de gestão do alvo e uma estimativa da probabilidade de que as sinergias antecipadas seriam captadas.

Alguns membros do comitê estratégico ficaram decepcionados que a reunião não rendesse novos insights sobre a Roadco. Mas, como explicou Joan, o objetivo imediato não era esse, e sim instruir a equipe de negócios encarregada de estudar a aquisição. Cada avaliação, disse ela, seria tema de um diferente capítulo no relatório da equipe e discutida separadamente pela diretoria.

A missão da equipe, na visão de Joan, não era dizer à diretoria o que ela pensava do negócio como um todo — pelo menos não ainda. A missão era fornecer uma estimativa objetiva, independente, sobre cada uma das avaliações mediadoras. Finalmente, explicou Joan, cada capítulo no relatório da equipe de negócios deveria terminar com uma classificação que respondesse a uma simples questão: "Deixando de lado o peso que deveríamos dar a esse tópico na decisão final, em que medida a evidência sobre essa avaliação depõe contra ou a favor do negócio?".

A EQUIPE DE NEGÓCIOS

O líder da equipe encarregada de avaliar o negócio, Jeff Schneider, reuniu os membros naquela tarde para organizar o trabalho. As mudanças em relação à maneira usual de trabalhar não foram muitas, mas ele destacou sua importância.

Primeiro, explicou, deveriam tentar produzir as análises mais objetivas possíveis. As avaliações deveriam se basear em fatos — até aí, sem novidade —, mas também usar uma *visão de fora* sempre que houvesse oportunidade. Como os membros da equipe estavam inseguros quanto ao que ele queria dizer com "visão de fora", Jeff lhes deu dois exemplos, usando avaliações mediadoras identificadas por Joan. Para estimar a probabilidade de que o negócio receberia aprovação dos órgãos de regulação, disse, precisavam começar por encontrar a *taxa-base*, a porcentagem de transações comparáveis que estivessem aprovadas. Essa tarefa por sua vez exigiria a definição de uma *classe de referência*, um grupo de negócios considerados suficientemente comparáveis.

Jeff em seguida explicou como estimar as habilidades tecnológicas do departamento de desenvolvimento de produto do alvo — outra importante avaliação listada por Joan. "Não basta descrever factualmente as realizações recentes da empresa e chamá-las de 'boas' ou 'ótimas'. O que eu quero é algo como: 'O departamento de desenvolvimento desse produto está no segundo quintil de seu grupo de pares, tal como medido por seu histórico recente de lançamentos de produtos'." No geral, explicou ele, o objetivo era produzir as avaliações mais comparativas possíveis, porque julgamentos relativos são melhores do que julgamentos absolutos.

Jeff tinha outra solicitação. Seguindo as instruções de Joan, as avaliações deveriam ser tão independentes umas das outras quanto possível, a fim de reduzir o risco de que uma avaliação influenciasse as demais. Assim, ele nomeou diferentes analistas para as diferentes avaliações e os instruiu a trabalhar isoladamente.

Alguns manifestaram surpresa. "O trabalho em equipe não é melhor?", perguntaram. "Qual é o sentido de montar uma equipe e não deixar que a gente se comunique?"

Jeff percebeu que precisava explicar a necessidade de independência. "Acho que vocês já ouviram falar do efeito halo no recrutamento", disse. "É quando a impressão geral transmitida pelo candidato influencia nossa avaliação das habilidades dele numa dimensão específica. Queremos evitar isso." Como alguns pareciam não considerar isso um problema sério, Jeff usou outra analogia: "Se um crime tivesse quatro testemunhas, vocês permitiriam que elas conversassem entre si antes do julgamento? Óbvio que não! Não se pode deixar uma testemunha influenciar as outras". Os analistas não acharam a comparação particularmente lisonjeira, mas o recado estava dado, pensou Jeff.

Acontece que Jeff não tinha analistas suficientes para cumprir a meta de avaliações perfeitamente independentes. Jane, membro experiente da equipe, ficou incumbida de duas. Jeff selecionou as avaliações mais diferentes entre si e pediu a ela que terminasse uma e preparasse o relatório sobre ela antes de passar à outra. Mais uma preocupação era avaliar a qualidade da equipe de gestão; Jeff temia que os analistas encontrassem dificuldade em dissociar sua avaliação da qualidade intrínseca da equipe dos julgamentos sobre os resultados recentes da empresa (que a equipe estudaria em detalhe, claro). Para tratar dessa questão, Jeff pediu a um especialista em RH de fora que comentasse sobre a qualidade da equipe de gestão. Dessa maneira, pensou, obteria um input mais independente.

Jeff passou outra instrução que a equipe achou um pouco incomum. Cada capítulo deveria focar em uma avaliação e, como requisitado por Joan, conter uma conclusão em forma de classificação. Entretanto, acrescentou Jeff, os analistas deveriam incluir em cada capítulo toda a informação factual relevante sobre a avaliação. "Não escondam nada", instruiu. "O tom geral do capítulo será consistente com a classificação proposta, é claro, mas, se há informação que parece inconsistente ou até contraditória com a classificação principal, não varram nada para baixo do tapete. Seu trabalho não é vender sua recomendação. É representar a verdade. Não importa que seja complicado — muitas vezes é."

Nesse mesmo espírito, Jeff encorajou os analistas a serem transparentes sobre seu nível de confiança em cada avaliação. "A diretoria sabe que vocês não dispõem de informações perfeitas; ajuda se vocês informarem quando estiverem realmente no escuro. E, se encontrarem algo e ficarem com a pulga atrás da orelha — algum impedimento para o negócio —, é claro que devem relatar imediatamente."

A equipe procedeu como instruído. Felizmente, não foram encontrados grandes empecilhos. Eles prepararam um relatório para Joan e a diretoria cobrindo todas as avaliações identificadas.

A REUNIÃO DECISIVA

Quando lia o relatório da equipe para se preparar para a reunião de decisão, Joan imediatamente notou algo importante: embora a maioria das avaliações apoiasse fechar negócio, o retrato que pintavam não era um simples e auspicioso sinal verde. Algumas classificações eram fortes; outras, não. Essas diferenças, ela sabia, eram o resultado previsível de avaliações independentes entre si. Quando a coerência excessiva é controlada, a realidade não é tão coerente quanto a maioria das apresentações para a diretoria quer nos fazer crer. "Perfeito", pensou Joan. "Essas discrepâncias entre as avaliações levantarão questões e darão início ao debate. É exatamente do que precisamos para ter boas discussões na diretoria. Os resultados diversos não tornarão a decisão mais fácil, certamente — mas a tornarão melhor."

Joan convocou a reunião para a diretoria revisar o relatório e chegar a uma conclusão. Explicou a abordagem seguida pela equipe de negócios e convidou os diretores a empregar o mesmo princípio. "Jeff e sua equipe fizeram de tudo para manter as avaliações independentes entre si", disse ela, "e nossa tarefa agora é revisá-las de forma independente também. Isso significa que vamos considerar separadamente cada avaliação antes de dar início à discussão sobre a decisão final. Trataremos cada avaliação como um item distinto da pauta."

Os diretores sabiam que seguir essa abordagem estruturada seria difícil. Joan estava lhes pedindo para não formar uma visão holística do negócio antes que todas as avaliações fossem discutidas, mas muitos ali eram industriais calejados. Eles *tinham* uma opinião sobre a Roadco. Não a discutir parecia um pouco artificial. Mesmo assim, como entenderam o que Joan esperava conseguir, concordaram em seguir suas regras e ficar temporariamente sem debater suas opiniões gerais.

Para sua surpresa, perceberam que a prática era muito valiosa. Durante a reunião, alguns chegaram a mudar de ideia sobre o negócio (embora ninguém jamais viesse a saber, já que guardavam suas opiniões para si). O modo como Joan conduziu a reunião desempenhou um importante papel: ela usou o método de *estimar-conversar-estimar*,[2] que combina as vantagens da deliberação às vantagens da média de opiniões independentes.

Eis como procedeu. Para cada avaliação, Jeff, em nome da equipe de negócios, resumia rapidamente os fatos principais (que a diretoria havia lido antes em detalhe). Em seguida Joan pedia aos membros da diretoria que usassem um aplicativo de votação em seus celulares e fizessem sua própria classificação da avaliação — podia ser a mesma classificação proposta pela equipe de negócios ou outra diferente. A distribuição das classificações era projetada imediatamente na tela, sem identificar os avaliadores. "Isso não é uma votação", explicou Joan. "Estamos só medindo a temperatura ambiente de cada tópico." Obtendo uma leitura imediata da opinião independente de cada diretor antes de iniciar uma discussão, Joan reduziu o risco da influência social e das cascatas informacionais.

Em algumas avaliações, houve consenso imediato, mas em outras o processo revelou opiniões antagônicas. Naturalmente, Joan conduziu a discussão de forma a passar mais tempo nestas. Ela assegurou que membros dos dois lados da divisão se manifestassem, encorajando-os a expressar seus pontos de vista com fatos e argumentos, mas também com nuances e humildade. A certa altura, quando um diretor com opiniões mais fortes sobre o negócio se deixou levar, ela o lembrou: "Somos todos razoáveis e discordamos, então esse deve ser um assunto sobre o qual pessoas razoáveis podem discordar".

Quando a discussão sobre uma avaliação chegava ao fim, Joan pedia aos diretores que votassem novamente em uma classificação. Na maioria das vezes, ocorreu mais convergência do que na rodada inicial. A mesma sequência — uma estimativa inicial, discussão e uma segunda estimativa — foi repetida para cada avaliação.

Finalmente, era hora de chegar a uma conclusão sobre o negócio. Para facilitar o debate, Jeff mostrou a lista de avaliações no quadro branco, cada uma com a média das classificações atribuídas pelos diretores. Os membros da diretoria estavam olhando para o perfil do negócio. Como decidir?

Um diretor deu uma sugestão: tirar a média aritmética simples das classificações. (Talvez ele soubesse da superioridade da agregação mecânica sobre o julgamento holístico, clínico, como discutido no capítulo 9.) Outro, porém, contra-argumentou imediatamente que, na sua opinião, algumas avaliações deveriam receber um peso bem mais alto do que outras. Uma terceira pessoa discordou, sugerindo uma hierarquia diferente.

Joan interrompeu a discussão. "Não se trata apenas de calcular uma simples combinação das classificações de avaliação", disse. "Adiamos a intuição, mas chegou a hora de usá-la. É do seu julgamento que precisamos agora."

Joan não explicou sua lógica, mas aprendera a lição do jeito difícil. Ela sabia que, particularmente em decisões importantes, as pessoas rejeitam esquemas que as deixam de mãos atadas e não lhes permitem usar seu julgamento. Vira como tomadores de decisão se aproveitam do sistema quando sabem que uma fórmula será usada. Eles mudam as classificações para chegar à conclusão desejada — o que vai contra a razão de ser do exercício todo. Além do mais, embora não fosse o caso ali, ela continuou alerta para a possibilidade de que pudessem surgir considerações decisivas que não haviam sido antecipadas na definição das avaliações (os fatores de perna quebrada discutidos no capítulo 10). Se tais impedimentos imprevistos ou incentivos determinantes para o negócio surgissem, um processo decisório puramente mecânico baseado na média das avaliações talvez levasse a um grave equívoco.

Joan sabia também que deixar os membros da diretoria usar sua intuição nesse estágio era bem diferente de fazer com que a usassem mais cedo no processo. Agora que as avaliações estavam disponíveis e eram conhecidas de todos, a decisão final estava ancorada a salvo nessas classificações baseadas em fatos e exaustivamente debatidas. Um diretor precisaria formular fortes argumentos para se opor ao negócio diante daquela lista de avaliações mediadoras apoiada pela maioria. Seguindo essa lógica, a diretoria debateu e votou, mais ou menos como faz qualquer diretoria.

O PROTOCOLO EM DECISÕES RECORRENTES

Descrevemos o protocolo de avaliações mediadoras no contexto de uma decisão única, singular. Mas o procedimento se aplica também a decisões recorrentes. Imagine que para a Mapco não se trate de uma aquisição isolada, mas que ela seja um fundo de capital de risco que investe em start-ups. O protocolo seria igualmente aplicável e a história relativamente a mesma com dois meros detalhes que, se mudam alguma coisa, só a deixam mais simples.

Primeiro, o passo inicial — definir a lista de avaliações mediadoras — precisa ser dado apenas uma vez. O fundo tem critérios para investir, o que se aplica a todos os seus possíveis investimentos: essas são as avaliações. Não há necessidade de reinventá-las toda vez.

Segundo, se o fundo toma muitas decisões do mesmo tipo, pode usar sua experiência para calibrar seus julgamentos. Considere, por exemplo, uma avaliação que todo fundo vai querer fazer: estimar a qualidade da equipe de gerentes. Sugerimos que tais estimativas sejam feitas em função de uma classe de referência. Talvez você tenha simpatizado com os analistas da Mapco: coletar dados sobre empresas comparáveis, além de avaliar um alvo específico, é desafiador.

Juízos comparativos ficam bem mais fáceis no contexto de uma decisão recorrente. Se você avalia equipes de gerentes de dezenas ou até mesmo centenas de empresas, pode usar essa experiência compartilhada como uma classe de referência. Um modo prático de fazer isso é criar uma escala definida por casos-âncora. Você poderia dizer, por exemplo, que a equipe de gerentes alvo é "tão boa quanto a equipe de gerentes da empresa ABC quando a adquirimos", mas "não tão boa quanto a equipe de gerentes da DEF". Os casos-âncora devem obviamente ser conhecidos de todos os participantes (e periodicamente atualizados). Defini-los exige um investimento antecipado de tempo. Mas o valor dessa abordagem é que julgamentos relativos (comparar essa equipe às equipes em ABC e DEF) são muito mais confiáveis do que classificações absolutas numa escala definida por números ou adjetivos.

O QUE MUDA COM O PROTOCOLO?

Para facilitar a consulta, resumimos na tabela 4 as principais mudanças trazidas pelo protocolo de avaliações mediadoras.

TABELA 4
PRINCIPAIS PASSOS DO PROTOCOLO DE AVALIAÇÕES MEDIADORAS

1.	No início do processo, estruture a decisão em avaliações mediadoras. (*Para julgamentos recorrentes, isso é feito apenas uma vez.*)
2.	Assegure que as avaliações mediadoras utilizem sempre que possível uma visão de fora. (*Para julgamentos recorrentes, use julgamentos relativos, se possível com uma escala de casos.*)
3.	Na fase analítica, mantenha as avaliações com a maior independência possível entre si.
4.	Na reunião decisiva, revise cada avaliação separadamente.
5.	Em cada avaliação, assegure que os participantes emitam seus julgamentos individualmente; depois, use o método estimar-conversar-estimar.
6.	Para tomar a decisão final, protele a intuição, mas não a proíba.

Você pode ter reconhecido aqui uma implementação de diversas técnicas de higiene da decisão apresentadas nos capítulos anteriores: sequenciar a informação, estruturar a decisão em avaliações independentes, usar um referencial comum alicerçado na visão de fora e agregar os julgamentos independentes de múltiplos indivíduos. Implementando essas técnicas, o protocolo de avaliações mediadoras visa mudar o *processo* de decisão para introduzir a máxima higiene da decisão possível.

Sem dúvida essa ênfase no processo, e não no conteúdo das decisões, pode surpreender alguns. As reações dos membros da equipe de pesquisa e dos membros da diretoria, como as descrevemos, não são incomuns. O conteúdo é específico; o processo é genérico. Usar a intuição e o julgamento é divertido; seguir um processo não. A sabedoria convencional sustenta que boas decisões — especialmente as melhores — surgem da visão e criatividade de grandes líderes. (Gostamos de acreditar nisso especialmente quando somos o líder em questão.) E para muitos a palavra *processo* evoca burocracia, excesso de regras e protelações.

Nossa experiência com empresas e agências de governo que implementaram todos ou alguns componentes do protocolo sugere que essas preocupações são equivocadas. Naturalmente, acrescentar complexidade aos processos de tomada de decisão de uma organização já burocratizada não vai melhorar as coisas. Mas a higiene da decisão não precisa ser lenta e certamente não precisa ser burocrática. Pelo contrário, ela promove o desafio e o debate, não o consenso sufocante que caracteriza as burocracias.

As vantagens da higiene da decisão são claras. Líderes nos negócios e no setor público em geral ignoram por completo o ruído em suas maiores e mais importantes decisões. Como resultado, não tomam quaisquer medidas específicas para reduzi-lo. Nesse aspecto, são exatamente como os recrutadores que continuam a se basear em entrevistas desestruturadas como única ferramenta de seleção de pessoal: ignorando o ruído em seu próprio julgamento, com excessiva confiança em sua validade e alheios aos procedimentos que poderiam melhorá-lo.

Lavar as mãos não previne todas as doenças. Do mesmo modo, a higiene da decisão não prevenirá qualquer erro. Não tornará todas as decisões brilhantes. Contudo, como o gesto de lavar as mãos, ela trata um problema invisível mas onipresente e prejudicial. Onde há julgamento há ruído, e propomos a higiene da decisão como ferramenta para reduzi-lo.

FALANDO DE PROTOCOLO DE AVALIAÇÕES MEDIADORAS

"Temos um processo estruturado para tomar decisões de contratações. Por que não temos um para decisões estratégicas? Afinal, opções são como candidatos."

"Essa é uma decisão difícil. Quais são as avaliações mediadoras em que deveria estar baseada?"

"Nosso julgamento intuitivo, holístico, sobre esse plano é muito importante — mas não vamos discuti-lo ainda. Nossa intuição será muito mais valiosa quando informada pelas avaliações separadas que pedimos."

Parte VI

Ruído otimizado

O juiz Marvin Frankel tinha razão em 1973 quando defendeu um esforço permanente por reduzir o ruído nas sentenças criminais. Sua auditoria informal, intuitiva, que foi seguida de tentativas mais formais e sistemáticas, revelou disparidades injustificadas no tratamento de indivíduos similares. Tais disparidades eram ultrajantes. E alarmantes.

Boa parte deste livro pode ser compreendida como uma tentativa de generalizar os argumentos de Frankel e oferecer uma compreensão de suas bases psicológicas. A algumas pessoas, o ruído no sistema de justiça criminal parece particularmente intolerável, até mesmo escandaloso. Mas, em incontáveis outros contextos, ele é relativamente tolerável, na medida em que profissionais que deveriam ser intercambiáveis nos setores privado e público produzem julgamentos diferentes no trabalho. Nas áreas de seguro, recrutamento e avaliação de funcionários, medicina, ciência forense, ensino, negócios e governo, o ruído interpessoal é uma importante fonte de erro. Vimos também que todos estamos sujeitos ao ruído de ocasião, no sentido de que fatores supostamente irrelevantes podem nos levar a diferentes julgamentos pela manhã e à tarde, ou numa segunda e numa quinta.

Mas, como sugere a reação judicial intensamente negativa às diretrizes de sentenças, as tentativas de redução de ruído muitas vezes enfrentam objeções sérias e até apaixonadas. Muitos afirmam que as diretrizes são a seu próprio modo rígidas, desumanizadoras e injustas. Todo mundo já deve ter passado pela experiência de fazer uma solicitação razoável a uma empresa, um funcionário ou o governo e ouvir: "Gostaríamos muito de ajudá-lo, mas estamos de mãos atadas. Temos regras claras aqui". As regras em questão podem parecer tolas e até cruéis, mas talvez tenham sido adotadas por um bom motivo: a redução do ruído (e talvez também do viés).

Mesmo assim, certas tentativas de reduzir o ruído levantam sérias preocupações, talvez acima de tudo se dificultam ou impossibilitam que tenhamos uma audiência justa. O uso de algoritmos e aprendizado de máquina lançou nova luz sobre essa objeção. Não vemos ninguém marchando por aí com faixas de "ALGORITMOS JÁ!".

Uma crítica influente vem de Kate Stith, da Faculdade de Direito de Yale, e José Cabranes, juiz federal americano. Eles atacaram vigorosamente as diretrizes de sentenças e, em certo sentido, um de nossos argumentos centrais aqui. Seus estudos se limitaram à área das sentenças criminais, mas servem como objeção a muitas estratégias de redução de ruído no ensino, nos negócios, nos esportes e em várias outras áreas. Stith e Cabranes afirmam que as diretrizes de sentenças são inspiradas "por um medo de exercer o poder discricionário — pelo medo de julgar — e por uma fé tecnocrática em especialistas e planejamento central". Eles argumentam que o "medo de julgar" opera para impedir considerações sobre "as particularidades de cada caso à mão". A seu ver, "nenhuma solução mecânica pode satisfazer os requisitos da justiça".[1]

Vale a pena examinar essas objeções. Em cenários envolvendo julgamentos de todo tipo, as pessoas com frequência veem os "requisitos da justiça" como um obstáculo a qualquer tipo de solução mecânica — que, por consequência, permitem ou até determinam processos e abordagens que acabam garantindo o ruído. Muita gente pede atenção às "particularidades de cada caso à mão". Em hospitais, escolas e empresas grandes ou pequenas, essa reivindicação tem profundo apelo intuitivo. Vimos que a higiene da decisão inclui diversas estratégias para reduzir o ruído, e a maioria delas não envolve soluções mecânicas;

quando as pessoas desmembram um problema em suas partes componentes, seus julgamentos não precisam ser mecânicos. Mesmo assim, muitos não adotariam o uso de estratégias de higiene da decisão.

Definimos ruído como uma variabilidade indesejada, e, se algo é indesejado, provavelmente deve ser eliminado. Mas a análise é mais complicada e mais interessante do que isso. O ruído pode ser indesejado e tudo o mais permanecer igual. Mas outras coisas talvez não sejam iguais, e os custos de eliminar o ruído podem exceder os benefícios. Mesmo quando uma análise de custos e benefícios sugere que o ruído é custoso, eliminá-lo pode resultar numa série de consequências terríveis ou até inaceitáveis para instituições tanto públicas como privadas.

Sete importantes objeções são feitas às tentativas de reduzir ou eliminar o ruído.

Primeiro, reduzir o ruído pode ser dispendioso e talvez não valha o trabalho. Os passos necessários para reduzi-lo costumam ser altamente onerosos. Em alguns casos, não são sequer exequíveis.

Segundo, algumas estratégias introduzidas para reduzir o ruído introduzem seus próprios erros. Às vezes, podem produzir viés sistemático. Se todos os analistas em um departamento do governo adotassem os mesmos pressupostos irrealisticamente otimistas, suas previsões não seriam ruidosas, mas estariam erradas. Se todos os médicos em um hospital prescrevessem aspirina para todas as doenças, não seriam ruidosos, mas cometeriam um monte de erros.

Examinamos essas objeções no capítulo 26. No capítulo 27, voltamo-nos a cinco outras, que também são comuns e provavelmente serão ouvidas em muitos lugares em anos vindouros, sobretudo com a crescente dependência de regras, algoritmos e aprendizado de máquina.

Terceiro, se queremos que as pessoas sintam que são tratadas com respeito e dignidade, talvez tenhamos de tolerar algum ruído. O ruído pode ser subproduto de um processo imperfeito que acabamos adotando porque proporciona a todos (funcionários, clientes, candidatos, alunos, réus) uma audiência individualizada, a oportunidade de influenciar o exercício da discricionariedade e o sentimento de que têm uma chance de serem vistos e ouvidos.

Quarto, o ruído pode ser essencial para acomodar novos valores e portanto ensejar uma evolução moral e política. Se eliminamos o ruído, reduzimos nossa capacidade de reagir quando compromissos morais e políticos nos movem em direções novas e inesperadas. Um sistema livre de ruído pode congelar valores existentes.

Quinto, algumas estratégias elaboradas para reduzir o ruído encorajam um comportamento oportunista, permitindo às pessoas se aproveitar do sistema ou driblar proibições. Um pouco de ruído, ou mesmo bastante, pode ser necessário para prevenir delitos.

Sexto, um processo ruidoso pode ser uma boa dissuasão. Se as pessoas sabem que serão sujeitadas a algum tipo de penalidade, grande ou pequena, talvez fiquem longe de problemas com a justiça, pelo menos se forem avessas ao risco. Um sistema pode tolerar ruído como forma de produzir dissuasão extra.

Finalmente, as pessoas não querem ser tratadas como meros objetos ou engrenagens em algum tipo de máquina. Certas estratégias de redução de ruído esmagam a criatividade das pessoas e se revelam desmoralizantes.

Embora tratemos dessas objeções com a maior compreensão possível, não as endossamos de modo algum, ao menos não quando são consideradas um motivo para rejeitar a meta geral de reduzir o ruído. Pressagiando um ponto que aparecerá repetidamente: a irrefutabilidade de uma objeção depende da estratégia particular de redução de ruído à qual ela visa se aplicar. Você poderia, por exemplo, fazer objeção a diretrizes rígidas, enquanto também que concorda que a agregação de julgamentos independentes é uma boa ideia; fazer objeção ao uso do protocolo de avaliações mediadoras, ao mesmo tempo que prefere o uso de uma escala compartilhada fundamentada na visão de fora. Com esses pontos em mente, nossa conclusão geral é que, mesmo quando damos o devido crédito às objeções, a redução de ruído continua sendo uma meta valiosa e até urgente. No capítulo 28, defendemos essa conclusão explorando um dilema que as pessoas enfrentam diariamente, ainda que nem sempre tenham consciência dele.

26. Os custos da redução de ruído

Uma objeção comum à eliminação do ruído é que os passos necessários são dispendiosos demais. Em circunstâncias extremas, o procedimento simplesmente não seria possível. Já deparamos com essa objeção nos negócios, no ensino, no governo e em outras áreas. A preocupação é legítima, mas é fácil exagerar sua importância, e ela com frequência não passa de pretexto.

Para pôr essa objeção sob sua luz mais favorável, considere o caso de um professor avaliando semanalmente os trabalhos de 25 alunos no primeiro ano do ensino médio. Se ele não dedica mais do que quinze minutos a cada trabalho, as notas podem ser ruidosas e, portanto, imprecisas e injustas. O professor poderia considerar um pouco de higiene da decisão para reduzir o ruído pedindo ajuda a um colega, de modo que cada trabalho seja lido por duas pessoas. Ou alcançar esse mesmo objetivo dedicando mais tempo aos trabalhos, estruturando o processo relativamente complexo da avaliação ou lendo-os mais de uma vez e em ordens diferentes; uma diretriz detalhada de notas utilizada como checklist pode ajudar. Ou o professor poderia ler os trabalhos sempre no mesmo horário do dia, de modo a reduzir o ruído de ocasião.

Mas se ele tem uma capacidade de julgamento suficientemente precisa em vez de horrivelmente ruidosa, o mais sensato talvez seja não fazer nada disso. Pode não valer a pena. O professor talvez ache que usar um checklist ou pedir a um colega que leia os trabalhos seja um exagero. Para confirmar isso, uma análise disciplinada se faz necessária: quanta precisão mais seria obtida, até que ponto é importante ter mais precisão e quanto tempo e dinheiro seriam gastos na tentativa de reduzir o ruído? É fácil imaginar um limite para o investimento na redução do ruído. É igualmente fácil perceber que esse limite não é o mesmo para o trabalho de um aluno do nono ano e o trabalho final do ensino médio, que ajuda a definir o ingresso na universidade e portanto tem importância muito maior.

A análise básica pode se estender a situações mais complexas enfrentadas por organizações privadas e públicas de todo tipo, levando-as a rejeitar algumas estratégias de redução do ruído. Para certas doenças, hospitais e médicos talvez tenham dificuldade em identificar diretrizes simples que eliminem a variabilidade. No caso de diagnósticos médicos divergentes, os esforços para reduzir o ruído têm especial apelo: eles podem salvar vidas. Mas a viabilidade e os custos desses esforços precisam ser levados em consideração. Um teste poderia eliminar o ruído nos diagnósticos, mas, se for invasivo, perigoso e custoso, e se a variabilidade nos diagnósticos for moderada e tiver consequências apenas brandas, nem sempre valerá a pena para o médico exigir que o paciente o faça.

Raras vezes a avaliação de funcionários é um caso de vida ou morte. Mas o ruído pode resultar em injustiça para os empregados e em altos custos para a empresa. Vimos que tentativas de reduzir o ruído devem ser viáveis. Elas valem a pena? Casos envolvendo avaliações claramente equivocadas talvez sejam notados e causem constrangimento, vergonha ou coisa pior. Não obstante, uma instituição pode achar que medidas corretivas elaboradas não valem o esforço. Por vezes, essa conclusão é míope, tacanha e equivocada, com efeitos catastróficos. Alguma forma de higiene da decisão pode perfeitamente valer a pena. Mas a crença de que é caro demais reduzir o ruído nem sempre está errada.

Em suma, temos de comparar custos e benefícios. Nada mais justo, e esse é um dos motivos pelos quais as auditorias de ruídos são tão importantes. Em muitas situações, elas revelam que o ruído produz níveis ultrajantes de injustiça, custos muito elevados ou ambos. Nesses casos, o preço da redução de ruído dificilmente é um bom motivo para não fazer uma tentativa.

MENOS RUÍDO, MAIS EQUÍVOCOS?

Uma objeção diferente é que algumas tentativas de redução de ruído podem ser responsáveis por gerar níveis inaceitavelmente elevados de erro. A objeção será convincente se os instrumentos usados para reduzir o ruído forem grosseiros demais. Na verdade, algumas tentativas de redução de ruído podem até aumentar o viés. Se uma plataforma de mídia social como Facebook ou Twitter introduzir diretrizes firmes que exijam a remoção de todos os posts contendo certas palavras vulgares, suas decisões serão menos ruidosas, mas derrubarão inúmeros posts que deveriam ter permissão de ficar. Esses falsos positivos são um erro direcional — um viés.

A vida é cheia de reformas institucionais planejadas para reduzir a discricionariedade de pessoas e práticas que geram ruído. Muitas dessas reformas são bem-intencionadas, mas certas curas são piores do que a doença. Em *The Rhetoric of Reaction* [A retórica da reação], o economista Albert Hirschman aponta três objeções comuns a tentativas de reforma. Primeiro, essas tentativas podem ser perversas, no sentido de agravar o próprio problema que pretendiam solucionar.[1] Segundo, podem ser inúteis, porque talvez não mudem nada. Terceiro, põem em risco outros valores importantes (quando se diz que as tentativas de proteger sindicatos trabalhistas e o direito de formar sindicatos prejudicam o crescimento econômico). Perversidade, inutilidade e risco podem ser propostos como objeções à redução de ruído e, dos três, as alegações de perversidade e risco tendem a ser as mais eloquentes. Às vezes, essas objeções não passam de retórica — uma tentativa de desencaminhar uma reforma que na realidade trará vários benefícios. Mas certas estratégias de redução de ruído poderiam pôr em risco valores importantes, e no caso de outras o risco de perversidade talvez não possa ser prontamente descartado.

Os juízes que fizeram objeção às diretrizes de sentenças apontavam para esse risco. Eles sabiam do trabalho do juiz Frankel e não negavam que o poder discricionário produz ruído. Mas achavam que diminuir a discricionariedade produziria mais erros, e não menos. Citando Václav Havel, insistiam: "Temos de abandonar a crença arrogante de que o mundo é apenas um enigma a ser solucionado, uma máquina com instruções de uso à espera de ser descoberta, um volume de informações a ser baixado em um computador na esperança de que, mais cedo ou mais tarde, revele uma solução universal".[2] Uma razão para rejeitar a ideia de soluções universais é a crença insistente de que as situações humanas são altamente variadas e de que juízes bons lidam com as variações — o que pode corresponder a tolerar o ruído ou, ao menos, rejeitar algumas estratégias de redução dele.

Nos primeiros tempos do xadrez virtual, a novidade foi oferecida aos passageiros internacionais de uma importante companhia aérea. O programa tinha vários níveis. No mais básico, usava uma regra simples: ponha o rei adversário em xeque sempre que puder. O programa não era ruidoso. Ele jogava da mesma forma todas as vezes, sempre seguindo sua regra simples. Mas a regra era uma certeza de grande quantidade de erros. O programa de xadrez era péssimo. Até jogadores inexperientes conseguiam derrotá-lo (o que sem dúvida era a intenção; passageiros que ganham são passageiros felizes).

Ou considere as políticas para sentenças criminais adotadas em alguns estados americanos e chamadas de "três strikes e está fora".[3] Segundo essa ideia, se a pessoa comete três infrações, a sentença é a prisão perpétua — ponto. O procedimento reduz a variabilidade advinda da nomeação aleatória do juiz que determina a sentença. Alguns de seus proponentes estavam particularmente preocupados com o ruído de nível e a possibilidade de que alguns juízes fossem lenientes demais com criminosos recalcitrantes. Eliminar o ruído é a principal intenção da legislação de três strikes.

Mas, mesmo que a política de três strikes atinja seu objetivo de redução do ruído, podemos concluir que o preço do sucesso é elevado demais. Algumas pessoas que cometeram três delitos não devem ser trancafiadas pelo resto da vida. Talvez seus crimes não tenham sido violentos. Ou circunstâncias de vida terríveis podem ter contribuído para levá-las ao crime. Talvez elas mostrem capacidade de reabilitação. Para muitos, uma pena perpétua que desconsidere circunstâncias particulares não só é cruel demais como também intoleravelmente rígida. Por esse motivo, o preço de tal estratégia de redução de ruído é alto demais.

Considere o caso *Woodson contra a Carolina do Norte*,[4] em que a Suprema Corte americana deliberou que a obrigatoriedade da pena de morte era inconstitucional não por ser brutal demais, mas *por ser uma regra*. A justificativa para a obrigatoriedade era assegurar o combate ao ruído — correspondia a dizer que, sob circunstâncias específicas, assassinos teriam de ser executados. Invocando a necessidade de tratamento individualizado, o tribunal afirmou que "não mais prevalece a crença de que todo delito em uma categoria legal similar pede por punição idêntica independentemente da vida pregressa e dos hábitos de um réu particular". Segundo a Suprema Corte, uma grave falha constitucional da obrigatoriedade da pena capital é que "trata todas as pessoas condenadas por dado delito não como seres humanos individuais, mas como membros de uma massa sem rosto, indiferenciada, a ser cegamente sujeitada à pena de morte".

Claro que nessa situação em particular há muita coisa em jogo, mas a análise da Suprema Corte pode se aplicar a muitas outras situações, a maioria delas sem relação com a justiça. Professores avaliando alunos, médicos avaliando pacientes, empregadores avaliando funcionários, corretores avaliando prêmios de seguro, técnicos avaliando atletas — todas essas pessoas podem cometer erros se empregarem regras de redução de ruído excessivamente rígidas. Se os empregadores usam regras simples para avaliar, promover ou demitir funcionários, talvez eliminem o ruído ao mesmo tempo que negligenciam importantes aspectos do desempenho do funcionário. Um sistema de pontuação livre de ruído que falhe em levar em consideração variáveis significativas pode ser pior do que a dependência de julgamentos individuais (ruidosos).

O capítulo 27 reflete sobre essa ideia geral de tratar as pessoas como "individuais", e não como "membros de uma massa sem rosto, indiferenciada". Por ora, focamos num ponto mais prosaico. Algumas estratégias de redução do ruído são garantia de erros excessivos. Elas podem se parecer bastante com aquele programa simplório de xadrez.

Ainda assim, a objeção parece muito mais convincente do que de fato é. Se uma estratégia de redução de ruído tende ao erro, não deveríamos aceitar níveis elevados de ruído, e sim tentar conceber uma estratégia de redução melhor — por exemplo, agregar julgamentos, e não adotar regras tolas ou desenvolver diretrizes ou regras criteriosas em vez de simplórias. Em nome da redução de ruído, uma universidade poderia dizer, por exemplo, que as pessoas com pontuação mais alta no teste serão admitidas e ponto-final. Se essa regra parece grosseira demais, a instituição pode criar uma fórmula que leve em consideração a pontuação em testes, notas, idade, conquistas atléticas, histórico familiar e mais. Regras complexas podem ser mais precisas — mais sintonizadas com a gama completa dos fatores relevantes. De modo similar, os médicos têm regras complexas para diagnosticar algumas doenças. As diretrizes e regras usadas por profissionais nem sempre são simples ou grosseiras, e muitas delas ajudam a reduzir o ruído sem gerar custos (ou vieses) intoleravelmente altos. E se as diretrizes ou regras não funcionarem, talvez seja possível introduzir outras formas de higiene da decisão mais indicadas para a situação particular e que funcionem; considere agregar julgamentos ou usar um processo estruturado, como o protocolo de avaliações mediadoras.

ALGORITMOS SILENCIOSOS E ENVIESADOS

Os custos potencialmente elevados da redução de ruído costumam acontecer no contexto dos algoritmos, em que há crescentes objeções ao "viés algorítmico". Como vimos, os algoritmos eliminam o ruído e com frequência parecem atraentes por esse motivo. Na verdade, grande parte deste livro deve ser tomada como um manifesto pela maior dependência dos algoritmos, simplesmente porque eles são silenciosos. Mas, como vimos também, a redução de ruído pode vir a um custo intolerável se a maior dependência de algoritmos aumenta a discriminação com base na raça e no gênero ou contra membros de grupos desfavorecidos.

Há um medo muito difundido de que os algoritmos na verdade tenham essa consequência discriminatória, o que sem dúvida é um sério risco. Em *Algoritmos de destruição em massa*, a matemática Cathy O'Neil insiste que a dependência de big data e da decisão por algoritmo pode embutir preconceito, aumento da desigualdade e ameaça à própria democracia.[5] Segundo outro relato cético, "modelos matemáticos potencialmente enviesados estão remodelando nossas vidas — e nem as empresas responsáveis por desenvolvê-los nem o governo têm interesse em lidar com o problema".[6] De acordo com a ProPublica,[7] uma organização independente de jornalismo investigativo, o COMPAS, um algoritmo amplamente usado em avaliações do risco de reincidência, é bastante enviesado contra minorias raciais.

Ninguém deve duvidar que é possível — e até fácil — criar um algoritmo que seja livre de ruído, mas de algum modo também racista, machista ou enviesado. Um algoritmo que utilizasse explicitamente a cor da pele do réu para determinar se deveria receber concessão de fiança faria discriminação (e seu uso seria contra a lei em muitos países). Um algoritmo que levasse em consideração se candidatas a emprego podem engravidar faria discriminação.

Nesses e em outros casos, os algoritmos eliminariam a variabilidade indesejada no julgamento, mas também embutiriam um viés inaceitável.

Em princípio, devemos ser capazes de projetar um algoritmo que *não* leve em conta raça ou gênero. Na verdade, poderíamos projetar um algoritmo que ignorasse completamente raça ou gênero. O problema mais desafiador, e que hoje recebe um bocado de atenção, é que um algoritmo pode fazer discriminação e, nesse sentido, revelar-se enviesado mesmo quando não utiliza abertamente raça e gênero como variáveis preditoras.

Como sugerimos, um algoritmo poderia ser enviesado por dois motivos principais. Primeiro, tenha ou não sido projetado para isso, poderia usar variáveis preditoras altamente correlacionadas a raça ou gênero. Por exemplo, altura e peso estão correlacionados a gênero, e o lugar onde a pessoa cresceu ou vive pode muito bem estar correlacionado a raça.

Segundo, a discriminação também poderia vir dos dados brutos. Se um algoritmo é treinado em um conjunto de dados enviesado, também será enviesado. Considere algoritmos de "policiamento preditivo",[8] que tentam antever crimes, com frequência para melhorar a alocação de recursos policiais. Se os dados existentes sobre criminalidade refletem o policiamento excessivo de certos bairros ou as denúncias excessivas, comparativamente falando, de certos tipos de delitos, os algoritmos resultantes perpetuarão ou exacerbarão a discriminação. Sempre que houver viés nos dados de treinamento, há grande possibilidade de criarmos, intencionalmente ou não, um algoritmo que codifique a discriminação. Segue-se que, mesmo que um algoritmo não considere expressamente raça ou gênero, pode se revelar tão enviesado quanto seres humanos. Na verdade, nesse aspecto, os algoritmos seriam até piores: como eliminam o ruído, seriam mais *confiavelmente* enviesados do que juízes humanos.[9]

Para muita gente, uma consideração prática fundamental é se o algoritmo tem impacto discrepante em grupos identificáveis. Como exatamente testar o impacto discrepante e decidir o que constitui discriminação, viés ou imparcialidade para um algoritmo é tema surpreendentemente complexo, muito além do escopo deste livro.[10]

Mas só o fato de podermos tocar nessa questão já constitui uma vantagem distinta dos algoritmos sobre o julgamento humano. Para começar, recomendamos uma avaliação cuidadosa para assegurar que os algoritmos desconsiderem inputs inadmissíveis e testar se discriminam de uma forma censurável. É bem mais difícil sujeitar seres humanos individuais, cujos julgamentos muitas vezes são obscuros, a esse mesmo tipo de escrutínio; as pessoas às vezes discriminam inconscientemente e de maneiras que observadores externos, incluindo o sistema legal, não conseguem perceber com facilidade. Assim, em certo sentido, um algoritmo pode ser mais transparente do que seres humanos.

Indubitavelmente, precisamos chamar atenção para os custos de algoritmos silenciosos mas enviesados, assim como precisamos considerar os custos de regras sem ruído mas enviesadas. A questão-chave é se podemos criar algoritmos que se saiam melhor do que juízes humanos do mundo real em uma combinação de critérios que faça diferença: precisão e redução de ruído; não discriminação e imparcialidade. Grande quantidade de evidências sugere que os algoritmos podem ter desempenho superior a seres humanos em qualquer combinação de critérios selecionada. (Observe que dissemos *podem ter*, não que *terão*.) Por exemplo, como descrito no capítulo 10, um algoritmo pode ser mais preciso do que juízes humanos com respeito a decisões de fiança, gerando ao mesmo tempo menos discriminação racial do que seres humanos. Similarmente, um algoritmo de escolha de currículos pode selecionar uma reserva de talentos melhor *e mais diversa* do que avaliadores humanos o fariam.

Esses exemplos e muitos outros levam a uma conclusão inescapável: embora um algoritmo preditivo em um mundo incerto dificilmente seja perfeito, ele pode ser muito menos imperfeito do que o julgamento humano ruidoso e frequentemente enviesado. Essa superioridade vigora em termos tanto de validade (bons algoritmos quase sempre preveem melhor) como de discriminação (bons algoritmos podem ser menos enviesados do que juízes humanos). Se algoritmos cometem menos equívocos do que especialistas humanos e ainda assim temos uma preferência intuitiva por pessoas, nossas preferências deveriam ser cuidadosamente examinadas.

Nossas conclusões mais amplas são simples e se estendem bem além do tópico dos algoritmos. É verdade que estratégias de redução de ruído podem ser custosas. Mas, na maior parte do tempo, seus custos são meramente uma desculpa — e não razão suficiente para tolerar a parcialidade e os custos do ruído. Claro que tentativas de reduzi-lo podem produzir seus próprios erros, talvez na forma de viés. Nesse caso, temos um problema sério, mas a solução não é abandonar as tentativas de reduzir o ruído; é fazer tentativas melhores.

FALANDO DE CUSTOS DE REDUÇÃO DO RUÍDO

"Se tentássemos eliminar o ruído no ensino, teríamos de gastar um bocado de dinheiro. Os professores são ruidosos quando atribuem notas aos alunos. Não dá para fazer cinco professores avaliarem um mesmo trabalho."

"Se em vez de se basear no julgamento humano determinada mídia social decide que ninguém pode usar certas palavras, independentemente do contexto, o ruído será eliminado, mas a regra também vai gerar muitos erros. A cura pode ser pior do que a doença."

"Algumas regras e algoritmos são de fato enviesados. Mas as pessoas também têm vieses. A pergunta a fazer é: podemos criar algoritmos não só livres de ruído como também menos enviesados?"

"Remover o ruído pode ser custoso — mas é um custo em que muitas vezes vale a pena incorrer. O ruído pode ser terrivelmente injusto. E se a tentativa de reduzi-lo for grosseira demais — se terminarmos com diretrizes ou regras inaceitavelmente rígidas ou que produzem viés de maneira inadvertida —, não devemos apenas desistir, e sim tentar outra vez."

27. Dignidade

Suponha que o banco tenha lhe negado uma hipoteca não porque alguém estudou seu caso, mas porque tem uma regra rígida que simplesmente proíbe o empréstimo para pessoas com sua classificação de crédito. Ou suponha que você tenha ótimas qualificações profissionais e que o entrevistador em uma empresa ficou muito impressionado, mas não o chamam porque há quinze anos você foi condenado por posse de drogas e a empresa proíbe sumariamente a contratação de pessoas com antecedentes criminais. Ou suponha que você seja acusado de um crime considerado inafiançável não após uma audiência individualizada com um ser humano real, mas porque um algoritmo decidiu que pessoas com suas características constituem um risco de fuga que excede o limiar admissível para fiança.

Muita gente faria objeção a situações assim. Esperamos ser tratados como indivíduos. Queremos um ser humano real examinando nossas circunstâncias particulares. As pessoas podem até saber que tratamentos individualizados geram ruído. Mas, se esse é o preço a pagar por um tratamento individualizado, insistem que vale a pena. Provavelmente, protestarão sempre que forem tratadas, nas palavras da Suprema Corte, "não como seres humanos individuais, mas como membros de uma massa sem rosto, indiferenciada, a ser cegamente sujeitada" a alguma penalidade (ver capítulo 26).

Muitos insistem na audiência individualizada, isenta do que veem como a tirania das regras, para sentir que são tratados como pessoas únicas, e portanto com algum tipo de respeito. A ideia de devido processo legal, entendida como parte da vida comum, parece requerer uma oportunidade de interação pessoal em que um ser humano autorizado a exercer sua discricionariedade pondera sobre uma ampla gama de fatores.

Em muitas culturas, essa defesa do julgamento caso a caso tem alicerces morais profundos. Ela pode ser encontrada na política, no direito, na teologia e até na literatura. *O mercador de Veneza* de Shakespeare pode facilmente ser lido como uma objeção a regras livres de ruído e como um apelo ao papel da misericórdia na justiça e no julgamento humanos de modo geral. Como diz o discurso final de Pórcia:

> *É qualidade da mercê não ser laboriosa;*
> *Como chuva mansa ela desce do céu*
> *Sobre a terra abaixo. É duplamente abençoada;*
> *Abençoa quem dá e abençoa quem recebe:*
> *[...]*
> *Está entronizada no coração dos reis,*
> *É um atributo do próprio Deus;*
> *E o poder terreno se assemelha ao divino*
> *Quando a mercê tempera a justiça.*

Por não ser limitada por regras, a misericórdia é ruidosa. Não obstante, o apelo de Pórcia pode ser feito em muitas situações e em incontáveis organizações. Normalmente encontra ecos. Um funcionário à espera de uma promoção. Alguém atrás de financiamento para a casa própria. Um aluno pleiteando vaga em uma universidade. Os tomadores de decisão nesses casos podem rejeitar algumas estratégias de redução de ruído, acima de tudo regras rígidas. Se não o fizerem, pode ser por pensarem, como Pórcia, que a qualidade da mercê não é laboriosa. Talvez até saibam que sua abordagem tem muito ruído, mas, se isso garante à pessoa a sensação de ser tratada com respeito e ser ouvida, podem adotá-la de qualquer modo.[1]

Algumas estratégias de redução de ruído não enfrentam essa objeção. Se três indivíduos, e não apenas um, tomam uma decisão, para a pessoa ainda assim se trata de uma audiência individualizada. As diretrizes podem atribuir ao tomador de decisão significativo poder discricionário. Mas algumas tentativas de reduzir ruído, incluindo regras rígidas, eliminam essa discricionariedade e podem levar as pessoas a alegar que o processo resultante ofende sua dignidade.

Elas estão com a razão? Sem dúvida costuma ser importante contar com audiências individualizadas. Há um inquestionável valor humano na oportunidade de ser ouvido. Mas se audiências individualizadas geram mais mortes, mais injustiça e custos muito mais elevados, não deveriam ser celebradas. Como enfatizamos, em situações envolvendo contratações, admissões universitárias e medicina, algumas estratégias de redução de ruído podem se revelar grosseiras; elas impedem formas de tratamento individualizado que, embora ruidosas, pesadas todas as coisas, produziriam menos erros. Mas se uma estratégia de redução de ruído é grosseira, nesse caso, como temos insistido, a melhor resposta é tentar conceber uma estratégia melhor — afinada com uma ampla gama de variáveis relevantes. E se a melhor estratégia for eliminar o ruído e produzir menos erros, ela terá vantagens óbvias sobre o tratamento individualizado, mesmo reduzindo ou impedindo a oportunidade de sermos ouvidos.

Não queremos dizer que o interesse no tratamento individualizado não importa. Mas há um preço alto a pagar se tal tratamento leva a consequências terríveis, incluindo injustiça palpável.

MUDANDO VALORES

Imagine que determinada instituição pública conseguiu eliminar seu ruído. Digamos uma universidade em que a definição do que constitui uma *conduta imprópria* está absolutamente clara tanto para o corpo docente como para os alunos. Ou suponhamos uma grande empresa em que um conceito de *corrupção* bem definido determina claramente os limites do que é permitido ou proibido para todos. Ou uma empresa cujas normas internas só permitem a contratação de pessoas com formação em certas áreas. O que acontece quando mudam os valores de uma organização? Aparentemente, algumas estratégias de redução de ruído seriam incapazes de acomodá-los, e essa inflexibilidade pode ser um problema bastante ligado à questão do tratamento individualizado e da dignidade.

Uma decisão famosa e surpreendente[2] no direito constitucional americano ajuda a provar esse ponto. Concluído em 1974, o caso envolveu uma escola cujo regulamento exigia que professoras grávidas tirassem licença não remunerada cinco meses antes da data prevista para o parto. Jo Carol LaFleur, uma professora, argumentou que estava perfeitamente apta a lecionar, que a norma era discriminatória e que cinco meses eram excessivos.

A Suprema Corte americana concordou. Mas não mencionou discriminação sexual e não afirmou que cinco meses eram necessariamente excessivos. O tribunal na verdade concluiu que LaFleur não tivera oportunidade de mostrar que em seu caso não havia nenhum impedimento físico ao trabalho. Segundo o veredicto da Suprema Corte:

> Não há uma determinação individualizada feita pelo médico da professora — ou pela diretoria da escola — quanto à capacidade de qualquer professor específico continuar no seu trabalho. O regulamento compreende uma irrefutável presunção de incapacidade física e essa presunção se aplica até mesmo quando a evidência médica acerca do status físico de uma mulher individual pode ser inteiramente em sentido contrário.

Um período obrigatório de cinco meses parece mesmo absurdo. Mas o tribunal não enfatizou esse ponto. Em lugar disso, deplorou a "irrefutável presunção" e a inexistência de uma "determinação individualizada". Ao fazê-lo, o tribunal estava aparentemente argumentando, como Pórcia, que a qualidade da mercê não é laboriosa e que uma pessoa particular deveria ser requisitada para examinar as circunstâncias particulares de LaFleur.

Mas sem alguma higiene da decisão, essa é uma receita para o ruído. Quem decide o caso de LaFleur? A decisão será a mesma de muitas outras mulheres em situação similar? Em todo caso, muitas regras correspondem a presunções irrefutáveis. O limite de velocidade estabelecido é inaceitável? Uma idade mínima para votar ou beber? A proibição expressa de dirigir alcoolizado? Com exemplos como esses em mente, críticos alegaram que um argumento contra a "irrefutável presunção" se mostraria excessivo — entre outras coisas, porque o propósito e o efeito dela são reduzir o ruído.

Comentaristas influentes na época[3] defenderam a decisão do tribunal, enfatizando que os valores morais mudam com o tempo, daí a necessidade de evitar regras rígidas. Argumentaram que, com respeito ao papel da mulher na sociedade, as normas sociais estavam em estado de grande fluxo. Afirmaram que as determinações individualizadas eram particularmente adequadas naquele contexto, porque admitiriam a incorporação das normas em transformação. Um sistema limitado por regras poderia eliminar o ruído, o que é bom, mas também paralisar as normas e valores existentes, o que não é tão bom.

Em suma, algumas pessoas talvez insistissem que uma das vantagens dos sistemas ruidosos é permitir acomodar valores novos e emergentes. Conforme os valores mudam, se os juízes são livres para exercer sua discricionariedade, podem começar a atribuir, por exemplo, sentenças mais baixas para condenados por posse de drogas ou mais elevadas para condenados por estupro. Como enfatizamos, se alguns juízes são lenientes e outros não, haverá certo grau de injustiça; pessoas em situação similar serão tratadas de forma diferente. Mas a injustiça pode ser tolerada se admite valores sociais novos e emergentes.

O problema dificilmente se limita ao sistema de justiça criminal ou mesmo ao direito. Com respeito a qualquer dado número de políticas, as empresas podem se permitir alguma flexibilidade em seus julgamentos e decisões, mesmo que ao fazê-lo gerem ruído, porque a flexibilidade é uma garantia de que, à medida que surgem, crenças e valores novos podem com o tempo mudar as políticas. Oferecemos um exemplo pessoal: quando um de nós trabalhou para uma grande empresa de consultoria há alguns anos, o não tão recente pacote de boas-vindas especificava as situações em que era admissível pedir reembolso de despesas de viagem ("uma ligação para casa ao chegar em segurança; mandar passar o terno; gorjetas para funcionários do hotel"). As regras eram livres de ruído, mas claramente antiquadas (e machistas). Não demoraram a ser substituídas por padrões que poderiam evoluir com o tempo. Por exemplo, as despesas agora devem ser "adequadas e razoáveis".

A primeira resposta para essa defesa do ruído é simples: algumas estratégias de redução de ruído nunca dão ensejo a essa objeção. Se usamos uma escala compartilhada fundamentada na visão de fora, conseguimos reagir a valores que mudam. Em todo caso, a tentativa de redução de ruído não precisa e não deve ser permanente. Se assume a forma de regras rígidas, os que as adotam devem se mostrar dispostos a empreender mudanças com o tempo. Podem repensá-las anualmente. Podem decidir que, devido a novos valores, novas regras são essenciais. No sistema de justiça criminal, os legisladores podem reduzir a pena de determinados crimes e aumentar a de outros. Podem descriminalizar por completo certa atividade — e criminalizar outra que costumava ser considerada perfeitamente aceitável.

Mas voltemos um pouco. Sistemas ruidosos conseguem acomodar valores morais emergentes, e isso em geral é uma boa coisa. Mas, em muitas esferas, é absurdo defender altos níveis de ruído com esse argumento. Algumas das estratégias de redução de ruído mais importantes, como agregar julgamentos, admitem valores emergentes. E se diferentes clientes, queixando-se de um notebook defeituoso, são tratados de forma diferente pela empresa de computadores, a inconsistência tem pouca probabilidade de se dever a valores emergentes. Se diferentes pessoas recebem diferentes diagnósticos médicos, isso raras vezes se deve a novos valores morais. Podemos fazer muito pela redução ou até pela eliminação do ruído concebendo ao mesmo tempo processos que permitam a evolução dos valores.

APROVEITANDO-SE DO SISTEMA, EVADINDO-SE ÀS REGRAS

Em um sistema ruidoso, juízes de todo tipo podem se adaptar ao que a situação exige — e reagir a acontecimentos inesperados. Eliminando essa capacidade de adaptação, algumas estratégias de redução do ruído involuntariamente proporcionam às pessoas um incentivo para manipular o sistema. Um potencial argumento para tolerar o problema é que ele se revela um subproduto de abordagens que instituições públicas e privadas adotam para prevenir esse tipo de manipulação.

O código tributário é um exemplo familiar. Por um lado, o sistema tributário não deveria ser ruidoso, mas claro e previsível: contribuintes idênticos não podem ser tratados de forma diferente. Mas, se eliminássemos o ruído no sistema tributário, os contribuintes espertinhos inevitavelmente encontrariam uma maneira de se evadir às regras. Há um animado debate entre especialistas tributários quanto a se é melhor ter regras claras, eliminando o ruído, ou permitir um grau de vagueza, admitindo imprevisibilidade mas também reduzindo o risco de que regras claras ocasionem um comportamento oportunista ou interesseiro.

Algumas empresas e universidades proíbem as pessoas de incorrer em "infrações" sem especificar o que isso quer dizer. O resultado inevitável é ruído, o que não é bom e pode ser até muito ruim. Mas se há uma lista específica do que conta como infração, um comportamento horrível que não estiver explicitamente incluído na lista acabará sendo tolerado.

Como regras possuem fronteiras claras, as pessoas podem evadir-se a elas procedendo a uma conduta que é tecnicamente isenta, mas acarreta danos iguais ou análogos. (Quem tem filhos adolescentes sabe disso!) Quando não conseguimos criar facilmente regras que excluam toda conduta que deve ser proibida, temos um motivo distinto para tolerar o ruído, ou assim sustenta a alegação.

Em algumas circunstâncias, regras claras e definidas que eliminam o ruído dão origem ao risco de evasão. E esse risco pode ser um motivo para adotarmos outra estratégia redutora, como a agregação, e talvez tolerar uma abordagem que acomode algum ruído. Mas as palavras "*pode ser*" são cruciais. Precisamos nos perguntar quanta evasão haveria — e quanto ruído. Se há apenas um pouco de evasão, e muito ruído, estamos em posição mais vantajosa, com abordagens que o reduzem. Voltaremos a essa questão no capítulo 28.

DISSUASÃO E AVERSÃO AO RISCO

Suponha que o objetivo seja desestimular a conduta imprópria — de funcionários, alunos, cidadãos comuns. Um pouco de imprevisibilidade, ou mesmo um bocado, talvez não seja a pior coisa. Um empregador pode pensar: "Se a punição por certos tipos de infração for uma multa, suspensão ou demissão, meus funcionários não vão incorrer nela". As pessoas no comando do sistema de justiça criminal podem pensar: "Que importa que potenciais criminosos tenham de conjecturar sobre sua provável punição? Se a perspectiva de uma loteria de punições desencoraja a transgressão, talvez o ruído resultante seja tolerável".

Em termos abstratos, esses argumentos não podem ser descartados, mas eles não são muito convincentes. A um primeiro olhar, o que importa é o valor esperado da punição, e uma chance de 50% de uma multa de 5 mil equivale a uma multa de 2500. Claro que alguns se apegam ao pior cenário possível. Avessos ao risco seriam dissuadidos com mais facilidade pela chance de 50% de uma multa de 5 mil — mas afeitos ao risco dificilmente se deixarão dissuadir por isso. Para saber se um sistema ruidoso impõe maior ou menor dissuasão, precisamos saber se os potenciais infratores são avessos ou afeitos ao risco. E, se queremos aumentar a dissuasão, não seria melhor aumentar a punição e eliminar o ruído? Com isso, a parcialidade também será eliminada.

CRIATIVIDADE, MORAL E NOVAS IDEIAS

A tentativa de reduzir o ruído pode sufocar a motivação e o engajamento? Afetar a criatividade e impedir as pessoas de fazer grandes descobertas? Muitas organizações acham que sim. Em alguns casos, talvez tenham razão. Para comprovar, precisamos especificar a qual estratégia de redução de ruído se refere sua objeção.

Lembremos da reação intensamente negativa[4] de muitos juízes às diretrizes de sentenças. Nas palavras de um deles: "Devemos reaprender a confiar no exercício do julgamento na sala do tribunal". De modo geral, pessoas em posição de autoridade não gostam que sua discricionariedade lhes seja tirada. Podem se sentir não só diminuídas como coibidas — e até mesmo humilhadas. Quando tomamos medidas que reduzem seu poder discricionário, muitas se rebelam. Elas valorizam a oportunidade de exercer o julgamento e podem até gostar dela. Se sua discricionariedade for removida de modo que apenas sigam a manada, sentem-se como engrenagens numa máquina.

Em suma, um sistema ruidoso pode ser bom para o moral não por ser ruidoso, mas por permitir às pessoas decidirem como julgar de modo mais apropriado. Se os funcionários puderem responder às queixas do consumidor a seu próprio modo, avaliar os subordinados como acharem melhor ou determinar os prêmios de seguro que considerarem mais adequados, provavelmente desfrutarão mais de seu trabalho. Se a empresa faz algo para eliminar o ruído, talvez eles pensem que sua liberdade de ação ficou comprometida. Agora seguem regras, não estão exercendo a criatividade. O trabalho parece mais mecânico, até mesmo robótico. Quem quer trabalhar num lugar que sufoca a capacidade de tomar decisões independentes?

A empresa pode se mostrar receptiva a esses sentimentos não só por respeitá-los, mas por querer ensejar um ambiente propício a novas ideias. Uma regra pode prejudicar a engenhosidade e a invenção.

Mas claro que isso não se aplica a qualquer caso. Tarefas diferentes devem ser avaliadas de forma diferente; um diagnóstico de faringite ou hipertensão ruidoso não é a circunstância ideal para exercer a criatividade. Podemos estar dispostos a tolerar o ruído, porém, se isso contribui para uma força de trabalho mais feliz e inspirada. A desmoralização é um custo em si e leva a outros, como desempenho ruim. Sem dúvida, precisamos reduzir o ruído permanecendo ao mesmo tempo receptivos a ideias novas. Algumas estratégias de redução de ruído, como estruturar julgamentos complexos, fazem exatamente isso. Se queremos reduzir o ruído sem abater o moral, podemos selecionar estratégias de higiene da decisão que não tenham essa consequência. E os líderes podem deixar claro que, mesmo quando existem regras rígidas, há um processo para desafiá-las e repensá-las — mas não para quebrá-las exercendo o poder discricionário caso a caso.

Em uma série de livros entusiasmados,[5] Philip Howard, advogado e filósofo eminente, apresenta argumentações similares a favor de julgamentos mais flexíveis. Howard quer que as políticas públicas voltadas à eliminação do ruído assumam a forma não de regras prescritivas, mas de princípios gerais: "seja razoável", "aja com prudência", "não imponha riscos excessivos".

Na opinião de Howard, o mundo moderno da regulamentação governamental enlouqueceu simplesmente porque é rígido demais. Professores, agricultores, desenvolvedores, enfermeiros, médicos — todos esses especialistas, e muitos outros, são sobrecarregados por regras que lhes dizem o que fazer e exatamente como fazer. Howard acha que seria muito melhor permitir às pessoas usar sua criatividade para descobrir como atingir as metas relevantes, sejam elas um ensino melhor, diminuição de acidentes, água mais limpa ou pacientes mais saudáveis.

Howard apresenta alguns argumentos convincentes, mas é importante nos perguntarmos sobre as consequências das abordagens de sua preferência, incluindo o potencial aumento do ruído e do viés. Quase ninguém gosta de rigidez, abstratamente falando, mas talvez seja o melhor modo de reduzir o ruído e eliminar o viés e o erro. Se há apenas princípios gerais, o ruído sobrevirá em sua interpretação e implementação. Esse ruído pode muito bem ser intolerável, ou até escandaloso. No mínimo, seus custos devem receber cuidadosa consideração — e em geral não recebem. Quando percebemos que o ruído gera ampla parcialidade e seus próprios custos elevados, normalmente concluímos que é inaceitável e que devemos identificar estratégias de redução de ruído que não comprometam valores importantes.

FALANDO DE DIGNIDADE

"Valorizamos interações pessoais e até necessitamos delas. Queremos um ser humano de verdade para ouvir nossas queixas e preocupações e queremos ter o poder de melhorar as coisas. Claro que essas interações inevitavelmente geram ruído. Mas a dignidade humana não tem preço."

"Valores morais estão em constante evolução. Se enchemos tudo de restrições, não damos espaço para a mudança de valores. Certas tentativas de reduzir o ruído são simplesmente rígidas demais; elas impedem as mudanças de princípios morais."

"Se queremos desestimular a conduta imprópria, devemos tolerar um pouco de ruído. Se os alunos estiverem em dúvida sobre a punição por plágio, tanto melhor — assim evitam plagiar. Um pouco de incerteza, na forma de ruído, potencializa a dissuasão."

"Se eliminamos o ruído, o resultado são regras claras, que um infrator encontra maneiras de evitar. O ruído pode ser um preço que vale a pena pagar, se for um modo de prevenir um comportamento estratégico ou oportunista."

"Gente criativa precisa de espaço. Pessoas não são robôs. Seja qual for seu trabalho, você merece alguma margem de manobra. Se você se sente de mãos atadas, pode até ser que esteja livre de ruído, mas não acha a menor graça nele e não vai conseguir implementar suas ideias originais."

"No fim, a maioria das tentativas de defender o ruído é pouco convincente. Podemos respeitar a dignidade das pessoas, dar espaço de sobra para sua evolução moral e acomodar sua criatividade sem tolerar a injustiça e o custo do ruído."

28. Regras ou padrões?

Para reduzir o ruído ou decidir como e em que medida o fazer, precisamos diferenciar dois modos de regular o comportamento: regras e padrões. Organizações de todo tipo com frequência escolhem um dos dois ou uma combinação de ambos.

Por exemplo, em vez de estabelecer que os funcionários devem estar no trabalho de tal a tal hora, que os pedidos de férias não podem exceder duas semanas ou que vazar informações para a imprensa é punível com demissão, uma empresa poderia afirmar que as pessoas precisam permanecer no trabalho "por parte razoável da jornada", que as férias serão decididas "caso a caso, considerando também as necessidades da empresa" e que vazamentos "serão devidamente punidos".

Na legislação, se as regras estabelecem que não se pode exceder determinado limite de velocidade, que trabalhadores não devem ser expostos a carcinógenos ou que medicamentos sujeitos a receita médica devem vir com advertências específicas, padrões determinariam que as pessoas devem dirigir "com prudência", que o empregador deve oferecer um local de trabalho seguro "na medida do possível" ou que as farmacêuticas devem agir "com bom senso" na questão das embalagens.

Esses exemplos ilustram a distinção central entre regras e padrões. Regras são feitas para eliminar a discricionariedade por parte de quem as aplica; padrões são feitos para conceder tal discricionariedade. Onde há regras, o ruído precisa ser seriamente reduzido. A interpretação de uma regra exige respostas a questões factuais: A que velocidade ia o motorista? O trabalhador foi exposto a uma substância carcinogênica? O remédio exibe as advertências exigidas?

A própria apuração dos fatos da regra muitas vezes envolve o julgamento e portanto gera ruído ou é afetada pelo viés. Não nos faltam exemplos. Mas quem elabora a regra pretende reduzir esses riscos e, quando ela consiste em um número ("para maiores de dezoito anos" ou "limite de velocidade de 100 km/h"), o ruído precisa ser reduzido. Regras têm uma característica importante: *elas reduzem o papel do julgamento*. Nesse aspecto, pelo menos, o juiz (entendido como todo aquele que aplica regras) tem menos trabalho a fazer. Ele segue as regras. Para o bem ou para mal, sua margem de manobra é muito menor.

Padrões são completamente diferentes. Onde há padrões, o juiz precisa dar tratos à bola para especificar o significado de termos amplos. Talvez tenha de elaborar inúmeros julgamentos para decidir o que pode ser considerado "razoável" e "viável", por exemplo. E, além da apuração dos fatos, precisa atribuir conteúdo a frases relativamente vagas. Quando estabelecemos padrões, na prática exportamos a autoridade da tomada de decisão para os outros. Delegamos poder.

Diretrizes, tal como discutidas no capítulo 22, podem ser regras ou padrões. Quando são regras, restringem dramaticamente o julgamento. Mesmo quando são padrões, podem estar longe de abrangentes. A escala de Apgar é uma diretriz, não uma regra. Ela não proíbe o exercício da discricionariedade. Se as diretrizes forem rígidas a ponto de eliminar essa discricionariedade, passam a ser regras. Algoritmos funcionam como regras, não como padrões.

DIVISÕES E IGNORÂNCIA

Que fique claro desde o início que sempre que empresas, organizações, sociedades ou grupos estão nitidamente divididos, será mais fácil produzir padrões do que regras. Os diretores de uma empresa podem estar de acordo quanto a coibir abusos por parte da gerência sem conseguir dizer exatamente o que entendem por abusos. Supervisores podem condenar o assédio sexual no local de trabalho sem conseguir se decidir se o flerte é aceitável. Uma universidade pode condenar o plágio em trabalhos de alunos sem especificar o significado exato do termo. As pessoas podem concordar que a constituição deve proteger a liberdade de expressão sem saber dizer se isso deveria incluir publicidade, ameaças ou obscenidades. A população pode concordar que deputados devem aprovar regras prudentes para redução da emissão de gases do efeito estufa sem ter uma definição do que constitui prudência.

Estabelecer padrões sem especificar detalhes geralmente leva a ruído, que pode ser controlado mediante algumas estratégias já vistas, como agregar julgamentos e usar o protocolo de avaliações mediadoras. Às vezes os líderes querem estabelecer regras sem que na prática consigam concordar com elas. Nas próprias constituições encontramos muitos padrões (proteger a liberdade de religião, por exemplo). O mesmo é verdade da Declaração Universal dos Direitos Humanos ("Todos os seres humanos nascem livres e iguais em dignidade e direitos").

A grande dificuldade em fazer com que pessoas diversas concordem sobre regras de redução de ruído é um dos motivos para o estabelecimento de padrões em vez de regras. Os líderes de uma empresa podem ser incapazes de concordar com palavras específicas que determinem como os funcionários devem lidar com o cliente. A melhor maneira de conseguir isso talvez sejam padrões. O setor público é análogo. Legisladores podem chegar a um acordo acerca de um padrão (e tolerar o ruído resultante) se esse for o preço a pagar pelo próprio exercício da legislatura. Médicos podem concordar com padrões para diagnosticar doenças, mas se alguém tenta impor regras, normalmente surge uma discordância intratável.

Mas divisões sociais e políticas não são o único motivo para as pessoas recorrerem a padrões em vez de regras. Às vezes, o real problema é carecerem da informação que as capacitaria a produzir regras sensatas. Uma universidade pode ser incapaz de criar regras para governar suas decisões de promover membros do corpo docente. Um empregador pode ter dificuldade para antever todas as circunstâncias que o levariam a manter ou suspender algum funcionário. Deputados federais podem não saber o nível adequado de poluentes no ar — material particulado, ozônio, óxido de nitrogênio, chumbo. O melhor a fazer é aprovar algum tipo de padrão e confiar nos especialistas para especificar seu significado, mesmo que a consequência seja o ruído.

Regras podem ser enviesadas de muitas formas. Uma lei poderia proibir mulheres na polícia. Ou irlandeses. Ainda que criem um amplo viés, as regras reduzirão nitidamente o ruído (se todos as cumprirem). Se a lei diz que são proibidos a venda e o consumo de bebidas alcoólicas a menores de 21 anos e todos a respeitam, provavelmente haverá pouco ruído. Já os padrões são um convite ao ruído.

CHEFES COMANDANDO SUBORDINADOS

A distinção entre regras e padrões tem grande importância para qualquer instituição pública ou privada, incluindo negócios de todo tipo. A escolha entre regras e padrões ocorre sempre que um superior tenta controlar um subalterno. Como vimos no capítulo 2, corretores de seguro dão duro para chegar a um prêmio justo (ou seja, nem alto demais nem baixo demais) que beneficie sua companhia. O que os chefes desses corretores lhes passariam como diretiva: padrões ou regras? Um líder numa empresa pode conduzir os funcionários de forma muito específica ou mais geral ("use o bom senso" ou "tenha discernimento"). Um médico pode agir da mesma forma ao passar prescrições: "tomar um comprimido de manhã e à noite" é uma regra; "tomar um comprimido quando houver necessidade" é um padrão.

Como mencionamos, empresas de redes sociais como Facebook inevitavel-mente têm de se preocupar com o ruído e como reduzi-lo. Elas podem dizer a seus funcionários que derrubem conteúdo sempre que o post viola uma regra clara (proibindo nudez, digamos). Ou que apliquem um padrão (como proibir bullying ou materiais patentemente ofensivos). Os Padrões da Comunidade do Facebook, publicados pela primeira vez em 2018, são uma mistura fascinante de regras e padrões, com boa dose de ambos. Quando o Facebook os divulgou, inúmeras queixas foram feitas pelos usuários, afirmando que os padrões da empresa produziam ruído excessivo (e, portanto, geravam erros e injustiças). Havia a preocupação recorrente de que os julgamentos sobre os posts pudessem exibir alta variância devido aos muitos milhares de revisores do Facebook. Quando derrubavam um post, os revisores tomavam diferentes decisões sobre o que era permitido ou não. Para perceber por que essa variabilidade era inevitável, considere os Padrões da Comunidade do Facebook em 2020:

Definimos discurso de ódio como um ataque direto a pessoas baseado no que cha-mamos de características protegidas: raça, etnia, nacionalidade, religião, orientação sexual, casta, sexo, gênero, identidade de gênero e doença grave ou deficiência. Definimos ataques como discursos violentos ou degradantes, xingamentos e apelos à exclusão ou segregação.[1]

Ao implementar uma definição desse tipo, os revisores fatalmente serão ruidosos. A que, exatamente, correspondem "discursos violentos ou desumanizantes"? O Facebook tinha consciência dessas questões e, para lidar com o problema, deu um passo na direção de abrandar as regras, precisamente para reduzir o ruído. Essas regras foram catalogadas em um documento interno chamado Padrões de Implementação, que consistia em cerca de 12 mil palavras e foi obtido pela revista *New Yorker*.[2] No texto público dos Padrões da Comunidade, a orientação sobre conteúdo explícito começava com um padrão: "Removemos conteúdo que glorifica a violência". (O que isso significa, exatamente?) Por outro lado, os Padrões de Implementação listavam imagens explícitas e diziam claramente aos moderadores de conteúdo o que fazer quanto a elas. Os exemplos incluíam "seres humanos carbonizados ou pegando fogo" e "partes do corpo desmembradas". Para resumir uma história complicada, os Padrões da Comunidade parecem mais com padrões, ao passo que os Padrões de Implementação parecem mais com regras.

Nessa mesma linha, uma companhia aérea pode pedir aos pilotos que se pautem por regras ou padrões. Por exemplo, ao decidirem se devem voltar ao portão após noventa minutos na pista ou qual o momento certo de acionar o sinal do cinto de segurança. A companhia aérea talvez prefira regras porque elas limitam a discricionariedade dos pilotos, desse modo reduzindo o erro. Mas também pode achar que, em algumas circunstâncias, os pilotos devem usar seu discernimento. Nessas situações, padrões podem ser muito melhores do que regras, ainda que produzam algum ruído.

Em todos esses casos e muitos outros, quem decide entre regras e padrões deve focar no problema do ruído, no problema do viés ou em ambos. Negócios, sejam grandes ou pequenos, devem tomar essa decisão o tempo todo. Mas às vezes isso é feito intuitivamente e sem muita estrutura.

Padrões vêm em muitas formas e tamanhos. Em essência, podem não ter conteúdo algum: "faça o que for apropriado sob as circunstâncias". Podem ser escritos de modo a se aproximar de regras — como quando o que é apropriado é especificamente definido para limitar a discricionariedade dos juízes. Regras e padrões também podem ser misturados e combinados. Por exemplo, o RH pode adotar uma regra ("todo candidato deve ter diploma superior") que preceda a aplicação do padrão ("atendida essa restrição, opte por pessoas que farão um excelente trabalho").

Como dissemos, regras devem reduzir ou até eliminar o ruído e padrões muitas vezes geram um bocado de ruído (a menos que alguma estratégia de redução seja adotada). Em organizações públicas e privadas, o ruído é com frequência produto da falha em criar regras. Quando o ruído é suficientemente alto — ou seja, todos percebem que pessoas em situação similar não estão sendo tratadas de forma similar —, em geral há um movimento na direção das regras. Como no caso das sentenças criminais, esse movimento pode se transformar num clamor público. Uma auditoria de ruído de algum tipo normalmente o precede.

A VOLTA DOS REPRIMIDOS

Considere uma importante questão: quem deve ser considerado inapto ao trabalho, de modo a poder reivindicar auxílio financeiro? Se a pergunta for formulada assim, quem a avalia tomará decisões ad hoc que serão ruidosas e portanto injustas. Nos Estados Unidos, essas decisões ruidosas e injustas costumavam ser a norma, e os resultados eram escandalosos. Dois cadeirantes em situação similar ou dois indivíduos com depressão grave ou dor crônica recebiam tratamentos diferentes. Diante disso, o funcionalismo público passou a algo mais parecido com uma regra — uma *matriz de invalidez*. A matriz requer julgamentos relativamente mecânicos baseados em formação escolar, localização geográfica e capacidades físicas remanescentes. O objetivo é tornar as decisões menos ruidosas.

A principal discussão sobre o problema, de autoria do professor de direito Jerry Mashaw, atribui um nome à tentativa de eliminar julgamentos ruidosos: *justiça burocrática*. O termo merece ser memorizado. Mashaw celebra a criação da matriz como fundamentalmente justa, precisamente porque promete eliminar o ruído. Em algumas situações, porém, a promessa de justiça burocrática pode não se concretizar.[3] Sempre que uma instituição adota decisões delimitadas por regras, corre risco de ver o ruído voltar a emergir.

Suponha que as regras produzam terríveis resultados em casos particulares. Quando isso acontece, o juiz pode simplesmente ignorá-las, considerando-as por demais austeras. Por esse motivo, ele talvez exerça seu poder discricionário mediante uma forma branda de desobediência civil, que pode ser difícil de regulamentar ou até mesmo enxergar. Numa empresa privada, os funcionários ignoram regras rígidas que lhes parecem tolas. De modo similar, agências administrativas encarregadas de zelar pela segurança e saúde públicas podem simplesmente se recusar a impor estatutos quando forem excessivamente rígidos e regrados. No direito criminal, a *nulificação por júri* se refere a situações em que os jurados simplesmente se recusam a seguir a lei, considerando-a despropositadamente rígida e austera.

Sempre que uma instituição pública ou privada tenta controlar o ruído com regras rígidas, deve permanecer alerta para a possibilidade de que as regras simplesmente mandem o poder discricionário para a clandestinidade. Com a política de três strikes, a reação frequente dos promotores — evitar entrar com uma acusação criminal contra indivíduos condenados duas vezes no passado — era extremamente difícil de controlar e até de perceber.

Quando essas coisas acontecem, há ruído, mas ninguém escuta. Precisamos monitorar nossas regras para ter certeza de que estejam operando conforme o pretendido. Caso contrário, a presença de ruído pode ser uma pista e as regras devem ser revistas.

UMA ESTRUTURA

Nos negócios e no governo, a escolha entre regras e padrões com frequência é intuitiva, mas ela pode ser feita de forma mais disciplinada. Como uma primeira aproximação, a escolha depende de apenas dois fatores: (1) o custo das decisões e (2) o custo dos erros.

Com padrões, o custo das decisões pode ser muito alto para juízes de todo tipo, simplesmente porque cabe a eles trabalhar para lhes atribuir conteúdo. O exercício do julgamento pode ser oneroso. Para fazer seu melhor diagnóstico, o médico teria de refletir longamente sobre cada caso (e os julgamentos podem muito bem ser ruidosos). Quando médicos contam com diretrizes claras para decidir se os pacientes têm faringite, suas decisões podem ser rápidas e relativamente inequívocas. Se o limite de velocidade é de 100 km/h, o policial não precisa perder tempo pensando no quanto os carros podem correr, mas, se houver um padrão afirmando que não devem dirigir numa "velocidade exagerada", ele vai quebrar a cabeça para se decidir (e a imposição da lei será certamente ruidosa). Com regras, os custos das decisões em geral são muito mais baixos.

Mesmo assim, é complicado. A aplicação de uma regra pode ser inequívoca, mas, antes de ser estabelecida, *alguém tem de decidir em que ela consiste.* Criar uma regra pode ser difícil. Às vezes, o custo é proibitivo. Sistemas legais e empresas privadas desse modo usam com frequência palavras como *razoável, prudente* e *viável.* Por esse mesmo motivo termos como esses desempenham um papel igualmente importante em áreas como medicina e engenharia.

O custo dos erros se refere à quantidade e magnitude dos equívocos. Uma questão sempre presente é se os subalternos são informados e confiáveis e se praticam a higiene da decisão. Em caso afirmativo, um padrão pode servir perfeitamente — e talvez haja um pouco de ruído. Superiores precisam impor regras quando têm motivo para desconfiar de seus comandados. Se o subalterno for incompetente ou parcial e não puder viabilizar a implementação da higiene da decisão, deve ser restringido por regras. Uma organização sensata compreende que a quantidade de discricionariedade que concede está estreitamente ligada ao nível de confiança depositado nas pessoas que a representam.

Claro que da perfeita confiança à completa desconfiança há todo um leque. Um padrão pode levar a numerosos erros por parte de agentes menos do que confiáveis, mas, se esses erros forem mínimos, talvez sejam toleráveis. Uma regra pode levar a poucos enganos, mas, se forem catastróficos, talvez preferiramos um padrão. Devemos ser capazes de perceber que não há um motivo *geral* para pensar que o custo dos erros é maior, seja com regras, seja com padrões. Se uma regra for perfeita, claro que não produzirá erros. Mas regras raramente são perfeitas.

Suponha que a lei diga que você pode comprar bebidas alcoólicas apenas se tiver 21 anos ou mais. A lei visa proteger os jovens dos diversos riscos associados ao consumo de álcool. Entendida dessa maneira, a lei produzirá um bocado de equívocos. Algumas pessoas de vinte, dezenove, dezoito ou até dezessete anos podem não ter qualquer problema com a bebida. Outras, de 22, 42 ou 62, pelo contrário. Um padrão produziria menos erros — se pudéssemos encontrar uma formulação de palavras adequada e se as pessoas pudessem aplicá-las com precisão. Claro que tal coisa dificilmente será conseguida, e é por isso que quase sempre encontramos regras simples, baseadas na idade, para a venda de bebidas.

Esse exemplo sugere uma questão muito mais ampla. Sempre que numerosas decisões precisam ser tomadas, pode muito bem haver um bocado de ruído, e há uma forte razão para haver regras claras. Se dermatologistas veem um grande número de pacientes com erupções e pintas que coçam, cometerão menos erros se seus julgamentos forem restringidos por regras sensatas. Na ausência de tais regras, e com padrões sem limites definidos, o custo das decisões tende a ficar impossivelmente alto. Em decisões repetidas, há vantagens reais em se mover na direção de regras mecânicas, em vez de julgamentos ad hoc. O ônus de exercer a discricionariedade se revela grande e o custo do ruído, ou a parcialidade que ele gera, talvez seja intolerável.

Organizações inteligentes têm plena consciência das desvantagens em ambas as formas de regular o comportamento. Elas recorrem a regras, ou padrões próximos de regras, como maneira de reduzir o ruído (e o viés). E, para minimizar o custo dos erros, estão dispostas a devotar antecipadamente considerável tempo e atenção para assegurar que as regras sejam (suficientemente) precisas.

RUÍDO PROIBIDO POR LEI?

Em muitas situações, o ruído deveria ser um escândalo. Convivemos com ele, mas não deveríamos. Uma medida simples é mudar de uma discricionariedade sem limites definidos ou um padrão vago para uma regra ou algo próximo disso. Agora fazemos uma ideia de quando a resposta simples é a resposta correta. Mas mesmo quando uma regra não é viável ou não é boa ideia, identificamos uma série de estratégias para reduzir o ruído.

Tudo isso passa por uma questão mais ampla: o sistema legal deveria decretar a ilicitude do ruído? Seria muito simples responder que sim, mas a lei deve fazer muito mais do que isso atualmente para controlar o problema. Eis uma maneira de pensar a respeito. O sociólogo alemão Max Weber deplorava a "justiça do alcaide", que entendia como julgamentos informais, ad hoc, não disciplinados por regras gerais. Na visão de Weber, a justiça do alcaide se dava intoleravelmente caso a caso; era uma violação da soberania da lei. Como ele afirmou, o juiz "não adjudicava exatamente segundo regras formais e 'independentemente do réu'. O contrário prevalecia amplamente;[4] ele julgava as pessoas segundo suas qualidades concretas e em termos da situação concreta ou segundo a equidade e adequação do resultado concreto".

Essa abordagem, argumentou Weber, "não conhece regras de decisão racionais". Podemos perceber facilmente que Weber se queixa do ruído intolerável acarretado pela justiça do alcaide. Weber celebrava a ascensão dos julgamentos burocráticos, disciplinados de antemão. (Lembre-se da ideia de justiça burocrática.) Ele via as abordagens especializadas, profissionais, delimitadas por regras como o estágio final na evolução do direito. Mas, muito depois de Weber ter escrito, está claro que a justiça do alcaide, ou algo nessa linha, continua por toda parte. A questão é: o que fazer a respeito?

Não chegaríamos ao ponto de afirmar que a redução de ruído deve integrar a Declaração Universal dos Direitos Humanos, mas, em alguns casos, o ruído pode ser considerado uma violação desses direitos, e, em geral, os sistemas legais no mundo todo deveriam empreender esforços bem maiores para controlá-lo. Considere sentenças criminais, penalidades civis, concessões ou recusas de asilo, oportunidades de ensino, vistos, alvarás de construção e licenças para trabalhar. Ou suponha que uma grande agência do governo esteja contratando centenas ou mesmo milhares de pessoas e que suas decisões não têm pé nem cabeça — há uma cacofonia de ruído. Ou suponha que um órgão de proteção ao menor lide com as crianças das formas mais variadas, dependendo do funcionário designado para cada caso. Como é aceitável que a vida e o futuro de uma criança dependam de uma loteria?

Em muitos casos, a variabilidade em tais decisões é claramente causada por vieses, incluindo vieses cognitivos identificáveis e certas formas de discriminação. Quando é esse o caso, as pessoas tendem a achar a situação intolerável e a lei pode ser invocada como medida corretiva, exigindo práticas novas e diferentes. Organizações do mundo todo veem o viés como um vilão. E estão certas. Mas não encaram o ruído da mesma forma. E deveriam.

Em muitas áreas, o nível de ruído atual é elevado demais. Ele impõe altos custos e produz terríveis arbitrariedades. O que catalogamos aqui é apenas a ponta do iceberg. A lei deve fazer muito mais para reduzir esses custos. É uma injustiça que precisa ser combatida.

FALANDO DE REGRAS E PADRÕES

"Regras simplificam a vida e reduzem o ruído. Mas padrões permitem às pessoas se ajustar às particularidades de cada situação."

"Regras ou padrões? Primeiro, pergunte qual deles gera mais erros. Depois, qual é mais fácil criar e com qual é mais fácil trabalhar."

"Com frequência usamos padrões quando deveríamos adotar regras, simplesmente porque não prestamos atenção no ruído."

"A redução de ruído não deve fazer parte da Declaração Universal dos Direitos Humanos — ou pelo menos, ainda não. Mesmo assim, o ruído pode ser horrivelmente injusto. No mundo todo, os sistemas legais deveriam considerar medidas enérgicas para reduzi-lo."

Revisão e conclusão
Levando o ruído a sério

Chamamos de ruído a variabilidade indesejada de julgamentos. Convivemos com uma quantidade excessiva dele. Nosso objetivo central aqui foi explicar por que isso acontece e entender o que pode ser feito a respeito. Cobrimos muito material neste livro e, a título de conclusão, oferecemos uma rápida revisão dos pontos principais, bem como uma perspectiva mais ampla.

JUÍZOS

Do modo como usamos o termo, julgamento não deve ser confundido com "pensamento" ou "raciocínio". É um conceito bem mais restrito: o julgamento é uma forma de medição em que o instrumento é a mente humana. Como outras formas de medição, o julgamento atribui uma pontuação a um objeto. Mas ela não precisa consistir em números. "O tumor de Mary Johnson provavelmente é benigno" constitui um julgamento, além de afirmações como "A economia nacional está muito instável", "Fred Williams é o melhor candidato ao cargo de gerente" e "O prêmio para segurar esse risco deve ser de 12 mil dólares". O julgamento integra informalmente diversas informações separadas numa avaliação geral. Não é uma computação e não segue regras exatas. Um professor se vale do julgamento para dar nota a um trabalho, mas não para avaliar um teste de múltipla escolha.

Muita gente ganha a vida elaborando julgamentos profissionais, e somos todos afetados por esses julgamentos em importantes aspectos. Os *juízes* profissionais, como os chamamos aqui, incluem técnicos de futebol e cardiologistas, advogados e engenheiros, executivos de Hollywood e corretores de seguros, e muito mais. Os julgamentos profissionais são o foco deste livro tanto por terem sido extensamente estudados como porque sua qualidade exerce grande impacto na sociedade. Acreditamos que nosso aprendizado também se aplica aos julgamentos que formamos em outras áreas da vida.

Certos julgamentos são *preditivos*, e certos julgamentos preditivos são verificáveis; ao final, descobrimos se eram precisos. Em geral, esse é o caso em previsões de curto prazo para situações como a ação de um medicamento, o curso de uma pandemia ou os resultados de uma eleição. Mas muitos julgamentos, incluindo previsões de longo prazo e questões fictícias, são inverificáveis. A qualidade desses julgamentos pode ser avaliada apenas pela qualidade do processo mental que os produz. Além do mais, muitos julgamentos não são preditivos, mas *avaliativos*: a sentença determinada por um juiz ou o lugar conquistado por uma pintura num concurso não podem ser facilmente comparados a um valor real, objetivo.

De modo surpreendente, porém, ao produzir um julgamento, nos comportamos como se um valor real existisse, mesmo quando não é o caso. Pensamos e agimos como se houvesse um alvo em cujo centro mirar, uma mosca invisível que não devemos errar por muito. A expressão *julgamento pessoal* implica tanto uma possibilidade de discordância como a expectativa de que ela será limitada. Questões de julgamento se caracterizam por uma expectativa de *discordância restrita*. Elas ocupam um espaço entre as questões de cálculo, em que a discordância não é admitida, e as questões de gosto, em que há pouca expectativa de concordância, a não ser em casos extremos.

ERROS: VIÉS E RUÍDO

Dizemos que existe *viés* quando a maioria dos erros num conjunto de julgamentos vai na mesma direção. O viés é um *erro médio*, como quando uma equipe de tiro consistentemente acerta abaixo e à esquerda do centro do alvo, quando executivos se mostram excessivamente otimistas sobre as vendas ano após ano, ou quando uma empresa continua a investir dinheiro em projetos falidos que deveria descartar.

A eliminação do viés num conjunto de julgamentos não elimina o erro por completo. Os erros que permanecem quando o viés é removido não são compartilhados. Eles são a indesejada divergência dos julgamentos, a inconfiabilidade dos instrumentos de medição que aplicamos à realidade. São *ruído*. Ruído é a variabilidade em julgamentos que deveriam ser idênticos. Usamos o termo *ruído de sistema* para o ruído observado em organizações que empregam profissionais intercambiáveis na tomada de decisões, como médicos em um pronto-socorro, juízes proferindo sentenças criminais e corretores numa companhia de seguros. Boa parte deste livro é voltada ao ruído de sistema.

MEDINDO VIÉS E RUÍDO

O erro quadrático médio (EQM) é o padrão de precisão em medições científicas há duzentos anos. As principais características do EQM são que ele produz a média amostral como uma estimativa desenviesada da média populacional, trata erros positivos e negativos igualmente e penaliza de modo desproporcional erros grandes. O EQM não reflete os reais custos dos erros de julgamento, que são com frequência assimétricos. Porém, decisões profissionais sempre exigem previsões precisas. Se uma cidade enfrenta um furacão, os custos de subestimar ou superestimar a ameaça claramente não se equivalem, mas ninguém vai querer que influenciem as previsões dos meteorologistas sobre a velocidade e a trajetória da tempestade. O EQM é o padrão apropriado para fazer tais julgamentos preditivos em que a meta seja a precisão objetiva.

Medidos pelo EQM, o viés e o ruído são fontes de erro independentes e aditivas. Obviamente, o viés é sempre ruim e reduzi-lo melhora a precisão. Menos intuitivo é o fato de o ruído ser ruim em igual medida e de que reduzi-lo é sempre um progresso. A melhor quantidade de dispersão é zero, mesmo quando há claros vieses nos julgamentos. O objetivo sem dúvida é minimizar tanto o viés como o ruído.

O viés num conjunto de julgamentos verificáveis é definido pela diferença entre o julgamento médio de um caso e o valor real correspondente. Essa comparação é impossível para julgamentos inverificáveis. Por exemplo, o valor real do prêmio que um corretor estabelece para um risco particular jamais será conhecido. Tampouco podemos descobrir facilmente o valor real da sentença para um crime particular. Na falta desse conhecimento, um pressuposto frequente e conveniente (embora nem sempre correto) é que os julgamentos são imparciais e que a média de muitos juízes é a melhor estimativa do valor real.

O ruído em um sistema pode ser avaliado por uma *auditoria de ruído*, experimento em que diversos profissionais elaboram julgamentos sobre os mesmos casos (reais ou fictícios). Podemos medir o ruído sem conhecer um valor real, assim como conseguimos observar, no verso do alvo, a dispersão de uma série de tiros. Auditorias de ruído podem medir a variabilidade dos julgamentos em muitos sistemas, como um departamento de radiologia ou o sistema de justiça criminal. Às vezes, chamam a atenção para deficiências de habilidade e treinamento. E elas quantificarão o ruído de sistema — por exemplo, quando corretores de seguro numa mesma equipe diferem em suas avaliações dos riscos.

Qual dos dois é pior, o viés ou o ruído? Depende da situação. A resposta pode muito bem ser o ruído. Viés e ruído contribuem igualmente para o erro total (EQM) quando a média dos erros (o viés) é igual aos desvios-padrão dos erros (o ruído). Quando a distribuição dos julgamentos é normal (a clássica curva em forma de sino), os efeitos do viés e do ruído são iguais se 84% dos julgamentos estão acima (ou abaixo) do valor real. Isso é um viés substancial, que com frequência será detectável em um contexto profissional. Quando o viés é menor do que um desvio-padrão, o ruído é a maior fonte de erro total.

O RUÍDO É UM PROBLEMA

Em alguns julgamentos, a variabilidade em si não é problemática e, na verdade, pode ser até bem-vinda. A diversidade de opiniões é fundamental para a elaboração de ideias e opções. Pensar contra a corrente é essencial para a inovação. A pluralidade de opiniões entre críticos de cinema é uma qualidade, não um defeito. As discordâncias entre investidores criam mercados. As diferenças de estratégia entre start-ups rivais possibilitam aos mercados selecionar as mais aptas. Mas, nas questões de julgamento, como as chamamos, o ruído de sistema é sempre um problema. Se dois médicos fazem dois diagnósticos diferentes para a mesma pessoa, no mínimo um deles está errado.

As surpresas que motivaram este livro foram a mera magnitude do ruído de sistema e a quantidade de estrago que ele causa. As duas coisas superam em muito as expectativas normais. Demos exemplos em muitas áreas, incluindo negócios, medicina, justiça criminal, análise de impressões digitais, previsões especializadas, classificações pessoais e política. Daí nossa conclusão: onde há julgamento há ruído, e mais do que você imagina.

O imenso papel do ruído nos erros contradiz a crença comum de que os erros aleatórios não importam porque "se cancelam". Essa crença é um equívoco. Se há múltiplos tiros dispersos pelo alvo, em nada ajuda dizer que, na média, acertaram na mosca. Se um candidato recebe classificação mais elevada do que merece, enquanto outro recebe uma mais baixa, a empresa contratará a pessoa errada. Se há uma apólice de seguro com preço superestimado e outra com preço subestimado, ambos os erros são custosos para a companhia de seguros; um leva a empresa a perder negócios, o outro, a perder dinheiro.

Em suma, se os julgamentos variam sem nenhum bom motivo, você pode ter certeza de que há erro. O ruído é prejudicial até quando os julgamentos não são verificáveis e o erro não pode ser medido. É injusto que pessoas em situação similar sejam tratadas de forma diferente, e um sistema em que os julgamentos profissionais são vistos como inconsistentes perde a credibilidade.

TIPOS DE RUÍDO

O ruído de sistema pode ser decomposto em *ruído de nível* e *ruído de padrão*. Alguns juízes são no geral mais severos, enquanto outros são mais lenientes; há analistas econômicos mais otimistas sobre as perspectivas do mercado, enquanto outros são mais pessimistas; alguns médicos prescrevem mais antibióticos que outros. *Ruído de nível* é a variabilidade dos julgamentos médios feitos por diferentes indivíduos. A ambiguidade das escalas de julgamento é uma das fontes do ruído de nível. Palavras como *provavelmente*, ou números (por exemplo, "4 numa escala de 0 a 6"), significam coisas diferentes para pessoas diferentes. O ruído de nível é uma importante fonte de erro em sistemas de julgamento e uma meta importante para intervenções voltadas à redução de ruído.

O ruído de sistema inclui outro componente, de um modo geral maior. Independentemente do nível médio de seus julgamentos, dois juízes podem diferir em sua opinião sobre quais crimes merecem as sentenças mais duras. Suas decisões de sentenças produzirão um diferente ranking de casos. Chamamos essa variabilidade de *ruído de padrão* (o termo técnico é *interação estatística*).

A principal fonte do ruído de padrão é estável: trata-se da diferença nas respostas pessoais, idiossincráticas, dos juízes a um mesmo caso. Algumas dessas diferenças refletem princípios ou valores observados pelos indivíduos, de maneira consciente ou não. Por exemplo, um juiz pode ser especialmente severo com furtos em lojas e bastante leniente com transgressões de trânsito; outro pode mostrar o padrão oposto. Alguns princípios ou valores subjacentes são muito complexos, e o juiz pode não ter consciência deles. Por exemplo, ele pode ser relativamente leniente com idosos acusados de furto sem se dar conta. Por fim, uma reação bastante pessoal a um caso particular também seria estável. Uma ré que se parece com a filha do juiz pode evocar nele um sentimento de simpatia, e portanto leniência.

Esse *ruído de padrão estável* reflete a singularidade dos juízes: suas respostas aos casos são tão individuais quanto suas personalidades. As sutis diferenças entre as pessoas são com frequência apreciáveis e interessantes, mas se tornam problemáticas quando os profissionais operam dentro de um sistema que pressupõe consistência. Nos estudos que examinamos, o ruído de padrão estável produzido por essas diferenças individuais é em geral a maior fonte isolada de ruído de sistema.

Mesmo assim, as distintas atitudes dos juízes diante de casos particulares não são perfeitamente estáveis. O ruído de padrão também possui um componente transitório, chamado *ruído de ocasião*. Detectamos esse tipo de ruído se o radiologista faz diferentes diagnósticos de uma mesma imagem em dias diferentes ou se um papiloscopista identifica duas impressões digitais como iguais numa ocasião, mas não em outra. Como ilustram esses exemplos, o ruído de ocasião é mais facilmente medido quando o juiz não reconhece o caso como um que já tenha visto antes. Outra maneira de demonstrar o ruído de ocasião é mostrar que um elemento irrelevante do contexto influencia os julgamentos, como quando um juiz judicial se mostra mais leniente na segunda-feira se seu time de futebol ganhou no domingo, ou quando médicos prescrevem mais opioides à tarde.

A PSICOLOGIA DO JULGAMENTO E DO RUÍDO

As falhas cognitivas de um juiz não são a única causa de erros nos julgamentos preditivos. A *ignorância objetiva* muitas vezes desempenha um papel maior. Alguns fatos são efetivamente incognoscíveis — quantos netos um bebê nascido ontem terá daqui a setenta anos, ou o número ganhador de uma loteria a ser sorteada no ano que vem. Outros podem ser cognoscíveis, mas não são conhecidos do juiz. A confiança exagerada das pessoas em seus julgamentos preditivos subestima tanto sua própria ignorância objetiva como seus vieses.

Há um limite para a precisão de nossas previsões, e esse limite em geral é muito baixo. Mesmo assim, ficamos de modo geral satisfeitos com nossos julgamentos. Essa confiança gratificante deriva de um *sinal interno*, uma recompensa autógena por ajustar os fatos e o julgamento numa narrativa coerente. Nossa confiança subjetiva em nossos julgamentos não necessariamente está ligada a sua precisão objetiva.

A maioria se surpreende em saber que a precisão de seus julgamentos preditivos é não apenas baixa como também inferior a fórmulas. Até modelos lineares simples construídos com dados limitados ou regras simples e aproximativas superam consistentemente juízes humanos. A vantagem crítica de regras e modelos é que são livres de ruído. Em nossa experiência subjetiva, julgar é um processo sutil e complexo; nada nos leva a crer que a sutileza pode ser acima de tudo ruidosa. É difícil imaginar que a adesão impensada a regras simples com frequência alcança precisão mais elevada do que somos capazes de conseguir — mas esse é um fato bem estabelecido a esta altura.

Os vieses psicológicos são obviamente uma fonte de erro sistemático ou viés estatístico. Mas é menos óbvio que sejam também uma fonte de ruído. Quando não são compartilhados por todos os juízes, quando estão presentes em graus diferentes e quando seus efeitos dependem de circunstâncias extrínsecas, os vieses psicológicos produzem ruído. Por exemplo, se numa empresa metade dos gerentes tem preconceito contra mulheres e a outra metade prefere contratar mulheres, não haverá um viés total, mas o ruído de sistema causará muitos erros de contratação. Outro exemplo é o efeito desproporcional da primeira impressão. Trata-se de um viés psicológico, mas ele produz ruído de ocasião quando a ordem de apresentação da evidência varia aleatoriamente.

Descrevemos o processo de julgar como a integração informal de um conjunto de dicas que produz um julgamento numa escala. A eliminação do ruído de sistema exigiria desse modo que os juízes mantivessem a uniformidade em seu uso das dicas, nos pesos que atribuem a elas e no uso que fazem da escala. Mesmo deixando de lado por ora os efeitos aleatórios do ruído de ocasião, essas condições raras vezes são atendidas.

A concordância dos julgamentos em uma dimensão isolada é razoavelmente alta. Diferentes recrutadores em geral concordarão com suas avaliações sobre qual de dois candidatos é mais carismático ou mais diligente. O processo intuitivo compartilhado de *equiparação* entre dimensões de intensidade — como comparar média escolar elevada a alfabetização precoce — em geral produz julgamentos similares. O mesmo é verdade quanto aos julgamentos baseados em um pequeno número de dicas que apontam na mesma direção geral.

Grandes diferenças individuais emergem quando um julgamento exige a *ponderação de múltiplas dicas conflitantes*. Examinando o mesmo candidato, alguns recrutadores darão mais peso às evidências de brilho ou carisma; outros serão mais influenciados pela preocupação com sua diligência ou calma sob pressão. Quando as dicas forem inconsistentes e não se encaixarem numa narrativa coerente, pessoas diferentes inevitavelmente darão maior peso a certos indícios e ignorarão outros. O resultado será ruído de padrão.

A OBSCURIDADE DO RUÍDO

O ruído não é um problema proeminente. Ele raras vezes é discutido e, sem dúvida, é menos notado que o viés. Você provavelmente nunca deu muita atenção a ele. Haja vista a importância do ruído, sua obscuridade é um fenômeno interessante por si só.

Vieses cognitivos e outras distorções de raciocínio emocionais ou motivadas são muitas vezes usados como explicação para julgamentos pobres. Os analistas invocam a superconfiança, a ancoragem, a aversão à perda, o viés de disponibilidade e outros vieses para explicar decisões que se revelaram ruins. Essas justificativas baseadas no viés são satisfatórias porque a mente humana anseia por explicações causais. Sempre que algo dá errado, procuramos uma causa — e com frequência a encontramos. Em muitas situações, a causa parece ser um viés.

O viés tem uma espécie de carisma explanatório que o ruído não tem. Se tentamos justificar, em retrospecto, por que determinada decisão foi errada, achamos vieses facilmente, mas ruído, nunca. Apenas uma *visão estatística* do mundo nos possibilita enxergar o ruído, mas essa visão não ocorre de maneira natural — preferimos narrativas causais. A ausência de pensamento estatístico em nossas intuições é um motivo para o ruído receber tão menos atenção que o viés.

Outro é que um juiz profissional em qualquer área dificilmente percebe a necessidade de confrontar o ruído no julgamento, seja seu, seja de seus pares. Após um período de treinamento, em geral o profissional emite seus julgamentos sozinho. Papiloscopistas, corretores de seguros ou analistas de patentes com experiência dificilmente se darão ao trabalho de imaginar como os colegas poderiam discordar deles — e passam menos tempo ainda imaginando como poderiam discordar de si mesmos.

Na maior parte do tempo, o profissional deposita confiança em seus próprios julgamentos. Espera que os colegas concordem com ele e não fica sabendo se de fato concordam. Na maioria das áreas, um julgamento talvez nunca seja avaliado em relação a um valor real e será no máximo submetido a um exame de outro profissional que seja considerado um *respeito-especialista*. Só ocasionalmente profissionais são confrontados por uma discordância surpreendente, e, quando isso acontece, em geral encontram motivos para vê-la como um caso isolado. A rotina das organizações também tende a fazer com que ignorem ou eliminem a evidência de divergência entre especialistas em seu meio. Isso é compreensível; da perspectiva organizacional, ruído é um constrangimento.

COMO REDUZIR O RUÍDO (E O VIÉS TAMBÉM)

Há motivos para crer que algumas pessoas elaboram julgamentos mais qualificados que outras. Habilidade específica na tarefa, inteligência e certo estilo cognitivo — mais bem descrito como ser *ativamente receptivo* — caracterizam os melhores juízes. Não surpreende que bons juízes cometam menos erros gritantes. Mas, haja vista as múltiplas fontes de diferenças individuais, não devemos esperar sequer que os melhores juízes estejam de perfeito acordo sobre problemas de julgamento complexos. A infinita variedade de formação, personalidade e experiência que nos torna únicos também é o que torna o ruído inevitável.

Uma estratégia de redução do erro é o desenviesamento. Em geral, as pessoas tentam eliminar o viés de seus julgamentos corrigindo-os após o fato ou evitando o viés antes que os afete. Propomos uma terceira opção, particularmente aplicável a decisões feitas em um cenário de grupo: detectar vieses em tempo real, designando um *observador de decisão* para identificar seus indícios (ver apêndice B).

Nossa principal sugestão para reduzir o ruído no julgamento é a *higiene da decisão*. Escolhemos esse termo porque a redução de ruído, assim como a higiene comum, é uma prevenção contra inimigos não identificados. Lavar as mãos, por exemplo, impede patógenos desconhecidos de entrar em nosso corpo. Do mesmo modo, a higiene da decisão previne os erros sem saber quais são. A higiene da decisão tem tão pouco glamour quanto o nome sugere, e é certamente menos excitante que uma batalha triunfal contra vieses previsíveis. Pode não haver glória alguma em se prevenir contra um mal não identificado, mas vale muito a pena fazê-lo.

O esforço por reduzir o ruído numa organização deve sempre começar por uma auditoria de ruído (ver apêndice A). Uma importante função da auditoria é obter o comprometimento da organização em levar o ruído a sério. Uma ajuda essencial é a avaliação de diferentes tipos de ruído.

Descrevemos os sucessos e as limitações das tentativas de redução de ruído em vários domínios. A seguir, recapitulamos seis princípios que definem a higiene da decisão, explicamos como lidam com os mecanismos psicológicos causadores do ruído e mostramos como se relacionam às técnicas de higiene da decisão específicas que discutimos.

O objetivo do julgamento é a precisão, não a expressão individual. Essa afirmação é nossa candidata a primeiro princípio da higiene da decisão no julgamento. Ela reflete o modo restrito, específico, como definimos julgamento neste livro. Mostramos que o ruído de padrão estável é um importante componente do ruído de sistema e que isso é consequência direta das diferenças individuais, das personalidades críticas que levam diferentes pessoas a formar diferentes opiniões sobre o mesmo problema. Essa observação leva a uma conclusão tão impopular quanto inescapável: um julgamento não é o momento de você expressar sua individualidade.

Para ficar claro, valores pessoais, individualidade e criatividade são necessários, até essenciais, em muitas fases do raciocínio e da tomada de decisão, incluindo a escolha de objetivos, a formulação de novos modos de abordar um problema e a criação de opções. Mas, quando se trata de produzir um julgamento sobre essas opções, as expressões de individualidade são uma fonte de ruído. Quando o objetivo é a precisão e esperamos que os outros concordem conosco, devemos considerar também o que outros juízes competentes pensariam se estivessem em nosso lugar.

Uma aplicação radical desse princípio é a substituição do julgamento por regras ou algoritmos. A avaliação algorítmica é uma garantia de eliminação do ruído — na verdade, é a única abordagem capaz de eliminar o ruído completamente. Os algoritmos já estão em uso em muitos domínios importantes e seu papel é cada vez maior. Mas é pouco provável que os algoritmos venham a substituir o julgamento humano no estágio final de decisões importantes — e consideramos isso uma boa notícia. Entretanto, o julgamento pode ser melhorado, tanto pelo uso apropriado de algoritmos como pela adoção de abordagens que tornem as decisões menos dependentes das idiossincrasias de um único profissional. Vimos, por exemplo, como diretrizes de decisão podem ajudar a cercear a discricionariedade de juízes ou promover a homogeneidade nos diagnósticos médicos e assim reduzir o ruído e melhorar as decisões.

Pense estatisticamente e adote a visão de fora. Dizemos que um juiz adota a visão de fora de um caso quando o considera integrante de uma classe de referência de casos similares, mais do que um problema único. Essa abordagem diverge do modo default de pensamento, que se concentra firmemente no caso em questão e o insere numa narrativa causal. Quando as pessoas empregam suas experiências únicas para formar uma visão única do caso, o resultado é ruído de padrão. A visão de fora é um remédio para esse problema: profissionais que compartilham a mesma classe de referência serão menos ruidosos. Além do mais, a visão de fora muitas vezes rende insights valiosos.

O princípio da visão de fora favorece a ancoragem de previsões nas estatísticas de casos similares. Também leva à recomendação de que as previsões devem ser moderadas (o termo técnico é *regressivas*; ver apêndice C). A atenção à ampla gama de resultados passados e a sua previsibilidade aumentada deve ajudar os tomadores de decisão a calibrar sua confiança em seus julgamentos.

Não podemos ser criticados por deixar de prever o imprevisível, mas podemos ser acusados de falta de humildade preditiva.

Estruture os julgamentos em diversas tarefas independentes. Esse princípio de dividir para conquistar se faz necessário devido ao mecanismo psicológico aqui descrito como *coerência excessiva*, que nos leva a distorcer ou ignorar a informação que não se ajusta à narrativa emergente. A precisão total é prejudicada quando as impressões de aspectos distintos de um caso se contaminam mutuamente. Fazendo uma analogia, de que vale o depoimento de várias testemunhas em um caso se permitimos que se comuniquem entre si?

Podemos reduzir a coerência excessiva decompondo o problema de julgamento numa série de tarefas menores. Essa técnica é análoga à prática das entrevistas estruturadas, em que o entrevistador avalia um traço de cada vez e lhe atribui pontos antes de passar ao seguinte. O princípio da estruturação inspira diretrizes diagnósticas, como a escala de Apgar. É também o coração da abordagem que chamamos de *protocolo de avaliações mediadoras*. Esse protocolo decompõe um julgamento complexo em múltiplas estimativas factuais e visa assegurar que cada uma seja avaliada independentemente das demais. Sempre que possível, a independência é protegida atribuindo-se avaliações a equipes diferentes e minimizando a comunicação entre elas.

Resista a intuições prematuras. Descrevemos o sinal interno da conclusão do julgamento, que proporciona ao tomador de decisão confiança em seu julgamento. A relutância do tomador de decisão em abrir mão desse sinal gratificante é um motivo central para a resistência contra o uso de diretrizes e algoritmos e outras regras que nos deixam de mãos atadas. O tomador de decisão claramente precisa estar confortável com sua escolha final e obter a sensação recompensadora de confiança intuitiva. Mas não deve se conceder essa recompensa de forma prematura. Uma escolha intuitiva informada pela consideração equilibrada e cuidadosa das evidências é muito superior a um julgamento instantâneo. Não precisamos banir a intuição, mas ela deve ser informada, disciplinada e protelada.

Esse princípio inspira nossa recomendação de *sequenciar a informação*: profissionais que elaboram julgamentos não devem receber informações desnecessárias e possivelmente enviesantes, por mais precisas que sejam. Na ciência forense, por exemplo, convém manter os examinadores no escuro quanto às demais informações sobre um suspeito. O controle das pautas de discussão, elemento fundamental do protocolo de avaliações mediadoras, também ocorre aqui. Uma pauta eficiente assegura que diferentes aspectos do problema sejam considerados separadamente e que a formação de um julgamento holístico seja protelada até o perfil das avaliações estar completo.

Obtenha julgamentos independentes de múltiplos juízes, depois considere agregá-los. O requisito de independência é em geral desrespeitado nos procedimentos das organizações, notavelmente em reuniões em que as opiniões dos participantes são moldadas pelos demais. Devido aos efeitos de cascata e à polarização de grupo, discussões coletivas com frequência aumentam o ruído. O simples procedimento de coletar os pareceres dos participantes *antes* da discussão não só revela a extensão do ruído como também facilita uma resolução construtiva das diferenças.

A média dos julgamentos independentes é uma garantia de redução do ruído de sistema (mas não do viés). O julgamento isolado constitui uma amostra de um, extraída da população de todos os julgamentos possíveis; e aumentar o tamanho da amostra melhora a exatidão das estimativas. A vantagem da média é ainda mais acentuada quando os juízes têm habilidades diversas e padrões de julgamento complementares. A média de um grupo ruidoso pode acabar sendo mais precisa que um julgamento unânime.

Prefira julgamentos relativos e escalas relativas. Julgamentos relativos são menos ruidosos do que julgamentos absolutos, porque nossa capacidade de categorizar objetos numa escala é limitada, e nossa capacidade de fazer comparações entre pares de coisas é muito melhor. Escalas de julgamento que pedem comparações serão menos ruidosas que escalas que exigem julgamentos absolutos. Por exemplo, uma *escala de casos* requer que os juízes localizem um caso numa escala definida por ocorrências familiares a todos.

Os princípios da higiene da decisão que acabamos de listar são aplicáveis não só a julgamentos recorrentes como a decisões importantes e únicas, ou o que chamamos de *decisões singulares*. A existência de ruído nas decisões singulares pode parecer contraintuitiva: por definição, não há variabilidade a ser medida se apenas uma decisão é tomada. Mas o ruído está presente, causando erros. O ruído em uma equipe de tiro é invisível se vemos apenas o primeiro atirador em ação, mas a dispersão se evidenciaria se víssemos os demais. Similarmente, a melhor maneira de pensar sobre julgamentos singulares é tratá-los como julgamentos *recorrentes que são feitos apenas uma vez*. É por isso que a higiene da decisão também pode melhorá-los.

Implementar a higiene da decisão pode ser uma tarefa ingrata. O ruído é um inimigo invisível, e a vitória contra um inimigo invisível inevitavelmente será uma vitória invisível. Mas, como a higiene do corpo, a higiene da decisão é vital. Após uma cirurgia bem-sucedida, gostamos de acreditar que a habilidade do médico salvou nossa vida — o que é verdade, claro —, mas se o cirurgião e toda a sua equipe na sala de operações não tivessem lavado as mãos, você poderia estar morto. Não há muita glória a ser conquistada na higiene, mas resultados sim.

QUANTO RUÍDO?

Claro que a batalha contra o ruído não é a única consideração para os tomadores de decisão e as organizações. Reduzir o ruído costuma sair caro: uma escola poderia eliminar o ruído nas notas dos alunos se cinco professores lessem todos os trabalhos, mas um ônus desses dificilmente é justificável. Na prática, um pouco de ruído talvez seja inevitável, o efeito colateral necessário de um sistema mais justo de apuração que leva em conta os casos individualizados, não trata as pessoas como engrenagens numa máquina e confere ao tomador de decisão a sensação de liberdade de ação. Um pouco de ruído pode ser até desejável, se a variação produzida capacita o sistema a se adaptar com o tempo — como em situações em que a mudança dos valores morais desencadeia um debate que leva a mudanças na práxis ou na lei.

Talvez ainda mais importante: as estratégias de redução de ruído podem ter desvantagens inaceitáveis. Muitas preocupações com os algoritmos são exageradas, mas algumas são legítimas. Um algoritmo pode levar a erros tolos que jamais cometeríamos e assim perder a credibilidade mesmo conseguindo prevenir muitos erros cometidos por humanos. Pode apresentar viés se for escrito e treinado com dados inadequados. Sua impessoalidade inspira desconfiança. As práticas de higiene da decisão também têm seus contras: se mal conduzidas, ameaçam burocratizar as decisões e desmoralizar os profissionais, que sentem sua autonomia minada.

Todos esses riscos e limitações merecem plena consideração. Se uma objeção à redução de ruído faz sentido, porém, depende em larga medida da estratégia particular de redução de ruído sendo discutida. Uma objeção a julgamentos agregados — talvez baseada no alto custo — pode não se aplicar ao uso de diretrizes. Sempre que os custos da redução de ruído excedem seus benefícios, não devemos buscá-la. Uma vez feito, o cálculo do custo-benefício pode revelar um nível de ruído otimizado diferente de zero. O problema é que, na ausência de auditorias de ruído, as pessoas não têm consciência de quanto ruído existe em seus julgamentos. Quando isso acontece, invocar a dificuldade de reduzir o ruído nada mais é que uma desculpa para não o medir.

Vieses levam a erros e parcialidade. O ruído também — contudo, fazemos muito menos a seu respeito. Um erro de julgamento parece mais tolerável se for aleatório do que se for atribuído a uma causa, mas não é menos prejudicial. Se queremos decisões melhores sobre as coisas que importam, devemos levar a redução de ruído a sério.

Epílogo
Um mundo menos ruidoso

Imagine como seriam as organizações se fossem reformadas para reduzir o ruído. Hospitais, comitês de contratação, analistas econômicos, agências de governo, companhias de seguro, autoridades de saúde pública, sistemas de justiça criminal, escritórios de advocacia e universidades ficariam mais alertas ao problema e tentariam reduzi-lo. A auditoria de ruído seria rotineira; poderia ser realizada anualmente.

Os líderes das organizações usariam algoritmos para substituir o julgamento humano ou para suplementá-lo em muito mais áreas do que hoje. As pessoas decomporiam os julgamentos complexos em avaliações mediadoras mais simples. Saberiam da higiene da decisão e seguiriam suas prescrições. Julgamentos independentes seriam feitos e agregados. As reuniões de negócios teriam aspecto bem diferente; as discussões seriam mais estruturadas. Uma visão de fora seria mais sistematicamente integrada ao processo decisório. As discordâncias evidentes seriam mais frequentes e resolvidas de forma mais instrutiva.

O resultado seria um mundo menos ruidoso. Isso economizaria bastante dinheiro, melhoraria a segurança e a saúde públicas, aumentaria a justiça e preveniria muitos erros evitáveis. Nosso objetivo ao escrever este livro foi chamar a atenção para essa oportunidade. Esperamos que você esteja entre os que vão aproveitá-la.

Apêndice A
Como conduzir uma auditoria de ruído

Este apêndice oferece um guia prático para conduzir uma auditoria de ruído. Você deve lê-lo da perspectiva de um consultor contratado por uma organização para examinar a qualidade dos julgamentos profissionais produzidos por seus funcionários, conduzindo uma auditoria de ruído numa de suas unidades.

Como o nome indica, o foco da auditoria é a predominância do ruído. Entretanto, uma auditoria bem conduzida proporcionará valiosa informação sobre vieses, pontos cegos e deficiências específicas no treinamento dos funcionários e na supervisão de seu trabalho. Uma auditoria bem-sucedida deve estimular mudanças nas operações da unidade, incluindo a doutrina que orienta o julgamento emitido pelos profissionais, no treinamento que eles recebem, nas ferramentas que usam para fundamentar seus julgamentos e na supervisão rotineira de seu trabalho. Se a experiência for considerada exitosa, pode ser estendida a outras unidades da organização.

Uma auditoria de ruído exige quantidade substancial de trabalho e muita atenção ao detalhe, pois sua credibilidade seguramente será questionada se os resultados revelarem falhas significativas. Cada detalhe dos casos e do procedimento portanto deve ser considerado com um escrutínio adverso em mente. O processo que descrevemos visa diminuir a resistência, convocando para fazer a auditoria os profissionais com potencial para ser seus críticos mais significativos.

Junto com o consultor (que pode ser externo ou interno), a relação de personagens relevantes inclui:

- *Equipe de projeto*. A equipe de projeto será responsável por todas as fases do estudo. Se os consultores forem internos, formarão o núcleo da equipe. Se forem externos, uma equipe interna trabalhará junto a eles. Isso vai assegurar que as pessoas na empresa vejam a auditoria como um projeto *delas* e considerem os consultores como desempenhando um papel coadjuvante. Além dos consultores que administram a coleção de dados, analisam os resultados e preparam o relatório final, a equipe de projeto deve incluir especialistas na matéria que sejam capazes de elaborar os casos a serem avaliados pelos juízes. Todos os membros da equipe de projeto devem ter elevada credibilidade profissional.

- *O cliente*. Uma auditoria de ruído só será útil se levar a mudanças significativas, exigindo envolvimento inicial da liderança da organização, que é o "cliente" do projeto. Podemos esperar que o cliente seja inicialmente cético quanto à predominância do ruído. O ceticismo inicial é na verdade uma vantagem, se vier acompanhado de atitude receptiva, curiosidade sobre os resultados da auditoria e comprometimento em corrigir a situação caso as expectativas pessimistas do consultor sejam confirmadas.

- *Juízes*. O cliente designará uma ou mais unidades a serem auditadas. A unidade selecionada consiste em uma quantidade substancial de "juízes", os profissionais responsáveis por julgamentos e decisões em nome da empresa. Os juízes devem ser intercambiáveis na prática: ou seja, se uma pessoa não está disponível para tratar de um caso, outra nomeada em seu lugar deverá chegar a julgamento similar. Os exemplos introduzidos neste livro foram decisões de sentenças entre juízes federais e o cenário de prêmios de risco e reservas de solicitação de resgate em uma companhia de seguros. Para uma auditoria de ruído, é melhor selecionar uma tarefa do julgamento que (1) possa ser completada com base na informação escrita e (2) seja expressa numericamente (por exemplo, em dólares, probabilidades ou classificações).

- *Gerente de projeto*. Um gerente de alto escalão na equipe administrativa deve ser designado como gerente de projeto. Nenhum conhecimento profissional específico é exigido para essa tarefa. Entretanto, uma posição elevada na organização significa praticidade em superar os obstáculos administrativos e demonstra a importância que a empresa atribui ao projeto. A tarefa do gerente de projeto é fornecer apoio administrativo para facilitar todas as fases, incluindo a preparação do relatório final e a comunicação de suas conclusões à liderança da empresa.

MONTANDO OS MATERIAIS DO CASO

Os especialistas na matéria que fizerem parte da equipe de projeto devem ter conhecimento abalizado na tarefa da unidade (por exemplo, determinar prêmios de riscos ou avaliar o potencial de possíveis investimentos). Eles ficarão encarregados de desenvolver os casos a serem usados na auditoria. Projetar uma simulação crível dos julgamentos que os profissionais produzem no trabalho é uma tarefa delicada — ainda mais considerando o escrutínio a que o estudo será submetido se revelar um problema sério. A equipe deve levar em conta a seguinte questão: se os resultados da simulação indicarem um nível elevado de ruído, as pessoas na empresa aceitarão que de fato há ruído nos julgamentos da unidade? Só vale a pena realizar a auditoria se a resposta for um evidente sim.

Há mais de uma maneira de obter uma reação positiva. A auditoria de ruído das sentenças descrita no capítulo 1 resumiu os casos com uma breve lista esquemática dos atributos relevantes e obteve avaliações de dezesseis casos em noventa minutos. A auditoria na companhia de seguros descrita no capítulo 2 usou resumos detalhados e realistas de casos complexos. A descoberta de ruído elevado em ambos os exemplos forneceu evidência aceitável devido ao seguinte argumento: se em casos simplificados muita discordância era encontrada, nos casos reais o ruído só podia ser pior.

Um questionário deve ser preparado para cada caso, proporcionando uma compreensão mais profunda do raciocínio que levou cada juiz a um parecer sobre o caso em questão. O questionário deve ser distribuído apenas após a conclusão de todos os casos. Ele deve incluir:

- Perguntas abertas sobre os fatores principais que levaram o participante a dar sua resposta.
- Uma lista dos fatos do caso, permitindo ao participante classificar a importância deles.

- Questões que pedem uma "visão de fora" da categoria à qual o caso pertence. Por exemplo, se os casos pedem uma estimativa monetária, os participantes devem avaliar quanto abaixo ou acima da média o caso está em comparação a todas as estimativas para casos da mesma categoria.

REUNIÃO DE PRÉ-LANÇAMENTO COM OS EXECUTIVOS

Quando os materiais do caso a serem usados na auditoria estiverem completos, uma reunião deve ser programada para a equipe de projeto apresentar a auditoria à liderança da companhia. A discussão nessa reunião deve considerar possíveis resultados do estudo, incluindo a descoberta de um ruído de sistema inaceitável. O propósito da reunião é ouvir as objeções ao estudo planejado e obter um compromisso da liderança em aceitar seus resultados sejam quais forem: não faz sentido passar ao estágio seguinte sem tal compromisso. Se forem feitas objeções sérias, pode ser necessário que a equipe de projeto melhore os materiais do caso e tente outra vez.

Após os executivos aceitarem o planejamento da auditoria de ruído, a equipe de projeto deve lhes pedir para declarar suas expectativas sobre os resultados do estudo. Eles devem discutir questões como:

- "Que nível de discordância é esperado entre um par de respostas aleatoriamente selecionado para cada caso?"
- "Que nível máximo de discordância seria aceitável de uma perspectiva de negócios?"
- "Qual é o custo estimado de obter uma avaliação incorreta em uma direção ou em outra (elevada ou baixa demais) por uma quantia especificada (por exemplo, 15%)?"

As respostas a essas questões devem ser documentadas para assegurar que as pessoas se lembrem e acreditem nelas quando os resultados efetivos da auditoria chegarem.

ADMINISTRAÇÃO DO ESTUDO

Os gerentes da unidade auditada devem ser, desde o início, informados em termos gerais de que sua unidade foi selecionada para um estudo especial. Porém, é importante não usar o termo *auditoria de ruído* para descrever o projeto. As palavras *ruído* e *ruidoso(a)* devem ser evitadas, especialmente para descrever pessoas. Um termo neutro como *estudo de tomada de decisão* pode ser usado no lugar.

Os gerentes da unidade ficarão imediatamente responsáveis pela coleta de dados e encarregados de instruir os participantes sobre a tarefa, com a participação do gerente de projeto e dos membros da equipe de projeto. A intenção do exercício deve ser descrita para os participantes em termos gerais, como "A organização quer descobrir como [os tomadores de decisão] chegam a suas conclusões".

É essencial tranquilizar os profissionais que participarão do estudo de que as respostas individuais não serão conhecidas por ninguém na organização, incluindo a equipe de projeto. Se necessário, uma empresa de fora pode ser contratada para anonimizar os dados. É importante salientar também que não haverá consequências específicas para a unidade, a qual só foi selecionada por ser representativa das unidades que realizam tarefas de julgamento em nome da organização. Para assegurar a credibilidade dos resultados, todos os profissionais qualificados na unidade devem participar do estudo. A alocação de metade de uma jornada de trabalho para o exercício ajudará a convencer os participantes de sua importância.

Todos os participantes devem completar o exercício ao mesmo tempo, mas devem ser mantidos fisicamente separados e incomunicáveis em todo o seu decorrer. A equipe de projeto ficará disponível para responder a questões durante o estudo.

ANÁLISES E CONCLUSÕES

A equipe de projeto ficará encarregada das análises estatísticas dos múltiplos casos avaliados por cada participante, incluindo a medição da quantidade total de ruído e seus elementos constituintes, o ruído de nível e o ruído de padrão.

Se os materiais do caso permitirem, ela também vai identificar os vieses estatísticos nas respostas. A equipe de projeto terá a tarefa igualmente importante de tentar compreender as fontes de variabilidade nos julgamentos examinando as respostas para o questionário em que os participantes explicaram seu raciocínio e identificaram os fatos que mais influenciaram suas decisões. Focando principalmente nas respostas extremas nas duas pontas da distribuição, a equipe buscará padrões nos dados. Ela vai procurar indicações de possíveis deficiências no treinamento de funcionários, nos procedimentos da organização e na informação que ela fornece aos funcionários.

O consultor e a equipe de projeto interna trabalharão em conjunto para desenvolver ferramentas e procedimentos que empreguem princípios de higiene da decisão e desenviesamento para melhorar os julgamentos emitidos e as decisões tomadas na unidade. Esse passo do processo provavelmente se estenderá por vários meses. Em paralelo, o consultor e a equipe profissional também prepararão um relatório sobre o projeto, que apresentarão à liderança da organização.

Nesse ponto, a organização terá realizado uma auditoria de ruído amostral em uma de suas unidades. Se a experiência for considerada bem-sucedida, a equipe executiva pode fazer uma tentativa mais ampla de avaliar e melhorar a qualidade dos julgamentos e das decisões produzidos dentro da organização.

Apêndice B

Checklist para um observador de decisão

Este apêndice apresenta um exemplo genérico de checklist a ser utilizado por um observador de decisão (ver capítulo 19). O checklist apresentado aqui obedece mais ou menos à sequência cronológica da discussão que leva a uma importante decisão.

As questões sugeridas que acompanham cada item na lista trazem esclarecimentos adicionais. O observador de decisão deve se fazer essas questões conforme acompanha o processo decisório.

Este checklist não foi planejado para ser utilizado da forma como está. Seu objetivo é antes servir de inspiração e ponto de partida para o observador de decisão, que deve elaborar sua própria lista customizada de observação do viés.

Checklist para observação do viés

1. Abordagem do julgamento

1a. Substituição

_____ "A escolha de evidência por parte do grupo e o foco de sua discussão indicam a substituição da questão difícil que lhes foi proposta por uma mais fácil?"

_____ "O grupo negligenciou algum fator importante (ou aparentemente deu peso a um fator irrelevante)?"

1b. Visão de dentro

_____ "O grupo adotou a visão de fora em parte de suas deliberações e tentou seriamente empregar julgamento comparativo, em vez de absoluto?"

1c. Diversidade de opiniões

_____ "Há algum motivo para desconfiar de que os membros do grupo compartilham vieses, podendo levar a uma correlação entre seus erros? Ou você consegue pensar em um ponto de vista ou conhecimento relevantes que não estejam representados nesse grupo?"

2. Prejulgamentos e desfecho prematuro

2a. Prejulgamentos iniciais

_____ "Algum tomador de decisão tem mais a ganhar com uma conclusão do que com outra?"

_____ "Algum deles já está comprometido com uma conclusão? Há algum motivo para suspeitar de ideias preconcebidas?"

374

_____ "As vozes divergentes expressam seu ponto de vista?"

_____ "Existe o risco de comprometimento com um curso de ação fracassado?"

2b. Desfecho prematuro; coerência excessiva

_____ "Houve viés acidental na escolha das considerações discutidas de início?"

_____ "As alternativas foram plenamente consideradas e a evidência a lhes dar suporte foi ativamente buscada?"

_____ "Dados e opiniões incômodos foram suprimidos ou negligenciados?"

3. Processamento da informação

3a. Disponibilidade e proeminência

_____ "Os participantes estão exagerando a importância de um evento por seu caráter recente, sua qualidade dramática ou sua relevância pessoal, mesmo que não tenha valor diagnóstico?"

3b. Desatenção com a qualidade da informação

_____ "O julgamento se baseia em anedotas, histórias ou analogias? Os dados as confirmam?"

3c. Ancoragem

_____ "Números de precisão ou relevância incerta desempenham papel importante no julgamento definitivo?"

3d. Previsão não regressiva

_____ "Os participantes fazem extrapolações, estimativas ou previsões não regressivas?"

4. Decisão

4a. Falácia do planejamento

_____ "As pessoas questionaram as fontes e a validade das previsões quando as utilizaram? A visão de fora foi usada para desafiar as previsões?"

_____ "Foram usados intervalos de confiança para números incertos? Eles são suficientemente largos?"

4b. Aversão à perda

_____ "O apetite pelo risco do tomador de decisão está alinhado ao da organização? A equipe de decisão é excessivamente cautelosa?"

4c. Viés do presente

_____ "Os cálculos (incluindo a taxa de desconto utilizada) refletem as prioridades no curto e longo prazos do balanço da organização?"

Apêndice C
Corrigindo previsões

Previsões comparadas são erros causados por nossa confiança no processo intuitivo de equiparação (ver capítulo 14). Fazemos previsões comparadas quando nos baseamos na informação disponível para predizer algo e agimos como se essa informação fosse perfeitamente (ou em alto grau) preditiva do resultado.

Lembre o exemplo de Julie, que "lia fluentemente aos quatro anos de idade". A pergunta era: qual sua média GPA? Se você previu a média de Julie na faculdade como sendo de 3,8, julgou intuitivamente que aos quatro anos Julie pertencia aos melhores 10% de sua faixa etária em idade de alfabetização (embora não aos 3%-5% principais). Assim, você presumiu implicitamente que Julie também figuraria em algum lugar perto do 90º percentil de sua classe em termos de média escolar. Isso corresponde a uma média de 3,7 ou 3,8 — daí a popularidade dessas respostas.

O que torna esse raciocínio estatisticamente incorreto é que ele exagera de modo grosseiro o valor diagnóstico da informação disponível sobre Julie. Uma criança precoce de quatro anos nem sempre se transforma num fenômeno acadêmico (assim como, felizmente, uma criança com dificuldades de alfabetização não necessariamente definhará no fundo da turma para sempre).

Com bastante frequência, na verdade, o desempenho excepcional fica cada vez menos excepcional, ao passo que um desempenho muito ruim por sua vez melhora. É fácil imaginar motivos sociais, psicológicos ou até políticos para isso, mas não há necessidade de buscá-los. O fenômeno é puramente estatístico.

Observações extremas numa direção ou na outra tendem a ficar menos extremas simplesmente porque o desempenho passado não guarda correlação perfeita com o desempenho futuro. Essa tendência é chamada de *regressão à média* (donde o termo técnico *não regressivo* para previsões comparadas, que deixam de levar isso em consideração).

Falando quantitativamente, seu julgamento sobre Julie estaria correto se a idade de alfabetização fosse uma variável preditora perfeita de média escolar, ou seja, se houvesse uma correlação de um entre os dois fatores. Obviamente, não é o caso.

Há um modo estatístico de elaborar o julgamento que tende a ser mais preciso. Ele é não intuitivo e difícil de achar, até para pessoas com treinamento em estatística. Aqui está o procedimento. A figura 19 o ilustra com o exemplo de Julie.

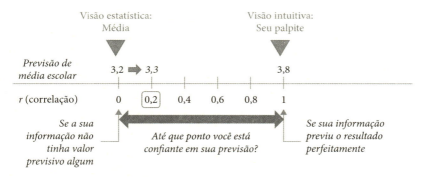

Figura 19. *Ajustando uma previsão intuitiva para regressão à média.*

1. *Faça sua conjectura.*

Sua intuição sobre Julie, ou sobre qualquer caso em relação ao qual você tenha informação, não é inútil. Seu rápido sistema 1 de pensamento coloca facilmente a informação disponível na escala de sua previsão e atribui uma média para Julie. Esse palpite é a previsão que você faria se a informação de que dispõe fosse perfeitamente preditiva. Anote.

2. *Procure pela média.*

Agora, volte um pouco e esqueça o que sabe sobre Julie por um momento. O que você diria sobre a média dela *se não soubesse absolutamente nada a seu respeito?* A resposta sem dúvida é inequívoca: na ausência de qualquer informação, seu melhor palpite sobre a média escolar de Julie teria de ser a média geral de sua turma — provavelmente algo em torno de 3,2.

Esse modo de ver o caso de Julie é uma aplicação do princípio mais amplo discutido acima, a *visão de fora*. Quando adotamos a visão de fora, pensamos no caso considerado como uma ocorrência de classe e pensamos nessa classe em termos estatísticos. Lembre, por exemplo, como a adoção da visão de fora no problema de Gambardi nos leva a querer saber qual é a taxa-base de sucesso para um novo CEO (ver capítulo 4).

3. Estime o valor diagnóstico da informação que você tem.

Esse é o passo difícil, no qual você precisa se perguntar: "Qual é o valor preditivo da informação disponível?". A importância dessa questão deve estar clara a esta altura. Se tudo o que você soubesse sobre Julie fosse o tamanho de seu pé, teria corretamente atribuído peso zero a essa informação e ficado com a previsão da média geral. Se, por outro lado, tivesse a relação das notas obtidas por Julie em cada matéria, essa informação seria perfeitamente preditiva de seu GPA (que é a média geral da turma). Há muitos tons de cinza entre esses dois extremos. Se dispuséssemos de dados sobre as conquistas intelectuais extraordinárias de Julie no ensino médio, essa informação teria valor diagnóstico muito maior do que sua idade de alfabetização, mas menor do que suas notas na faculdade.

Sua tarefa aqui é quantificar o valor diagnóstico dos dados disponíveis, expressos como uma correlação com o resultado que está sendo previsto. Exceto em raros casos, esse número terá de ser uma estimativa aproximada.

Para fazer uma estimativa sensata, lembre-se de alguns exemplos que listamos no capítulo 12. Nas ciências sociais, as correlações de mais de 0,50 são muito raras. Muitas correlações admitidas como significativas estão na faixa de 0,20. No caso de Julie, uma correlação de 0,20 é provavelmente um limite superior.

4. Ajuste da visão de fora na direção de sua conjectura até um ponto que reflita o valor diagnóstico da informação que você tem.

O passo final é uma simples combinação aritmética dos três números a que você chegou: faça o ajuste partindo da média, na direção de sua conjectura, proporcionalmente à correlação que estimou.

Esse passo simplesmente amplia a observação que acabamos de fazer: se a correlação fosse 0, você ficaria com a média; se fosse 1, você negligenciaria a média e de bom grado faria uma previsão comparada. Assim, no caso de Julie, a melhor previsão de média escolar que você pode fazer é uma que não fique acima de 20% da média da classe na direção da estimativa intuitiva que a idade de alfabetização lhe sugeria. Esse cômputo leva a uma previsão de cerca de 3,3.

Usamos o exemplo de Julie, mas esse método pode ser aplicado com a mesma facilidade a vários problemas de julgamento discutidos neste livro. Imagine um vice-presidente de vendas que acaba de encerrar uma entrevista excelente com um candidato. Baseado em sua forte impressão, o executivo estima que o novo representante deverá emplacar 1 milhão em vendas em seu primeiro ano no emprego — o dobro da média obtida pelos novos contratados durante seu primeiro ano na empresa. Como o vice-presidente faria essa estimativa regressiva? O cálculo depende do valor diagnóstico da entrevista. Até que ponto uma entrevista de recrutamento é preditiva de sucesso no emprego, nesse caso? Com base na evidência revisada, uma correlação de 0,40 é uma estimativa muito generosa. Logo, uma estimativa regressiva das vendas do recém-contratado seria, no máximo, de 500 mil + (1 milhão – 500 mil) × 0,40 = 700 mil.

Esse processo, vale repetir, não tem nada de intuitivo. Notavelmente, como o exemplo ilustra, previsões corrigidas sempre serão mais conservadoras do que previsões intuitivas: elas nunca serão tão extremas quanto previsões intuitivas; serão mais próximas — e com frequência *muito* mais próximas — da média. Se você corrige suas previsões, jamais apostará que o tenista decacampeão do Grand Slam vencerá o torneio outras dez vezes. Tampouco prenunciará que uma start-up bem-sucedida que vale 1 bilhão se transformará num titã que vale várias centenas de bilhões de dólares. Previsões corrigidas não admitem apostas em pontos fora da curva.

Isso significa que, em retrospecto, previsões corrigidas inevitavelmente resultarão em algumas falhas bastante visíveis. Entretanto, a previsão não é feita em retrospecto. Devemos ter em mente que pontos fora da curva são, por definição, raros. O erro oposto é muito mais frequente: quando antecipamos que continuarão fora da curva, em geral isso não acontece, devido à regressão à média. Por esse motivo, sempre que o objetivo for maximizar a precisão (isto é, minimizar o EQM), previsões corrigidas são superiores a previsões intuitivas e comparadas.

Agradecimentos

Temos muitas pessoas a quem agradecer. Linnea Gandhi serviu como nossa chefe de equipe, oferecendo orientação e ajuda substantivas, mantendo-nos organizados, fazendo-nos sorrir e rir e, basicamente, assumindo o leme. Fora isso, ofereceu numerosas sugestões valiosas sobre o manuscrito. Não teríamos conseguido sem ela. Dan Lovallo desempenhou importante papel como coautor de um dos artigos que deu origem a este livro. John Brockman, nosso agente, mostrou entusiasmo, esperança, perspicácia e sabedoria em cada etapa. Somos gratos a ele. Tracy Behar, nossa principal editora e guia, melhorou o livro em grandes e pequenos aspectos. Arabella Pike e Ian Straus também forneceram sugestões editoriais soberbas.

Também agradecemos especialmente a Oren BarGill, Maya BarHillel, Max Bazerman, Tom Blaser, David Budescu, Jeremy Clifton, Anselm Dannecker, Vera Delaney, Itiel Dror, Angela Duckworth, Annie Duke, Dan Gilbert, Adam Grant, Anupam Jena, Louis Kaplow, Gary Klein, Jon Kleinberg, Nathan Kuncel, Kelly Leonard, Daniel Levin, Sara McLanahan, Barbara Mellers, Josh Miller, Sendhil Mullainathan, Scott Page, Eric Posner, Lucia Reisch, Matthew Salganik, Eldar Shafir, Tali Sharot, Philip Tetlock, Richard Thaler, Barbara Tversky, Peter Ubel, Crystal Wang, Duncan Watts e Caroline Webb, que leram e comentaram as versões iniciais dos capítulos e, em alguns casos, a versão inicial do livro todo. Somos gratos por sua generosidade e ajuda.

Tivemos a sorte de nos beneficiar do conselho de muitos pesquisadores de peso. Julian Parris ofereceu ajuda inestimável em muitas questões estatísticas. Nossos capítulos sobre os avanços do aprendizado de máquina não teriam sido possíveis sem Sendhil Mullainathan, Jon Kleinberg, Jens Ludwig, Gregory Stoddard e Hye Chang. E nossa discussão sobre a consistência do julgamento deve um bocado a Alex Todorov e seus colegas de Princeton, Joel Martinez, Brandon Labbree e Stefan Uddenberg, bem como Scott Highhouse e Alison Broadfoot. Essas extraordinárias equipes de pesquisadores não só tiveram a elegância de compartilhar seus insights como também de realizar análises especiais para nós. Claro que quaisquer confusões ou erros são nossa responsabilidade. Além disso, agradecemos a Laszlo Bock, Bo Cowgill, Jason Dana, Dan Goldstein, Harold Goldstein, Brian Hoffman, Alan Krueger, Michael Mauboussin, Emily Putnam-Horstein, Charles Scherbaum, Anne-Laure Sellier e Yuichi Shoda por compartilhar sua expertise.

Agradecemos também a um verdadeiro exército de pesquisadores ao longo dos anos, incluindo Shreya Bhardwaj, Josie Fisher, Rohit Goyal, Nicole Grabel, Andrew Heinrich, Meghann Johnson, Sophie Mehta, Eli Nachmany, William Ryan, Evelyn Shu, Matt Summers e Noam Ziv-Crispel. Muitas das discussões aqui envolvem áreas substantivas em que nos falta conhecimento e, devido ao excelente trabalho deles, o livro tem menos viés, e menos ruído, do que teria de outro modo.

Finalmente, a colaboração de uma equipe de três autores separados por dois continentes é desafiadora até quando tudo mais vai bem, e o ano de 2020 esteve longe disso. Não teríamos terminado este livro sem a magia tecnológica do Dropbox e do Zoom. Agradecemos às pessoas por trás desses grandes produtos.

Notas

INTRODUÇÃO: DOIS TIPOS DE ERRO [pp. 9-15]

1. Usando arco e flecha em vez de armas de fogo, o matemático suíço Daniel Bernoulli propôs a mesma analogia em 1778 em um ensaio sobre problemas de estimativa. Bernoulli, "The Most Probable Choice Between Several Discrepant Observations and the Formation There from of the Most Likely Induction", *Biometrika* 48, n. 1-2, jun. 1961, pp. 3-18. Disponível em: <https://doi.org/10.1093/biomet/48.1-2.3>. [Todos os acessos foram realizados em maio 2021.]

2. Joseph J. Doyle Jr., "Child Protection and Child Outcomes: Measuring the Effects of Foster Care", *American Economic Review*, v. 95, n. 5, dez. 2007, pp. 1583-610.

3. Stein Grimstad e Magne Jørgensen, "Inconsistency of Expert Judgment-Based Estimates of Software Development Effort", *Journal of Systems and Software*, v. 80, n. 11, 2007, pp. 1770-1777.

4. Andrew I. Schoenholtz, Jaya Ramji-Nogales e Philip G. Schrag, "Refugee Roulette: Disparities in Asylum Adjudication", *Stanford Law Review*, v. 60, n. 2, 2007.

5. Mark A. Lemley e Bhaven Sampat, "Examiner Characteristics and Patent Office Outcomes", *Review of Economics and Statistics*, v. 94, n. 3, 2012, pp. 817-27. Ver também Iain Cockburn, Samuel Kortum e Scott Stern, "Are All Patent Examiners Equal? The Impact of Examiner Characteristics", documento de trabalho n. 8980, jun. 2002. Disponível em: <www.nber.org/papers/w8980>; e Michael D. Frakes e Melissa F. Wasserman, "Is the Time Allocated to Review Patent Applications Inducing Examiners to Grant Invalid Patents? Evidence from Microlevel Application Data", *Review of Economics and Statistics*, v. 99, n. 3, jul. 2017, pp. 550-63.

1. CRIME E RUIDOSO CASTIGO [pp. 19-27]

1. Marvin Frankel, *Criminal Sentences: Law Without Order*, 25 Inst. for Sci. Info. Current Contents/Soc. & Behavioral Scis.: This Week's Citation Classic, v. 14, n. 2A-6 (23 jun. 1986). Disponível em: ‹http://www.garfield.library.upenn.edu/classics1986/A1986C697400001.pdf›.

2. Marvin Frankel, *Criminal Sentences: Law Without Order*. Nova York: Hill and Wang, 1973, p. 5.

3. Frankel, *Criminal Sentences*, p. 103.

4. Ibid., p. 5.

5. Ibid., p. 11.

6. Ibid., p. 114.

7. Ibid., p. 115.

8. Ibid., p. 119.

9. Anthony Partridge e William B. Eldridge, *The Second Circuit Sentence Study: A Report to the Judges of the Second Circuit August 1974*. Washington, DC: Federal Judicial Center, ago. 1974, p. 9.

10. Senado dos Estados Unidos, "Comprehensive Crime Control Act of 1983: Report of the Committee on the Judiciary, United States Senate, on S. 1762, Together with Additional and Minority Views", Washington, DC: US Government Printing Office, 1983, relatório n. 98-225.

11. Anthony Partridge e Eldridge, *Second Circuit Sentence Study*, p. A-11.

12. Ibid., p. A-9.

13. Ibid., p. A-5-A-7.

14. William Austin e Thomas A. Williams III, "A Survey of Judges' Responses to Simulated Legal Cases: Research Note on Sentencing Disparity", *Journal of Criminal Law & Criminology*, v. 68, n. 1977, p. 306.

15. John Bartolomeo et al., "Sentence Decisionmaking: The Logic of Sentence Decisions and the Extent and Sources of Sentence Disparity", *Journal of Criminal Law and Criminology*, v. 72, n. 2, 1981. (Ver capítulo 6 para uma discussão completa.) Ver também Relatório do Senado, p. 44.

16. Shai Danziger, Jonathan Levav e Liora Avnaim-Pesso, "Extraneous Factors in Judicial Decisions", *Proceedings of the National Academy of Sciences of the United States of America*, v. 108, n. 17, 2011, pp. 6889-92.

17. Ozkan Eren e Naci Mocan, "Emotional Judges and Unlucky Juveniles", *American Economic Journal: Applied Economics*, v. 10, n. 3, 2018, pp. 171-205.

18. Daniel L. Chen e Markus Loecher, "Mood and the Malleability of Moral Reasoning: The Impact of Irrelevant Factors on Judicial Decisions", *SSRN Electronic Journal*, 21 set. 2019, p. 170. Disponível em: ‹http://users.nber.org/dlchen/papers/Mood_and_the_Malleability_of_Moral_Reasoning.pdf›.

19. Daniel L. Chen e Arnaud Philippe, "Clash of Norms: Judicial Leniency on Defendant Birthdays", 2020. Disponível em SSRN: ‹https://ssrn.com/abstract=3203624›.

20. Anthony Heyes e Soodeh Saberian, "Temperature and Decisions: Evidence from 207.000 Court Cases", *American Economic Journal: Applied Economics*, v. 11, n. 2, 2018, pp. 238-65.

21. Relatório do Senado, p. 38.

22. Idem.

23. O juiz Breyer é citado em Jeffrey Rosen, "Breyer Restraint", *New Republic*, 11 jul. 1994, pp. 19, 25.

24. United States Sentencing Commission [Comissão de Sentenças dos Estados Unidos], *Manual de Diretrizes*, 2018. Disponível em: <www.ussc.gov/sites/default/files/pdf/guidelines-manual/2018/GLMFull.pdf>.

25. James M. Anderson, Jeffrey R. Kling e Kate Stith, "Measuring Interjudge Sentencing Disparity: Before and After the Federal Sentencing Guidelines", *Journal of Law and Economics*, v. 42, n. S1, abr. 1999, pp. 271-308.

26. US Sentencing Commission, *The Federal Sentencing Guidelines: A Report on the Operation of the Guidelines System and Short Term Impacts on Disparity in Sentencing, Use of Incarceration, and Prosecutorial Discretion and Plea Bargaining*, v. 1-2 (Washington, DC: US Sentencing Commission, 1991).

27. Anderson, Kling e Stith, "Interjudge Sentencing Disparity".

28. Paul J. Hofer, Kevin R. Blackwell e R. Barry Ruback, "The Effect of the Federal Sentencing Guidelines on Inter-Judge Sentencing Disparity", *Journal of Criminal Law and Criminology*, v. 90, 1999, pp. 239, 241.

29. Kate Stith e José Cabranes, *Fear of Judging: Sentencing Guidelines in the Federal Courts*. Chicago: University of Chicago Press, 1998, p. 79.

30. 543 U.S. 220, 2005.

31. US Sentencing Commission, "Results of Survey of United States District Judges, January 2010 through March 2010", jun. 2010, questão 19, tabela 19. Disponível em: <www.ussc.gov/sites/default/files/pdf/research-and-publications/research-projects-and-surveys/surveys/20100608_Judge_Survey.pdf>.

32. Crystal Yang, "Have Interjudge Sentencing Disparities Increased in an Advisory Guidelines Regime? Evidence from Booker", *New York University Law Review*, v. 89, 2014, pp. 1268-342, 1278 e 1334.

2. UM SISTEMA RUIDOSO [pp. 28-37]

1. Os executivos da companhia produziram descrições detalhadas de casos representativos, similares aos riscos e solicitações de resgate com que os funcionários lidam diariamente. Seis casos foram preparados pelos analistas de sinistro na Divisão de Propriedades e Acidentes, e quatro por corretores especializados em risco financeiro. Os funcionários foram liberados em metade de um dia de trabalho normal para avaliar dois ou três casos cada um. Foram instruídos a trabalhar de maneira independente e não foram informados de que o propósito do estudo era examinar a variabilidade em seus julgamentos. No total, obtivemos 86 julgamentos de 48 corretores e 113 julgamentos de oito analistas de sinistro.

2. Dale W. Griffin e Lee Ross, "Subjective Construal, Social Inference, and Human Misunderstanding", *Advances in Experimental Social Psychology*, v. 24, 1991, pp. 319-59; Robert J. Robinson, Dacher Keltner, Andrew Ward e Lee Ross, "Actual Versus Assumed Differences in Construal: 'Naive Realism' in Intergroup Perception and Conflict", *Journal of Personality and Social Psychology*, v. 68, n. 3, 1995, p. 404; e Lee Ross e Andrew Ward, "Naive Realism in Everyday Life: Implications for Social Conflict and Misunderstanding", *Values and Knowledge*, 1997.

PARTE II: SUA MENTE É UM INSTRUMENTO DE MEDIÇÃO [pp. 43-6]

1. O desvio-padrão de um conjunto numérico é derivado de outra quantidade estatística, chamada *variância*. Para calcular a variância, primeiro obtemos a distribuição de desvios da média e depois tiramos o quadrado de cada um desses desvios. A variância é a média desses desvios quadráticos e o desvio-padrão é a raiz quadrada da variância.

4. QUESTÕES DE JULGAMENTO [pp. 47-57]

1. R. T. Hodgson, "An Examination of Judge Reliability at a Major U.S. Wine Competition", *Journal of Wine Economics*, v. 3, n. 2, 2008, pp. 105-13
2. Alguns estudiosos da tomada de decisão definem decisões como escolhas entre opções e veem os julgamentos quantitativos como um caso especial de decisão, em que há uma gama de escolhas possíveis. Dessa perspectiva, os julgamentos são um caso especial de decisão. Nossa abordagem aqui é diferente: vemos decisões que pedem por uma escolha entre opções como derivando de um julgamento avaliativo subjacente de cada opção. Ou seja, vemos a decisão como um caso especial de julgamento.

5. MEDINDO O ERRO [pp. 58-70]

1. O método dos mínimos quadrados foi publicado originalmente por Adrien-Marie Legendre em 1805. Gauss alegava que o usara pela primeira dez anos antes e posteriormente o relacionou ao desenvolvimento de uma teoria do erro e à curva de erro normal que leva seu nome. A disputa pela prioridade permanece motivo de grande debate e os historiadores tendem a acreditar na afirmação de Gauss (Stephen M. Stigler, "Gauss and the Invention of Least Squares", *Annals of Statistics*, v. 9, 1981, pp. 465-474; e Stephen M. Stigler, *The History of Statistics: The Measurement of Uncertainty Before 1900*. Cambridge, MA: Belknap Press of Harvard University Press, 1986).
2. Definimos ruído como o desvio-padrão dos erros; logo, o ruído ao quadrado é a variância dos erros. A definição de *variância* é "a média dos quadrados menos o quadrado da média". Como o erro médio é o viés, "o quadrado da média" é o viés ao quadrado. Logo: $Ruído^2 = EQM - Viés^2$.
3. Berkeley J. Dietvorst e Soaham Bharti, "People Reject Algorithms in Uncertain Decision Domains Because They Have Diminishing Sensitivity to Forecasting Error", *Psychological Science*, v. 31, n. 10, 2020, pp. 1302-14.

6. A ANÁLISE DO RUÍDO [pp. 71-80]

1. Kevin Clancy, John Bartolomeo, David Richardson e Charles Wellford, "Sentence Decisionmaking: The Logic of Sentence Decisions and the Extent and Sources of Sentence Disparity", *Journal of Criminal Law and Criminology*, v. 72, n. 2, 1981, pp. 524-54; e INSLAW, Inc. et al., "Federal Sentencing: Towards a More Explicit Policy of Criminal Sanctions III-4", 1981.

2. A sentença podia incluir qualquer combinação de tempo de prisão, tempo supervisionado e multas. Para simplificar, focamos aqui sobretudo no principal componente das sentenças — o tempo de prisão — e deixamos de lado os outros dois componentes.

3. Em um cenário de múltiplos casos e múltiplos juízes, a versão estendida da equação do erro que introduzimos no capítulo 5 inclui um termo que reflete essa variância. Especificamente, se definimos um *viés geral* como a média dos erros de todos os casos e se esse erro não é idêntico de um caso para outro, haverá uma variância de vieses dos casos. A equação passa a ser: EQM = Viés Geral^2 + Variância dos Vieses de Caso + Ruído de Sistema^2.

4. Os números mencionados neste capítulo são derivados do estudo original como segue.

Primeiro, os autores relatam o efeito principal de *infração e infrator* como correspondendo a 45% da variância total (John Bartolomeo et al., "Sentence Decision-making: The Logic of Sentence Decisions and the Extent and Sources of Sentence Disparity", *Journal of Criminal Law and Criminology*, v. 72, n. 2, 1981, tabela 6). Entretanto, estamos preocupados aqui mais amplamente com o efeito de cada caso, incluindo todos os aspectos apresentados aos juízes — como se o réu tinha ficha criminal ou se alguma arma fora usada no crime. Segundo nossa definição, todos esses aspectos são parte da *variância de casos reais*, e não do ruído. Consequentemente, reintegramos interações dos aspectos de cada caso à variância de casos (elas correspondem a 11% da variância total; ver Bartolomeo et al., tabela 10). Como resultado, redefinimos as parcelas da variância de casos como 56%, principal efeito do juiz (ruído de nível) como 21% e interações na variância total como 23%. O ruído de sistema portanto corresponde a 44% da variância total.

A variância de sentenças justas pode ser calculada em Bartolomeo et al., p. 89, na tabela listando as sentenças médias para cada caso: a variância é 15. Se isso corresponde a 56% da variância total, então a variância total é 26,79 e a variância do ruído de sistema é 11,79. A raiz quadrada dessa variância é o desvio-padrão para um caso representativo, ou 3,4 anos.

O principal efeito do juiz, ou ruído de nível, corresponde a 212% da variância total. A raiz quadrada dessa variância é o desvio-padrão atribuível ao ruído de nível do juiz, ou 2,4 anos.

5. Esse valor é a raiz quadrada da média das variâncias das sentenças para os dezesseis casos. O cálculo é explicado na nota anterior.

6. A hipótese da aditividade pressupõe que a austeridade de um juiz acrescenta uma quantidade constante de tempo de prisão. Essa hipótese tem pouca probabilidade de estar correta: a austeridade do juiz mais provavelmente acrescentará uma quantidade proporcional à média das sentenças. Essa questão foi ignorada no relatório original, que não oferece uma maneira de avaliar sua importância.

7. Bartolomeo et al., "Sentence Decision-making", p. 23.

8. A seguinte equação vigora: (Ruído de Sistema)^2 = (Ruído de Nível)^2 + (Ruído de Padrão)^2. A tabela mostra que o ruído de sistema é 3,4 anos e o ruído de nível, 2,4 anos. Segue-se que o ruído de padrão também é cerca de 2,4 anos. O cálculo é mostrado como uma ilustração — os valores de verdade são ligeiramente diferentes devido aos erros de arredondamento.

7. RUÍDO DE OCASIÃO [pp. 81-94]

1. Ver <http://www.iweblists.com/sports/basketball/FreeThrowPercent_c.html> (acesso em 27 dez. 2020).

2. Ver <https://www.basketball-reference.com/players/o/onealsh01.html>, acesso em 27 dez. 2020.

3. R. T. Hodgson, "An Examination of Judge Reliability at a Major U.S. Wine Competition", *Journal of Wine Economics*, v. 3, n. 2, 2008, pp. 105-13.

4. Stein Grimstad e Magne Jørgensen, "Inconsistency of Expert Judgment-Based Estimates of Software Development Effort", *Journal of Systems and Software*, v. 80, n. 11, 2007, pp. 1770-77.

5. Robert H. Ashton, "A Review and Analysis of Research on the Test-Retest Reliability of Professional Judgment", *Journal of Behavioral Decision Making*, v. 294, n. 3, 2000, pp. 277-94. Aliás, o autor observou então que nenhum dos 41 estudos revisados por ele foi indicado para avaliar o ruído de ocasião: "Em todos os casos, a medição da confiabilidade foi um subproduto de alguns outros objetivos de pesquisa" (Ashton, p. 279). Esse comentário sugere que o interesse em estudar o ruído de ocasião é relativamente recente.

6. Central Intelligence Agency, *The World Factbook*. Washington, DC: Central Intelligence Agency, 2020. O número citado inclui todos os aeroportos ou pistas de pouso reconhecíveis do ar. Há pistas pavimentadas e não pavimentadas, e algumas incluem instalações fechadas ou abandonadas.

7. Edward Vul e Harold Pashler, "Crowd Within: Probabilistic Representations Within Individuals".

8. James Surowiecki, *The Wisdom of Crowds: Why the Many Are Smarter Than the Few and How Collective Wisdom Shapes Business, Economies, Societies, and Nations*. Nova York: Doubleday, 2004.

9. O desvio-padrão da média de julgamentos (nossa medida do ruído) diminui proporcionalmente à raiz quadrada do número de julgamentos

10. Vul e Pashler, "Crowd Within", p. 646.

11. Stefan M. Herzog e Ralph Hertwig, "Think Twice and Then: Combining or Choosing in Dialectical Bootstrapping?", *Journal of Experimental Psychology: Learning, Memory, and Cognition*, v. 40, n. 1, 2014, pp. 218-32.

12. Vul e Pashler, "Measuring the Crowd Within", p. 647.

13. Joseph P. Forgas, "Affective Influences on Interpersonal Behavior", *Psychological Inquiry*, v. 13, n. 1, 2002, p. 128.

14. Forgas, "Affective Influences", p. 10.

15. A. Filipowicz, S. Barsade e S. Melwani, "Understanding Emotional Transitions: The Interpersonal Consequences of Changing Emotions in Negotiations", *Journal of Personality and Social Psychology*, v. 101, n. 3, 2011, pp. 541-56.

16. Joseph P. Forgas, "She Just Doesn't Look like a Philosopher...? Affective Influences on the Halo Effect in Impression Formation", *European Journal of Social Psychology*, v. 41, n. 7, 2011, pp. 812-7.

17. Gordon Pennycook, James Allan Cheyne, Nathaniel Barr, Derek J. Koehler e Jonathan A. Fugelsang, "On the Reception and Detection of Pseudo-Profound Bullshit", *Judgment and Decision Making*, v. 10, n. 6, 2015, pp. 549-63.

18. Harry Frankfurt, *On Bullshit*. Princeton, NJ: Princeton University Press, 2005.

19. Pennycook et al., "Pseudo-Profound Bullshit", p. 549.

20. Joseph P. Forgas, "Happy Believers and Sad Skeptics? Affective Influences on Gullibility", *Current Directions in Psychological Science*, v. 28, n. 3, 2019, pp. 306-13.

21. Joseph P. Forgas, "Mood Effects on Eyewitness Memory: Affective Influences on Susceptibility to Misinformation", *Journal of Experimental Social Psychology*, v. 41, n. 6, 2005, pp. 574-88.

22. Piercarlo Valdesolo e David Desteno, "Manipulations of Emotional Context Shape Moral Judgment", *Psychological Science*, v. 17, n. 6, 2006, pp. 476-7.

23. Hannah T. Neprash e Michael L. Barnett, "Association of Primary Care Clinic Appointment Time with Opioid Prescribing", *JAMA Network Open* 2, n. 8, 2019; Lindsey M. Philpot, Bushra A. Khokhar, Daniel L. Roellinger, Priya Ramar e Jon O. Ebbert, "Time of Day Is Associated with Opioid Prescribing for Low Back Pain in Primary Care", *Journal of General Internal Medicine*, v. 33, 2018, pp. 1828.

24. Jeffrey A. Linder, Jason N. Doctor, Mark W. Friedberg, Harry Reyes Nieva, Caroline Birks, Daniella Meeker e Craig R. Fox, "Time of Day and the Decision to Prescribe Antibiotics", *JAMA Internal Medicine*, v. 174, n. 12, 2014, pp. 2029-31.

25. Rebecca H. Kim, Susan C. Day, Dylan S. Small, Christopher K. Snider, Charles A. L. Rareshide e Mitesh S. Patel, "Variations in Influenza Vaccination by Clinic Appointment Time and an Active Choice Intervention in the Electronic Health Record to Increase Influenza Vaccination", *JAMA Network Open* 1, n. 5, 2018, pp. 1-10.

26. Para comentários sobre memória melhorada, ver Joseph P. Forgas, Liz Goldenberg e Christian Unkelbach, "Can Bad Weather Improve Your Memory? An Unobtrusive Field Study of Natural Mood Effects on Real-Life Memory", *Journal of Experimental Social Psychology*, v. 45, n. 1, 2008, pp. 254-7. Para comentários sobre dias ensolarados, ver David Hirshleifer e Tyler Shumway, "Good Day Sunshine: Stock Returns and the Weather", *Journal of Finance*, v. 58, n. 3, 2003, pp. 1009-32.

27. Uri Simonsohn, "Clouds Make Nerds Look Good: Field Evidence of the Impact of Incidental Factors on Decision Making", *Journal of Behavioral Decision Making*, v. 20, n. 2, 2007, pp. 143-52.

28. Daniel Chen et al., "Decision Making Under the Gambler's Fallacy: Evidence from Asylum Judges, Loan Officers, and Baseball Umpires", *Quarterly Journal of Economics*, v. 131, n. 3, 2016, pp. 1181-242.

29. Jaya Ramji-Nogales, Andrew I. Schoenholtz e Philip Schrag, "Refugee Roulette: Disparities in Asylum Adjudication", *Stanford Law Review*, v. 60, n. 2, 2007.

30. Michael J. Kahana et al., "The Variability Puzzle in Human Memory", *Journal of Experimental Psychology: Learning, Memory, and Cognition*, v. 44, n. 12, 2018, pp. 1857-63.

8. COMO O GRUPO AMPLIFICA O RUÍDO [pp. 95-107]

1. Matthew J. Salganik, Peter Sheridan Dodds e Duncan J. Watts, "Experimental Study of Inequality and Unpredictability in an Artificial Cultural Market", *Science*, v. 311, 2006, pp. 854-6. Ver também Matthew Salganik e Duncan Watts, "Leading the Herd Astray: An Experimental Study of Self-Fulfilling Prophecies in an Artificial Cultural Market", *Social Psychology Quarterly*, v. 71, 2008, pp. 338-55; e Matthew Salganik e Duncan Watts, "Web-Based Experiments for the Study of Collective Social Dynamics in Cultural Markets", *Topics in Cognitive Science*, v. 1, 2009, pp. 439-68.

2. Salganik e Watts, "Leading the Herd Astray".

3. Michael Macy et al., "Opinion Cascades and the Unpredictability of Partisan Polarization", *Science Advances*, 2019, pp. 1-8. Ver também Helen Margetts et al., *Political Turbulence*. Princeton: Princeton University Press, 2015.

4. Michael Macy et al., "Opinion Cascades".

5. Lev Muchnik et al., "Social Influence Bias: A Randomized Experiment", *Science*, v. 341, n. 6146, 2013, pp. 647-51.

6. Jan Lorenz et al., "How Social Influence Can Undermine the Wisdom of Crowd Effect", *Proceedings of the National Academy of Sciences*, v. 108, n. 22, 2011, pp. 9020-5.

7. Daniel Kahneman, David Schkade e Cass Sunstein, "Shared Outrage and Erratic Awards: The Psychology of Punitive Damages", *Journal of Risk and Uncertainty*, v. 16, 1998, p. 4986.

8. David Schkade, Cass R. Sunstein e Daniel Kahneman, "Deliberating about Dollars: The Severity Shift", *Columbia Law Review*, v. 100, 2000, pp. 1139-75.

PARTE III: O RUÍDO NO JULGAMENTO PREDITIVO [pp. 109-11]

1. O percentual de concordância (PC) guarda estreita relação com o W de Kendall, também conhecido como coeficiente de concordância.

2. Kanwal Kamboj et al., "A Study on the Correlation Between Foot Length and Height of an Individual and to Derive Regression Formulae to Estimate the Height from Foot Length of an Individual", *International Journal of Research in Medical Sciences*, v. 6, n. 2, 2018, p. 528.

3. O PC é calculado sob o pressuposto de que a distribuição conjunta é normal-bivariada. Os valores mostrados na tabela são aproximações baseadas nesse pressuposto. Agradecemos a Julian Parris por fazer essa tabela.

9. JULGAMENTOS E MODELOS [pp. 112-22]

1. Martin C. Yu e Nathan R. Kuncel, "Pushing the Limits for Judgmental Consistency: Comparing Random Weighting Schemes with Expert Judgments", *Personnel Assessment and Decisions*, v. 6, n. 2, 2020, p. 110. A correlação de 0,15 obtida pelos especialistas é a média não ponderada das três amostras estudadas, incluindo 847 casos no total. O estudo real difere dessa descrição simplificada em diversos aspectos.

2. Um pré-requisito para fazer uma média ponderada é que todas as variáveis preditoras devem ser medidas em unidades comparáveis. Essa exigência foi satisfeita em nosso exemplo introdutório, em que todas as classificações foram feitas numa escala de 0 a 10, mas esse nem sempre é o caso. Por exemplo, as variáveis preditoras de desempenho podem ser uma avaliação do entrevistador numa escala de 0 a 10, o número de anos de experiência relevante e uma pontuação num teste de proficiência. O programa de regressão múltipla transforma todas as variáveis preditoras em *pontuações-padrão* antes de combiná-las. Uma pontuação-padrão mede a distância de uma observação a partir da média de uma população, com o desvio-padrão como unidade. Por exemplo, se a média do teste de proficiência é 55 e o desvio-padrão é 8, uma pontuação-padrão de +1,5 corresponde a um resultado de 67 no teste. Um fato notável é que a padronização dos dados de cada indivíduo elimina qualquer vestígio de erro na média ou na variância dos julgamentos individuais.

3. Uma característica importante da regressão múltipla é que o peso ótimo de cada variável preditora depende das demais variáveis. Se uma variável é altamente correlacionada com outra, não deve receber um peso igualmente grande — isso seria uma forma de "contar duas vezes".

4. Robin M. Hogarth e Natalia Karelaia, "Heuristic and Linear Models of Judgment: Matching Rules and Environments", *Psychological Review*, v. 114, n. 3, 2007, p. 734.

5. Uma estrutura de pesquisa extensamente utilizada nesse contexto é o *modelo de lente no julgamento*, em que essa discussão está baseada. Ver Kenneth R. Hammond, "Probabilistic Functioning and the Clinical Method", *Psychological Review*, v. 62, n. 4, 1955, pp. 255-62; Natalia Karelaia e Robin M. Hogarth, "Determinants of Linear Judgment: A Meta-Analysis of Lens Model Studies", *Psychological Bulletin*, v. 134, n. 3, 2008, pp. 404-26.

6. Paul E. Meehl, *Clinical Versus Statistical Prediction: A Theoretical Analysis and a Review of the Evidence*. Minneapolis: University of Minnesota Press, 1954.

7. Paul E. Meehl, *Clinical Versus Statistical Prediction: A Theoretical Analysis and a Review of the Evidence*. Northvale, NJ: Aronson, 1996, prefácio.

8. "Paul E. Meehl". In: Ed Lindzey (Org.), *A History of Psychology in Autobiography*, 1989.

9. "Paul E. Meehl". In: *A History of Psychology in Autobiography*. Org. de Ed Lindzey. Washington, DC: American Psychological Association, 1989, p. 362.

10. William M. Grove et al., "Clinical Versus Mechanical Prediction: A Meta-Analysis", *Psychological Assessment*, v. 12, n. 1, 2000, pp. 19-30.

11. William M. Grove e Paul E. Meehl, "Comparative Efficiency of Informal (Subjective, Impressionistic) and Formal (Mechanical, Algorithmic) Prediction Procedures: The Clinical-Statistical Controversy", *Psychology, Public Policy, and Law*, v. 2, n. 2, 1996, pp. 293-323.

12. Lewis Goldberg, "Man Versus Model of Man: A Rationale, plus Some Evidence, for a Method of Improving on Clinical Inferences", *Psychological Bulletin*, v. 73, n. 6, 1970, pp. 422-32.

13. Milton Friedman e Leonard J. Savage, "The Utility Analysis of Choices Involving Risk", *Journal of Political Economy*, v. 56, n. 4, 1948, pp. 279-304.

14. Karelaia e Hogarth, "Determinants of Linear Judgment", p. 411, tabela 1.

15. Nancy Wiggins e Eileen S. Kohen, "Man Versus Model of Man Revisited: The Forecasting of Graduate School Success", *Journal of Personality and Social Psychology*, v. 19, n. 1, 1971, pp. 100-6.

16. Karelaia e Hogarth, "Determinants of Linear Judgment".

17. A correção de um coeficiente de correlação para a confiabilidade perfeita da variável preditora é conhecida como *correção por atenuação*. A fórmula é Corrigido $r_{xy} = r_{xy} / \sqrt{r_{xx}}$, em que r_{xx} é o coeficiente de confiabilidade (a proporção de variância real na variância observada da variável preditora).

18. Yu e Kuncel, "Judgmental Consistency".

19. Discutimos modelos de peso igual e peso aleatório em maiores detalhes no próximo capítulo. Os pesos ficam restritos a uma gama de números pequenos e a ter o sinal correto.

10. REGRAS SEM RUÍDO [pp. 123-35]

1. Robyn M. Dawes e Bernard Corrigan, "Linear Models in Decision Making", *Psychological Bulletin*, v. 81, n. 2, 1974, pp. 95-106. Dawes e Corrigan propuseram também o uso de pesos aleatórios. O estudo da previsão de desempenho gerencial, descrito no capítulo 9, é uma aplicação dessa ideia.

2. Jason Dana, "What Makes Improper Linear Models Tick?". In: *Rationality and Social Responsibility: Essays in Honor of Robyn M. Dawes*. Org. de Joachim I. Krueger, pp. 71-89. Nova York: Psychology Press, 2008.

3. Jason Dana e Robyn M. Dawes, "The Superiority of Simple Alternatives to Regression for Social Sciences Prediction", *Journal of Educational and Behavior Statistics*, v. 29, 2004, pp. 317-31; Dana, "What Makes Improper Linear Models Tick?".

4. Howard Wainer, "Estimating Coefficients in Linear Models: It Don't Make No Nevermind", *Psychological Bulletin*, v. 83, n. 2, 1976, pp. 213-7.

5. Dana, "What Makes Improper Linear Models Tick?", p. 72.

6. Martin C. Yu e Nathan R. Kuncel, "Pushing the Limits for Judgmental Consistency: Comparing Random Weighting Schemes with Expert Judgments", *Personnel Assessment and Decisions*, v. 6, n. 2, 2020, p. 110. Como no capítulo anterior, a correlação informada é a média não ponderada das três amostras estudadas. A comparação vigora em cada uma das três amostras: a validade do julgamento clínico especializado foi de 0,17, 0,16 e 0,13, e a validade dos modelos de peso igual foi de 0,19, 0,33 e 0,22, respectivamente.

7. Robyn M. Dawes, "The Robust Beauty of Improper Linear Models in Decision Making", *American Psychologist*, v. 34, n. 7, 1979, pp. 571-82.

8. Dawes e Corrigan, "Linear Models in Decision Making", p. 105.

9. Jongbin Jung, Conner Concannon, Ravi Shroff, Sharad Goel e Daniel G. Goldstein, "Simple Rules to Guide Expert Classifications", *Journal of the Royal Statistical Society, Statistics in Society*, v. 183, 2020, pp. 771-800.

10. Julia Dressel e Hany Farid, "The Accuracy, Fairness, and Limits of Predicting Recidivism", *Science Advances*, v. 4, n. 1, 2018, pp. 1-16.

11. Esses dois exemplos são modelos lineares baseados num conjunto extremamente pequeno de variáveis (e, no caso do modelo de fiança, de uma aproximação dos pesos lineares obtidos por um método de arredondamento que transforma o modelo em um cálculo aproximado). Outro tipo de "modelo impróprio" é uma *regra de variável isolada*, que considera apenas uma variável preditora e ignora todas as demais. Ver Peter M. Todd e Gerd Gigerenzer, "Précis of Simple Heuristics That Make Us Smart", *Behavioral and Brain Sciences*, v. 23, n. 5, 2000, pp. 727-41.

12. P. Gendreau, T. Little e C. Goggin, "A Meta-Analysis of the Predictors of Adult Offender Recidivism: What Works!", *Criminology*, v. 34, 1996.

13. Tamanho nesse contexto deve ser compreendido como a proporção do número de observações para as variáveis preditoras. Dawes, o da "beleza robusta", sugeriu que deve chegar a 15 ou 20 para 1 antes que os pesos ótimos se saiam melhor na validação cruzada do que os pesos unitários. Dana e Dawes, "Superiority of Simple Alternatives", usando muito mais estudos de casos, elevaram o patamar para uma proporção de 100 para 1.

14. J. Kleinberg, H. Lakkaraju, J. Leskovec, J. Ludwig e S. Mullainathan, "Human Decisions and Machine Predictions", *Quarterly Journal of Economics*, v. 133, 2018, pp. 237-93.

15. O algoritmo foi treinado em um subconjunto de dados de treinamento e depois avaliado por sua capacidade de prever resultados em um subconjunto diferente, aleatoriamente escolhido.

16. Kleinberg et al., "Human Decisions", p. 16.

17. Gregory Stoddard, Jens Ludwig e Sendhil Mullainathan, correspondência por e-mail com os autores, jun.-jul. 2020.

18. B. Cowgill, "Bias and Productivity in Humans and Algorithms: Theory and Evidence from Résumé Screening", artigo apresentado em Smith Entrepreneurship Research Conference, College Park, MD, 21 abr. 2018.

19. William M. Grove e Paul E. Meehl, "Comparative Efficiency of Informal (Subjective, Impressionistic) and Formal (Mechanical, Algorithmic) Prediction Procedures: The Clinical-Statistical Controversy", *Psychology, Public Policy, and Law*, v. 2, n. 2, 1996, pp. 293-323.

20. Jennifer M. Logg, Julia A. Minson e Don A. Moore, "Algorithm Appreciation: People Prefer Algorithmic to Human Judgment", *Organizational Behavior and Human Decision Processes*, v. 151, abr. 2018, pp. 90-103.

21. B. J. Dietvorst, J. P. Simmons e C. Massey, "Algorithm Aversion: People Erroneously Avoid Algorithms After Seeing Them Err", *Journal of Experimental Psychology General*, v. 144, 2015, pp. 114-26. Ver também A. Prahl e L. Van Swol, "Understanding Algorithm Aversion: When Is Advice from Automation Discounted?", *Journal of Forecasting*, v. 36, 2017, pp. 691-702.

22. M. T. Dzindolet, L. G. Pierce, H. P. Beck e L. A. Dawe, "The Perceived Utility of Human and Automated Aids in a Visual Detection Task", *Human Factors: The Journal of the Human Factors and Ergonomics Society*, v. 44, n. 1, 2002, pp. 79-94; K. A. Hoff e M. Bashir, "Trust in Automation: Integrating Empirical Evidence on Factors That Influence Trust", *Human Factors: The Journal of the Human Factors and Ergonomics Society*, v. 57, n. 3, 2015, pp. 407-34; e P. Madhavan e D. A. Wiegmann, "Similarities and Differences Between HumanHuman and HumanAutomation Trust: An Integrative Review", *Theoretical Issues in Ergonomics Science*, v. 8, n. 4, 2007, pp. 277-301.

11. IGNORÂNCIA OBJETIVA [pp. 136-45]

1. E. Dane e M. G. Pratt, "Exploring Intuition and Its Role in Managerial Decision Making", *Academy of Management Review*, v. 32, n. 1, 2007, pp. 33-54; Cinla Akinci e Eugene Sadler-Smith, "Intuition in Management Research: A Historical Review", *International Journal of Management Reviews*, v. 14, 2012, pp. 104-22; e Gerard P. Hodgkinson et al., "Intuition in Organizations: Implications for Strategic Management", *Long Range Planning*, v. 42, 2009, pp. 277-97.

2. Hodgkinson et al., "Intuition in Organizations", p. 279.

3. Nathan Kuncel et al., "Mechanical Versus Clinical Data Combination in Selection and Admissions Decisions: A Meta-Analysis", *Journal of Applied Psychology*, v. 98, n. 6, 2013, pp. 1060-72. Ver também capítulo 24 para mais discussões sobre decisões pessoais.

4. Don A. Moore, *Perfectly Confident: How to Calibrate Your Decisions Wisely*. Nova York: HarperCollins, 2020.

5. Philip E. Tetlock, *Expert Political Judgment: How Good Is It? How Can We Know?* Princeton, NJ: Princeton University Press, 2005, pp. 239 e 233.

6. William M. Grove et al., "Clinical Versus Mechanical Prediction: A Meta-Analysis", *Psychological Assessment*, v. 12, n. 1, 2000, p. 1930.

7. Sendhil Mullainathan e Ziad Obermeyer, "Who Is Tested for Heart Attack and Who Should Be: Predicting Patient Risk and Physician Error", 2019. NBER, documento de trabalho n. 26168, National Bureau of Economic Research.

8. Weston Agor, "The Logic of Intuition: How Top Executives Make Important Decisions", *Organizational Dynamics*, v. 14, n. 3, 1986, p. 518; Lisa A. Burke e Monica K. Miller, "Taking the Mystery Out of Intuitive Decision Making", *Academy of Management Perspectives*, v. 13, n. 4, 1999, pp. 91-9.

9. Poornima Madhavan e Douglas A. Wiegmann, "Effects of Information Source, Pedigree, and Reliability on Operator Interaction with Decision Support Systems", *Human Factors: The Journal of the Human Factors and Ergonomics Society*, v. 49, n. 5 2007.

12. O VALE DO NORMAL [pp. 146-55]

1. Matthew J. Salganik et al., "Measuring the Predictability of Life Outcomes with a Scientific Mass Collaboration", *Proceedings of the National Academy of Sciences*, v. 117, n. 15, 2020, pp. 8398-403.

2. Isso incluía 4242 famílias, na medida em que as do estudo das Famílias Frágeis foram excluídas dessa análise por motivos de privacidade.

3. Para pontuar a precisão, os organizadores da competição usaram a mesma métrica que introduzimos na parte 1: o erro quadrático médio, ou EQM. Para facilidade de comparação, também mediram o benchmark do EQM de cada modelo contra uma estratégia de previsão "inútil": uma previsão tamanho único de que cada caso individual não é diferente da média do conjunto de treinamento. Por conveniência, convertemos seus resultados para coeficientes de correlação. O EQM e a correlação estão relacionados pela expressão $r^2 = (\text{Var }(Y) - \text{EQM}) / \text{Var }(Y)$, em que Var (Y) é a variância da variável resultante e (Var (Y) - EQM) é a variância dos resultados previstos.

4. F. D. Richard et al., "One Hundred Years of Social Psychology Quantitatively Described", *Review of General Psychology*, v. 7, n. 4, 2003, pp. 331-663.

5. Gilles E. Gignac e Eva T. Szodorai, "Effect Size Guidelines for Individual Differences Researchers", *Personality and Individual Differences*, v. 102, 2016, pp. 74-78.

6. Um porém se faz necessário. Esse estudo usa um conjunto de dados descritivo existente muito grande, mas que não feito sob medida para prever resultados específicos. Essa é uma importante diferença dos especialistas no estudo de Tetlock, que eram livres para usar qualquer informação que julgassem adequada. Talvez seja possível, por exemplo, identificar variáveis preditoras de despejo que não estão na base de dados, mas que poderiam ser coletadas. Daí o estudo não provar como os despejos e outros resultados são *intrinsecamente* imprevisíveis, mas como são imprevisíveis com *base nesse conjunto de dados*, que é usado por inúmeros cientistas sociais.

7. Jake M. Hofman et al., "Prediction and Explanation in Social Systems", *Science*, v. 355, 2017, pp. 486-8; Duncan J. Watts et al., "Explanation, Prediction, and Causality: Three Sides of the Same Coin?", out. 2018, p. 114. Disponível em Center for Open Science, <https://osf.io/bgwjc>.

8. Uma distinção estreitamente relacionada contrasta o pensamento *extensional* com o *não extensional*, ou *intencional*. Amos Tversky e Daniel Kahneman, "Extensional Versus Intuitive Reasoning: The Conjunction Fallacy in Probability Judgment", *Psychological Review*, v. 4, 1983, pp. 293-315.

9. Daniel Kahneman e Dale T. Miller, "Norm Theory: Comparing Reality to Its Alternatives", *Psychological Review*, v. 93, n. 2, 1986, pp. 136-53.

10. Baruch Fischhoff, "An Early History of Hindsight Research", *Social Cognition*, v. 25, n. 1, 2007, pp. 10-3, doi:10.1521/soco.2007.25.1.10; Baruch Fischhoff, "Hindsight Is Not Equal to Foresight: The Effect of Outcome Knowledge on Judgment Under Uncertainty", *Journal of Experimental Psychology: Human Perception and Performance*, v. 1, n. 3, 1975, p. 288.

11. Daniel Kahneman, *Thinking, Fast and Slow*. Nova York: Farrar, Straus and Giroux, 2011. [Ed. bras.: *Rápido e devagar*. Trad. de Cássio Arantes Leite. Rio de Janeiro: Objetiva, 2012.]

13. HEURÍSTICAS, VIESES E RUÍDO [pp. 159-72]

1. Daniel Kahneman, *Rápido e devagar*. Trad. de Cássio Arantes Leite. Rio de Janeiro: Objetiva, 2012..

2. Com um porém. Os psicólogos que estudam vieses de julgamento não se contentam com cinco participantes em cada grupo, como mostrado na figura 10, por um ótimo motivo: como os julgamentos são ruidosos, os resultados para cada grupo experimental raramente vão se aglomerar tanto como a figura 11 sugere. Os seres humanos variam em sua suscetibilidade a cada viés e não negligenciam *completamente* as variáveis relevantes. Por exemplo, com um número muito grande de participantes, poderíamos quase certamente confirmar que a insensibilidade ao escopo é imperfeita: a probabilidade média atribuída à perda de posição de Gambardi é ligeiramente mais elevada para três anos do que para dois. Mesmo assim, a descrição da insensibilidade ao escopo é apropriada porque a diferença é uma fração minúscula do que deveria.

3. Daniel Kahneman et al. (Orgs.), *Judgment Under Uncertainty: Heuristics and Biases*. Nova York: Cambridge University Press, 1982, cap. 6; Daniel Kahneman e Amos Tversky, "On the Psychology of Prediction", *Psychological Review*, v. 80, n. 4, 1973, pp. 237-51.

4. Ver, por exemplo, Steven N. Kaplan e Bernadette A. Minton, "How Has CEO Turnover Changed?", *International Review of Finance*, v. 12, n. 1, 2012, pp. 57-87. Ver também Dirk Jenter e Katharina Lewellen, "Performance-Induced CEO Turnover", Harvard Law School Forum on Corporate Governance, 2 set. 2020. Disponível em: ‹https://corpgov.law.harvard.edu/2020/09/02/performance-induced-ceo-turnover›.

5. J. W. Rinzler, *The Making of Star Wars Return of the Jedi: The Definitive Story*. Nova York: Del Rey, 2013, p. 64.

6. Cass Sunstein, *The World According to Star Wars*. HarperCollins, 2016.

7. Destacamos aqui o caso simples em que há um prejulgamento. Na verdade, mesmo na ausência de um prejulgamento, um viés em relação a uma conclusão particular pode se desenvolver à medida que a evidência se acumula, devido à tendência a simplicidade e coerência. Conforme uma conclusão provisória surge, o viés de confirmação inclina a coleção e a interpretação da nova evidência em seu favor.

8. Essa observação é chamada de *viés de crença*. Ver J. St. B. T. Evans, Julie L. Barson e Paul Pollard, "On the Conflict between Logic and Belief in Syllogistic Reasoning", *Memory & Cognition*, v. 11, n. 3, 1983, pp. 295-306.

9. Dan Ariely, George Loewenstein e Drazen Prelec, "'Coherent Arbitrariness': Stable Demand Curves Without Stable Preferences", *Quarterly Journal of Economics*, v. 118, n. 1, 2003, pp. 73-105.

10. Adam D. Galinsky e T. Mussweiler, "First Offers as Anchors: The Role of Perspective-Taking and Negotiator Focus", *Journal of Personality and Social Psychology*, v. 81, n. 4, 2001, pp. 657-69.

11. Solomon E. Asch, "Forming Impressions of Personality", *Journal of Abnormal and Social Psychology*, v. 41, n. 3, 1946, pp. 258-90, usou primeiro uma série de adjetivos em diferentes ordens para ilustrar esse fenômeno.

12. Steven K. Dallas et al., "Don't Count Calorie Labeling Out: Calorie Counts on the Left Side of Menu Items Lead to Lower Calorie Food Choices", *Journal of Consumer Psychology*, v. 29, n. 1, 2019, pp. 60-9.

14. A OPERAÇÃO DE EQUIPARAÇÃO [pp. 173-82]

1. S. S. Stevens, "On the Operation Known as Judgment", *American Scientist*, v. 54, n. 4, dez. 1966, pp. 385-401. Nosso uso do termo *equiparação* é mais expansivo do que o de Steven, que se restringia a duas escalas de razão, às quais voltaremos no capítulo 15.

2. O exemplo foi apresentado pela primeira em Daniel Kahneman, *Rápido e devagar*. Trad. de Cássio Arantes Leite. Rio de Janeiro: Objetiva, 2012.

3. Daniel Kahneman e Amos Tversky, "On the Psychology of Prediction", *Psychological Review*, v. 80, 1973, pp. 237-51.

4. G. A. Miller, "The Magical Number Seven, Plus or Minus Two: Some Limits on Our Capacity for Processing Information", *Psychological Review*, 1956, p. 6397.

5. R. D. Goffin e J. M. Olson, "Is It All Relative? Comparative Judgments and the Possible Improvement of Self-Ratings and Ratings of Others", *Perspectives on Psychological Science*, v. 6, 2011, p. 4860.

15. ESCALAS [pp. 183-94]

1. Daniel Kahneman, David Schkade e Cass Sunstein, "Shared Outrage and Erratic Awards: The Psychology of Punitive Damages", *Journal of Risk and Uncertainty*, v. 16, 1998, pp. 49-86. Disponível em: <https://link.springer.com/article/10.1023/A:1007710408413>; e Cass Sunstein, Daniel Kahneman e David Schkade, "Assessing Punitive Damages (with Notes on Cognition and Valuation in Law)", *Yale Law Journal*, v. 107, n. 7, maio 1998, pp. 2071-153. Os custos da pesquisa foram cobertos pela Exxon em um arranjo único, mas a companhia não pagou os pesquisadores e não teve o controle dos dados nem o conhecimento de antemão dos resultados antes da publicação nos periódicos acadêmicos.

2. A. Keane e P. McKeown, *The Modern Law of Evidence*. Nova York: Oxford University Press, 2014.

3. Andrew Mauboussin e Michael J. Mauboussin, "If You Say Something Is 'Likely,' How Likely Do People Think It Is?", *Harvard Business Review*, 3 jul. 2018.

4. *BMW v. Gore*, 517 U.S. 559, 1996. Disponível em: https://supreme.justia.com/cases/federal/us/517/559>.

5. Para discussões sobre o papel da emoção no julgamento moral, ver J. Haidt, "The Emotional Dog and Its Rational Tail: A Social Intuitionist Approach to Moral Judgment", *Psychological Review*, v. 108, n. 4, 2001, pp. 814-34; Joshua Greene, *Moral Tribes: Emotion, Reason, and the Gap Between Us and Them*. Nova York: Penguin Press, 2014.

6. Considerando a grande quantidade de ruído nessas classificações, talvez você fique confuso com a correlação muito alta (0,98) entre os julgamentos de ultraje e intento punitivo, que oferecem apoio para a hipótese do ultraje. A confusão desaparece quando você lembra que a correlação foi calculada entre as *médias* dos julgamentos. Para uma média de cem julgamentos, o ruído (o desvio-padrão dos julgamentos) é reduzido por um fator de 10. O ruído deixa de ser um fator quando muitos julgamentos são agregados. Ver capítulo 21.

7. S. S. Stevens, *Psychophysics: Introduction to Its Perceptual, Neural and Social Prospects*. Nova York: John Wiley & Sons, 1975.

8. Dan Ariely, George Loewenstein e Drazen Prelec, "'Coherent Arbitrariness': Stable Demand Curves Without Stable Preferences", *Quarterly Journal of Economics*, v. 118, n. 1, 2003, pp. 73-106.

9. A transformação em rankings implica perda de informação, uma vez que as distâncias entre os julgamentos não são preservadas. Suponha que haja apenas três casos e um jurado recomenda indenizações de 10 milhões, 2 milhões e 1 milhão. Claramente, o jurado pretende transmitir uma diferença maior em intento punitivo entre os dois primeiros casos do que entre o segundo e o terceiro. Uma vez convertidos em posições, porém, a diferença será a mesma — uma diferença de apenas uma posição. Esse problema pode ser resolvido convertendo os julgamentos em pontuações-padrão.

16. PADRÕES [pp. 195-203]

1. R. Blake e N. K. Logothetis, "Visual Competition", *Nature Reviews Neuroscience*, v. 3, 2002, pp. 13-21; M. A. Gernsbacher e M. E. Faust, "The Mechanism of Suppression: A Component of General Comprehension Skill", *Journal of Experimental Psychology: Learning, Memory, and Cognition*, v. 17, mar. 1991, pp. 245-62; e M. C. Stites e K. D. Federmeier, "Subsequent to Suppression: Downstream Comprehension Consequences of Noun/Verb Ambiguity in Natural Reading", *Journal of Experimental Psychology: Learning, Memory, and Cognition*, v. 41, set. 2015, pp. 1497-515.

2. D. A. Moore e D. Schatz, "The three faces of overconfidence", *Social and Personality Psychology Compass*, v. 11, n. 8, 2017, artigo e12331.

3. S. Highhouse, A. Broadfoot, J. E. Yugo e S. A. Devendorf, "Examining Corporate Reputation Judgments with Generalizability Theory", *Journal of Applied Psychology*, v. 94, 2009, pp. 782-9. Agradecemos a Scott Highhouse e Alison Broadfoot por fornecer seus dados originais e a Julian Parris pelas análises suplementares.

4. P. J. Lamberson e Scott Page, "Optimal forecasting groups", *Management Science*, v. 58, n. 4, 2012, pp. 805-10. Agradecemos a Scott Page por ter chamado nossa atenção para essa fonte de ruído de padrão.

5. O trabalho de Allport e Odbert (1936) com vocabulário relevante de personalidade em inglês é citado em Oliver P. John e Sanjay Strivastava, "The Big-Five Trait Taxonomy: History, Measurement, and Theoretical Perspectives". In: *Handbook of Personality: Theory and Research*, 2. ed.. Org. de L. Pervin e Oliver P. John. Nova York: Guilford, 1999.

6. Ian W. Eisenberg, Patrick G. Bissett, A. Zeynep Enkavi et al., "Uncovering the Structure of Self-Regulation Through Data-Driven Ontology Discovery", *Nature Communications*, v. 10, 2019, p. 2319.

7. Walter Mischel, "Toward an Integrative Science of the Person", *Annual Review of Psychology*, v. 55, 2004, p. 122.

17. AS FONTES DO RUÍDO [pp. 204-13]

1. Embora não haja regra geral sobre a decomposição do viés e do ruído, as proporções nessa figura são grosso modo representativas de alguns exemplos, reais ou fictícios, que revisamos. Especificamente nessa figura, o viés e o ruído são iguais (como nas previsões de vendas da GoodSell).

O quadrado do ruído de nível corresponde a 37% do quadrado do ruído de sistema (como foi no estudo de indenizações punitivas). O quadrado do ruído de ocasião, como mostrado, é cerca de 35% do quadrado do ruído de padrão.

2. Ver referências na introdução. Mark A. Lemley e Bhaven Sampat, "Examiner Characteristics and Patent Office Outcomes", *Review of Economics and Statistics*, v. 94, n. 3, 2012, pp. 817-27. Ver também Iain Cockburn, Samuel Kortum e Scott Stern, "Are All Patent Examiners Equal? The Impact of Examiner Characteristics", documento de trabalho n. 8980, jun. 2002. Disponível em: <www.nber.org/papers/w8980>; e Michael D. Frakes e Melissa F. Wasserman, "Is the Time Allocated to Review Patent Applications Inducing Examiners to Grant Invalid Patents? Evidence from Microlevel Application Data", *Review of Economics and Statistics*, v. 99, n. 3, jul. 2017, pp. 550-63.

3. Joseph J. Doyle Jr., "Child Protection and Child Outcomes: Measuring the Effects of Foster Care", *American Economic Review*, v. 95, n. 5, dez. 2007, pp. 1583-610.

4. Andrew I. Schoenholtz, Jaya Ramji-Nogales e Philip G. Schrag, "Refugee Roulette: Disparities in Asylum Adjudication", *Stanford Law Review*, v. 60, n. 2, 2007.

5. Esse valor é estimado com base em cálculos apresentados no capítulo 6, em que a variância de interação é 23% da variância total. Sob o pressuposto de que as sentenças apresentam uma distribuição normal, a diferença absoluta média entre duas observações aleatoriamente selecionadas é 1,128 de desvio-padrão.

6. J. E. Martinez, B. Labbree, S. Uddenberg e A. Todorov, "Meaningful 'noise': Comparative judgments contain stable idiosyncratic contributions" (manuscrito inédito).

7. J. Kleinberg, H. Lakkaraju, J. Leskovec, J. Ludwig e S. Mullainathan, "Human Decisions and Machine Predictions", *Quarterly Journal of Economics*, v. 133, 2018, pp. 237-93.

8. O modelo produziu para cada juiz tanto um ordenamento dos 141 833 casos como um limiar além do qual a fiança seria concedida. O ruído de nível reflete a variabilidade dos limiares, enquanto o ruído de padrão reflete a variabilidade no ordenamento dos casos.

9. Gregory Stoddard, Jens Ludwig e Sendhil Mullainathan, correspondência por e-mail com os autores, jun.-jul. 2020.

10. Phil Rosenzweig, *Left Brain, Right Stuff: How Leaders Make Winning Decisions*. Nova York: Public Affairs, 2014.

18. JUÍZES MELHORES PARA JULGAMENTOS MELHORES [pp. 219-29]

1. Albert E. Mannes et al., "The Wisdom of Select Crowds", *Journal of Personality and Social Psychology*, v. 107, n. 2, 2014, pp. 276-99; Jason Dana et al., "The Composition of Optimally Wise Crowds", *Decision Analysis*, v. 12, n. 3, 2015, pp. 130-43.

2. Briony D. Pulford, Andrew M. Colmna, Eike K. Buabang e Eva M. Krockow, "The Persuasive Power of Knowledge: Testing the Confidence Heuristic", *Journal of Experimental Psychology: General*, v. 147, n. 10, 2018, pp. 1431-44.

3. Nathan R. Kuncel e Sarah A. Hezlett, "Fact and Fiction in Cognitive Ability Testing for Admissions and Hiring Decisions", *Current Directions in Psychological Science*, v. 19, n. 6, 2010, pp. 339-45.

4. Kuncel e Hezlett, "Fact and Fiction".

5. Frank L. Schmidt e John Hunter, "General Mental Ability in the World of Work: Occupational Attainment and Job Performance", *Journal of Personality and Social Psychology*, v. 86, n. 1, 2004, p. 162.

6. Angela L. Duckworth, David Weir, Eli Tsukayama e David Kwok, "Who Does Well in Life? Conscientious Adults Excel in Both Objective and Subjective Success", *Frontiers in Psychology*, v. 3, set. 2012. Sobre fibra, ver Angela L. Duckworth, Christopher Peterson, Michael D. Matthews e Dennis Kelly, "Grit: Perseverance and Passion for Long-Term Goals", *Journal of Personality and Social Psychology*, v. 92, n. 6, 2007, pp. 1087-101.

7. Richard E. Nisbett et al., "Intelligence: New Findings and Theoretical Developments", *American Psychologist*, v. 67, n. 2, 2012, pp. 130-59.

8. Schmidt and Hunter, "Occupational Attainment", p. 162.

9. Kuncel e Hezlett, "Fact and Fiction".

10. Essas correlações são derivadas de meta-análises que corrigem as correlações observadas para erros de medição no critério e restrição de alcance. Há algum debate entre os pesquisadores sobre se essas correções exageram o valor preditivo da capacidade mental geral. Contudo, como esses debates metodológicos se aplicam também a outras variáveis preditoras, os especialistas de modo geral concordam que o GMA (junto com os testes de amostras de trabalho; ver capítulo 24) é a melhor variável preditora de sucesso no emprego. Ver Kuncel e Hezlett, "Fact and Fiction".

11. Schmidt and Hunter, "Occupational Attainment", p. 162.

12. David Lubinski, "Exceptional Cognitive Ability: The Phenotype", *Behavior Genetics*, v. 39, n. 4, 2009, pp. 350-8.

13. Jonathan Wai, "Investigating America's Elite: Cognitive Ability, Education, and Sex Differences", *Intelligence*, v. 41, n. 4, 2013, pp. 203-11.

14. Keela S. Thomson e Daniel M. Oppenheimer, "Investigating an Alternate Form of the Cognitive Reflection Test", *Judgment and Decision Making*, v. 11, n. 1, 2016, pp. 99-113.

15. Gordon Pennycook et al., "Everyday Consequences of Analytic Thinking", *Current Directions in Psychological Science*, v. 24, n. 6, 2015, pp. 425-32.

16. Gordon Pennycook e David G. Rand, "Lazy, Not Biased: Susceptibility to Partisan Fake News Is Better Explained by Lack of Reasoning than by Motivated Reasoning", *Cognition*, v. 188, jun. 2018, pp. 39-50.

17. Nathaniel Barr et al., "The Brain in Your Pocket: Evidence That Smartphones Are Used to Supplant Thinking", *Computers in Human Behavior*, v. 48, 2015, pp. 473-80.

18. Niraj Patel, S. Glenn Baker e Laura D. Scherer, "Evaluating the Cognitive Reflection Test as a Measure of Intuition/Reflection, Numeracy, and Insight Problem Solving, and the Implications for Understanding Real-World Judgments and Beliefs", *Journal of Experimental Psychology: General*, v. 148, n. 12, 2019, pp. 2129-53.

19. John T. Cacioppo e Richard E. Petty, "The Need for Cognition", *Journal of Personality and Social Psychology*, v. 42, n. 1, 1982, pp. 116-31.

20. Stephen M. Smith e Irwin P. Levin, "Need for Cognition and Choice Framing Effects", *Journal of Behavioral Decision Making*, v. 9, n. 4, 1996, pp. 283-90.

21. Judith E. Rosenbaum e Benjamin K. Johnson, "Who's Afraid of Spoilers? Need for Cognition, Need for Affect, and Narrative Selection and Enjoyment", *Psychology of Popular Media Culture*, v. 5, n. 3, 2016, pp. 273-89.

22. Wandi Bruine De Bruin et al., "Individual Differences in Adult Decision-Making Competence", *Journal of Personality and Social Psychology*, v. 92, n. 5, 2007, pp. 938-56.

23. Heather A. Butler, "Halpern Critical Thinking Assessment Predicts Real-World Outcomes of Critical Thinking", *Applied Cognitive Psychology*, v. 26, n. 5, 2012, pp. 721-9.

24. Uriel Haran, Ilana Ritov e Barbara Mellers, "The Role of Actively Open-Minded Thinking in Information Acquisition, Accuracy, and Calibration", *Judgment and Decision Making*, v. 8, n. 3, 2013, pp. 188-201.

25. Haran, Ritov e Mellers, "Role of Actively Open-Minded Thinking".

26. J. Baron, "Why Teach Thinking? An Essay", *Applied Psychology: An International Review*, v. 42, 1993, pp. 191-214; J. Baron, *The Teaching of Thinking: Thinking and Deciding*, 2. ed. Nova York: Cambridge University Press, 1994, pp. 127-48.

19. DESENVIESAMENTO E HIGIENE DA DECISÃO [pp. 230-7]

1. Para uma excelente revisão, ver Jack B. Soll et al., "A User's Guide to Debiasing". In: *The Wiley Blackwell Handbook of Judgment and Decision Making*. Org. de Gideon Keren e George Wu, v. 2. Nova York: John Wiley & Sons, 2015, p. 684.

2. HM Treasury [Tesouro de Sua Majestade], *The Green Book: Central Government Guidance on Appraisal and Evaluation*. Londres: UK Crown, 2018. Disponível em: <https://assets.publishing. service.gov.uk/government/uploads/system/uploads/attachment_data/file/685903/The_Green_Book.pdf>.

3. Richard H. Thaler e Cass R. Sunstein, *Nudge: Improving Decisions about Health, Wealth, and Happiness*. New Haven, CT: Yale University Press, 2008. [Ed. bras.: *Nudge: Como tomar melhores decisões sobre saúde, dinheiro e felicidade*. Trad. de Ângelo Lessa. Rio de Janeiro: Objetiva, 2019.

4. Ralph Hertwig e Till Grüne-Yanoff, "Nudging and Boosting: Steering or Empowering Good Decisions", *Perspectives on Psychological Science*, v. 12, n. 6, 2017.

5. Geoffrey T. Fong et al., "The Effects of Statistical Training on Thinking About Everyday Problems", *Cognitive Psychology*, v. 18, n. 3, 1986, pp. 253-92.

6. Willem A. Wagenaar e Gideon B. Keren, "Does the Expert Know? The Reliability of Predictions and Confidence Ratings of Experts", *Intelligent Decision Support in Process Environments*, 1986, pp. 87-103.

7. Carey K. Morewedge et al., "Debiasing Decisions: Improved Decision Making with a Single Training Intervention", *Policy Insights from the Behavioral and Brain Sciences*, v. 2, n. 1, 2015, pp. 129-40.

8. Anne-Laure Sellier et al., "Debiasing Training Transfers to Improve Decision Making in the Field", *Psychological Science*, v. 30, n. 9, 2019, pp. 1371-9.

9. Emily Pronin et al., "The Bias Blind Spot: Perceptions of Bias in Self Versus Others", *Personality and Social Psychology Bulletin*, v. 28, n. 3, 2002, pp. 369-81.

10. Daniel Kahneman, Dan Lovallo e Olivier Sibony, "Before You Make That Big Decision...", *Harvard Business Review*, v. 89, n. 6, jun. 2011, pp. 50-60.

11. Atul Gawande, *Checklist Manifesto: How to Get Things Right*. Nova York: Metropolitan Books, 2010.

12. Office of Information and Regulatory Affairs, "Agency Checklist: Regulatory Impact Analysis", [s.d.]. Disponível em: <www.whitehouse.gov/sites/whitehouse.gov/files/omb/inforeg/inforeg/regpol/RIA_Checklist.pdf>.

13. Esse checklist é em parte adaptada de Daniel Kahneman et al., "Before You Make That Big Decision", *Harvard Business Review*.

14. Ver Gawande, *Checklist Manifesto*.

20. SEQUENCIANDO INFORMAÇÕES NA CIÊNCIA FORENSE [pp. 238-50]

1. R. Stacey, "A Report on the Erroneous Fingerprint Individualisation in the Madrid Train Bombing Case", *Journal of Forensic Identification*, v. 54, 2004, pp. 707-18.

2. Michael Specter, "Do Fingerprints Lie?", *The New Yorker*, 27 maio 2002. Grifo nosso.

3. I. E. Dror e R. Rosenthal, "Meta-Analytically Quantifying the Reliability and Biasability of Forensic Experts", *Journal of Forensic Science*, v. 53, 2008, pp. 900-3.

4. I. E. Dror, D. Charlton e A. E. Péron, "Contextual Information Renders Experts Vulnerable to Making Erroneous Identifications", *Forensic Science International*, v. 156, 2006, pp. 74-8.

5. I. E. Dror e D. Charlton, "Why Experts Make Errors", *Journal of Forensic Identification*, v. 56, 2006, pp. 600-16.

6. I. E. Dror e S. A. Cole, "The Vision in 'Blind' Justice: Expert Perception, Judgment, and Visual Cognition in Forensic Pattern Recognition", *Psychonomic Bulletin and Review*, v. 17, 2010, pp. 161-7. Ver também I. E. Dror, "A Hierarchy of Expert Performance (HEP)", *Journal of Applied Research in Memory and Cognition*, 2016, p. 16.

7. I. E. Dror et al., "Cognitive Issues in Fingerprint Analysis: Inter-and Intra-Expert Consistency and the Effect of a 'Target' Comparison", *Forensic Science International*, v. 208, 2011, p. 10-7.

8. B. T. Ulery, R. A. Hicklin, M. A. Roberts e J. A. Buscaglia, "Changes in Latent Fingerprint Examiners' Markup Between Analysis and Comparison", *Forensic Science International*, v. 247, 2015, pp. 54-61.

9. I. E. Dror e G. Hampikian, "Subjectivity and Bias in Forensic DNA Mixture Interpretation", *Science and Justice*, v. 51, 2011, pp. 204-8.

10. M. J. Saks, D. M. Risinger, R. Rosenthal e W. C. Thompson, "Context Effects in Forensic Science: A Review and Application of the Science of Science to Crime Laboratory Practice in the United States", *Science Justice Journal of Forensic Science Society*, v. 43, 2003, pp. 77-90.

11. President's Council of Advisors on Science and Technology (PCAST), *Report to the President: Forensic Science in Criminal Courts: Ensuring Scientific Validity of Feature-Comparison Methods*. Washington, DC: Executive Office of the President, PCAST, 2016.

12. Stacey, "Erroneous Fingerprint".

13. Dror e Cole, "Vision in 'Blind' Justice".

14. I. E. Dror, "Biases in Forensic Experts", *Science*, v. 360, 2018, p. 243.

15. Dror e Charlton, "Why Experts Make Errors".

16. B. T. Ulery, R. A. Hicklin, J. A. Buscaglia e M. A. Roberts, "Repeatability and Reproducibility of Decisions by Latent Fingerprint Examiners", *PLoS One*, v. 7, 2012.

17. Innocence Project, "Overturning Wrongful Convictions Involving Misapplied Forensics", *Misapplication of Forensic Science*, 2018, p. 17. Disponível em: <www.innocenceproject.org/causes/misapplication-forensic-science>. Ver também S. M. Kassin, I. E. Dror, J. Kukucka e L. Butt, "The Forensic Confirmation Bias: Problems, Perspectives, and Proposed Solutions", *Journal of Applied Research in Memory and Cognition*, v. 2, 2013, pp. 42-52.

18. PCAST, *Report to the President*.

19. B. T. Ulery, R. A. Hicklin, J. Buscaglia e M. A. Roberts, "Accuracy and Reliability of Forensic Latent Fingerprint Decisions", *Proceedings of the National Academy of Sciences*, v. 108, 2011, pp. 7733-8.

20. PCAST, *Report to the President*, p. 95. Grifo do original.

21. Igor Pacheco, Brian Cerchiai e Stephanie Stoiloff, "Miami-Dade Research Study for the Reliability of the ACE-V Process: Accuracy & Precision in Latent Fingerprint Examinations", relatório final, Miami-Dade Police Department Forensic Services Bureau, 2014. Disponível em: <www.ncjrs.gov/pdffiles1/nij/grants/248534.pdf>.

22. B. T. Ulery, R. A. Hicklin, M. A. Roberts e J. A. Buscaglia, "Factors Associated with Latent Fingerprint Exclusion Determinations", *Forensic Science International*, v. 275, 2017, pp. 65-75.

23. R. N. Haber e I. Haber, "Experimental Results of Fingerprint Comparison Validity and Reliability: A Review and Critical Analysis", *Science & Justice*, v. 54, 2014, pp. 375-89.

24. Dror, "Hierarchy of Expert Performance", 3.

25. M. Leadbetter, carta ao editor, *Fingerprint World*, v. 33, 2007, p. 231.

26. L. Butt, "The Forensic Confirmation Bias: Problems, Perspectives and Proposed Solutions — Commentary by a Forensic Examiner", *Journal of Applied Research in Memory and Cognition*, v. 2, 2013, pp. 59-60. Grifo nosso.

27. Stacey, "Erroneous Fingerprint", p. 713. Grifo nosso.

28. J. Kukucka, S. M. Kassin, P. A. Zapf e I. E. Dror, "Cognitive Bias and Blindness: A Global Survey of Forensic Science Examiners", *Journal of Applied Research in Memory and Cognition*, v. 6, 2017.

29. I. E. Dror et al., carta ao editor: "Context Management Toolbox: A Linear Sequential Unmasking (LSU) Approach for Minimizing Cognitive Bias in Forensic Decision Making", *Journal of Forensic Science*, v. 60, 2015, pp. 1111-2.

21. SELEÇÃO E AGREGAÇÃO EM PREVISÕES [pp. 251-63]

1. Jeffrey A. Frankel, "Overoptimism in Forecasts by Official Budget Agencies and Its Implications", documento de trabalho n. 17239, National Bureau of Economic Research, dez. 2011. Disponível em: <www.nber.org/papers/w17239>.

2. H. R. Arkes, "Overconfidence in Judgmental Forecasting". In: *Principles of Forecasting: A Handbook for Researchers and Practitioners*. Org. de Jon Scott Armstrong, v. 30, International Series in Operations Research & Management Science. Boston: Springer, 2001.

3. Itzhak-Ben-David, John Graham e Campell Harvey, "Managerial Miscalibration", *The Quarterly Journal of Economics*, v. 128, n. 4, nov. 2013, pp. 1547-84.

4. T. R. Stewart, "Improving Reliability of Judgmental Forecasts". In: *Principles of Forecasting: A Handbook for Researchers and Practitioners*. Org. de Jon Scott Armstrong, v. 30, International Series in Operations Research & Management Science. Boston: Springer, 2001 (doravante citado como *Principles of Forecasting*), p. 82.

5. Theodore W. Ruger, Pauline T. Kim, Andrew D. Martin e Kevin M. Quinn, "The Supreme Court Forecasting Project: Legal and Political Science Approaches to Predicting Supreme Court Decision-Making", *Columbia Law Review*, v. 104, 2004, pp. 1150-209.

6. Cass Sunstein, "Maximin", *Yale Journal of Regulation* (rascunho; 3 maio 2020). Disponível em: <https://papers.ssrn.com/sol3/papers.cfm?abstract_id=3476250>.

7. Para numerosos exemplos, ver Armstrong, *Principles of Forecasting*.

8. Jon Scott Armstrong, "Combining Forecasts". In: *Principles of Forecasting*, pp. 417-39.

9. T. R. Stewart, "Improving Reliability of Judgmental Forecasts". In: *Principles of Forecasting*, p. 95.

10. Armstrong, "Combining Forecasts".

11. Albert E. Mannes et al., "The Wisdom of Select Crowds", *Journal of Personality and Social Psychology*, v. 107, n. 2, 2014, pp. 276-99.

12. Justin Wolfers e Eric Zitzewitz, "Prediction Markets", *Journal of Economic Perspectives*, v. 18, 2004, pp. 107-26.

13. Cass R. Sunstein e Reid Hastie, *Wiser: Getting Beyond Groupthink to Make Groups Smarter*. Boston: Harvard Business Review Press, 2014.

14. Gene Rowe e George Wright, "The Delphi Technique as a Forecasting Tool: Issues and Analysis", *International Journal of Forecasting*, v. 15, 1999, pp. 353-75. Ver também Dan Bang e Chris D. Frith, "Making Better Decisions in Groups", *Royal Society Open Science*, v. 4, n. 8, 2017.

15. R. Hastie, "Review Essay: Experimental Evidence on Group Accuracy". In: B. Grofman & G. Guillermo (Orgs.), *Information Pooling and Group Decision Making* (Greenwich, CT: JAI Press, 1986), pp. 129-57.

16. Andrew H. Van De Ven e André L. Delbecq, "The Effectiveness of Nominal, Delphi, and Interacting Group Decision Making Processes", *Academy of Management Journal*, v. 17, n. 4, 2017.

17. *Superforecasting*, p. 95. [Ed. bras.: *Superprevisões: A arte e a ciência de antecipar o futuro*. Trad. de Cássio de Arantes Leite. Rio de Janeiro: Objetiva, 2015.]

18. Ibid., 231.

19. Ibid., 273.

20. Ville A. Satopää, Marat Salikhov, Philip E. Tetlock e Barb Mellers, "Bias, Information, Noise: The BIN Model of Forecasting", 19 fev. 2020, v. 23. Disponível em: <https://dx.doi.org/10.2139/ssrn.3540864>.

21. Satopää et al., "Bias, Information, Noise", p. 23.

22. Ibid., 22.

23. Ibid., 24.

24. Clintin P. Davis-Stober, David V. Budescu, Stephen B. Broomell e Jason Dana. "The composition of optimally wise crowds", *Decision Analysis*, v. 12, n. 3, 2015, pp. 130-43.

22. DIRETRIZES NA MEDICINA [pp. 264-76]

1. Laura Horton et al., "Development and Assessment of Inter and Intra-Rater Reliability of a Novel Ultrasound Tool for Scoring Tendon and Sheath Disease: A Pilot Study", *Ultrasound*, v. 24, n. 3, 2016, pp. 134. Disponível em: <www.ncbi.nlm.nih.gov/pmc/articles/PMC5105362>.

2. Laura C. Collins et al., "Diagnostic Agreement in the Evaluation of Imageguided Breast Core Needle Biopsies", *American Journal of Surgical Pathology*, v. 28, 2004, p. 126. Disponível em: <https://journals.lww.com/ajsp/Abstract/2004/01000/Diagnostic_Agreement_in_the_Evaluation_of.15.aspx>.

3. Julie L. Fierro et al., "Variability in the Diagnosis and Treatment of Group A Streptococcal Pharyngitis by Primary Care Pediatricians", *Infection Control and Hospital Epidemiology*, v. 35, n. S3, 2014, p. S79. Disponível em: <www.jstor.org/stable/10.1086/677820>.

4. Diabetes Tests, Centers for Disease Control and Prevention. Disponível em: <https://www.cdc.gov/diabetes/basics/getting-tested.html> (acesso em 15 jan. 2020).

5. Joseph D. Kronz et al., "Mandatory Second Opinion Surgical Pathology at a Large Referral Hospital", *Cancer*, v. 86, 1999, pp. 24-6. Disponível em: <https://onlinelibrary.wiley.com/doi/full/10.1002/(SICI)1097-0142(19991201)86:11%3C2426::AID-CNCR34%3E3.0.CO;2-3>.

6. A maioria dos materiais pode ser encontrada na internet; um grosso resumo é Dartmouth Medical School, *The Quality of Medical Care in the United States: A Report on the Medicare Program; the Dartmouth Atlas of Health Care 1999*. American Hospital Publishers, 1999.

7. Ver, por exemplo, OECD, *Geographic Variations in Health Care: What Do We Know and What Can Be Done to Improve Health System Performance?* Paris: OECD, 2014, pp. 137-69; Michael P. Hurley et al., "Geographic Variation in Surgical Outcomes and Cost Between the United States and Japan", *American Journal of Managed Care*, v. 22, 2016, p. 600. Disponível em: <www.ajmc.com/journals/issue/2016/2016-vol22-n9/geographic-variation-in-surgical-outcomes-and-cost between-the-united-states-and-japan>; e John Appleby, Veena Raleigh, Francesca Frosini, Gwyn Bevan, Haiyan Gao e Tom Lyscom, *Variations in Health Care: The Good, the Bad and the Inexplicable*. Londres: The King's Fund, 2011. Disponível em: <www.kingsfund.org.uk/sites/default/files/Variations-in-health-care-good-bad-inexplicable-report-The-Kings-Fund-April-2011.pdf>.

8. David C. Chan Jr. et al., "Selection with Variation in Diagnostic Skill: Evidence from Radiologists", National Bureau of Economic Research, NBER documento de trabalho n. 264-7, nov. 2019. Disponível em: <www.nber.org/papers/w26467>.

9. P. J. Robinson, "Radiology's Achilles' Heel: Error and Variation in the Interpretation of the Röntgen Image", *British Journal of Radiology*, v. 70, 1997, p. 1085. Disponível em: <www.ncbi.nlm.nih.gov/pubmed/9536897>. Um estudo relevante é Yusuke Tsugawa et al., "Physician Age and Outcomes in Elderly Patients in Hospital in the US: Observational Study", *BMJ*, v. 357, 2017. Disponível em: <www.bmj.com/content/357/bmj.j1797>, que mostra como os resultados dos médicos pioram quanto mais longe estão do treinamento. Segue-se que há uma escolha entre experiências em desenvolvimento, o que vem com anos de prática e familiaridade com a evidência e as diretrizes mais recentes. O estudo mostra que os melhores resultados vêm de médicos nos primeiros anos de residência, quando estão com essa evidência fresca na cabeça.

10. Robinson, "Radiology's Achilles' Heel".

11. Como o coeficiente de correlação, kappa pode ser negativo, embora na prática isso seja raro. Eis aqui uma caracterização do significado de diferentes estatísticas kappa: "tênue (κ = 0,00 a 0,20), razoável (κ = 0,21 a 0,40), moderada (κ = 0,41 a 0,60), substancial (κ = 0,61 a 0,80) e quase perfeita (κ > 0,80)". Ron Wald, Chaim M. Bell, Rosane Nisenbaum, Samuel Perrone, Orfeas Liangos, Andreas Laupacis e Bertrand L. Jaber, "Interobserver Reliability of Urine Sediment Interpretation", *Clinical Journal of the American Society of Nephrology*, v. 4, n. 3, mar. 2009, pp. 567-71. Disponível em: <https://cjasn.asnjournals.org/content/4/3/567>.

12. Howard R. Strasberg et al., "Inter-Rater Agreement Among Physicians on the Clinical Significance of Drug-Drug Interactions", *AMIA Annual Symposium Proceedings*, 2013, pp. 13-25. Disponível em: <www.ncbi.nlm.nih.gov/pmc/articles/PMC3900147>.

13. Wald et al., "Interobserver Reliability of Urine Sediment Interpretation". Disponível em: <https://cjasn.asnjournals.org/content/4/3/567>.

14. Juan P. Palazzo et al., "Hyperplastic Ductal and Lobular Lesions and Carcinomas in Situ of the Breast: Reproducibility of Current Diagnostic Criteria Among Community-and Academic Based Pathologists", *Breast Journal*, v. 4, 2003, p. 230. Disponível em: <www.ncbi.nlm.nih.gov/pubmed/21223441>.

15. Rohit K. Jain et al., "Atypical Ductal Hyperplasia: Interobserver and Intraobserver Variability", *Modern Pathology*, v. 24, 2011, p. 917. Disponível em: <www.nature.com/articles/modpathol201166>.

16. Alex C. Speciale et al., "Observer Variability in Assessing Lumbar Spinal Stenosis Severity on Magnetic Resonance Imaging and Its Relation to Cross-Sectional Spinal Canal Area", *Spine*, v. 27, 2002, p. 1082. Disponível em: <www.ncbi.nlm.nih.gov/pubmed/12004176>.

17. Centers for Disease Control and Prevention, "Heart Disease Facts". Disponível em: <www.cdc.gov/heartdisease/facts.htm> (acesso em 16 jun. 2020.).

18. Timothy A. DeRouen et al., "Variability in the Analysis of Coronary Arteriograms", *Circulation*, v. 55, 1977, p. 324. Disponível em: <www.ncbi.nlm.nih.gov/pubmed/832349>.

19. Olaf Buchweltz et al., "Interobserver Variability in the Diagnosis of Minimal and Mild Endometriosis", *European Journal of Obstetrics & Gynecology and Reproductive Biology*, v. 122, 2005, p. 213. Disponível em: <www.ejog.org/article/S0301-2115(05)00059-X/pdf>.

20. Jean-Pierre Zellweger et al., "Intra-observer and Overall Agreement in the Radiological Assessment of Tuberculosis", *International Journal of Tuberculosis & Lung Disease*, v. 10, 2006, p. 1123. Disponível em: <www.ncbi.nlm.nih.gov/pubmed/17044205>. Para uma concordância interavaliadores "razoável", ver Yanina Bal-abanova et al., "Variability in Interpretation of Chest Radiographs Among Russian Clinicians and Implications for Screening Programmes: Observational Study", *BMJ*, v. 331, 2005, p. 379. Disponível em: <www.bmj.com/content/331/7513/379.short>.

21. Shinsaku Sakurada et al., "Inter-Rater Agreement in the Assessment of Abnormal Chest X-Ray Findings for Tuberculosis Between Two Asian Countries", *BMC Infectious Diseases*, v. 12, artigo 31, 2012. Disponível em: <https://bmcinfectdis.biomedcentral.com/articles/10.1186/1471-2334-12-31>.

22. Evan R. Farmer et al., "Discordance in the Histopathologic Diagnosis of Melanoma and Melanocytic Nevi Between Expert Pathologists", *Human Pathology*, v. 27, 1996, p. 528. Disponível em: <www.ncbi.nlm.nih.gov/pubmed/8666360>.

23. Alfred W. Kopf, M. Mintzis e R. S. Bart, "Diagnostic Accuracy in Malignant Melanoma", *Archives of Dermatology*, v. 111, 1975, pp. 1291. Disponível em: <www.ncbi.nlm.nih.gov/pubmed/1190800>.

24. Maria Miller e A. Bernard Ackerman, "How Accurate Are Dermatologists in the Diagnosis of Melanoma? Degree of Accuracy and Implications", *Archives of Dermatology*, v. 128, 1992, p. 559. Disponível em: ‹https://jamanetwork.com/journals/jamadermatology/fullarticle/554024›.

25. Craig A. Beam et al., "Variability in the Interpretation of Screening Mammograms by US Radiologists", *Archives of Internal Medicine*, v. 156, 1996, p. 209. Disponível em: ‹www.ncbi.nlm.nih.gov/pubmed/8546556›.

26. P. J. Robinson et al., "Variation Between Experienced Observers in the Interpretation of Accident and Emergency Radio-graphs", *British Journal of Radiology*, v. 72, 1999, p. 323. Disponível em: ‹www.birpublications.org/doi/pdf/10.1259/bjr.72.856.10474490›.

27. Katherine M. Detre et al., "Observer Agreement in Evaluating Coronary Angiograms", *Circulation*, v. 52, 1975, p. 979. Disponível em: ‹www.ncbi.nlm.nih.gov/pubmed/1102142›.

28. Horton et al., "Inter- and Intra-Rater Reliability"; e Megan Banky et al., "Inter-and Intra-Rater Variability of Testing Velocity When Assessing Lower Limb Spasticity", *Journal of Rehabilitation Medicine*, v. 51, 2019. Disponível em: ‹www.medicaljournals.se/jrm/content/abstract/10.2340/16501977-2496›.

29. Esther Y. Hsiang et al., "Association of Primary Care Clinic Appointment Time with Clinician Ordering and Patient Completion of Breast and Colorectal Cancer Screening", *JAMA Network Open*, v. 51, 2019. Disponível em: ‹https://jamanetwork.com/journals/jamanetworkopen/fullarticle/2733171›.

30. Hengchen Dai et al., "The Impact of Time at Work and Time Off from Work on Rule Compliance: The Case of Hand Hygiene in Health Care", *Journal of Applied Psychology*, v. 100, 2015, p. 846. Disponível em: ‹www.ncbi.nlm.nih.gov/pubmed/25365728›.

31. Ali S. Raja, "The HEART Score Has Substantial Interrater Reliability", *NEJM J Watch*, 5 dez. 2018. Disponível em: ‹www.jwatch.org/na47998/2018/12 /05/heart-score-has-substantial interrater-reliability› (revisando Colin A. Gershon et al., "Inter-Rater Reliability of the HEART Score", *Academic Emergency Medicine*, v. 26, 2019, p. 552.

32. Jean-Pierre Zellweger et al., "Intra-Observer and Overall Agreement in the Radiological Assessment of Tuberculosis", *International Journal of Tuberculosis & Lung Disease*, v. 10, 2006, p. 1123. Disponível em: ‹www.ncbi.nlm.nih.gov/pubmed/17044205›; Ibrahim Abubakar et al., "Diagnostic Accuracy of Digital Chest Radiography for Pulmonary Tuberculosis in a UK Urban Population", *European Respiratory Journal*, v. 35, 2010, p. 689. Disponível em: ‹https://erj.ersjournals.com/content/35/3/689.short›.

33. Michael L. Barnett et al., "Comparative Accuracy of Diagnosis by Collective Intelligence of Multiple Physicians vs. Individual Physicians", *JAMA Network Open*, v. 2, 2019, p. e19009. Disponível em: ‹https://jamanetwork.com/journals/jamanetworkopen/fullarticle/2726709›; Kimberly H. Allison et al., "Understanding Diagnostic Variability in Breast Pathology: Lessons Learned from an Expert Consensus Review Panel", *Histopathology*, v. 65, 2014, p. 240. Disponível em: ‹https://onlinelibrary.wiley.com/doi/abs/10.1111/his.12387›.

34. Babak Ehteshami Bejnordi et al., "Diagnostic Assessment of Deep Learning Algorithms for Detection of Lymph Node Metastases in Women with Breast Cancer", *JAMA*, v. 318, 2017, p. 2199. Disponível em: ‹https://jamanetwork.com/journals/jama/fullarticle/2665774›.

35. Varun Gulshan et al., "Development and Validation of a Deep Learning Algorithm for Detection of Diabetic Retinopathy in Retinal Fundus Photographs", *JAMA*, v. 316, 2016, p. 2402. Disponível em: ‹https://jamanetwork.com/journals/jama/fullarticle/2588763›.

36. Mary Beth Massat, "A Promising Future for AI in Breast Cancer Screening", *Applied Radiology*, v. 47, 2018, p. 22. Disponível em: <www.appliedradiology.com/articles/a-promising future-for-ai-in-breast-cancer-screening>; Alejandro Rodriguez-Ruiz et al., "Stand-Alone Artificial Intelligence for Breast Cancer Detection in Mammography: Comparison with 101 Radiologists", *Journal of the National Cancer Institute*, v. 111, 2019, p. 916. Disponível em: <https://academic.oup.com/jnci/advance-article-abstract/doi/10.1093/jnci/djy222/5307077>.

37. Escala de Apgar, Medline Plus. Disponível em: <https://medlineplus.gov/ency/article/003402.htm> (acesso em 4 fev. 2020).

38. L. R. Foster et al., "The Interrater Reliability of Apgar Scores at 1 and 5 Minutes", *Journal of Investigative Medicine*, v. 54, n. 1, 2006, p. 293. Disponível em: <https://jim.bmj.com/content/54/1/S308.4>.

39. Warren J. McIsaac et al., "Empirical Validation of Guidelines for the Management of Pharyngitis in Children and Adults", *JAMA*, v. 291, 2004, p. 1587. Disponível em: <www.ncbi.nlm.nih.gov/pubmed/15069046>.

40. Emilie A. Ooms et al., "Mammography: Interobserver Variability in Breast Density Assessment", *Breast*, v. 16, 2007, p. 568. Disponível em: <www.sciencedirect.com/science/article/abs/pii/S0960977607000793>.

41. Frances P. O'Malley et al., "Interobserver Reproducibility in the Diagnosis of Flat Epithelial Atypia of the Breast", *Modern Pathology*, v. 19, 2006, p. 172. Disponível em: <www.nature.com/articles/3800514>.

42. Ver Ahmed Aboraya et al., "The Reliability of Psychiatric Diagnosis Revisited", *Psychiatry (Edgmont)*, v. 3, 2006, p. 41. Disponível em: <www.ncbi.nlm.nih.gov/pmc/articles/PMC2990547>. Para uma visão geral, ver N. Kreitman, "The Reliability of Psychiatric Diagnosis", *Journal of Mental Science*, v. 107, 1961, pp. 876-86. Disponível em: <www.cambridge.org/core/journals/journal-of-mental-science/article/reliability-of-psychiatric-diagnosis/92832FFA170F4FF41189428C6A3E6394>.

43. Aboraya et al., "Reliability of Psychiatric Diagnosis Revisited", p. 43.

44. C. H. Ward et al., "The Psychiatric Nomenclature: Reasons for Diagnostic Disagreement", *Archives of General Psychiatry*, v. 7, 1962, p. 198.

45. Aboraya et al., "Reliability of Psychiatric Diagnosis Revisited".

46. Samuel M. Lieblich, David J. Castle, Christos Pantelis, Malcolm Hopwood, Allan Hunter Young e Ian P. Everall, "High Heterogeneity and Low Reliability in the Diagnosis of Major Depression Will Impair the Development of New Drugs", *British Journal of Psychiatry Open*, v. 1, 2015, p. e5e7. Disponível em: <www.ncbi.nlm.nih.gov/pmc/articles/PMC5000492/pdf/bjporcpsych_1_2_e5.pdf>.

47. Lieblich et al., "High Heterogeneity".

48. Aboraya et al., "Reliability of Psychiatric Diagnosis Revisited", p. 47.

49. Idem.

50. Ver Chmielewski et al., "Method Matters".

51. Ver, por exemplo, Helena Chmura Kraemer et al., "DSM-5: How Reliable Is Reliable Enough?", *American Journal of Psychiatry*, v. 169, 2012, pp. 13-5.

52. Lieblich et al., "High Heterogeneity".

53. Ibid., e-5.

54. Idem.

55. Ibid., e-6.

56. Aboraya et al., "Reliability of Psychiatric Diagnosis Revisited", p. 47.

57. Idem.

58. Idem.

59. Valiosas advertências podem ser encontradas em Christopher Worsham e Anupam B. Jena, "The Art of Evidence-Based Medicine", *Harvard Business Review*, 30 jan. 2019. Disponível em: <https://hbr.org/2019/01/the-art-of-evidence-based-medicine>.

23. DEFININDO A ESCALA EM ANÁLISES DE DESEMPENHO [pp. 277-89]

1. Jena McGregor, "Study Finds That Basically Every Single Person Hates Performance Reviews", *Washington Post*, 27 jan. 2014.

2. A transformação digital que muitas organizações atravessam pode criar novas possibilidades aqui. Na teoria, as empresas agora podem coletar grande quantidade de informação detalhada, em tempo real, sobre o desempenho de cada trabalhador. Esses dados possibilitarão avaliações de desempenho inteiramente algorítmicas para algumas posições. Mas aqui focamos nas posições em que o julgamento não pode ser eliminado por completo da medição de desempenho. Ver E. D. Pulakos, R. Mueller-Hanson e S. Arad, "The Evolution of Performance Management: Searching for Value", *Annual Review of Organizational Psychology and Organizational Behavior*, v. 6, 2018, pp. 249-71.

3. S. E. Scullen, M. K. Mount e M. Goff, "Understanding the Latent Structure of Job Performance Ratings", *Journal of Applied Psychology*, v. 85, 2000, pp. 956-70.

4. Um componente pequeno — 10% da variância total em alguns estudos — é o que os pesquisadores chamam de *perspectiva do classificador*, ou o efeito de *nível*, no sentido de nível dentro da organização, não do *ruído de nível* como o definimos aqui. A perspectiva do classificador reflete que, avaliando uma mesma pessoa, os chefes diferem sistematicamente entre si e dos subordinados. Fazendo uma interpretação generosa dos resultados dos sistemas de classificação 360 graus, poderíamos argumentar que isso não é ruído. Se pessoas em diferentes níveis da organização sistematicamente veem diferentes facetas do desempenho de uma mesma pessoa, seus julgamentos sobre essa pessoa devem diferir sistematicamente, e suas classificações devem refletir isso.

5. Scullen, Mount e Goff, "Latent Structure"; C. Viswesvaran, D. S. Ones e F. L. Schmidt, "Comparative Analysis of the Reliability of Job Performance Ratings", *Journal of Applied Psychology*, v. 81, 1996, pp. 557-74. G. J. Greguras e C. Robie, "A New Look at Within-Source Interrater Reliability of 360-Degree Feedback Ratings", *Journal of Applied Psychology*, v. 83, 1998, pp. 960-8; G. J. Greguras, C. Robie, D. J. Schleicher e M. A. Goff, "A Field Study of the Effects of Rating Purpose on the Quality of Multisource Ratings", *Personnel Psychology*, v. 56, 2003, pp. 1-21; C. Viswesvaran, F. L. Schmidt e D. S. Ones, "Is There a General Factor in Ratings of Job Performance? A Meta-Analytic Framework for Disentangling Substantive and Error Influences", *Journal of Applied Psychology*, v. 90, 2005, pp. 108-31; e B. Hoffman, C. E. Lance, B. Bynum e W. A. Gentry, "Rater Source Effects Are Alive and Well After All", *Personnel Psychology*, v. 63, 2010, pp. 119-51.

6. K. R. Murphy, "Explaining the Weak Relationship Between Job Performance and Ratings of Job Performance", *Industrial and Organizational Psychology*.v. 1, 2008, pp. 148-60, especialmente 151.

7. Na discussão das fontes de ruído, ignoramos a possibilidade de o ruído do caso surgir de vieses sistemáticos na classificação de certos funcionários ou certas categorias de funcionários. Nenhum dos estudos que pudemos localizar na variabilidade das análises de desempenho os comparou a um desempenho "real" externamente avaliado.

8. E. D. Pulakos e R. S. O'Leary, "Why Is Performance Management Broken?", *Industrial and Organizational Psychology*, v. 4, 2011, pp. 146-64; M. M. Harris, "Rater Motivation in the Performance Appraisal Context: A Theoretical Framework", *Journal of Management*, v. 20, 1994, pp.: 737-56; e K. R. Murphy e J. N. Cleveland, *Understanding Performance Appraisal: Social, Organizational, and Goal-Based Perspectives*. Thousand Oaks, CA: Sage, 1995.

9. Greguras et al., "Field Study".

10. P. W. Atkins e R. E. Wood, "Self-Versus Others' Ratings as Predictors of Assessment Center Ratings: Validation Evidence for 360-Degree Feedback Programs", *Personnel Psychology*, 2002.

11. Atkins and Wood, "Self Versus Others' Ratings".

12. Olson e Davis, citado em Peter G. Dominick, "Forced Ranking: Pros, Cons and Practices". In: *Performance Management: Putting Research into Action*. Org. de James W. Smither e Manuel London. San Francisco: Jossey-Bass, 2009, pp. 411-43.

13. Dominick, "Forced Ranking".

14. Barry R. Nathan e Ralph A. Alexander, "A Comparison of Criteria for Test Validation: A Meta-Analytic Investigation", *Personnel Psychology*, v. 41, n. 3, 1988, pp. 517-35.

15. Adaptado de Richard D. Goffin e James M. Olson, "Is It All Relative? Comparative Judgments and the Possible Improvement of Self-Ratings and Ratings of Others", *Perspectives on Psychological Science*, v. 6, n. 1, 2011, pp. 48-60.

16. M. Buckingham e A. Goodall, "Reinventing Performance Management", *Harvard Business Review*, 1º abr. 2015, v. 116, doi:ISSN:0017-8012.

17. Corporate Leadership Council, citado em S. Adler et al., "Getting Rid of Performance Ratings: Genius or Folly? A Debate", *Industrial and Organizational Psychology*, v. 9, 2016, pp. 219-52.

18. Pulakos, Mueller-Hanson e Arad, "Evolution of Performance Management", p. 250.

19. A. Tavis e P. Cappelli, "The Performance Management Revolution", *Harvard Business Review*, out. 2016, p. 117.

20. Frank J. Landy e James L. Farr. "Performance Rating", *Psychological Bulletin*, v. 87, n. 1, 1980, pp. 72-107.

21. D. J. Woehr e A. I. Huffcutt, "Rater Training for Performance Appraisal: A Quantitative Review", *Journal of Occupational and Organizational Psychology*, v. 67, 1994, pp. 189-205; S. G. Roch, D. J. Woehr, V. Mishra e U. Kieszczynska, "Rater Training Revisited: An Updated Meta-Analytic Review of Frame-of-Reference Training", *Journal of Occupational and Organizational Psychology*, v. 85, 2012, pp. 370-95; e M. H. Tsai, S. Wee e B. Koh, "Restructured Frame-of-Reference Training Improves Rating Accuracy", *Journal of Organizational Behavior*, 2019, p. 118, doi:10.1002/job.2368.

22. A situação da esquerda é adaptada de Richard Goffin e James M. Olson, "Is It All Relative? Comparative Judgments and the Possible Improvement of Self-Ratings and Ratings of Others", *Perspectives on Psychological Science*, v. 6, n. 1, 2011, pp. 48-60.

23. Roch et al., "Rater Training Revisited".

24. Ernest O'Boyle e Herman Aguinis, "The Best and the Rest: Revisiting the Norm of Normality of Individual Performance", *Personnel Psychology*, v. 65, n. 1, 2012, pp. 79-119; e Herman

Aguinis e Ernest O'Boyle, "Star Performers in Twenty-First Century Organizations", *Personnel Psychology*, v. 67, n. 2, 2014, pp. 313-50.

24. ESTRUTURA EM CONTRATAÇÕES [pp. 290-301]

1. A. I. Huffcutt e S. S. Culbertson, "Interviews". In: S. Zedeck (Org.), *APA Handbook of Industrial and Organizational Psychology*. Washington, DC: American Psychological Association, 2010, pp. 185-203.

2. N. R. Kuncel, D. M. Klieger e D. S. Ones, "In Hiring, Algorithms Beat Instinct", *Harvard Business Review*, v. 92, n. 5, 2014, p. 32.

3. R. E. Ployhart, N. Schmitt e N. T. Tippins, "Solving the Supreme Problem: 100 Years of Selection and Recruitment at the *Journal of Applied Psychology*", *Journal of Applied Psychology*, v. 102, 2017, pp. 291-304.

4. M. McDaniel, D. Whetzel, F. L. Schmidt e S. Maurer, "Meta-Analysis of the Validity of Employment Interviews", *Journal of Applied Psychology*, v. 79, 1994, pp. 599-616; A. Huffcutt e W. Arthur, "Hunter and Hunter (1984) Revisited: Interview Validity for Entry-Level Jobs", *Journal of Applied Psychology*, v. 79, 1994, p. 2; F. L. Schmidt e J. E. Hunter, "The Validity and Utility of Selection Methods in Personnel Psychology: Practical and Theoretical Implications of 85 Years of Research Findings", *Psychology Bulletin*, v. 124, 1998, pp. 262-274; e F. L. Schmidt e R. D. Zimmerman, "A Counterintuitive Hypothesis About Employment Interview Validity and Some Supporting Evidence", *Journal of Applied Psychology*, v. 89, 2004, pp. 553-61. Observe que as validades são mais elevadas quando certos subconjuntos de estudos são considerados, especialmente se a pequisa usa análises de desempenho especificamente criadas para esse propósito, e não análises administrativas preexistentes.

5. S. Highhouse, "Stubborn Reliance on Intuition and Subjectivity in Employee Selection", *Industrial and Organizational Psychology*, v. 1, 2008, pp. 333-42; D. A. Moore, "How to Improve the Accuracy and Reduce the Cost of Personnel Selection", *California Management Review*, v. 60, 2017, p. 817.

6. L. A. Rivera, "Hiring as Cultural Matching: The Case of Elite Professional Service Firms", *American Sociology Review*, v. 77, 2012, pp. 999-1022.

7. Schmidt e Zimmerman, "Counterintuitive Hypothesis"; Timothy A. Judge, Chad A. Higgins e Daniel M. Cable, "The Employment Interview: A Review of Recent Research and Recommendations for Future Research", *Human Resource Management Review*, v. 10, 2000, pp. 383-406; e A. I. Huffcutt, S. S. Culbertson e W. S. Weyhrauch, "Employment Interview Reliability: New Meta-Analytic Estimates by Structure and Format", *International Journal of Selection and Assessment*, v. 21, 2013, pp. 264-76.

8. M. R. Barrick et al., "Candidate Characteristics Driving Initial Impressions During Rapport Building: Implications for Employment Interview Validity", *Journal of Occupational and Organizational Psychology*, v. 85, 2012, pp. 330-52; M. R. Barrick, B. W. Swider e G. L. Stewart, "Initial Evaluations in the Interview: Relationships with Subsequent Interviewer Evaluations and Employment Offers", *Journal of Applied Psychology*, v. 95, 2010, p. 1163.

9. G. L. Stewart, S. L. Dustin, M. R. Barrick e T. C. Darnold, "Exploring the Handshake in Employment Interviews", *Journal of Applied Psychology*, v. 93, 2008, pp. 1139-46.

10. T. W. Dougherty, D. B. Turban e J. C. Callender, "Confirming First Impressions in the Employment Interview: A Field Study of Interviewer Behavior", *Journal of Applied Psychology*, v. 79, 1994, pp. 659-65.

11. J. Dana, R. Dawes e N. Peterson, "Belief in the Unstructured Interview: The Persistence of an Illusion", *Judgment and Decision Making*, v. 8, 2013, pp. 512-20.

12. Nathan R. Kuncel et al., "Mechanical versus Clinical Data Combination in Selection and Admissions Decisions: A Meta-Analysis", *Journal of Applied Psychology*, v. 98, n. 6, 2013, pp. 1060-72.

13. Laszlo Bock, entrevista com Adam Bryant, *The New York Times*, 19 jun. 2013. Ver também Laszlo Bock, *Work Rules!: Insights from Inside Google That Will Transform How You Live and Lead*. Nova York: Hachette, 2015.

14. C. Fernández-Aráoz, "Hiring Without Firing", *Harvard Business Review*, 1º jul. 1999.

15. Para um guia acessível de entrevistas estruturadas, ver Michael A. Campion, David K. Palmer e James E. Campion, "Structuring Employment Interviews to Improve Reliability, Validity and Users' Reactions", *Current Directions in Psychological Science*, v. 7, n. 3, 1998, pp. 77-82.

16. J. Levashina, C. J. Hartwell, F. P. Morgeson e M. A. Campion, "The Structured Employment Interview: Narrative and Quantitative Review of the Research Literature", *Personnel Psychology*, v. 67, 2014, pp. 241-93.

17. McDaniel et al., "Meta Analysis"; Huffcutt e Arthur, "Hunter and Hunter (1984) Revisited"; Schmidt e Hunter, "Validity and Utility"; e Schmidt e Zimmerman, "Counterintuitive Hypothesis".

18. Schmidt and Hunter, "Validity and Utility".

19. Kahneman, *Thinking, Fast and Slow*, 229. [*Rápido e devagar*. Trad. de Cássio Arantes Leite. Rio de Janeiro: Objetiva, 2012.]

20. Kuncel, Klieger e Ones, "Algorithms Beat Instinct". Ver também Campion, Palmer e Campion, "Structuring Employment Interviews".

21. Dana, Dawes e Peterson, "Belief in the Unstructured Interview".

25. PROTOCOLO DE AVALIAÇÕES MEDIADORAS [pp. 302-13]

1. Daniel Kahneman, Dan Lovallo e Olivier Sibony, "A Structured Approach to Strategic Decisions: Reducing Errors in Judgment Requires a Disciplined Process", *MIT Sloan Management Review*, v. 60, 2019, pp. 67-73.

2. Andrew H. Van De Ven e André Delbecq, "The Effectiveness of Nominal, Delphi, and Interacting Group Decision Making Processes", *Academy of Management Journal*, v. 17, n. 4, 1974, pp. 605-21. Ver também capítulo 21.

PARTE VI: RUÍDO OTIMIZADO [pp. 315-18]

1. Kate Stith e José A. Cabranes, *Fear of Judging: Sentencing Guidelines in the Federal Courts*. Chicago: University of Chicago Press, 1998, p. 177.

26. OS CUSTOS DA REDUÇÃO DE RUÍDO [pp. 319-27]

1. Albert O. Hirschman, *The Rhetoric of Reaction: Perversity, Futility, Jeopardy*. Cambridge, MA: Belknap Press, 1991.

2. Stith e Cabranes, *Fear of Judging*.

3. Ver, por exemplo, Three Strikes Basics, Escola de Direito de Stanford. Disponível em: <https://law.stanford.edu/stanford-justice-advocacy-project/three-strikes-basics>.

4. 428 U.S. 280, 1976.

5. Cathy O'Neil, *Weapons of Math Destruction: How Big Data Increases Inequality and Threatens Democracy*. Nova York: Crown, 2016. [Ed. bras.: *Algoritmos de destruição em massa: Como o big data aumenta a desigualdade e ameaça a democracia*. Trad. de Rafael Abraham. Santo André: Rua do Sabão, 2021.]

6. Will Knight, "Biased Algorithms Are Everywhere, and No One Seems to Care", *MIT Technology Review*, 12 jul. 2017.

7. Jeff Larson, Surya Mattu, Lauren Kirchner e Julia Angwin, "How We Analyzed the COMPAS Recidivism Algorithm", *ProPublica*, 23 maio 2016. Disponível em: <www.propublica.org/article/how-we-analyzed-the-compas-recidivism-algorithm>. A alegação de viés nesse exemplo é debatida e diferentes definições de viés podem levar a conclusões opostas. Para visões sobre esse caso e mais amplamente sobre a definição e medição do viés algorítmico, ver nota 10 deste capítulo.

8. Aaron Shapiro, "Reform Predictive Policing", *Nature*, v. 541, n. 7638, 2017, pp. 458-60.

9. Embora essa preocupação esteja voltando à tona no contexto dos modelos baseados em IA, não é específico da IA. Já em 1972 Paul Slovic notava que a modelagem da intuição preservaria e reforçaria, e talvez até amplificaria, os vieses cognitivos existentes. Paul Slovic, "Psychological Study of Human Judgment: Implications for Investment Decision Making", *Journal of Finance*, v. 27, 1972, p. 779.

10. Para uma introdução desse debate no contexto da controvérsia com o algoritmo de previsão de reincidência COMPAS, ver Larson et al., "COMPAS Recidivism Algorithm"; William Dieterich et al., "COMPAS Risk Scales: Demonstrating Accuracy Equity and Predictive Parity", Northpointe, Inc., 8 jul. 2016. Disponível em: <http://go.volarisgroup.com/rs/430-MBX-989/images/ProPublica_Commentary_Final_070616.pdf>; Julia Dressel e Hany Farid, "The Accuracy, Fairness, and Limits of Predicting Recidivism", *Science Advances*, v. 4, n. 1, 2018, pp. 1-6; Sam Corbett Davies et al., "A Computer Program Used for Bail and Sentencing Decisions Was Labeled Biased Against Blacks. It's Actually Not That Clear", *Washington Post*, 17 out. 2016. Disponível em: <www.washingtonpost.com/news/monkey-cage/wp/2016/10/17/can-an-algorithm-be-racist-our-analysis-is-more-cautious-than-propublicas>; Alexandra Chouldechova, "Fair Prediction with Disparate Impact: A Study of Bias in Recidivism Prediction Instruments", *Big Data*, v. 153, 2017, p. 5; e Jon Kleinberg, Sendhil Mullainathan e Manish Raghavan, "Inherent Trade-Offs in the Fair Determination of Risk Scores", Leibniz International Proceedings in Informatics, jan. 2017.

27. DIGNIDADE [pp. 328-37]

1. Tom R. Tyler, *Why People Obey the Law*, 2. ed., 2020.

2. *Cleveland Bd. of Educ. vs. LaFleur*, 414 U.S. 632, 1974.

3. Laurence H. Tribe, "Structural Due Process", *Harvard Civil RightsCivil Liberties Law Review*, v. 10, n. 2, primavera de 1975, p. 269.

4. Stith e Cabranes, *Fear of Judging*, p. 177.

5. Ver, por exemplo, Philip K. Howard, *The Death of Common Sense: How Law Is Suffocating America*. Nova York: Random House, 1995; e Philip K. Howard, *Try Common Sense: Replacing the Failed Ideologies of Right and Left*. Nova York: W. W. Norton & Company, 2019.

28. REGRAS OU PADRÕES? [pp. 338-48]

1. Hate Speech [discurso de ódio], Facebook: Community Standards. Disponível em: <www.facebook.com/communitystandards/hate_speech>.

2. Andrew Marantz, "Why Facebook Can't Fix Itself", *The New Yorker*, 12 out. 2020.

3. Jerry L. Mashaw, *Bureaucratic Justice*, Yale University Press, 1983.

4. David M. Trubek, "Max Weber on Law and the Rise of Capitalism", *Wisconsin Law Review*, v. 720, 1972, p. 733, n. 22 (citando Max Weber, *The Religion of China* [1951], p. 149).

Índice remissivo

Aboraya, Ahmed, 275

abordagem de heurística e vieses: coerência excessiva, 168-71; definição, 159; efeito de ancoragem, 167-8; heurística afetiva, 167; heurística de disponibilidade, 165; programa de heurísticas e vieses, 159; similaridade vs. probabilidade, 162-6; vieses de conclusão, 166-8, 171; vieses de substituição, 162-6, 170-1

abordagens baseadas em regras: modelo linear impróprio, 124-6; modelos de aprendizado de máquina, 128-32; modelos econômicos, 126, 128; superioridade sobre o julgamento humano, 133-5; visão geral, 123-4

agregação: avaliação de desempenho, 281-2; entrevistas de emprego, 297; higiene da decisão, 361; previsão, 252, 262-3; *estimar-conversar-estimar*, 254; média, 252; mercados preditivos, 253; método Delphi, 253

algoritmos: aversão a, 134; definição, 128-32; policiamento preditivo, 325; viés algorítmico, 324; *ver também* modelos de aprendizado de máquina; abordagens baseadas em regras

algoritmo COMPAS, 324

Algoritmos de destruição em massa (O'Neil), 324

Amazon Mechanical Turk, 208

análise de DNA, 13

análise de impressões digitais, 82, 92, 238-45; auditoria de ruído, 241-5; decisão de exclusão, 240; decisão de identificação, 240; falsos positivos, 246; impressões exemplares, 240; impressões latentes, 240; processo ACE-V, 24-1, 243; ruído de ocasião, 241-2; ruído na, 13; viés cognitivo, 248; viés de confirmação forense, 242-5, 248, 250; visão geral, 239-41

analistas de sinistro, seguro, 29-32

analistas políticos, 139-40

analogia da personalidade, 201-3; combinação de personalidade e situação, 201-2; modelo de cinco fatores de personalidade (Big Five), 201

Apgar, escala de, 271-3, 339, 360

Apgar, Virginia, 271

aprovações de empréstimo, 91

aproveitando-se do sistema, 333-4

arbitrariedade coerente, 190-3

Armstrong, J. Scott, 252

atenção e memória seletivas, 49

auditoria de ruído, 56, 367-72; administrando, 371; análise de impressões digitais, 241-5; análises e conclusões, 371-2; clientes, 368;

definição, 352; desvio-padrão, 60; empresa de gestão de ativos, 33-4; equipe de projeto, 368; exemplo de redução de ruído da GoodSell, 59-61, 66-8; função da, 358; gerente de projeto, 368; juízes, 368; reunião de pré--lançamento, 370; seguro, 30, 32; sentenças criminais, 21-3, 25, 71-8; simulação, 369-70
ausência de consenso *ver* discordância
Austin, William, 21
avaliação de desempenho, 277-89; classificações absolutas, 282-5; classificações relativas, 282-5; efeito halo, 281, 283; redução de ruído na: agregação, 281-2; escalas de avaliação ancoradas no comportamento, 287; escalas de caso, 287; estruturação, 283-4; ranking, 284; sistemas de classificação 360 graus, 281-2; sistema de ranking forçado, 282, 284-5; treinamento referencial, 287; revisão do desenvolvimento, 280, 286; ruído de sistema, 279-80; ruído na, 13; valor do questionamento, 288-9
avaliações independentes, 298, 306-7, 361
aversão ao risco, 334

Baron, Jonathan, 227
Bentham, Jeremy, 89
Bertillon, Alphonse, 239
beta perpétuo, previsões, 257, 259
BIN (viés, informação e ruído), modelo de previsão, 260
BI-RADS (Breast Imaging Reporting and Data System), 273
Bock, Laszlo, 296
boosting, 232
bootstrapping dialético, 86
Breast Imaging Reporting and Data System (BI-RADS), 273
Breyer, Stephen, 23
Brier, Glenn W., 256
Brier, pontuações de, 256-7

Cabranes, José, 25, 316
cálculo utilitário, 89

câncer de mama, variabilidade diagnóstica para, 267, 269
cansaço, como fonte de ruído de ocasião, 90
cardiopatia, variabilidade diagnóstica da, 268
cascatas informacionais, 100-2
categorização hierárquica, 180
causalidade vs. correlação, 150-1
Centor, escala de, 273
Centor, Robert, 273
Ceres (asteroide), 64
ciência forense, 82; análise de impressão digital *ver* análise de impressão digital; ruído em, 13; sequenciando informações, 249-50
classificações absolutas, avaliação de desempenho, 282-5
classificações relativas, 282-5
clientes, auditoria de ruído, 368
clima, como fonte de ruído de ocasião, 90
Clinical versus Statistical Prediction (Meehl), 114-5
"Clouds Make Nerds Look Good" (Simonsohn), 91
coerência abrangente, 197
coerência excessiva, 168-70; definição, 360; ruído e viés, 171
comentários de site, 99
Comissão de Sentenças dos Estados Unidos, 23-4
companhias aéreas: programa de xadrez, 322; regras vs. padrões, 342
comportamento regulador, 338-47
concessões de patente, 13, 207
concursos de vinhos, 82
confiabilidade de exame-reexame, 83
confiabilidade entre avaliadores, 50, 170, 267, 269
confiabilidade intrapessoal, 50
confiança, respeito-especialistas, 222
Conselho Presidencial de Consultores em Ciência e Tecnologia (PCAST), 246
consistência impensada, 122
constituições, 340
contratações *ver* entrevistas de emprego

correlação: causalidade vs., 150-1; de validação cruzada, 125-6; entrevista-desempenho, 137-8, 292

corretores de seguros, 29-32, 36

Corrigan, Bernard, 124-5

Cowgill, Bo, 132

credulidade, humor e, 88-9

criatividade, 318, 335-6

crueldades arbitrárias, sentenças criminais, 20-1, 55

Curry, Stephen, 81

Dartmouth Atlas Project, 266

Dawes, Robyn, 124-6

debate clínico vs. mecânico, 115-7, 133, 141-2

decisões de fiança: modelos de aprendizado de máquina, 130, 142; modelos econômicos, 126, 128; ruído em, 13

decisões de pessoal: cascatas informacionais, 100-2; ruído em, 13; *ver também* avaliação de desempenho; entrevistas de emprego

decisões de proteção e guarda de menores, 12, 347

decisões médicas, 264-76; câncer de mama, 267, 269; cardiopatia, 268; diagnóstico de ataques cardíacos, 142; endometriose, 268; estatística kappa, 267; fadiga e prescrição de opioides, 90; julgamento clínico, 142; melanoma, 269; modelos de aprendizado de máquina, 142; patologia e radiologia, 266-70; psiquiatria, 273-6; redução de ruído em, 265-6, 270-3; algoritmos, 271; BI-RADS, 273; escala de Apgar, 271-3; escala de Centor, 273; ruído de ocasião, 269-70; ruído em, 12; ruído interpessoal, 267, 269; segunda opinião, 265; síndrome do jaleco branco, 264; tuberculose, 268; variabilidade diagnóstica, 82

decisões recorrentes: decisões singulares vs., 39; definição, 38

decisões singulares, 38-41; decisões recorrentes vs., 39; higiene da decisão e, 361; pensamento contrafactual, 41; redução de ruído,

41; resposta à ameaça do ebola, 38-9, 41; resposta à crise da covid-19, 41; ruído em, 40-1; visão geral, 38-9

decisões sobre pedidos de asilo: efeito de informações irrelevantes em, 23; ordem dos casos e, 91; ruído de nível e, 207; ruído em, 12; vieses de conclusão, 171

Declaração Universal dos Direitos Humanos, 340, 347

decomposição *ver* protocolo das avaliações mediadoras

deliberações do júri, 104-5, 183-93; comparando ultraje, intento punitivo e indenizações, 188-90; exemplo Joan Glover vs. General Assistance, 183-8, 193; hipótese do ultraje, 186-90; indenizações punitivas, 186-90; prêmios monetários, 190-3

desempenho de memória, 92-3

desenviesamento, 358; ex ante *ver* ex ante, desenviesamento; ex post *ver* ex post, desenviesamento; limitações do, 233-4; observadores de decisão, 216, 234-6, 358, 373-5; ponto cego do viés, 234; visão geral, 230-1

desvelamento sequencial linear, 249

desvio-padrão, 45, 60, 74

diferença média absoluta, 74-5

dinâmica de grupo e tomada de decisão, 95-106; cascatas informacionais, 100-2; comentários de site, 99; efeito da sabedoria das multidões *ver* efeito da sabedoria das multidões; estudo de downloads de música, 96-8; influências sociais, 96, 103; polarização de grupo, 104-6; posições políticas, 98-9; propostas de referendo, 98; tendência da popularidade a se autorreforçar, 96-9

diretrizes *ver* regras vs. padrões

discordância: decisões médicas, 264-70; disparidades entre juízes, 19-23, 26; diversidade e, 26; expectativa de discordância restrita, 47, 54, 350

discriminação: algoritmos e, 324-6; nas sentenças criminais, 20-1, 55, 73, 131; *ver também* preconceito discriminação racial, 73, 131, 326; *ver também* viés

dissuasão: aversão ao risco e, 334; condenação criminal e, 76

distribuição gaussiana (normal), 59

diversidade: ausência de consenso e, 26; variabilidade indesejada vs., 32

doutrina profissional, respeito-especialistas, 221-2

Dreyfus, Alfred, 239

Dror, Itiel, 241-5

educação, para superar preconceitos, 232

efeito da sabedoria das multidões, 219; independência e, 100; previsões, 217, 253, 262; ruído de ocasião, 85-7

efeito de ancoragem, 167-8, 179, 191-3

efeito halo, 169, 281, 283

eliminação de interpretações alternativas, 197

endometriose, variabilidade diagnóstica para, 268

entendimento: previsões e, 150-1; visão em retrospecto e, 152-3

entrevistas comportamentais estruturadas, 298-9

entrevistas de emprego: agregação, 297; cascatas informacionais, 100-2; entrevistas comportamentais estruturadas, 298; julgamento estruturado, 296-300; avaliação independente, 298; julgamento holístico protelado, 299-300; protocolo de avaliações mediadoras, 297-8; perigos, 291-2; persistência de uma ilusão, 300; práticas de entrevista do Google, 296; psicologia dos entrevistadores, 294-6; redução de ruído em, 290-300; ruído em, 13, 292-4; testes de amostra de trabalho, 299; visão geral, 290-1

EQM (erro quadrático médio), 62-8, 70, 204, 351-2

equações de erro, 64-8; erro em uma medição isolada, 65; erro total, 65-8; julgamento avaliativo, 69

equiparação, 173-82; Bill, o exemplo do contador que toca jazz, 173-4; coerência e, 174; de intensidades, 175-6; definição, 173; exemplo da média escolar de Julie, 176-9; previsões comparadas: definição, 376; previsões corrigidas vs., 376-7; viés de, 176-9; ruído em, 179-82

equipe de projeto, auditoria de ruído, 368

erro: ciência forense e, 238, 245-7; custos dos erros, 344-6; erro quadrático médio (EQM), 62-8, 70, 204, 351-2; exercício do cronômetro, 44; método dos mínimos quadrados, 62-4; papel do ruído em, 44-5; pontuando julgamentos verificáveis, 51-2; redução de ruído e, 321-4; *ver também* ruído; viés

erro de atribuição fundamental, 211

erros de nível, 75-6

erros de padrão, 77, 199-200, 205; definição, 198; erro transitório e, 198; fatores transitórios e permanentes, 198

erros não regressivos, 178

escala de Competência de Tomada de Decisão Adulta, 226

escalas de avaliação ancoradas no comportamento, avaliação de desempenho, 287

escalas de caso: avaliação de desempenho, 287; definição, 361; protocolo de avaliações mediadoras, 311

escalas de intensidade: denominativas vs. comparativas, 181-2; equiparação de intensidades, 175-6; limitações do julgamento absoluto, 179-80

escalas de resposta, 184; ambiguidade em, 184, 194; comparando ultraje, intenção punitiva e indenizações, 188-90; escalas de razão, 190-1; hipótese do ultraje, 186-90; indenizações punitivas, 186-90; prêmios monetários, 190-3; ruído, 187-90

escalas numéricas, 50

especialistas: auditoria de ruído, 367, 369; disparidades entre juízes, 19-23, 26; superprevisores, 140, 219, 257-9; *ver também* respeito-especialistas; sentenças criminais

estatística kappa, 267

estilo cognitivo, respeito-especialistas, 225-8

estratégia de multidão seleta, previsões, 253

estresse, como fonte de ruído de ocasião, 90

estruturação de julgamentos complexos, 296-300; avaliação de desempenho, 283-4; avaliação independente, 298; julgamento holístico protelado, 299-300; protocolo de avaliações mediadoras, 297-8

estudo de downloads de música, 96-8

Estudo de Famílias Frágeis e Bem-Estar Infantil, 147-9

estudo de tomada de decisão, 371; *ver também* auditoria de ruído

ética deontológica, 89

ex ante, desenviesamento, 230-4; boosting, 232; nudges, 231-2

exemplo da aquisição da Roadco pela Mapco: avaliação independente, 306-7; decisão sobre a abordagem, 302-4; método *estimar-conversar-estimar*, 308, 312; reunião da decisão, 308-10; sequenciando informação, 305; transparência, 307; visão de fora, 306

exercício do cronômetro, 44

expectativa de discordância restrita, 47, 54, 350

Expert Political Judgment (Tetlock), 139

ex post, desenviesamento, 230

Facebook: Padrões da Comunidade, 341-2; Padrões de Implementação, 342

falácia de planejamento, 160

falácia do jogador, 91

Faulds, Henry, 239

Forgas, Joseph, 87-8

formação de equipes, previsões, 259, 262

Frankel, Marvin, 19-21, 26, 54-5, 72-3, 134, 315

Frankfurt, Harry, 89

função cerebral, variabilidade na, 93

Galton, Francis, 85, 239

Gambardi, problema de, 48-52, 161, 164, 174, 179, 258

Gates, Bill, 224

Gauss, Carl Friedrich, 62-4

gerente de projeto, auditoria de ruído, 368

GMA (capacidade mental geral), 222-5

Goldberg, Lewis, 117-22

Good Judgment Project, 254-7

GoodSell, exemplo de redução de ruído, 59-61, 66-8

Google, práticas de entrevista: agregação, 297; estruturação de julgamentos complexos: avaliação independente, 298; julgamento holístico protelado, 299; protocolo das avaliações mediadoras, 297-8; referências de terceiros, 299

Green Book, The, 231

Halpern, Avaliação de Pensamento Crítico, 226

Haran, Uriel, 227

Havel, Václav, 321

Hertwig, Ralph, 86

Herzog, Stefan, 86

heurística afetiva, 167

heurística de disponibilidade, 165

higiene da decisão, 316-7; custos dos erros, 345-6; decisões singulares, 361; desenviesamento e, 236-7; desvelamento sequencial linear, 249; estruturação de julgamentos complexos, 297; previsão, 262-3; princípios de, 358-61; agregação, 361; dividir para conquistar, 360; julgamentos relativos, 361; objetivo da precisão do julgamento, 358; sequenciando informação, 248-50, 360; visão de fora, 359;

visão geral, 14; *ver também* protocolo de avaliações mediadoras; redução de ruído

Hirschman, Albert, 321

Hoffman, Paul, 117

Howard, Philip, 336

Human Rights First, 20

humor e manipulação do humor, 87-90

IA (inteligência artificial), 142; *ver também* modelos de aprendizado de máquina ignorância objetiva: analistas políticos, 139-41; debate clínico vs. mecânico, 141-2; excesso de confiança, 139-41, 143; incerteza intratável, 138-9; informação imperfeita, 137; julgamento preditivo, 355; negação da ignorância, 143-4; previsão de curto prazo vs. previsão de longo prazo, 140; previsão de desempenho e, 137; sinal interno de conclusão do julgamento, 137, 143-4

ilusão de concordância, 34-7, 197

ilusão de validade, 116-7, 177

incerteza, 138-9

indústria de seguros, 13; analistas de sinistro, 29-32; auditoria de ruído, 29-32; corretores, 29-32; ilusão de concordância, 34-7; realismo ingênuo, 35; ruído de sistema, 32-4; variabilidade indesejada, 32-4; visão geral, 28

influências sociais, 97, 103

informação de taxa-base, 164

informação imperfeita, 138

Innocence Project, 245

insensibilidade ao escopo, 161

inteligência: cristalizada, 223; fluida, 223; respeito-especialistas, 222-5

interação de juiz por caso, 77

intuição, 377; *ver também* sinal interno de conclusão do julgamento

Jobs, Steve, 224

Journal of Applied Psychology, 291

juízes: auditoria de ruído, 368; disparidades entre, 19-23, 26; superprevisores, 140, 219, 257; *ver também* respeito-especialistas; sentenças criminais

julgamento: analogia da medição, 43-5; comparando com o resultado, 52-4; confiabilidade intrapessoal vs. interpessoal, 50; confiança em, 196-7; decisões médicas, 142; definição, 43-4, 113; discricionariedade judicial, 19-20; disparidades entre juízes, 19-23, 26; etapas em processos de julgamento complexo, 49-50; expectativa de discordância restrita, 47, 350; ilusão de concordância, 34-7; inverificável, 52-4, 350; julgamento pessoal, 350; julgamentos comparativos, 181-2; julgamentos profissionais, 350; limitações do julgamento absoluto, 179-82; loterias, 29-32; objetivo, 43-4; opinião e gosto vs., 47-8; previsão mecânica vs., 115-7; processo de avaliação do, 52-4; questões de julgamento, 47-8; raciocínio vs., 349; ruído de sistema, 26; sinal interno de conclusão do julgamento, 52, 137, 143-4, 355; tarefa de Gambardi, 48-52; variabilidade indesejada, 32-4; verificável, 51-4, 350; *ver também* julgamento avaliativo; julgamento preditivo; sentenças criminais

julgamento absoluto, limitações de, 179-80

julgamento avaliativo, 54-5, 350; equação de erro, 69; expectativa de discordância restrita, 55; múltiplas opções e escolhas, 54; preditivo vs., 54; ruído em, 55-6; tomada de decisão e, 69-70

julgamento caso a caso, 328-36; aversão ao risco, 334; criatividade, 335; dissuasão, 334; moral, 335; tirando proveito do sistema, 333-4; valores morais e, 330-3; visão geral, 328-9

julgamento clínico *ver* julgamento

julgamento holístico protelado, 299-300

julgamento pessoal, 350

julgamento preditivo, 14; abordagens baseadas em regras *ver* abordagens baseadas em regras; avaliativo vs., 54; definição, 350; ignorância objetiva, 355; ilusão de validade, 116-7; inverificável, 51; modelo "como se", 118; modelo do juiz, 118-22; ruído no, 55; sinal interno de conclusão do julgamento, 355; verificável, 350; viés no, 160; vieses psicológicos, 355-6; *ver também* previsão de desempenho

julgamentos profissionais, 350; *ver também* respeito-especialistas

julgamentos relativos, 361

justiça burocrática, 343

justiça do alcaide, 346

Kahana, Michael, 92-3
Kahneman, Daniel, 184
Kant, Immanuel, 89
Kasdan, Lawrence, 166
Kennedy, Edward M., 23
Keynes, John Maynard, 256
Kuncel, Nathan, 36, 121-2

LaFleur, Jo Carol, 331
lances livres, variabilidade em, 81-2
Lei de Reforma das Sentenças (1984), 23
Lewis, Michael, 133
Lieblich, Samuel, 275
listas de calorias em cardápios, 169
loteria: indústria de seguros, 29-32; lances livres, 81-2; ruído de ocasião como produto da segunda loteria, 82-3, 200; ruído de sistema como produto da primeira loteria, 83, 200; sentenças criminais, 74, 77
Lucas, George, 166-7

Macy, Michael, 98
"Magical Number Seven, The" (Miller), 180
manual de entrevistas, psiquiatria, 276
Manual diagnóstico e estatístico de problemas mentais, diretrizes, 3. edição (DSM-III), 274; 4. edição (DSM-IV), 275, 5. edição (DSM-V), 275
MAP ver protocolo de avaliações mediadoras
Mashaw, Jerry, 343
matriz de invalidez, 343
Mayfield, Brandon, 238, 244
McLanahan, Sara, 146-7
média, 68, 361; bootstrapping dialético, 86; efeito de sabedoria das multidões, 85-6, 217; erro quadrático médio, 62-4; estratégia de multidão seleta, 253; média aritmética simples, 253; previsões, 252; sentenças médias, 73
mediana, 62
medição: definição, 43; julgamento e, 43-5
medo de julgar, 316
Meehl, Paul, 114-7, 134

melanoma, variabilidade diagnóstica para, 269
Mellers, Barbara, 140, 227, 254-7, 260-1
mentalidade ativamente receptiva, 227, 258, 357
mercador de Veneza, O (Shakespeare), 329
mercados preditivos, 253-4
metáfora do estande de tiro, 9-11, 56, 160
método Delphi, previsão, 253
método dos mínimos quadrados, 62-4
método estatístico padrão, previsão de desempenho, 113-4
método estimar-conversar-estimar: previsões, 254; protocolo das avaliações mediadoras, 308, 312
método Mini Delphi: previsões, 254; protocolo de avaliações mediadoras, 308, 312
modelo "como se", julgamento preditivo, 118
modelo de cinco fatores de personalidade (Big Five), 117-8, 201
modelo de peso igual (modelo linear impróprio), 124-6
modelo do juiz, 118-22
modelo linear aleatório, previsão de desempenho, 121-2
modelos de aprendizado de máquina: algoritmos ver algoritmos; decisões de fiança, 130-2, 142; decisões médicas, 142, 271; imparcialidade, 132; julgamento preditivo, 128-32; princípio da perna quebrada, 129; trajetórias de vida, 148
modelos de regressão linear ver modelos simples
modelos econômicos (regras simples), 126, 128
modelos simples, 114, 117-22; princípio da perna quebrada, 129; trajetórias de vida, 148
Moneyball (Lewis), 133
Moore, Don, 254-7
moral, 15, 282, 335
Morewedge, Carey, 232
Muchnik, Lev, 99
Mullainathan, Sendhil, 129-30, 142
multidão interior, 85-6

Nash, Steve, 81
NBA, 81
negação da ignorância, 143-4
negociações: ancoragem e, 168; humor e, 88
neutralização, sentenças criminais e, 76
normas compartilhadas, respeito-especialistas, 221
nudges, desenviesamento ex ante, 230, 232
nulificação do júri, 344

O'Neal, Shaquille, 81
O'Neil, Cathy, 324
Obama, Barack, 38
Obermeyer, Ziad, 142
observadores de decisão, 216, 234-6, 358, 373-5
OMB Circular A-4, documento, 235
On Bullshit (Frankfurt), 89
operações informais, 49
ordem dos casos como fonte de ruído de ocasião, 91

padrões: analogia da personalidade, 201-3; dicas múltiplas e conflitantes, 195-6; exemplo da média escolar de Julie, 195-201; ilusão de concordância, 197; ruído de padrão estável, 197-8, 201
padrões *ver* regras vs. padrões
Pashler, Harold, 84-7
patologia, variabilidade diagnóstica em, 266-70
PCAST (Conselho Presidencial de Consultores em Ciência e Tecnologia), 246
pena de morte, 322
Pennycook, Gordon, 88
pensamento contrafactual, 41
pensamento estatístico *ver* visão de fora
percentual de concordância (PC): correlação entrevista-desempenho, 138, 292; definição, 110
polarização de grupo, 104-6
policiamento preditivo, 325
política de três strikes, 322, 344
ponto cego do viés, 234

pontos fora da curva, 379
posições políticas, 98
precisão: como objetivo do julgamento, 44, 358; variabilidade natural, 44-5
preconceitos cognitivos: análise de impressão digital, 248; excesso de confiança, 233-4; ignorância objetiva e, 139-41, 143; previsão, 251; falácia do jogador, 91
preconceitos psicológicos: coerência excessiva, 168-70, 171; diagnósticos, 160-2; erro de atribuição fundamental, 211; falácia de planejamento, 160; insensibilidade ao escopo, 161; julgamento preditivo, 355-6; previsões, 261; raciocínio causal e, 212; viés estatístico e, 159; vieses de conclusão, 166-8, 171; vieses de substituição, 162-6, 170-1; visão em retrospecto, 211
prejulgamentos *ver* vieses de conclusão
prêmios monetários, 190-3
previsão de desempenho: ignorância objetiva e, 137; julgamento clínico, 113-7; método estatístico padrão, 113-4; modelo linear aleatório, 121-2; modelos simples, 114, 117-22; técnica de regressão múltipla, 113; visão geral, 112; *ver também* previsão mecânica
previsão mecânica: definição, 114; julgamento clínico vs., 115-7; modelos simples, 114, 117-22, 129, 148; *ver também* abordagem baseada em regras
previsões, 82-3; agregação *ver* agregação: previsão; aperfeiçoamento, 252-4; beta perpétuo, 257, 259; confiança excessiva, 251-2; curto prazo vs. longo prazo, 139, 141; diversidade vs. variabilidade indesejada, 33; equipes, 259, 261; Good Judgment Project, 254-7; higiene da decisão, 262-3; modelo BIN, 260; pensamento ativamente receptivo, 258; ruído de ocasião, 252; ruído em, 12, 259-62; ruído interpessoal, 252; seleção, 253, 260, 261-3; superprevisores, 140, 219, 257-9; treinamento, 259, 261; viés em, 259-62; viés estatístico, 261; vieses psicológicos, 261; visão geral, 251-2; *ver também* previsão de desempenho

previsões corrigidas, 376-9; assumindo a visão de fora, 378; intuição e, 377; natureza conservadora de, 379; pontos fora da curva, 379; previsões comparadas vs., 376-7; quantificando o valor diagnóstico de dados disponíveis, 378; regressão à média, 377

Price, Mark, 81

princípio da perna quebrada: modelos de aprendizado de máquina, 129; modelos simples, 129

princípio de dividir para conquistar, higiene da decisão, 360

Principles of Forecasting (Armstrong), 252

problema da passarela, 89-90

propostas de referendo, 98

ProPublica, 324

protocolo de avaliações mediadoras (MAP), 302-10; classe de referência, 306; decisões recorrentes, 310-1; definição, 360; entrevistas de emprego, 297; principais etapas do, 311; taxa-base, 306; *ver também* exemplo da aquisição da Roadco pela Mapco

psiquiatria: diretrizes DSM-III, 274; diretrizes DSM-IV, 275; diretrizes DSM-V, 275; manual de entrevistas, 276; ruído de padrão, 274; ruído em, 12

raciocínio causal, 151-2, 154-5, 213

raciocínio probabilístico, 42

radiologia, variabilidade diagnóstica em, 266-70

Ramji-Nogales, Jaya, 91

ranking, avaliação de desempenho, 282, 284-5

Rápido e devagar (Kahneman), 159, 300

reabilitação, condenação criminal e, 76

realismo ingênuo, 35

receptividade a bobagens, 89

recrutamento *ver* entrevistas de emprego

redes sociais, 341-2

redução de ruído: auditoria de ruído, 358; na avaliação de desempenho *ver* avaliação de desempenho: redução de ruído na; com regras e diretrizes, 26; custos de, 319-26; propenso a erros, 321-4; viés, 324-6; visão geral, 319-20;

em decisões médicas *ver* decisões médicas: redução de ruído em; desenviesamento, 216, 230-7, 358, 373-5; em entrevistas de emprego *ver* entrevistas de emprego; equação de erro geral, 66-8; exemplo de redução de ruído da GoodSell, 66-8; objeções a, 317-8; pensamento ativamente receptivo, 357; previsão, 252-4; *ver também* higiene da decisão

regras simples (modelos econômicos), 126, 128

regras vs. padrões, 338-47; custos das decisões, 344-6; custos dos erros, 344-6; divisões sociais e políticas, 340; eliminando o ruído, 346-7; ignorância e, 340; justiça burocrática, 343; justiça do alcaide, 346; matriz de invalidez, 343; mídias sociais, 341-2; nulificação do júri, 344; setor aéreo, 342; viés, 340, 347; visão geral, 338-9

regressão à média, 178, 377

regulamentação do comportamento, 338-47

respeito-especialistas, 357; confiança, 222; doutrina profissional, 221-2; estilo cognitivo, 225-8; experiência, 222; inteligência, 222-5; pensamento ativamente receptivo, 227; visão geral, 220-1

Retorno de Jedi, O (filme), 166

reunião de pré-lançamento, auditoria de ruído, 370

revisão de desenvolvimento, avaliação de desempenho, 280, 286

Rhetoric of Reaction, The (Hirschman), 321

Ritov, Ilana, 227

Rosenzweig, Phil, 212

ruído: coerência excessiva, 171; componentes do, 204; contribuição para o erro, 58, 64-8; definição, 9-11; discussão geral, 12-5; efeito do, 352-3; entrevistas de emprego, 292-4; equação de erro geral, 64-8; equiparação, 179-82; escalas de resposta, 187-90; exercício do cronômetro, 44; igualado a viés, 61; importância de reconhecer, 11; julgamento preditivo, 14; medição, 56, 351-2; metáfora do estande de tiro, 9-11, 56; nível ótimo de, 15; obscuridade de, 356; ruído de nível, 76,

79, 188; ruído de padrão, 76-8, 188, 197-8; tipos de, 353-4; viés vs., 10-1, 13, 56; vieses de conclusão e, 171; vieses de substituição, 170-1; *ver também* ruído de ocasião; ruído de sistema

ruído de nível, 76, 79-80, 188; avaliação de desempenho, 283; definição, 353; medindo, 206-10; sentenças criminais, 322

ruído de ocasião, 14, 79-80, 354; análise de impressões digitais, 241-2; *bootstrapping dialético*, 86; causas internas de, 92-3; como produto da segunda loteria, 82-3, 200; decisões médicas, 269-70; efeito da sabedoria das multidões, 85-7, 99-100, 217; exemplo do lance livre, 81-2; fontes de, 87-91; medição, 83-4, 206-10; multidão interior, 85-6; ordem dos casos como fonte de, 91; ruído de padrão e, 197-8; tamanho em relação ao ruído do sistema, 91-2; vieses de substituição, 170

ruído de padrão, 76-8, 188, 201, 203, 354; fontes de, 199; interação de juiz por caso, 77; medindo, 206-10; psiquiatria, 274; ruído de ocasião e, 197-8; ruído de padrão estável, 197-8, 201, 206-10, 354

ruído de sistema, 26, 71; auditoria de ruído da seguradora, 30-2; avaliação de desempenho, 279-80; como produto da primeira loteria, 200; componentes de, 79; decomposição em ruído de sistema e ruído de padrão, 78; definição, 79, 351; deliberações de júri, 188; inconsistência, 56; ruído de nível e *ver* ruído de nível; ruído de ocasião e, 354; ruído de padrão e *ver* ruído de padrão; variabilidade indesejada, 32-4

ruído interpessoal, 50, 171, 267, 269

ruído otimizado: custos de redução do ruído, 319-26; nível do erro, 321-4; viés, 324-6; visão geral, 319-20; julgamento caso a caso *ver* julgamento caso a caso; regras vs. padrões *ver* regras vs. padrões; visão geral, 315-8

Salganik, Matthew, 96-8, 146

Salikhov, Marat, 260-1

Satopää, Ville, 260-2

Save More Tomorrow, 231

Schkade, David, 184

segunda opinião, decisões médicas, 265

seleção, previsões, 252-3, 260-3

Sellier, Anne-Laure, 232

sentenças criminais: auditoria de ruído de, 14, 71-8; clima e, 90; Comissão de Sentenças dos Estados Unidos, 23-4; crueldades arbitrárias, 20-1, 55; diretrizes de sentenças, 23-6; facultativas, 25-6; obrigatórias, 23-5; discricionariedade judicial, 19-20; disparidades entre juízes, 19-23, 25-6; erros de nível, 75-6; erros de padrão, 77, 198; fatores externos influenciando as decisões dos juízes, 22; juiz por caso, 77; julgamento avaliativo, 54; Lei de Reforma das Sentenças (1984), 23; pena de morte obrigatória, 322; política de três strikes, 322, 344; ruído de nível, 76; ruído de padrão, 76-80; sentenças médias, 73-4; ucasses idiossincráticos, 20; viés, 20, 25; *Woodson contra a Carolina do Norte*, 322

sequenciando informação: ciência forense, 249-50; na higiene da decisão, 360; protocolo de avaliações mediadoras, 305

"Shared Outrage and Erratic Awards" (Kahneman, Sunstein, Schkade), 190

Simonsohn, Uri, 91

simulação, auditoria de ruído, 369-70

sinal interno de conclusão do julgamento, 52; ignorância objetiva e, 137, 143-4; julgamento preditivo, 355

síndrome do jaleco branco, 264

Sistema 1 de pensamento: definição, 159; equiparação, 180; previsões comparadas, 176, 179; vieses de conclusão, 166

Sistema 2 de pensamento: previsões comparadas, 179; vieses de conclusão, 166

sistema de ranking forçado, 282, 284-5

sistemas de classificação 360 graus, avaliação de desempenho, 281-2

Slovic, Paul, 167

Stevens, S. S., 190-2

Stith, Kate, 25, 316
Sunstein, Cass R., 184
superconfiança, 233-4; ignorância objetiva e, 139-41, 143; previsões, 251-2
superprevisores, 140, 219, 257-9

técnica de regressão múltipla, 113
tendência da popularidade a se autorreforçar, 96-9
teorema de Pitágoras, 65
teste de reflexo cognitivo (TRC), 225
testes de amostra de trabalho, entrevistas de emprego, 299
Tetlock, Philip, 139-40, 254-7, 259-61
Todorov, Alexander, 208
tomada de decisão: custos das decisões, 344-6; decisões recorrentes, 38-9; decisões singulares, 38-42, 361; julgamento avaliativo e, 69-70; sem misturar valores e fatos, 69; *ver também* dinâmica de grupo e tomada de decisão
trajetórias de vida: compreensão, 150-4; correlação vs. causalidade, 150-1; estudo de Famílias Frágeis e Bem-Estar Infantil, 147-9; pensamento estatístico, 151, 154; raciocínio causal, 151-2, 154; visão em retrospecto, 152-3; visão geral, 146-7
transparência, protocolo de avaliações mediadoras, 307
tratamento individualizado *ver* julgamento caso a caso
TRC (teste de reflexo cognitivo), 225
treinamento: previsões, 259, 261; respeito-especialistas, 221-2; treinamento referencial, 287-8
tuberculose, variabilidade diagnóstica para, 268

vale do normal, 152-5, 211
valores morais, 330-3
variabilidade diagnóstica: câncer de mama, 267, 269; cardiopatia, 268; endometriose, 268; melanoma, 269; patologia, 269; radiologia, 266-8; tuberculose, 268

viés: cascatas de viés, 244; checklist de viés, 235-6; checklist de observação de viés, 373-5; coerência excessiva, 168-70, 171; contribuição para o erro, 58-9, 65-8; decisões de contratação, 293; definição, 9-10, 161-2; desenviesamento, 216, 230-7, 358, 373-5; diagnóstico, 160-2; equação de erro geral, 64-8; erros e, 350-1; excesso de confiança, 139-41, 143, 233-4, 251; exercício do cronômetro, 44; falácia de planejamento, 160; igualdade com ruído, 61; medição, 351-2; metáfora do estande de tiro, 9-11; redução, 61, 66; redução de ruído e, 324-6; regras vs. padrões, 341, 348; ruído vs., 10-1, 13, 56; sentenças criminais, 20, 25; uso amplo da palavra, 161-2; viés cognitivo, 91, 233, 248; viés de conclusão, 166-8, 171; viés de confirmação, 166-7, 169; viés de confirmação forense, 242-5, 248; viés de desejabilidade, 167; viés de statu quo, 233; viés de substituição, 162-6, 170-1; *ver também* vieses psicológicos
viés estatístico, 170; definição, 159; previsões, 261; viés psicológico e, 159
viés, informação e ruído (BIN), modelo de previsão, 260
vieses de conclusão: efeito de ancoragem, 167-8; heurística afetiva, 167; ruído, 171; viés de confirmação, 166-7; viés de desejabilidade, 167
vieses de substituição: Bill, exemplo do contador que toca jazz, 162-3; ruído, 170-1; substituição de um julgamento difícil por um fácil, 165-6, 177-8; substituição de uma questão por outra, 162-6
visão de fora, 152, 154, 213, 357; higiene da decisão, 359-60; prevenção de erros e, 164; previsões corrigidas, 378; protocolo de avaliações mediadoras, 306
visão em retrospecto, 152-3, 211
Vul, Edward, 84-7

Wainer, Howard, 126
Weber, Max, 346

Welch, Jack, 282
Williams, Thomas, 21
Woodson contra a Carolina do Norte, 322
Work Rules! (Bock), 296

Yang, Crystal, 25
Yu, Martin, 121-2

Zuckerberg, Mark, 224

1ª EDIÇÃO [2021] 5 reimpressões

ESTA OBRA FOI COMPOSTA PELA ABREU'S SYSTEM EM INES LIGHT E IMPRESSA
EM OFSETE PELA GRÁFICA SANTA MARTA SOBRE PAPEL PÓLEN NATURAL
DA SUZANO S.A. PARA A EDITORA SCHWARCZ EM DEZEMBRO DE 2023

A marca FSC® é a garantia de que a madeira utilizada na fabricação do papel deste livro provém de florestas que foram gerenciadas de maneira ambientalmente correta, socialmente justa e economicamente viável, além de outras fontes de origem controlada.